제1회 시험(8.1일 추가 시험 포함) 복원 문제 수록

최신 국가전문 맞춤형 화장품 조제관리사

국제미용건강콘텐츠협회
김윤식 · 강춘구 · 강현경 · 정인순 · 이춘양 · 박상태 공저

- 과목별 핵심이론 및 요점정리 수록
- 식품의약품안전처 출제방향에 맞춘 문제 및 해설 수록

beauty

21세기사

맞춤형화장품조제관리사 기출문제를 철저하게 분석한 교재를 출간하며

지식의 양이 폭발적으로 증가한 21세기는 짧은 기간 동안 인간의 삶의 질이 급속도로 향상되었다. 아는 상식이 많은 만큼 다양한 욕구가 생겼고, 이러한 수요를 충족시키고자 여러 분야에서의 연구와 노력이 유용한 결실을 맺어서 생활 수준의 향상과 수명 연장이라는 인간의 소망을 실현시켰습니다.

타인의 건강과 아름다움을 창출해 주는 직종이 뷰티관련업이고, 뷰티의 기본 요소 중 중요한 비중을 차지하는 것이 화장품이다. 이제 화장은 선택이 아닌 필수가 되었고, 다양한 용도와 특성, 형태, 사용법으로 혼란스러울 정도로 화장품의 범람시대입니다.

화장품이 현대인이 필수품이 되다 보니, 일반인조차도 자신에게 맞는 화장품이 무엇이고, 좋은 화장품이 어떤 것인지를 선택하기 위해, 관심을 갖고 학습하여 다양한 지식을 갖게 되었습니다. 이러한 고객의 눈높이에 맞게 화장품 사용을 상담할 전문직종이 맞춤형화장품조제관리사입니다. 맞춤형화장품조제관리사는 인간의 행복한 삶을 선도하는 미래의 유망 직종으로 타인의 삶의 가치를 향상시킴으로서 사회로 부터 존경받는 직업이 될 것입니다.

병을 치료하기 위해 약을 조제하는 전문가가 약사라면, 고객을 상담하고 고객의 아름답고 건강한 삶을 설계하기 위해 여러 화장품을 혼합하고 소분하는 전문인이 맞춤형화장품조제관리사입니다. 맞춤형화장품조제관리사는 업무의 중요성만큼 화장품과 인체 등에 관한 깊고 넓은 지식을 갖추어야 합니다.

지난 시험의 기출문제를 분석하고 복원해 보면, 화장품 재료로 활용되는 물질에 대한 성분이나 함량 및 위해성, 화장품과 개인정보 관련 법령(시행규칙, 시행령, 별표 포함), 생산 환경 등에서는 전문적 지식을 요구하는 난해한 문제들이 많이 출제되었습니다.

출제의 비중이 높은 영역의 어려운 내용들을 수험생들이 쉽게 이해하고 학습할 수 있는 교재를 저술하고자, 교재 연구에 도움을 주신 분들과 저술에 참여하신 모든 저자분들을 뷰티 및 화장품 관련 분야의 박사급 전문가들로 모셨습니다.

뜻 깊은 양서의 저술에 참여해주신 저자 분들과 21세기사 이범만 사장님께 깊이 감사드립니다.
또한 꿈을 실현하고자 하는 열정 있는 많은 분들이 이 교재를 잘 학습하여, 맞춤형화장품조제관리사 자격을 취득하고 역량 있는 전문가로서 확고한 위치를 잡아서 아름답고 건강한 사회를 선도하는 주역이 되시길 기원합니다.

국제미용건강콘텐츠협회 대표회장 김윤식

목 차

시험안내

1. 시험소개

맞춤형화장품 조제관리사 자격시험은 화장품법 제3조4항에 따라 맞춤형화장품의 혼합, 소분 업무에 종사하고자 하는 자를 양성하기위해 실시하는 시험입니다.

2. 시험과목 및 시험방법

가. 시험과목 및 세부내용

교과목	주요 항목	세부 내용
1. 화장품법의 이해	1.1. 화장품법	• 화장품법의 입법취지 • 화장품의 정의 및 유형 • 화장품의 유형별 특성 • 화장품법에 따른 영업의 종류 • 화장품의 품질 요소(안전성, 안정성, 유효성) • 화장품의 사후관리 기준
	1.2. 개인정보 보호법	• 고객 관리 프로그램 운용 • 개인정보보호법에 근거한 고객정보 입력 • 개인정보보호법에 근거한 고객정보 관리 • 개인정보보호법에 근거한 고객 상담
2. 화장품 제조 및 품질관리	2.1. 화장품 원료의 종류와 특성	• 화장품 원료의 종류 • 화장품에 사용된 성분의 특성 • 원료 및 제품의 성분 정보
	2.2. 화장품의 기능과 품질	• 화장품의 효과 • 판매 가능한 맞춤형화장품 구성 • 내용물 및 원료의 품질성적서 구비
	2.3. 화장품 사용제한 원료	• 화장품에 사용되는 사용제한 원료의 종류 및 사용한도 • 착향제(향료) 성분 중 알레르기 유발 물질
	2.4. 화장품 관리	• 화장품의 취급방법 • 화장품의 보관방법 • 화장품의 사용방법 • 화장품의 사용상 주의사항
	2.5. 위해사례 판단 및 보고	• 위해여부 판단 • 위해사례 보고

교과목	주요 항목	세부 내용
3. 유통 화장품 안전관리	3.1. 작업장 위생관리	• 작업장의 위생 기준 • 작업장의 위생 상태 • 작업장의 위생 유지관리 활동 • 작업장 위생 유지를 위한 세제의 종류와 사용법 • 작업장 소독을 위한 소독제의 종류와 사용법
	3.2. 작업자 위생관리	• 작업장 내 직원의 위생 기준 설정 • 작업장 내 직원의 위생 상태 판정 • 혼합 · 소분 시 위생관리 규정 • 작업자 위생 유지를 위한 세제의 종류와 사용법 • 작업자 소독을 위한 소독제의 종류와 사용법 • 작업자 위생 관리를 위한 복장 청결상태 판단
	3.3. 설비 및 기구 관리	• 설비 · 기구의 위생 기준 설정 • 설비 · 기구의 위생 상태 판정 • 오염물질 제거 및 소독 방법 • 설비 · 기구의 구성 재질 구분 • 설비 · 기구의 폐기 기준
	3.4. 내용물 및 원료 관리	• 내용물 및 원료의 입고 기준 • 유통화장품의 안전관리 기준 • 입고된 원료 및 내용물 관리기준 • 보관중인 원료 및 내용물 출고기준 • 내용물 및 원료의 폐기 기준 • 내용물 및 원료의 사용기한 확인 · 판정 • 내용물 및 원료의 개봉 후 사용기한 확인 · 판정 • 내용물 및 원료의 변질 상태(변색, 변취 등) 확인 • 내용물 및 원료의 폐기 절차
	3.5. 포장재의 관리	• 포장재의 입고 기준 • 입고된 포장재 관리기준 • 보관중인 포장재 출고기준 • 포장재의 폐기 기준 • 포장재의 사용기한 확인 · 판정 • 포장재의 개봉 후 사용기한 확인 · 판정 • 포장재의 변질 상태 확인 • 포장재의 폐기 절차

교과목	주요 항목	세부 내용
4. 맞춤형 화장품의 이해	4.1. 맞춤형화장품 개요	• 맞춤형화장품 정의 • 맞춤형화장품 주요 규정 • 맞춤형화장품의 안전성 • 맞춤형화장품의 유효성 • 맞춤형화장품의 안정성
	4.2. 피부 및 모발 생리구조	• 피부의 생리 구조 • 모발의 생리 구조 • 피부 모발 상태 분석
	4.3. 관능평가 방법과 절차	• 관능평가 방법과 절차
	4.4. 제품 상담	• 맞춤형 화장품의 효과 • 맞춤형 화장품의 부작용의 종류와 현상 • 배합금지 사항 확인 · 배합 • 내용물 및 원료의 사용제한 사항
	4.5. 제품 안내	• 맞춤형 화장품 표시 사항 • 맞춤형 화장품 안전기준의 주요사항 • 맞춤형 화장품의 특징 • 맞춤형 화장품의 사용법
	4.6. 혼합 및 소분	• 원료 및 제형의 물리적 특성 • 화장품 배합한도 및 금지원료 • 원료 및 내용물의 유효성 • 원료 및 내용물의 규격(PH, 점도, 색상, 냄새 등) • 혼합 · 소분에 필요한 도구 · 기기 리스트 선택 • 혼합 · 소분에 필요한 기구 사용 • 맞춤형화장품 판매업 준수사항에 맞는 혼합 · 소분 활동
	4.7. 충진 및 포장	• 제품에 맞는 충진 방법 • 제품에 적합한 포장 방법 • 용기 기재사항
	4.8. 재고관리	• 원료 및 내용물의 재고 파악 • 적정 재고를 유지하기 위한 발주

나. 시험방법 및 문항유형

과목명	문항유형	과목별 총점	시험방법
화장품법의 이해	선다형 7문항 단답형 3문항	100점	필기시험
화장품 제조 및 품질관리	선다형 20문항 단답형 5문항	250점	
유통화장품의 안전관리	선다형 25문항	250점	
맞춤형화장품의 이해	선다형 28문항 단답형 12문항	400점	

※ 문항별 배점은 난이도별로 상이하며, 구체적인 문항배점은 비공개입니다.

다. 시험시간

과목명	입실시간	시험시간
화장품법의 이해 화장품 제조 및 품질관리 유통화장품의 안전관리 맞춤형화장품의 이해	09:00까지	09:30 ~ 11:30 (120분)

3. 응시자격

○ 제한 없음

4. 합격기준

○ 전 과목 총점(1,000점)의 60%(600점) 이상을 득점하고, 각 과목 만점의 40% 이상을 득점한 자

5. 시험 시행 기관

○ 한국생산성본부 자격컨설팅센터
○ (문의) 전화번호: 02-724-1170
○ 홈페이지: https://license.kpc.or.kr/qplus/ccmm

맞춤형화장품조제관리사 자격시험 예시문항

- 화장품법의 이해[1-4번]
- 화장품제조 및 품질관리[5-10번]
- 유통화장품 안전관리[11-13번]
- 맞춤화장품조의 이해[14-19번]

과목명: 화장품법의 이해 [1–4번]

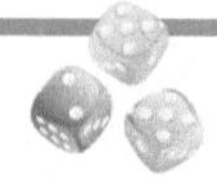

1 **화장품법상 등록이 아닌 신고가 필요한 영업의 형태로 옳은 것은?**

① 화장품 제조업
② 화장품 수입업
③ 화장품 책임판매업
④ 화장품 수입대행업
⑤ 맞춤형화장품 판매업

해설 화장품법제2조의2(영업의 종류), 화장품법 시행규칙 제3조, 제4조
①, ③은 화장품법 제3조(영업의 등록)제1항부터 제3항.

답: ⑤

2 **고객 상담 시 개인정보 중 민감정보에 해당 되는 것으로 옳은 것은?**

① 여권법에 따른 여권번호
② 주민등록법에 따른 주민등록번호
③ 출입국관리법에 따른 외국인등록번호
④ 도로교통법에 따른 운전면허의 면허번호
⑤ 유전자검사 등의 결과로 얻어진 유전 정보

해설 [민감정보의 범위] 제18조 법 제23조제1항에 해당하는 사항

답: ⑤

3 **맞춤형화장품 판매업소에서 제조 · 수입된 화장품의 내용물에 다른 화장품의 내용물이나 식품의약품안전처장이 정하는 원료를 추가하여 혼합하거나 제조 또는 수입된 화장품의 내용물을 소분(小分)하는 업무에 종사하는 자를 (㉠)(이)라고 한다. ㉠에 들어갈 적합한 명칭을 작성하시오.**

해설 화장품법 제2조(정의), 제2조의2(영업의 종류),
제3조의2(맞춤형화장품판매업의 신고)– [시행일 : 2020. 3. 14.] 제3조의2

답: 맞춤형화장품조제관리사

4 **다음 〈보기〉는 화장품법 시행규칙 제18조 1항에 따른 안전용기 · 포장을 사용하여야 할 품목에 대한 설명이다. 괄호에 들어갈 알맞은 성분의 종류를 작성하시오.**

ㄱ. 아세톤을 함유하는 네일 에나멜 리무버 및 네일 폴리시 리무버
ㄴ. 개별 포장당 메틸 살리실레이트를 5% 이상 함유하는 액체상태의 제품
ㄷ. 어린이용 오일 등 개별포장 당 (   )류를 10% 이상 함유하고 운동점도가 21 센티스톡스(섭씨 40도 기준) 이하인 비에멀전 타입의 액체상태의 제품

해설 제9조(안전용기 · 포장 등) 제1, 제18조(안전용기 · 포장 대상 품목 및 기준)

답: 탄화수소

과목명: 화장품제조 및 품질관리 [5-10번]

5 화장품에 사용되는 원료의 특성을 설명 한 것으로 옳은 것은?

① 금속이온봉쇄제는 주로 점도증가, 피막형성 등의 목적으로 사용된다.
② 계면활성제는 계면에 흡착하여 계면의 성질을 현저히 변화시키는 물질이다.
③ 고분자화합물은 원료 중에 혼입되어 있는 이온을 제거할 목적으로 사용된다.
④ 산화방지제는 수분의 증발을 억제하고 사용감촉을 향상시키는 등의 목적으로 사용된다.
⑤ 유성원료는 산화되기 쉬운 성분을 함유한 물질에 첨가하여 산패를 막을 목적으로 사용된다.

해설 제17조의2(지정 · 고시된 원료의 사용기준의 안전성 검토
제17조의3(원료의 사용기준 지정 및 변경 신청 등),
제8조(화장품 안전기준 등), 화장품법 제8조제6항
① 금속이온봉쇄제 : 산화, 산패 방지
③ 고분자화합물 : 네일에나멜의 피막제, 팩, 헤어스프레이 등
④ 산화방지제 : 항산화제
⑤ 유성원료 : 피지막을 형성하여 피부의 수분증발을 억제, 유연성과 윤활성을 부여 등

답: ②

6 맞춤형화장품의 내용물 및 원료에 대한 품질검사결과를 확인해 볼 수 있는 서류로 옳은 것은?

① 품질규격서
② 품질성적서
③ 제조공정도
④ 포장지시서
⑤ 칭량지시서

해설 화장품법 제3조제3항(영업의 등록), 화장품법 시행규칙 제7조(화장품의 품질관리기준 등)
화장품법 제5조(영업자의 의무 등), 화장품법 시행규칙제11조(화장품책임판매업자의 준수사항)

답: ②

7 맞춤형화장품 매장에 근무하는 조제관리사에게 향료 알레르기가 있는 고객이 제품에 대해 문의를 해왔다. 조제관리사가 제품에 부착된 〈보기〉의 설명서를 참조하여 고객에게 안내해야 할 말로 가장 적절한 것은?

- 제품명: 유기농 모이스춰로션
- 제품의 유형: 액상 에멀젼류
- 내용량: 50g
- 전성분: 정제수, 1,3부틸렌글리콜, 글리세린, 스쿠알란, 호호바유, 모노스테아린산글리세린, 피이지 소르비탄지방산에스터, 1,2헥산디올, 녹차추출물, 황금추출물, 참나무이끼추출물, 토코페롤, 잔탄검, 구연산나트륨, 수산화칼륨, 벤질알코올, 유제놀, 리모넨

① 이 제품은 유기농 화장품으로 알레르기 반응을 일으키지 않습니다.
② 이 제품은 알레르기는 면역성이 있어 반복해서 사용하면 완화될 수 있습니다.
③ 이 제품은 조제관리사가 조제한 제품이어서 알레르기 반응을 일으키지 않습니다.
④ 이 제품은 알레르기 완화 물질이 첨가되어 있어 알레르기 체질 개선에 효과가 있습니다.
⑤ 이 제품은 알레르기를 유발할 수 있는 성분이 포함되어 있어 사용 시 주의를 요합니다.

해설 참나무이끼추출물, 벤질알코올, 유제놀, 리모넨 (착향료 알레르기 유발물질)
「화장품법 시행규칙」 * 개정 2018.12.31., 시행 2020.1.1.
화장품법 시행규칙 [별표 4] 화장품 포장의 표시기준 및 표시방법(제19조제6항 관련)
부칙〈총리령 제1516호, 2018. 12. 31.〉 제19조(화장품 포장의 기재사항에 관한 경과조치)

답: ⑤

8 다음 〈보기〉에서 ㉠에 적합한 용어를 작성하시오.

> (㉠)(이)란 화장품의 사용 중 발생한 바람직하지 않고 의도되지 아니한 징후, 증상 또는 질병을 말하며, 해당 화장품과 반드시 인과관계를 가져야 하는 것은 아니다.

해설 화장품법 제5조(제조판매업자 등의 의무 등)
화장품법 시행규칙 제11조(제조판매업자의 준수사항)

답: 유해사례

9 다음 〈보기〉에서 ㉠에 적합한 용어를 작성하시오.

> 계면활성제의 종류 중 모발에 흡착하여 유연효과나 대전 방지 효과, 모발의 정전기 방지, 린스, 살균제, 손 소독제 등에 사용되는 것은 (㉠)계면활성제이다.

해설 제17조의2(지정 · 고시된 원료의 사용기준의 안전성 검토
제17조의3(원료의 사용기준 지정 및 변경 신청 등),
제8조(화장품 안전기준 등), 화장품법 제8조제6항

답: 양이온

10 다음 〈보기〉 중 맞춤형화장품 조제관리사가 올바르게 업무를 진행한 경우를 모두 고르시오.

> ㄱ. 고객으로부터 선택된 맞춤형화장품을 조제관리사가 매장 조제실에서 직접 조제하여 전달하였다.
> ㄴ. 조제관리사는 썬크림을 조제하기 위하여 에틸헥실메톡시신나메이트를 10%로 배합, 조제하여 판매하였다.
> ㄷ. 책임판매업자가 기능성화장품으로 심사 또는 보고를 완료한 제품을 맞춤형화장품 조제관리사가 소분하여 판매하였다.
> ㄹ. 맞춤형화장품 구매를 위하여 인터넷 주문을 진행한 고객에게 조제관리사는 전자상거래 담당자에게 직접 조제하여 제품을 배송까지 진행하도록 지시하였다.

해설 화장품법 시행규칙 제12조의 2(맞춤형화장품판매업자의 준수사항 등)
제19조(화장품 포장의 기재 · 표시 등) 참조

답: ㄱ, ㄷ

과목명: 유통화장품 안전관리 [11–13번]

11 다음 〈보기〉에서 맞춤형화장품 조제에 필요한 원료 및 내용물 관리로 적절한 것을 모두 고르면?

ㄱ. 내용물 및 원료의 제조번호를 확인한다.
ㄴ. 내용물 및 원료의 입고 시 품질관리 여부를 확인한다.
ㄷ. 내용물 및 원료의 사용기한 또는 개봉 후 사용기한을 확인한다.
ㄹ. 내용물 및 원료 정보는 기밀이므로 소비자에게 설명하지 않을 수 있다.
ㅁ. 책임판매업자와 계약한 사항과 별도로 내용물 및 원료의 비율을 다르게 할 수 있다.

① ㄱ, ㄴ, ㄷ ② ㄱ, ㄴ, ㄹ
③ ㄱ, ㄷ, ㅁ ④ ㄴ, ㅁ, ㄹ
⑤ ㄷ, ㅁ, ㄹ

혜살: [화장품법 제10조] 화장품의 기제사항내용 참조

답: ①

12 맞춤형화장품의 원료로 사용할 수 있는 경우로 적합한 것은?

① 보존제를 직접 첨가한 제품
② 자외선차단제를 직접 첨가한 제품
③ 화장품에 사용할 수 없는 원료를 첨가한 제품
④ 식품의약품안전처장이 고시하는 기능성화장품의 효능 · 효과를 나타내는 원료를 첨가한 제품
⑤ 해당 화장품책임판매업자가 식품의약품안전처장이 고시하는 기능성화장품의 효능 · 효과를 나타내는 원료를 포함하여 식약처로부터 심사를 받거나 보고서를 제출한 경우에 해당하는 제품

해설 화장품법 제2조제3호의2, 화장품법 제8조

답: ⑤

13 다음 〈보기〉의 우수화장품 품질관리기준에서 기준일탈 제품의 폐기 처리 순서를 나열한 것으로 옳은 것은?

ㄱ. 격리 보관	ㄴ. 기준 일탈 조사
ㄷ. 기준일탈의 처리	ㄹ. 폐기처분 또는 재작업 또는 반품
ㅁ. 기준일탈 제품에 불합격라벨 첨부	ㅂ. 시험, 검사, 측정이 틀림없음 확인
ㅅ. 시험, 검사, 측정에서 기준 일탈 결과 나옴	

① ㄷ→ㄴ→ㅂ→ㅅ→ㄹ→ㄱ→ㅁ
② ㅁ→ㄴ→ㅂ→ㄷ→ㅅ→ㄱ→ㄹ
③ ㅅ→ㄴ→ㄹ→ㄷ→ㅁ→ㅂ→ㄱ
④ ㅅ→ㄴ→ㅂ→ㄷ→ㅁ→ㄱ→ㄹ
⑤ ㅅ→ㄴ→ㅂ→ㄷ→ㅁ→ㄹ→ㄱ

해설 화장품 시행규칙 제27조(회수 · 폐기명령 등) 참조

답: ④

과목명: 맞춤형화장품의 이해 [14–19번]

14 맞춤형화장품에 혼합 가능한 화장품 원료로 옳은 것은?

① 아데노신
② 라벤더오일
③ 징크피리치온
④ 페녹시에탄올
⑤ 메칠이소치아졸리논

해설 천연화장품 및 유기농화장품의 기준에 관한 규정[별표3] 허용 기타원료 원료에 대한 내용

답: ②

15 피부의 표피를 구성하고 있는 층으로 옳은 것은?

① 기저층, 유극층, 과립층, 각질층
② 기저층, 유두층, 망상층, 각질층
③ 유두층, 망상층, 과립층, 각질층
④ 기저층, 유극층, 망상층, 각질층
⑤ 과립층, 유두층, 유극층, 각질층

해설 피부의 구조는 표피, 진피, 피하지방으로 구성 되어 지고,
표피 : 각질층, 과립층, 유극층, 기저층으로 구성
진피 : 유두층, 망상층을로 구성
피하지방 : 모낭, 모구, 신경, 소한선, 대한선 존재

답: ①

16 맞춤형화장품 조제관리사인 소영은 매장을 방문한 고객과 다음과 같은 〈대화〉를 나누었다. 소영이가 고객에게 혼합하여 추천할 제품으로 다음 〈보기〉 중 옳은 것을 모두 고르면?

> 고객: 최근에 야외활동을 많이 해서 그런지 얼굴 피부가 검어지고 칙칙해졌어요. 건조하기도 하구요.
> 소영: 아. 그러신가요? 그럼 고객님 피부 상태를 측정해 보도록 할까요?
> 고객: 그럴까요? 지난번 방문 시와 비교해 주시면 좋겠네요.
> 소영: 네. 이쪽에 앉으시면 저희 측정기로 측정을 해드리겠습니다.
>
> **〈피부측정 후〉**
> 소영: 고객님은 1달 전 측정 시보다 얼굴에 색소 침착도가 20% 가량 높아져있고, 피부 보습도도 25% 가량 많이 낮아져 있군요.
> 고객: 음. 걱정이네요. 그럼 어떤 제품을 쓰는 것이 좋을지 추천 부탁드려요.

> ㄱ. 티타늄디옥사이드(Titanium Dioxide) 함유 제품
> ㄴ. 나이아신아마이드(Niacinamide) 함유 제품
> ㄷ. 카페인(Caffeine) 함유 제품
> ㄹ. 소듐하이알루로네이트(Sodium Hyaluronate)함유제품
> ㅁ. 아데노신(Adenosine)함유제품

① ㄱ, ㄷ　　② ㄱ, ㅁ
③ ㄴ, ㄹ　　④ ㄴ, ㅁ
⑤ ㄷ, ㄹ

해설 나이아신아마이드(Niacinamide), 소듐하이알루로네이트(Sodium Hyaluronate) 함유제품; 화장품의 전성분으로 피부나 헤어제품의 컨디셔닝제로 사용

답: ③

17 다음의 〈보기〉는 맞춤형화장품의 전성분 항목이다. 소비자에게 사용된 성분에 대해 설명하기 위하여 다음 화장품 전성분 표기 중 사용상의 제한이 필요한 보존제에 해당하는 성분을 다음 〈보기〉에서 하나를 골라 작성하시오.

> 정제수, 글리세린, 다이프로필렌글라이콜, 토코페릴아세테이트, 다이메티콘/비닐다이메티콘크로스폴리머, C12-14파레스-3, 페녹시에탄올, 향료

해설 화장품안전기준 등에 관한 규정[별표2] 사용상의 제한이 필요한 원료 내용

답: 페녹시에탄올

18 다음 〈보기〉는 맞춤형화장품에 관한 설명이다. 〈보기〉에서 ㉠, ㉡에 해당하는 적합한 단어를 각각 작성하시오.

ㄱ. 맞춤형화장품 제조 또는 수입된 화장품의 (㉠)에 다른 화장품의 (㉠)(이)나 식품의약품 안전처장이 정하는 (㉡)(을)를 추가하여 혼합한 화장품 ㄴ. 제조 또는 수입된 화장품의 (㉠)(을)를 소분(小分)한 화장품

해설 화장품법 제2조3의2,가와나의 맞춤형화장품에 대한 내용

답: ㉠: 내용물, ㉡: 원료

19 다음 〈보기〉는 유통화장품의 안전관리기준 중 pH에 대한 내용이다. 〈보기〉 기준의 예외가 되는 두 가지 제품에 대해 모두 작성하시오.

영 · 유아용 제품류(영 · 유아용 샴푸, 영 · 유아용 린스, 영 · 유아 인체 세정용 제품, 영 · 유아 목욕용 제품 제외), 눈 화장용 제품류, 색조 화장용 제품류, 두발용 제품류(샴푸, 린스 제외), 면도용 제품류(셰이빙 크림, 셰이빙 폼 제외), 기초화장용 제품류(클렌징 워터, 클렌징 오일, 클렌징 로션, 클렌징 크림 등 메이크업 리무버 제품 제외) 중 액, 로션, 크림 및 이와 유사한 제형의 액상제품은 pH 기준이 3.0~9.0 여야 한다.

해설 [시행 2020. 4. 18.] [식품의약품안전처고시 제2019-93호, 2019. 10. 17., 일부개정]
화장품 안전기준 등에 관한 규정 [제4장제6조6항] 영 · 유아용 제품류와 관련

답: 물을 포함하지 않는 제품, 사용 후 곧바로 씻어 내는 제품

1회 기출복원문제와 1회 추가시험 문제

- 1회 추가시험 기출복원문제
- 주관식 20문제
- 객관식 100문제

1회 추가시험 주관식 기출복원문제

01 다음은 만 3세 이하의 영유아용 제품류이다. 괄호안에 들어갈 알맞은 단어를 넣으시오.

- 영 · 유아용 샴푸, 린스
- 영 · 유아용 로션, 크림
- 영 · 유아용 (　　　)
- 영 · 유아 (　　　　　　　) 제품
- 영 · 유아 목욕용 제품

답: 오일, 인체세정용

02 내용량이 소량인(10ml 초과 50ml 이하, 10g 초과 50g 이하) 화장품은 전성분 기재 표시를 생략할 수 있지만 아래의 성분을 화장품 제조 시 사용하였다면 화장품의 포장에 반드시 기재해야한다. 괄호안에 들어갈 알맞은 단어를 넣으시오.

- 타르색소
- (　　　　)
- 샴푸와 린스에 들어 있는 (　　　　　)의 종류
- 과일산
- 기능성화장품의 경우 그 효능 · 효과가 나타나게 하는 원료
- 식품의약품안전처장이 배합 한도를 고시한 화장품의 원료

답: 금박, 인산염

03 「화장품법」 제15조 제2호 및 제3호에서는 전부 또는 일부가 변패된 화장품, 병원미생물에 오염된 화장품을 판매하거나 판매할 목적으로 제조 · 수입 · 보관 또는 진열하여서는 아니 된다고 규정하고 있으므로 이에 대한 관리가 필요하다.

- 화장품에 검출되면 안되는 미생물은 대장균, 녹농균, (　　　　)이다.

답: 황색포도상구

04 아래의 성분을 0.5퍼센트 이상 함유하는 제품은 안정성시험 자료가 필요하다. 괄호 안에 들어갈 단어를 넣으시오.

- 레티놀 및 그 유도체
- 아스코빅애씨드 및 그 유도체
- (　　　　　)
- 과산화화합물
- (　　　　　　)

답: 토코페롤, 효소

05 진피의 유두층과 물결모양으로 접하고 있는 (　　　　)은 표피층으로 한개의 층으로 이루어진 단일층의 유핵세포로 가장 세포활성이 높은 층이다.

답: 기처층

06 비중이 0.8일 때 수분크림 50g 제작 시 100% 채운다면 중량은 계산하시오.

답: 40g

07 계면활성제는 음이온, 양이온, 양쪽성, 비이온이 있다.
음이온은 세정력과 기포형성력이 가장 뛰어나 샴푸, 세안용 비누, 면도용 거품크림, 치약 등의 제품에 널리 사용된다.
(　　　)은 살균효과, 정전기 방지효과, 컨디셔닝 효과가 있고 헤어린스, 헤어트리트먼트에 많이 이용되며 벤잘코늄 클로라이드 등이 사용된다.
(　　)은 피부자극이 적기 때문에 크림, 로션 등 기초화장품 분야에 가장 많이 사용되고 일반적으로 고급알코올이나 고급지방산에 에틸렌옥사이드를 부가 반응하여 제조된다. 유화제, 분산제, 가용화제로 쓰인다. PEG, 설페이트 계열이 있다.

답: 양이온, 비이온

08 시장(　　　)란 화장품책임판매업자가 그 제조 등 (타인에게 위탁 제조 또는 검사하는 경우를 포함하고 타인으로부터 수탁 제조 또는 검사하는 경우는 포함하지 않는다)을 하거나 수입한 화장품의 판매를 위해 하는 것을 말한다. 화장품책임판매업자는 (　　　　　　)를 두어야 하며, 품질관리 업무를 적정하고 원활하게 수행할 능력이 있는 인력을 충분히 갖추어야 한다.

답: 출하, 책임판매관리자

09 맞춤형화장품은 판매장에서 소비자의 안전을 확보하기 위해 직접 (　　　)을 담당하는 (　　　)는 화장품 원료 및 화장품에 대한 전문지식이 필요하다. 따라서 자격시험을 통해 전문지식이 있는 자를 선별하여 소비자의 안전을 확보할 필요성이 있다.

답: 혼합소분, 맞춤형화장품조제관리사

10 **모발은 체모와 두발의 총칭으로 ( ) 세포의 각화된 구조물로 80~90%의 케라틴단백질로 이루어져 있으며 9%의 수분과 미네랄, ( )로 구성되어 있다.**

답: 모모, 멜라닌색소

11 **모발은 약 3~6년 동안 자라다가 성장을 멈추고 서서히 탈락 후 그 모공에서 다시 새로운 모발이 생성되는 ( )를 거치고 2~3주 세포 성장이 정지되는 퇴행기를 가진다.**
퇴행기 이후 모발은 3개월 정도 성장이 멈추는 기간을 가지는 ( )의 모발은 전체 모발의 10~20%를 차지하는데 이 시기의 모발이 20% 이상이면 병적 탈모로 간주한다.

답: 성장기, 휴지기

12 **다음은 탈모증상의 완화에 도움을 주는 기능성 원료에 대한 설명이다.**
이 원료의 이름은 ( )이다.

- 화학식 C10H20O
- 분자량 156.27g/mol
- 상태 백색/무색의 결정성 고체
- 비중 0.890 (15℃)
- 성 상 이 원료는 무색의 결정으로 특이하고 상쾌한 냄새가 있고 맛은 처음에는 쏘는 듯하고 나중에는 시원하다.
- 이 원료는 에탄올 또는 에테르에 썩 잘 녹고 물에는 매우 녹기 어렵다.
- 이 원료는 실온에서 천천히 승화한다.

답: 엘-멘톨

13 **다음은 피부색에 영향을 주는 3가지 요인이다.**

- 첫 번째, 자외선은 UV A, UV B, UV C등으로 구분되며, UV A는 피부의 진피층까지 침투하여 노화와 색소침착을 유발하고 UV B는 표피의 기저층, 진피의 상부까지 도달하여 홍반을 유발한다.
- 두 번째, ( )은 각질층에 침착하기 쉬워서 각질층의 두꺼운 부위나 피하조직이 황색을 보인다. 경구 섭취하면 주로 장점막에서 비타민 A가 생성되지만, 비타민 A로 변화하지 않고 장기관에서 흡수되면 황색을 띤다.
- 세 번째, ( )은 호흡 단백질로 적혈구에만 존재하며 표피 근처에 모세혈관이 분포하고 있는 안면, 목부위 등에서 홍색으로 안색에 영향을 끼친다.

답: 카로틴, 헤모글로빈

14 화장품제조업자는 화장품의 제조와 관련된 기록 · 시설 · 기구 등 관리 방법, 원료 · 자재 · 완제품 등에 대한 시험 · 검사 · 검정 실시 방법 및 의무 등에 관하여 총리령으로 정하는 사항을 준수하여야 한다.

- 화장품제조업자의 준수사항
- 품질관리기준에 따른 화장품책임판매업자의 지도 · 감독 및 요청에 따를 것
- (　　　　　　), 제조관리기준서, 제조관리기록서 및 (　　　　　　)를 작성 · 보관할 것.

답: 제품표준서, 품질관리기록서

15 아래에 설명된 주의사항에 해당하는 제품은 (　　　　　　)이다.

ㄱ. 화장품 사용 시 또는 사용 후 직사광선에 의하여 사용부위가 붉은 반점, 부어오름 또는 가려움증 등의 이상 증상이나 부작용이 있는 경우 전문의 등과 상담할 것
ㄴ. 상처가 있는 부위 등에는 사용을 자제할 것
ㄷ. 어린이의 손이 닿지 않는 곳에 보관할 것
ㄹ. 직사광선을 피해서 보관할 것
ㅁ. 눈에 들어갔을 때에는 즉시 씻어낼 것
ㅂ. 사용 후 물로 씻어내지 않으면 탈모 또는 탈색의 원인이 될 수 있으므로 주의할 것

답: 모발용 샴푸

16 표시 · 광고 실증을 위한 시험 결과의 요건은 광고 내용과 관련이 있고 과학적이고 객관적인 방법에 의한 자료로서 신뢰성과 (　　　　　　)이 확보되어야 한다.

가. 국내외 대학 또는 화장품 관련 전문 연구기관(제조 및 영업부서 등 다른 부서와 독립적인 업무를 수행하는 기업 부설 연구소 포함)에서 시험한 것으로서 기관의 장이 발급한 자료여야 한다. (대학병원 피부과, 00대학교 부설 화장품 연구소, 인체시험 전물기관등)
나. 시험기관에서 마련한 절차에 따라 시험을 실시했다는 것을 증명하기 위해 문서화된 신뢰성보증 업무를 수행한 자료여야 한다.
다. 외국의 자료는 한글요약물(주요사항 발췌) 및 (　　　)을 제출할 수 있어야 한다.
마. 제품에 특정 성분이 들어 있지 않다는 "無(무) ○○" 광고 내용과 관련하여 제품에 특정 성분이 함유되어 있지 않다는 시험자료를 제출하지 아니하고 제조과정에 특정 성분을 첨가하지 않았다는 제조관리기록서나 원료에 관한 시험자료를 제출한 경우여야 한다.

답: 재현성, 원문

17 (　　　)는(은) 갈색의 색소반으로, 임신중의 난포 호르몬이나 MSH의 증가 등이 요인이라고 본다. 발생의 메커니즘은 아직 알려져 있지 않다. (　　　　)노출이나 경구 피임약의 복용으로 악화된다. 괄호 안에 들어갈 알맞은 단어를 쓰시오.

답: 기미(간반), 자외선

18 원료의 안전성 평가항목에는 단회 투여 독성시험 자료, 1차 피부 자극시험 자료, 안점막 자극 또는 그 밖의 점막 자극시험 자료, (　　　　　) 자료, 광독성및 광감작성 시험 자료, (　　　　　) 자료가 있다.

답: 피부 감작성 시험, 인체 첩포시험

19 유체의 끈끈한 정도를 나타내는 물리적인 단위로서, 외부에서 스트레스에 얼마만큼 적응할 수 있는지 그 정도를 나타나는 척도로써 유체와 스핀들 사이에 발생하는 마찰저항을 측정하여 그 저항값을 (　　　　)라고 한다.

답: 점도

20 화장품의 기재 · 표시 사항에서 영업자의 상호 및 주소를 기재하여야 한다. 화장품제조업자 또는 화장품책임판매업자의 주소는 등록필증에 적힌 소재지 또는 (　　) · (　　) 업무를 대표하는 소재지를 기재 · 표시해야 한다. 괄호 안에 들어갈 알맞은 단어를 쓰시오.

답: 반품, 교환

1회 추가시험 객관식 기출복원문제

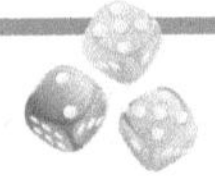

21 천연화장품 및 유기농 화장품에 사용할 수 없는 용기 재료로 옳은 것은?

① 유백유리
② 폴리염화비닐(PVC)
③ 칼리납 유리
④ 소다석회 유리
⑤ 알루미늄

해설 천연화장품 및 유기농화장품의 기준에 관한 규정 제6조(포장) 참고.
천연화장품 및 유기농화장품의 용기와 포장에는 폴리염화비닐(Polyvinyl chloride (PVC)), 폴리스티렌폼(Polystyrene foam)을 사용할 수 없다.

답: ②

22 화장품 제조시 물과 기름을 유화시켜서 안정한 상태로 유지하기 위해서 분산상의 크기를 미세하게 해주는 것이 좋은데 터빈(turbin)과 스타터(stater)로 구성되어 있어 터빈 날개의 고속회전시켜서 화장품의 혼합 · 소분에 사용하는 유화기로 알맞은 것은?

① 호모게나이저
② 디스퍼
③ 호모믹서
④ 볼밀
⑤ 데시케이터

해설 ①④균질기 ②혼합기 ③유화기 ⑤물질의 건조나 흡습성(吸濕性) 시료의 보존에 쓰이는, 유리로 된 건조기. 밑에다 진한 염화 칼슘 따위의 건조제를 넣고, 구멍이 뚫린 판 위에 건조할 물건을 둔다.

답: ③

23 다음 보기 중 체질안료에 해당하는 것을 모두 고르시오.

㉠ 탈크　㉡ 카민　㉢ 탄산칼슘　㉣ 산화철　㉤ 진주파우더　㉥ 마이카

① ㉠ ㉢ ㉥
② ㉠ ㉢ ㉡
③ ㉠ ㉣ ㉥
④ ㉠ ㉤ ㉥
⑤ ㉡ ㉢ ㉥

해설 탈크, 탄산칼슘, 마이카, 탄산마그네슘, 카올린, 세리사이트등은 체질안료에 해당한다.

답: ①

24 다음 보기의 내용에 알맞은 것을 고르시오.

가. 무르고 부드러워서 모스 굳기계에서 가장 낮은 단계의 기준이 된다. 나. 마그네슘을 포함한 규산염 광물로, 활석 또는 탈컴(Talcum)이라고도 불린다.

① 염료　② 레이크　③ 유기안료

④ 탈크 ⑤ 천연색소

해설 탈크는 체질안료로 활석을 갈아서 만든 베이비파우더의 재료로 알려져 있다.

답: ④

25 천연화장품 및 유기농화장품의 원료 조성에 대한 설명으로 알맞은 것은?

① 천연화장품은 중량 기준으로 천연 함량이 전체 제품의 95% 이상으로 구성되어야 한다.
② 유기농화장품은 중량 기준으로 유기농 함량이 전체 제품에서 20% 이상여야 한다.
③ 유기농화장품은 유기농 함량을 포함한 천연 함량이 일부 제품에서 95% 이상으로 구성되면 된다.
④ 천연화장품은 중량 기준으로 천연 함량이 전체 제품의 85% 이상으로 구성되어야 한다.
⑤ 유기농화장품은 중량 기준으로 유기농 함량이 전체 제품에서 15% 이상여야 한다.

해설 천연화장품 및 유기농화장품의 기준에 관한 규정 제8조 (원료조성)참고. 천연화장품은 중량 기준으로 천연 함량이 전체 제품에서 95% 이상으로 구성되어야 하며, 또한 중량 기준으로 유기농 함량이 전체 제품에서 10% 이상여야 하며, 유기농 함량을 포함한 천연 함량이 전체 제품에서 95% 이상으로 구성되어야 한다.

답: ①

26 다음 중 완전 제거가 불가능한 성분의 검출 허용한도로 옳지 않은 것은?

① 포름알데하이드 2,000㎍/g 이하(물휴지는 20㎍/g 이하)
② 납 20㎍/g 이하(점토를 원료로 사용한 분말 제품은 50㎍/g 이하)
③ 비소 10㎍/g 이하
④ 수은 0.1㎍/g 이하
⑤ 디옥산 100㎍/g 이하

해설 수은의 검출 허용 한도는 1㎍/g 이하이다.

답: ④

27 다음 중 작업장에서 작업자의 소독을 위한 소독제의 종류로 바르지 않은 것은?

① 고체형 비누 ② 알코올
③ 클로로헥시딘 ④ 헥사클로로펜
⑤ 아이오도퍼

해설 ① 고체형 비누는 손 세정제이다.

답: ①

28 다음 중 화장품에 함유된 성분과 사용시 주의사항 표시 문구가 옳지 않은 것은?

① 살리실릭애시드 및 그 염류 함유제품 - 만3세 이하 어린이에게는 사용하지 말 것
② 과산화수소 및 과산화수소 생성 물질 함유 제품 - 눈에 접촉을 피하고 눈에 들어갔을 때는 즉시 씻어낼 것
③ 알부틴 2%이상 함유 제품 - 알부틴은 인체적용시험자료에서 구진과 경미한 가려움이 보고된

예가 있음
④ 카민 함유 제품 – 카민 성분에 과민하거나 알레르기가 있는 사람은 신중히 사용할 것
⑤ 포름알데하이드 0.05% 이상 검출된 제품 – 만 3세 이하 어린이의 기저귀가 닿는 부위에는 사용하지 말 것

해설 포름알데하이드 0.05% 이상 검출된 제품 – 포름알데하이드 성분에 과민하거나 알레르기가 있는 사람은 신중히 사용할 것

답: ⑤

29 다음 중 주의사항을 표기해야 하는 성분이 아닌 것은?

① 포름알데하이드 0.05% 이상 검출된 제품
② 알부틴 2%이하 함유 제품
③ 폴리에톡실레이티드레틴아마이드 0.2% 이상 함유 제품
④ 부틸파라벤
⑤ 코치닐추출물 함유 제품

해설 ② 알부틴 2%이상 함유 제품

답: ②

30 다음 중 화장품의 미생물 한도가 바르게 연결되지 않은 것은?

① 영유아용 제품류 및 눈화장용 제품류 – 총호기성 생균수 500개/g(mL)이하
② 물휴지 – 세균 및 진균수 각각 100개/g(mL) 이하
③ 기타 화장품류 – 총호기성 생균수 1,000개/g(mL) 이하
④ 색조 화장품류 – 대장균 100개/g(mL) 이하
⑤ 모든 화장품류 – 황색포도상구균, 녹농균 불검출

해설 모든 화장품류에 대장균, 황색포도상구균, 녹농균 불검출되어야 한다.

답: ④

31 다음 중 화장품 성분과 시험 방법 연결이 옳지 않은 것은?

① 납 – 디티존법
② 비소 – 비색법
③ 수은 – 수은분해장치를 이용한 방법
④ 디옥산, 프탈레이트류 – 기체크로마토그래프법
⑤ 포름알데하이드 – 기체크로마토그래프법

해설 포름알데하이드 – 액체크로마토그래프법–절대검량선법

답: ⑤

32 다음 중 자외선의 종류와 특징으로 옳지 않은 것은?

① UV A – 320~400nm 장파장으로 피부의 진피층까지 침투하여 썬탠 반응을 일으킨다.
② UV B – 290~320nm 중파장으로 표피의 기저층, 진피의 상부까지 도달한다.

③ UV C – 200~290nm 단파장으로 홍반, 일광화상(썬번)을 유발한다.
④ UV B – 290~320nm 중파장으로 비타민 D를 생성한다.
⑤ UV C – 200~290nm 살균, 소독작용, 피부암을 유발한다.

해설 UV B에 대한 설명이다.

답: ③

33 일광화상(sun burn)을 일으키는 자외선 B를 차단하는 지수 표기로 옳은 것은?

① SPF
② PA
③ MED
④ MMPD
⑤ PA+++

해설 ②⑤는 UV A를 차단시키는 정도를 나타낸다. ③은 피부에 최소홍반을 나타내는 자외선의 최소량을 나타낸다. ④는최소지속형 즉시흑화량으로 수치가 아닌 +를 이용해 등급을 표시한다.

답: ①

34 다음 중 1차 포장 기재사항으로 옳지 않은 것은?

① 화장품의 명칭
② 영업자의 상호 및 주소
③ 제조번호
④ 사용기한 도는 개봉 후 사용기간
⑤ 사용시 주의사항

해설 사용시 주의사항은 2차 포장 기재사항에 포함된다.

답: ⑤

1회 기출복원문제: 주관식 20문제

01 다음 괄호 안에 들어갈 단어를 넣으시오.

> ＊ ( )의 예 : 소듐, 포타슘, 칼슘, 마그네슘, 암모늄, 에탄올아민, 클로라이드, 브로마이드, 설페이트, 아세테이트, 베타인 등
> ＊ 에스텔류 : 메칠, 에칠, 프로필, 이소프로필, 부틸, 이소부틸, 페닐

답: 염류

02 화장품책임판매업자는 영유아 또는 어린이가 사용할 수 있는 화장품임을 표시 · 광고하려는 경우에는 제품별로 안전과 품질을 입증할 수 있는 다음 각 호의 자료를 작성 및 보관하여야 한다. 괄호 안에 들어갈 단어를 넣으시오.

> 1) 제품 및 제조방법에 대한 설명 자료
> 2) 화장품의 ( )자료
> 3) 제품의 효능 · 효과에 대한 증명 자료

해설 화장품 안전성 자료

- 제품 및 제조 방법에 대한 설명자료 : 제품명, 제조업체 및 책임판매업체정보, 제조 관리기준서, 제품표준서, 제조관리기록서.
- 화장품 안전성 평가자료 : 원료의 독성정보, 제품의 보존력 시험결과, 사용 후 이상사례 정보의 수집 및 평가 조치관련자료.
- 제품의 효능, 효과에 대한 증빙자료 : 제품의 표시, 광고와 관련된 효능 효과에 대한 실증자료
- 제품의 안전성 자료는 제조연월일로 부터 3년간 보관, 사용기한이 만료되는 날로부터 1년간 보관

답: 안전성 평가/안전성

03 다음은 화장품 원료 위해평가 순서이다. 괄호 안에 들어갈 단어를 넣으시오.

> 1) 위해요소의 인체 내 독성을 확인하는 위험성 확인과정
> 2) 위해요소의 인체노출 허용량을 산출하는 위험성 결정과정
> 3) 위해요소가 인체에 노출된 양을 산출하는 (㉠)과정
> 위의 3가지 결과를 종합하여 인체에 미치는 위해 영향을 판단하는 (㉡)과정
> 위해평가는 인체가 화장품에 존재하는 위해요소에 노출되었을 때 발생할 수 있는 유해영향과 발생 확률을 과학적으로 예측하는 일련의 과정으로 위험성 확인, 위험성결정, (노출평가), (위해도 결정) 등 일련의 단계를 말한다.

해설 위해평가 : 위험성확인 → 위험성결정 → 노출평가 → 위해도 결정

답: ㉠ 노출평가, ㉡ 위해도 결정

04 "포장재"란 화장품의 포장에 사용되는 모든 재료를 말하며 운송을 위해 사용되는 외부 포장재는 제외한 것이다. 괄호 안에 들어갈 단어를 넣으시오.

(㉠)이란 (㉡)을 수용하는 1개 또는 그 이상의 포장과 보호재 및 표시의 목적으로 한 포장을 말한다.

해설 1차 포장 : 병, 펌프캡, 튜브, 립스틱 용기, 퍼프, 브러쉬, 디스크
2차 포장 : 1차 포장을 담는 포장, 설명서 포함

답: ㉠ 2차 포장, ㉡ 1차 포장

05 괄호 안에 들어갈 공통된 단어를 넣으시오.

(　　) 제품이란 충전이전의 제조 단계까지 끝낸 제품을 말한다. 반제품이란 제조공정 단계에 있는 것으로서 필요한 제조공정을 더 거쳐야 ( )제품이 되는 것을 말한다. 완제품이란 출하를 위해 제품의 포장 및 첨부문서에 표시공정 등을 포함한 모든 제조공정이 완료된 화장품을 말한다. 재작업이란 적합 판정기준을 벗어난 완제품, (　　)제품 또는 반제품을 재처리하여 품질이 적합한 범위에 들어오도록 하는 작업을 말한다.

해설 화장품 내용물을 제조 후에 1차 용기 충진 전의 내용물을 벌크라고 한다.

답: 벌크

06 다음은 화장품 사용상 주의사항에 대한 내용이다. 아래에서 설명하는 성분명을 적으시오.

이 성분은 햇빛에 대한 피부의 감수성을 증가시킬 수 있으므로 자외선 차단제를 함께 사용할 것. 일부에 시험 사용하여 피부 이상을 확인할 것. 이 성분이 10퍼센트를 초과하여 함유되어 있거나 산도가 3.5 미만일 경우 부작용이 발생할 우려가 있으므로 전문의 등에게 상담할 것.

해설 AHA의 종류로는 사탕수수– 글리콜릭애씨드, 우유– 락틱애씨드 , 사과, 복숭아 – 말릭애씨드, 포도– 타타릭애씨드 귤류– 시트릭애씨드 등의 성분들이 있고, 각질을 녹여 피부를 부드럽게 만들기 위해 화장품 성분으로 배합한다.

답: 알파–하이드록시애시드(α –hydroxyacid, AHA)

07 다음 괄호 안에 들어갈 단어를 넣으시오.

> (　　)라 함은 색소 중 콜타르, 그 중간생성물에서 유래되었거나 유기합성 하여 얻은 색소 및 그레이크, 염, 희석제와의 혼합물을 말한다.

해설 단답형 : 석탄의 콜타르에 함유된 방향족 물질을 원료로 하여 합성한 색소로 색상이 선명하고 미려해서 색조제품에 널리 사용된다.

답: 타르색소

08 기능성화장품의 심사 시 유효성 또는 기능에 관한 자료 중 인체적용시험자료를 제출하는 경우에는 (　　　　) 제출을 면제할 수 있다. 이 경우에는 자료 제출을 면제받은 성분에 대해서는 효능 · 효과를 기재할 수 없다.

답: 효력시험자료

09 다음 괄호 안에 들어갈 단어를 넣으시오.

> 유통화장품 안전관리 기준에서 화장비누의 유리알칼리는 (　　)이하여야 한다.

답: 0.1%

10 다음 괄호 안에 들어갈 단어를 넣으시오.

> 착향제는 "향료"로 표시할 수 있다. 다만, 착향제의 구성 성분 중 (　　)유발물질로 알려진 성분이 있는 경우에는 해당 성분의 명칭을 반드시 기재 · 표시하여야 한다.

답: 알레르기

11 다음 괄호 안에 들어갈 단어를 넣으시오.

> 화장품 제조에 사용된 함량이 많은 것부터 기재 · 표시한다. 다만,(　　)로 사용된 성분, 착향제 또는 착색제는 순서에 상관없이 기재 · 표시할 수 있다.

해설 전성분은 함량순으로 기재해야하고, 글씨 크기는 5p이상으로 해야 한다.
단. 1%이하 성분은 순서에 상관없이 기재할 수 있다.
그래서 1% 이하에서 강조하고 싶은 성분은 앞쪽으로 순서를 바꿔서 기재하기도 함.

답: 1퍼센트 이하

12 **다음은 화장품 1차 포장에 반드시 기재 표시해야하는 사항이다. 다음 괄호 안에 들어갈 단어를 넣으시오.**

> • 화장품의 명칭
> • 영업자의 상호
> • (   )
> • 사용 기한 또는 개봉 후 사용 기간(제조연월일 병행표기)

답: 제조번호

13 **괄호 안에 들어갈 단어를 넣으시오. 실험실의 배양접시, 인체로부터 분리한 모발 및 피부, 인공피부 등 인위적 환경에서 시험물질과 대조물질을 처리 후 결과를 측정하는 것을 무엇이라 하는가?**

> (   )은 인체로부터 분리한 모발 및 피부, 인공피부 등 인위적 환경에서 시험물질과 대조물질 처리 후 결과를 측정하는 것을 말한다.

해설 생체내 시험 (in vivo) : 동물 및 인체실험
생체 외 시험(in vitro) : 실험실에서 시험군과 대조군을 설정한 후 결과를 측정하는 방법
ex〉 A물질의 항균력을 테스트하기 위해, 비듬균에 A물질(시험군)과 살리실산(대조군)을 접종하여 항균력 평가

답: 생체 외 시험(in vitro), 인체 외 시험

14 **괄호 안에 들어갈 단어를 넣으시오.**

> (   )는 피부세포 가운데 표피 각질층의 지질막 성분의 하나로 피부표면에서 손실되는 수분을 방어하고 외부로부터 유해 물질의 침투를 막는 역할을 한다.

해설 지질은 세라마이드 40%, 콜레스테롤 25%, 유리지방산 25%, 피토스핑고신 2.8%, 스핑고신 1.2%로 구성되어있는데, 노화가 될수록 지질층은 얇아지고 장벽기능의 역할도 약해짐.

답: 세라마이드

15 **고객이 맞춤형화장품 조제관리사에게 피부에 침착된 멜라닌색소의 색을 엷게 하여 미백에 도움을 주는 기능을 가진 화장품을 맞춤형으로 구매하기를 상담하였다. 미백 기능성원료를 〈보기〉에서 고르시오.**

> 아데노신, 에칠헥실메톡시신나메이트, 알파-비사보롤, 레티닐팔미테이트, 베타-카로틴

답: 알파-비사보롤

16 괄호 안에 들어갈 단어를 넣으시오.

( )용기란 광선의 투과를 방지하는 용기 또는 투과를 방지하는 포장을 한 용기를 말한다.

답: 차광

17 괄호 안에 들어갈 단어를 넣으시오.

유해사례란 화장품의 사용 중 발생한 바람직하지 않고 의도되지 아니한 징후, 증상 또는 질병을 말하며, 당해 화장품과 반드시 인과관계를 가져야 하는 것은 아니다. ( )란 유해사례와 화장품 간의 인과관계 가능성이 있다고 보고된 정보로서 그 인과관계가 알려지지 아니하거나 입증자료가 불충분한 것을 말한다.

답: 실마리 정보

18 괄호 안에 들어갈 단어를 넣으시오.

모발은 수없이 이어지는 층으로 구성되어 있다. 이것은 모표피, ( ), 모수질 층으로 구성되어 있는데 형태와 강도, 색깔 그리고 자연 상태의 모양을 형성하는 중요한 역할을 한다.

답: 모피질

19 〈보기〉는 화장품의 성분이다. 이 화장품에 사용된 보존제의 이름과 사용 한도를 적으시오.

정제수, 사이클로펜타실록산, 마치현 추출물, 부틸렌글라이콜, 알란토인, 마카다미아씨오일, 벤질알코올, 알지닌, 라벤더오일, 로즈마리잎오일, 리모넨

답: 벤질알코올 1%

20 괄호 안에 들어갈 단어를 넣으시오.

멜라닌을 형성시키는 세포인 (㉠)는 표피의 기저층에서 생성되어 (㉡)의 형태로 합성된다. 표피의 5~25%를 차지하며, 세포 내에 확산하면 색이 검게 보인다.

답: ㉠ 멜라노사이트, ㉡ 멜라노솜/멜라닌형성세포, 멜라노좀

1회 기출복원문제: 객관식 100문제

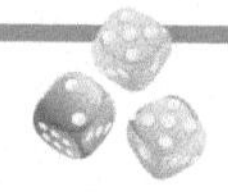

※ 본 기출복원문제는 응시생의 기억등으로 문제를 복원하였으므로 실제문제보다 늘어났습니다. 이것은 확실하지 않은 기억을 내용에 맞게 추론하여 문제를 복원하는 과정에서 발생한 것으로 가장 근접하게 복원한 문제입니다.

01 다음 중 맞춤형화장품 판매업 신고를 할 수 있는 자는?

ㄱ. 정신질환자
ㄴ. 피성년후견인 또는 파산선고를 받고 복권되지 아니한 자
ㄷ. 마약류 중독자
ㄹ. 보건범죄 단속에 관한 특별조치법 위반으로 금고 이상의 형을 받고 집행이 끝나지 아니한 자
ㅁ. 등록이 취소된 날로부터 1년이 경과 되지 아니 한자.

① ㄱ, ㄷ
② ㄷ, ㅁ
③ ㄱ, ㄴ
④ ㄴ, ㄹ
⑤ ㄹ, ㅁ

해설 ㄱ, ㄷ결격사유는 화장품 제조업등록에만 해당

답: ①

02 천연화장품과 유기농화장품을 설명한 것이다. (　　)에 들어갈 것을 바르게 연결한 것은?

천연화장품 : 중량 기준으로 천연 함량이 전체 제품에서 (　　)이상으로 구성되어야 한다.
유기농화장품 : 유기농 함량이 전체 제품에서 (　　)이상여야 하며, 유기농 함량을 포함한 천연 함량이 전체 제품에서 (　　)이상으로 구성되어야 한다.

① 95 - 10 - 95
② 90 - 10 - 90
③ 90 - 5 - 90
④ 95 - 5 - 95
⑤ 95 - 10 - 90

답: ①

03 맞춤형화장품에 포함되는 것끼리 묶은 것은?

ㄱ. 제조 또는 수입된 화장품의 내용물을 소분한 화장품
ㄴ. 제조 또는 수입된 화장품의 내용물 (완저품, 벌크제품, 잔제품)에 천연화장품을 추가하여 혼합한 화장품
ㄷ. 제조 또는 수입된 화장품의 내용물 (완저품, 벌크제품, 잔제품)에 색소나 착향제를 추가하여 혼합한 화장품
ㄹ. 제조 또는 수입된 화장품의 내용물 (완저품, 벌크제품, 잔제품)에 식품의약품안전처장이 고시한 기능성화장품의 효능 · 효과를 나타내는 원료를 추가하여 혼합한 화장품
ㅁ. 제조 또는 수입된 화장품의 내용물 (완저품, 벌크제품, 잔제품)에 다른 화장품의 내용물이나 식품의약품안전처장이 정하는 원료를 추가하여 혼합한 화장품

① ㄱ, ㄴ
② ㄴ, ㄷ
③ ㄷ, ㄹ
④ ㄹ, ㅁ
⑤ ㄱ, ㅁ

답: ⑤

04 다음 중 맞춤형화장품조제관리사가 포장재가 입고될 때 확인해야할 사항은?

① 만 5세 미만의 어린이가 사용하는 화장품은 어린이가 개봉하기 어렵게 설계, 고안된 안전용기, 포장인지 확인한다.
② 모든 원료와 포장재는 식품의약품안전처장이 정한 기준에 따라서 품질을 입증할 수 있는 검증자료를 공급자로부터 공급받아야 한다.
③ 보증의 검증은 주기적으로 관리되어야 하며, 모든 포장재는 사용 후에 관리되어야 한다.
④ 입고된 포장재는 입고년도에 따라 각각의 구분된 공간에 별도로 보관되어야 한다.
⑤ 적합으로 판정된 포장재를 보관하는 공간은 반듯이 잠금장치를 추가하여야 한다.

해설
- 모든 원료와 포장재는 화장품 제조(판매)업자가 정한 기준에 따라서 품질을 입증할 수 있는 검증자료를 공급자로부터 공급받아야 한다.
- 이러한 보증의 검증은 주기적으로 관리되어야 하며, 모든 포장재는 사용 전에 관리되어야 한다.
- 입고된 포장재는 검사중,적합,부적합에 따라 각각의 구분된 공간에 별도로 보관되어야 한다.
- 필요한 경우 부적합 된 포장재를 보관하는 공간은 잠금장치를 추가하여야 한다.

답: ①

05 화장품이 제조된 날부터 적절한 보관 상태에서 제품이 고유의 특성을 간직한 채 소비자가 안정적으로 사용할 수 있는 최소한의 시간을 나타내는 것은?

① 유통기간
② 판매기한
③ 판매 가능일자
④ 유용기한
⑤ 사용기한

답: ⑤

06 다음 착향제 중 구성 성분으로 인해 향료로만 표시 할 수 없고, 해당 성분의 명칭을 기재 · 표시해야 하는 물질이 아닌 것은?

① 벤질알코올
② 나무이끼추출물
③ 글리세린
④ 리날룰
⑤ 신남일

해설
- 글리세린은 보습제
- 화장품에 원료로 들어있는 착향제의 구성 성분 중 알레르기 유발성분의 경우, 해당 성분의 명칭을 기재 · 표시해야 한다.
- 아밀신남알, 벤질알코올, 신나밀알코올, 시트랄, 유제놀, 하이드록시시트로넬알, 이소유제놀, 아밀신나밀알코올, 벤질살리실레이트, 신남알, 쿠마린, 제라니올, 아니스에탄올, 벤질신나메이트, 파네솔, 부틸페닐메칠프로피오날, 리날룰, 벤질벤조에이트, 시트로넬롤, 헥실신남알, 리모넨, 메칠2-옥티노에이트, 알파-이소메칠이오논, 참나무이끼추출물, 나무이끼추출물

답: ③

07 화장품법에 규정된 화장품의 유형으로 바르게 연결한 것은?

① 색조 화장용 제품류 – 마스카라
② 목욕용 제품류 – 폼크린저
③ 인체 세정용 제품류 – 버블베스
④ 두발 제품류 – 헤어틴트
⑤ 기초 화장용 제품류 – 손 · 발의 피부연화 제품

해설 마스카라는 눈 화장용 제품류, 폼크린저는 인체세정용 제품류, 버블베스는 목욕용 제품류, 헤어틴트는 두발 염색용 제품류이다. 목욕용 제품류와 인체세정용 제품류, 두발 제품류와 두발 염색용 제품류를 정확하게 구별해야 한다.

답: ⑤

08 다음중 pH 3.0~9.0에 해당하는 제품은?

① 영 · 유아 목욕용 제품
② 샴푸, 린스
③ 셰이빙 크림
④ 메이크업 리무버
⑤ 로션, 크림

해설 물을 포함하지 않는 제품, 사용 후 곧바로 씻어 내는 제품은 pH가 해당되지 않는다.

답: ⑤

09 다음 위해사례를 설명한 것으로 가장 옳게 설명한 것은?

① 위해사례와 화장품 간의 인과 관계 가능성이 있다고 보고된 정보로서 그 인과관계가 알려지지 아니하거나 입증자료가 불충분한 것을 말한다.
② 인체 외 독성을 확인하는 위험성, 인체노출 허용량을 산출하는 위험성, 인체에 노출된 양을 산출 등을 통해 평가한다.
③ 화장품 관련하여 국민보건에 직접 영향을 미칠 수 있는 안전성, 유효성에 관한 새로운 자료, 유해사례 정보 등을 말한다.
④ 화장품의 사용 중 발생한 바람직하지 않고 의도되지 아니한 징후, 증상 또는 질병을 말하며, 해당 화장품과 반드시 인과관계를 가져야 하는 것은 아니다.
⑤ 화장품의 사용 중 발생한 바람직한 징후, 증상을 말한다.

해설 인체 내 독성을 확인하는 위험성

답: ④

10 맞춤형화장품을 안전하게 사용하기 위한 방법으로 올바른 것은?

① 천연보존제를 사용하므로 실온에 두어 일정기간이 지나면 향취변화 또는 물과 기름이 분리되거나 곰팡이 등으로 인해 변질될 수 있으니 냉동보관 하는 것이 좋다.
② 맞춤형화장품을 올바르게 사용하는 방법은 먼저 패치테스트를 꼭 해보고 이상이 없을 때 사용하는 것이 좋다
③ 패치테스트는 적응기간상 가급적 많은 양을 발라서 빠르게 테스트한다.
④ 패치테스트 시 일정을 길게 잡아 천천히 사용하는 것이 좋다
⑤ 맞춤형화장품을 안전하게 사용하려면 패치테스트는 팔 안쪽에 6시간 동안 한다.

해설 냉동보관이 아닌 냉장보관. 패치테스트는 팔 안쪽에 24시간 동안 한다. 적응기간도 필요하므로 성급하게 너무 많은 양을 바르지 않도록 주의해야 한다. 패치테스트 시 일정기간 안에 빨리 사용하는 것이 좋다.

답: ②

11 비중이 0.8일 경우 300ml를 채운다면 총중량은 얼마인가?

① 240
② 300
③ 360
④ 180
⑤ 200

해설 비중 * 부피 = 중량
0.8×300 = 240g

답: ①

12 위해성 등급이 가등급인 화장품의 유해사례 또는 이와 관련하여 지방식품의약품안전청장이 보고 지시한 경우 누가 언제까지 보고해야 하는가?

① 화장품제조업자 또는 화장품책임판매업자가 회수를 시작한 날부터 7일 이내
② 화장품제조업자 또는 화장품책임판매업자가 회수를 시작한 날부터 15일 이내
③ 화장품제조업자 또는 화장품책임판매업자가 회수를 시작한 날부터 30일 이내
④ 지방식품의약품안전청장이 회수를 지시한 날부터 15일 이내
⑤ 지방식품의약품안전청장이 회수를 지시한 날부터 30일 이내

답: ②

13 다음 중 비타민이 포함된 연결이 옳은 것은?

① 비타민A – 레티놀
② 비타민B – 토코페롤
③ 비타민C – 핀테놀
③ 비타민D – 아스코빅에시드
⑤ 비타민E – 피피독신

해설 레티놀(비타민A), 아스코빅애시드(비타민C), 토코페롤(비타민E)

답: ①

14 다음은 기능성화장품의 안전을 확보하기 위한 안전성, 입증하는 자료이다. ( )안에 들어갈 것끼리 바르게 연결한 것은?

가. 단회투여독성시험자료	나. 1차 피부자극시험자료
다. ( )	라. 피부감작성시험자료
마. ( )	바. 인체첩포시험자료
사. 인체누적첩포시험자료	

① 피부 안정성시험자료 – 2차 피부자극시험자료
② 안점막자극 또는 기타점막자극시험자료 – 광독성(光毒性) 및 광감작성 시험 자료

③ 피부 안정성시험자료 – 광독성(光毒性) 및 광감작성 시험 자료
④ 안점막자극 또는 기타점막자극시험자료 – 2차 피부자극시험자료
⑤ 피부 독성 시험자료 – 2차 피부자극시험자료

답: ②

15 다음 중 기능성 화장품에 속하지 않는 것은?

① 피부에 기미, 죽은깨 등의 생성을 억제하는 기능의 화장품
② 일시적으로 모발의 색상을 변화시키는 화장품
③ 체모를 제거하는 기능을 가진 화장품
④ 여드름성 피부를 완화하는데 도움을 주는 화장품
⑤ 자외선을 차단 또는 산란시켜 자외선으로부터 피부를 보호하는 기능을 가진 화장품

해설 1. 피부에 멜라닌색소가 침착하는 것을 방지하여 기미 · 주근깨 등의 생성을 억제함으로써 피부의 미백에 도움을 주는 기능을 가진 화장품
2. 피부에 침착된 멜라닌색소의 색을 엷게 하여 피부의 미백에 도움을 주는 기능을 가진 화장품
3. 피부에 탄력을 주어 피부의 주름을 완화 또는 개선하는 기능을 가진 화장품
4. 강한 햇볕을 방지하여 피부를 곱게 태워주는 기능을 가진 화장품
5. 자외선을 차단 또는 산란시켜 자외선으로부터 피부를 보호하는 기능을 가진 화장품
6. 모발의 색상을 변화[탈염(脫染) · 탈색(脫色)을 포함한다]시키는 기능을 가진 화장품. 다만, 일시적으로 모발의 색상을 변화시키는 제품은 제외한다.
7. 체모를 제거하는 기능을 가진 화장품. 다만, 물리적으로 체모를 제거하는 제품은 제외한다.
8. 탈모 증상의 완화에 도움을 주는 화장품. 다만, 코팅 등 물리적으로 모발을 굵게 보이게 하는 제품은 제외한다.
9. 여드름성 피부를 완화하는데 도움을 주는 화장품. 다만, 인체세정용 제품류로 한정한다.
10. 아토피성 피부로 인한 건조함 등을 완화하는데 도움을 주는 화장품
11. 튼살로 인한 붉은 선을 엷게 하는 데 도움을 주는 화장품

답: ②

16 다음 각 목의 어느 하나에 해당하는 성분을 0.5퍼센트 이상 함유하는 제품의 경우에는 해당 품목의 안정성시험 자료를 최종 제조된 제품의 사용기한이 만료되는 날부터 얼마 동안 보존해야 하는가?

가. 레티놀(비타민A) 및 그 유도체
나. 아스코빅애시드(비타민C) 및 그 유도체
다. 토코페롤(비타민E)
라. 과산화화합물
마. 효소

① 1개월
② 3개월
③ 6개월
④ 1년
⑤ 2년

답: ④

17 맞춤형화장품 조제관리사가 행하는 업무로 맞는 것은?

① 맞춤형화장품조제관리사는 화장품의 안전성 확보 및 품질관리에 관한 교육을 6개월마다 받아야 한다.
② 제조 · 수입된 화장품의 내용물에 기능성화장품을 혼합해 판매한다.
③ 판매장에서 고객 개인별 피부 특성이나 피부색 등의 기호 · 요구에 맞게 천연 염료를 혼합한 제품을 판매한다.
④ 향수 200ml를 40ml씩 소분해서 판매한다.
⑤ 수입한 화장품에 한국인에 맞는 향을 넣어 판매한다.

해설 교육을 매년 받는다. 제조 · 수입된 화장품의 내용물에 다른 화장품의 내용물이나 식품의약품안전처장이 정하는 원료를 추가하여 혼합하거나 제조 또는 수입된 화장품의 내용물을 소분(小分)하는 업무에 종사한다.

답: ④

18 다음 중 과태료 부과 기준에 해당하지 않는 것은?

① 동물실험을 실시한 화장품 또는 동물실험을 실시한 화장품 원료를 사용하여 제조 또는 수입한 화장품을 유통 · 판매한 경우
② 책임판매관리자 및 맞춤형화장품조제관리사로서 화장품의 안전성 확보 및 품질관리에 대한 교육을 받지 않은 경우
③ 화장품의 생산실적 또는 수입실적 또는 화장품 원료의 목록 등을 보고하지 아니한 경우
④ 폐업 등의 신고를 하지 아니한 경우
⑤ 화장품을 의약품으로 잘못 인식할 우려가 있는 표시 또는 광고한 경우

해설 의약품으로 잘못 인식할 우려가 있는 표시 또는 광고한 경우는 1년 이하의 징역 또는 1천만원 이하의 벌금이며, 아래 열거한 경우는 100만원 이하의 과태료 부과 대상이다

기능성화장품의 심사 등 변경심사를 받지 아니한 자, 화장품의 생산실적 또는 수입실적 또는 화장품 원료의 목록 등을 보고하지 아니한 자, 책임판매관리자 및 맞춤형화장품조제관리사로서 화장품의 안전성 확보 및 품질관리에 관한 교육을 매년 받지 아니한 자, 폐업 등의 신고를 하지 아니한 자, 화장품 제조장소 · 영업소 · 창고 · 판매장소 등의 보고와 검사 등에 따른 명령을 위반하여 보고를 하지 아니한 자, 동물실험을 실시한 화장품 또는 동물실험을 실시한 화장품 원료를 사용하여 제조(위탁제조를 포함한다) 또는 수입한 화장품을 유통 · 판매한 자

답: ⑤

19 개인정보보호 원칙에 맞지 않는 것은?

① 개인정보처리자는 개인정보 처리방침 등 개인정보의 처리에 관한 사항을 공개하여야 하며, 열람청구권 등 정보주체의 권리를 보장하여야 한다.
② 개인정보처리자는 개인정보가 유출된 경우 그 피해를 최소화하기 위한 대책을 마련하고 필요한 조치를 하여야 한다.
③ 개인정보처리자는 만 14세 미만 아동의 법정대리인의 동의를 받기 위하여 해당 아동으로부터 직접 법정대리인의 성명 · 연락처에 관한 정보를 수집할 수 있다.
④ 개인정보처리자는 익명처리가 가능한 경우라도 실명처리 할 수 있다.

⑤ 개인정보처리자는 개인정보의 처리 목적을 명확하게 하여야 하고 그 목적에 필요한 범위에서 최소한의 개인정보만을 적법하고 정당하게 수집하여야 한다.

해설 개인정보처리자는 개인정보의 익명처리가 가능한 경우에는 익명에 의하여 처리될 수 있도록 하여야 한다.

답: ④

20 개인정보의 수집 이용이 가능한 것에 해당하는 것으로 옳은 것은?

① 정보주체의 동의를 받지 않았지만 국가 정책 홍보에 필요한 경우
② 법률에 특별한 규정이 있거나 법령상 의무를 준수하기 위하여 불가피한 경우
③ 민간기관이 법령 등에서 정하는 소관 업무의 수행을 위하여 불가피한 경우
④ 정보 사용자들 간의 계약 체결 및 이행을 위하여 불가피하게 필요한 경우
⑤ 정보주체 또는 그 법정대리인이 의사표시를 할 수 없는 상태에 있거나 주소불명 등으로 사전 동의를 받을 수 없는 경우로서 공공기관의 이익에 필요하다고 인정되는 경우

해설 정보주체의 동의를 받은 경우, 법률에 특별한 규정이 있거나 법령상 의무를 준수하기 위하여 불가피한 경우, 공공기관이 법령 등에서 정하는 소관 업무의 수행을 위하여 불가피한 경우, 명백히 정보주체 또는 제3자의 급박한 생명, 신체, 재산의 이익을 위하여 필요하다고 인정되는 경우, 개인정보처리자의 정당한 이익을 달성하기 위하여 필요한 경우로서 명백하게 정보주체의 권리보다 우선하는 경우

답: ②

21 다음중 맞춤형화장품조제관리사가 사용할 수 있는 원료는?

① 갈라민트리에치오다이드
② 칼란타민
③ 세틸에틸헥사노에이트
④ 구차네티딘
⑤ 글루코코르티코이드

해설 화장품에 사용할 수 없는 원료는 갈라민트리에치오다이드, 칼란타민, 중추신경계에 작용하는 교감신경흥분성아민, 구차네티딘 및 그 염류, 구아이페네신, 글루코코르티코이드, 글루테티미드 및 그 염류 등. 세틸에틸헥사노에이트는 피부와 모발에 사용되는 유연제로 사용가능하다.

답: ③

22 다음 설명이 바르게 된 것은?

① 무기합성색소는 염료, 레이크, 착색 안료, 체질 안료, 진주광택 펄안료, 고분자 분체, 기능성 안료이다.
② 금속이온 봉쇄제는 일반적으로 기초화장품이나 메이크업 화장품에 주로 사용되는 고형의 유성성분으로 고급지방산에 고급알코올의 에스테르 결합으로 된 물질을 말한다.
③ 왁스는 점도를 조절할 목적으로 배합하는 원료로서 점도를 유지하거나 제품의 안정성을 유지하고 화장품의 안정성을 위하여 사용되며, 사용감을 결정하는 중요한 요인 중의 하나이다.
④ 유지의 산화를 방지하고 제품의 품질을 일정하게 유지시켜주기 위해서 첨가하는 것이 산화방지제와 활성성분이다

⑤ 레이크는 물에 녹기 쉬운 연료를 알루미늄 등의 염이나 황산알루미늄, 황산지르코늄 등을 가해 물에 녹지 않도록 불용화 시킨 안료로 색상과 안정성이 안료와 염료의 중간정도이다.

해설 염료, 레이크는 유기합성색소.

왁스는 일반적으로 기초화장품이나 메이크업 화장품에 주로 사용되는 고형의 유성성분으로 고급지방산에 고급알코올의 에스테르결합으로 된 물질임.

금속이온의 활성을 억제하기 위해서 첨가하는 것을 금속이온봉쇄제 또는 킬레이트제라고 함.

점증제는 화장품의 점도를 조절할 목적으로 배합하는 원료로서 점도를 유지하거나 제품의 안정성을 유지하기 위하여 사용되며, 사용감을 결정하는 중요한 요인 중의 하나이다.

유지의 산화를 방지하고 제품의 품질을 일정하게 유지시켜주기 위해서 첨가하는 것이 산화방지제와 금속이온봉쇄제 이다.

답: ⑤

23 다음중 피부의 여드름을 완화하는 성분은?

① 레티놀
② 살리실릭애씨드
③ 아데노신
④ 치오글리콜산
⑤ 알부틴

해설 레티놀, 아데노신은 주름개선, 치오글리콜산은 체모제거, 알부틴은 미백.

답: ②

24 자외선 차단 성분과 사용 가능한 최대 사용 한도로 맞게 연결한 것은?

① 시녹세이트 – 15%
② 옥토크릴렌 – 10%
③ 드로메트리졸트리실록산 – 10%
④ 징크옥사이드 – 15%
⑤ 호모살레이트 – 5%

해설 시녹세이트(5%), 드로메트리졸트리실록산(15%), 징크옥사이드(25%), 호모살레이트(10%)

답: ②

25 기능성 성분의 성분 및 함량으로 맞는 것은?

① 닥나무추출물 – 2%
② 알부틴 – 1%
③ 아데노신 – 0.1%
④ 살리실릭애씨드– 0.1%
⑤ 옥토크릴렌– 5%

해설 알부틴(2~5%), 아데노신(0.04%), 살리실릭애씨드(0.5 %), 옥토크릴렌(10 %)

답: ①

26 착향제(향료)성분 중 알레르기를 유발하는 물질은 사용 후 씻어내는 제품에 ( ), 사용 후 씻어내지 않는 제품에는 ( )초과 함유 경우에는 유발 성분을 표시한다. ( )들어갈 것을 순서대로 나열한 것은?

① 1%, 0.1%
② 0.1%, 0.01%

③ 0.01%, 0.001%
④ 1%, 0.01%
⑤ 0.1%, 0.001%

답: ③

27 다음중 화장품 원료로서 사용할 수 없는 것은?

① 페닐파라벤
② 티타늄디옥사이드
③ 징크옥사이드
④ 데하이드로아세틱애씨드
⑤ 2-메칠-5-히드록시에칠아미노페놀

해설 다른 것들은 사용상 제한이 필요한 원료이다.

답: ①

28 다음 (   )에 들어갈 것으로 알맞은 것은?

맞춤형화장품을 트러블이 없고 스트레스도 받지 않으며, 올바르게 사용하는 방법은 먼저 (   )을(를) 꼭 해보고 이상이 없을 때 사용하는 것이 좋은데 팔 안쪽에 24시간 동안 한다. 또한 적응기간도 필요하므로 성급하게 너무 많은 양을 바르지 않도록 주의해야 한다.

① 모의실험
② 성분검사
③ 패치테스트
④ 독성검사
⑤ 유해성검사

답: ③

29 다음 중 보존제의 사용한도로 옳은 것은?

① 디엠디엠하이단토인 0.2%
② 살리실릭애씨드 1.0%
③ 페녹시에탄올 1.0%
④ 징크피리치온 1.0%
⑤ 클로페네신 0.2%

해설 디엠디엠하이단토인 0.6%, 살리실릭애씨드 0.5%, 페녹시에탄올 1.0%, 징크피리치온 : 씻어내는 제품에 0.5%, 클로페네신 0.2%, 글루타랄 0.1%, 벤제토늄클로라이드 ; 점막용 제품 사용금지 다른 곳 0.1%, 베젠알코올 1.0%

답: ③

30 제품종류별 포장방법에 관한 설명으로 올바르지 않은 것은?

① 화장품 포장 공정은 포장지시서 발행, 포장기록서 발행, 벌크제품, 포장재 준비, 완제품 보관, 포장기록서 완결, 포장재 재보관 작업으로 이루어진다.
② 작업 전 청소상태 및 포장재 등의 준비 상태를 점검하는 체크리스트를(line start-up) 작성하여 기록관리 해야 한다.
③ 제조번호는 각각의 완성된 제품에 지정되어야 하고 용량 관리, 기밀도, 인쇄 상태 등 공정 중 관리(In-process control)는 포장작업을 완료한 후 일괄적으로 실시해야 한다.
④ 공정중의 공정검사 기록과 합격기준에 미치지 못한 경우의 처리 내용도 관리자에게 보고하고 기록하여 관리한다.

⑤ 시정 조치가 시행될 때가지 공정을 중지시켜야 하며, 이는 벌크제품과 포장재의 손실 위험을 방지하기 위함이다.

해설 포장하는 동안에도 정기적으로 실시해야 한다.

답: ③

31 유통화장품의 안전관리 기준에서 미생물 검출허용한도로 맞게 표시한 것은?

① 눈화장용 제품류 총호기성생균수 500개/g 이하
② 물휴지의 경우 세균 및 진균수는 각각 500개/g(mL)이하
③ 영 · 유아용 제품류 총호기성생균수 100개/g 이하
④ 기타 화장품의 경우 500개/g(mL)이하
⑤ 황색포도상구균(Staphylococcus aureus)100개/g 이하

해설 총호기성생균수는 영 · 유아용 제품류 및 눈화장용 제품류의 경우 500개/g(mL)이하, 물휴지의 경우 세균 및 진균수는 각각 100개/g(mL)이하, 기타 화장품의 경우 1,000개/g(mL)이하, 대장균(Escherichia Coli), 녹농균(Pseudomonas aeruginosa), 황색포도상구균(Staphylococcus aureus)은 불검출

답: ①

32 다음은 기능성화장품의 심사를 위하여 제출하여야 하는 자료에 대한 설명이다. 올바르게 설명한 것은?

① 안정성을 입증하는 자료로 다회투여독성시험자료를 제출해야 한다.
② 안정성을 입증하는 자료로 2차 피부자극시험자료를 제출해야 한다.
③ 안정성을 입증하는 자료로 피부감작성시험자료를 제출해야 한다.
④ 안정성을 입증하는 자료로 효력시험자료를 제출해야 한다.
⑤ 안정성을 입증하는 자료로 인체적용시험자료를 제출해야 한다.

해설 안정성 자료는 단회투여독성시험자료, 1차 피부자극 시험자료 피부감작성 시험자료 등이고, 효력시험자료, 인체적용시험자료 등은 유효성 또는 기능에 관한 자료이다.

답: ③

33 피부생리에 관련된 설명이다. 바르게 표현한 것은?

① 멜라닌형성세포는 진피층에 위치하는 세포로 수상돌기를 가지고 있고, 멜라닌세포에서 만들어진 유기색소인 멜라닌은 멜라닌 세포돌기를 통해 각질형성세포에 전달된다.
② 멜라닌은, 멜라노좀 내의 소기관인 멜라노사이트 내에서 생성된다.
③ 머켈세포(Merkel cell)는 외부에서 들어온 이물질인 항원을 면역담당세포인 T-림프구에 전달하는 역할을 하는 세포로 피부면역에 관여한다.
④ 멜라닌 색소는 피부에서는 기저층에서 생성되는데 멜라닌을 생성하는 것은 멜라닌 형성 세포인 멜라노사이트이다.
⑤ 각질층에 축적된 각질은 정상피부의 경우 28일 주기로 탈락되나 피부가 노화될수록 또는 여드름이 진행된 피부일수록 탈락이 빨라져서 피부가 거칠어지거나 안색이 칙칙한 경우가 많다.

해설 멜라닌형성세포는 기저층에 위치하는 세포다.
멜라닌은 표피의 기저층에 존재하는 멜라노사이트 내의 소기관인 멜라노좀내에서 생성된다.
피부면역에 관여하는 세포는 랑게르한스세포(Langerhans cell)이다.
피부가 노화될수록 또는 여드름이 진행된 피부일수록 탈락이 지연된다.

답: ④

34 탈모방지에 도움을 주는 기능을 하는 성분이 아닌 것은?

① 살리실릭애씨드
② 테스판테놀
③ 비오틴
④ 엘-멘톨
⑤ 징크피리치온

해설 살리실릭애씨드는 여드름 완화 성분이다.
화장품에서는 테스판테놀, 비오틴, 엘-멘톨, 징크피리치온이 탈모방지제로 사용

답: ①

35 유통화장품의 안전관리 기준에 맞는 미생물 한도 기준의 설명으로 바르게 표현한 것은?

① 총호기성생균수는 눈화장용 제품류의 경우 500개/g(mL)이하
② 총호기성생균수는 영 · 유아용 제품류 경우 1,000개/g(mL)이하
③ 물휴지의 경우 진균수는 각각 500개/g(mL)이하
④ 기타 화장품의 경우 500개/g(mL)이하
⑤ 대장균(Escherichia Coli), 녹농균(Pseudomonas aeruginosa), 황색포도상구균(Staphylococcus aureus)은 1,000개/g(mL)이하

해설 1. 총호기성생균수는 영 · 유아용 제품류 및 눈화장용 제품류의 경우 500개/g(mL)이하
2. 물휴지의 경우 세균 및 진균수는 각각 100개/g(mL)이하
3. 기타 화장품의 경우 1,000개/g(mL)이하
4. 대장균(Escherichia Coli), 녹농균(Pseudomonas aeruginosa), 황색포도상구균(Staphylococcus aureus)은 불검출

답: ①

36 유통화장품의 안전관리 기준상 제조 또는 보관 과정 중 포장재로부터 이행되는 등 비의도적으로 유래된 사실이 객관적인 자료로 확인되고 기술적으로 완전한 제거가 불가능한 경우 해당 물질의 검출 허용 한도로 맞는 것은?

① 납 : 점토를 원료로 사용한 분말제품은 50㎍/g이하, 그 밖의 제품은 20㎍/g이하
② 카드뮴 : 10㎍/g이하
③ 디옥산 : 50㎍/g이하
④ 비소 : 50㎍/g이하
⑤ 메탄올 : 2(v/v)%이하, 물휴지는 0.002%(v/v)이하

해설 1. 납 : 점토를 원료로 사용한 분말제품은 50㎍/g이하, 그 밖의 제품은 20㎍/g이하
2. 니켈: 눈 화장용 제품은 35㎍/g 이하, 색조 화장용 제품은 30㎍/g이하, 그 밖의 제품은 10㎍/g 이하

3. 비소 : 10㎍/g이하
4. 수은 : 1㎍/g이하
5. 안티몬 : 10㎍/g이하
6. 카드뮴 : 5㎍/g이하
7. 디옥산 : 100㎍/g이하
8. 메탄올 : 0.2(v/v)%이하, 물휴지는 0.002%(v/v)이하
9. 포름알데하이드 : 2000㎍/g이하, 물휴지는 20㎍/g이하
10. 프탈레이트류(디부틸프탈레이트, 부틸벤질프탈레이트 및 디에칠헥실프탈레이트에 한함) : 총 합으로서 100㎍/g이하

답: ①

37 다음의 우수화장품 품질관리기준에서 기준일탈 제품의 폐기처리 순서를 나열한 것으로 옳은 것은?

ㄱ. 격리 보관	ㄴ. 기준 일탈 조사
ㄷ. 기준일탈의 처리	ㄹ. 폐기처분 또는 재작업 또는 반품
ㅁ. 기준일탈 제품에 불합격라벨 첨부	ㅂ. 시험, 검사, 측정이 틀림없음 확인
ㅅ. 시험, 검사, 측정에서 기준 일탈 결과 나옴	

① ㄷ→ㄴ→ㅂ→ㅅ→ㄹ→ㄱ→ㅁ
② ㅁ→ㄴ→ㅂ→ㄷ→ㅅ→ㄱ→ㄹ
③ ㅅ→ㄴ→ㄹ→ㄷ→ㅁ→ㅂ→ㄱ
④ ㅅ→ㄴ→ㅂ→ㄷ→ㅁ→ㄱ→ㄹ
⑤ ㅅ→ㄴ→ㅂ→ㄷ→ㅁ→ㄹ→ㄱ

해설 화장품 시행규칙 제27조(회수 · 폐기명령 등) 참조

답: ④

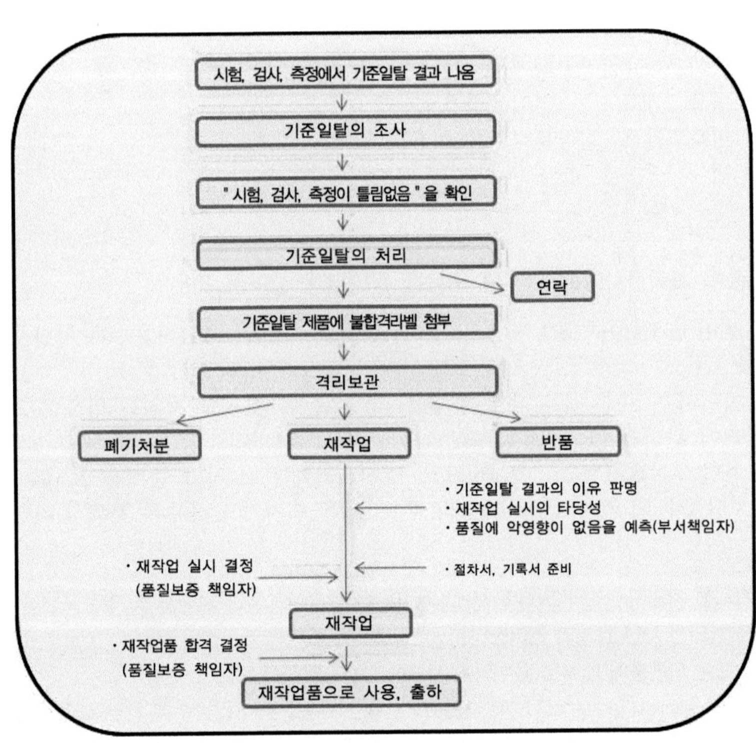

38 다음은 맞춤형화장품조재관리사가 사용하는 화장품 기기에 대한 설명이다. 여기에 해당하는 기기는?

가. 조직의 세포를 파괴하여 균등액으로 만드는 기구로 크림, 도료, 로션 등의 혼합조제에 활용하는 기기 나. 고압을 가한 혼합액을 스프링을 이용한 밸브 등을 통해 미세하게 분산시켜서 균일한 유화 입자를 만드는 기기 다. 터빈형 회전날개를 원통으로 둘러싼 모양의 기기

① 콜로이드 밀
② 디스퍼(Disper)
③ 프로펠러 믹서(Propeller Mixer)
④ 원심분리기(Centrifuge)
⑤ 호모지나이저(Homogenizer)

해설 볼 밀, 콜로이드 밀, 롤러 밀, 프로펠러식 교반기 는 고체상태인 안료를 목적에 따라 분쇄하여 혼합, 분산 등에 사용.

답: ⑤

39 유통화장품 안전기준 등에 관한 규정에서 다음에 해당하는 성분을 한꺼번에 분석할 수 있는 시험 방법은?

납, 니켈, 비소, 안티몬, 카드뮴

① 원자흡광광도법
② 유도결합플라즈마-질량분석기를 이용한 방법 (ICP-MS)
③ 기체크로마토그래프-수소염이온화검출기를 이용한 방법
④ 기체크로마토그래프-질량분석기를 이용한 방법
⑤ pH 시험법

답: ②

40 기능성화장품의 자외선차단에 관계된 내용을 올바르게 설명한 것은?

① PA(Protection factor of UVA) 값은 UVA 차단 지수로 +가 낮을수록 차단 효과가 높음을 의미한다.
② 자외선 차단지수 SPF 값은 피부 홍반을 막아주는데 필요한 자외선 양으로 표현한다.
③ 피부 관리에 관련된 자외선은 UVA, UVB, UVC 가 있다.
④ 자외선 차단지수 SPF(Sun Protection Factor)는 UVB 차단 능력을 표시하는 숫자이다.
⑤ 자외선 차단지수 SPF(Sun Protection Factor)는 숫자가 낮을수록 자외선 차단 효과가 길어진다.

해설 자외선 차단지수 SPF(Sun Protection Factor)는 UVB 차단 능력을 숫자로 표현하며, 숫자가 클수록 자외선 차단 효과가 길어진다.
UVC는 오존층에 대부분 흡수되어 지구상에는 도달하지 않는다.
PA(Protection factor of UVA) 값은 UVA 차단 지수로 +가 많을수록 차단 효과가 높음을 의미한다.
자외선 차단지수 SPF 값은 피부 홍반을 일으키는데 필요한 자외선 양으로 표현한다.

답: ④

41 유통화장품의 안전관리 기준상에서 내용량 시험 기준치에 맞게 설명한 것은?

① 제품 3개를 가지고 시험할 때 그 평균 내용량이 표기량에 대하여 90% 이상여야 하고, 화장비누의 경우 측정중량을 내용량으로 한다.
② 제품 3개를 가지고 시험할 때 그 평균 내용량이 표기량에 대하여 95% 이상여야 하고, 화장비누의 경우 건조중량을 내용량으로 한다.
③ 제품 3개를 가지고 시험할 때 그 평균 내용량이 표기량에 대하여 95% 이상여야 하고, 화장비누의 경우 측정중량을 내용량으로 한다.
④ 제품 3개를 가지고 시험할 때 그 평균 내용량이 표기량에 대하여 90% 이상여야 하고, 화장비누의 경우 건조중량을 내용량으로 한다.
⑤ 제품 3개를 가지고 시험할 때 그 평균 내용량이 표기량에 대하여 97% 이상여야 하고, 화장비누의 경우 건조중량을 내용량으로 한다.

답: ⑤

42 다음은 완제품의 입고, 보관 및 출하절차이다. (　　)에 맞는 것은?

포장 공정 → → 임시보관 → 합격라벨 부착 → 보관 → 출하

① 재고확인, 제품시험 합격
② 재고확인, 보관용 검체
③ 시험 중 라벨 부착, 제품시험 합격
④ 실험용검체, 제품시험 합격
⑤ 시험 중 라벨 부착, 보관용 검체

해설 포장 공정 → 시험 중 라벨 부착 → 임시보관 → 제품시험 합격 → 합격라벨 부착 → 보관 → 출하

답: ③

43 피부노화의 원인이 되는 자외선의 파장 범위는?

① 100 ~ 200nm
② 200 ~ 300nm
③ 300 ~ 400nm
④ 400 ~ 500nm
⑤ 500 ~ 600nm

해설 피부노화와 관련된 자외선은 UVA, UVB이다. UVA (320~400nm), UVB (290~320nm), UVC (200~290nm)

답: ③

44 퍼머넌트 웨이브 제품 및 헤어스트레이트너 제품에 대한 주의할 사항으로 옳은 것은?

① 얼굴 등에 약액이 묻었을 때에는 즉시 알콜로 씻어낸다.
② 머리카락의 손상 등을 피하기 위하여 희석하여 사용한다.
③ 섭씨 5도 이하의 어두운 장소에 보존한다.
④ 개봉한 제품은 14일 이내에 사용한다.
⑤ 용법, 용량을 지켜야 하며, 가능하면 일부에 시험적으로 사용하여 본다.

해설
- 두피 · 얼굴 · 눈 · 목 · 손 등에 약액이 묻지 않도록 유의하고, 얼굴 등에 약액이 묻었을 때에는 즉시 물로 씻어낼 것
- 특이체질, 생리 또는 출산 전후이거나 질환이 있는 사람 등은 사용을 피할 것

- 머리카락의 손상 등을 피하기 위하여 용법 · 용량을 지켜야 하며, 가능하면 일부에 시험적으로 사용하여 볼 것
- 섭씨 15도 이하의 어두운 장소에 보존하고, 색이 변하거나 침전된 경우에는 사용하지 말 것
- 개봉한 제품은 7일 이내에 사용할 것(에어로졸 제품이나 사용 중 공기유입이 차단되는 용기는 표시하지 아니한다)
- 제2단계 퍼머액 중 그 주성분이 과산화수소인 제품은 검은 머리카락이 갈색으로 변할 수 있으므로 유의하여 사용할 것

답: ⑤

45 화장품 사용시의 주의사항 중에서 모든 화장품에 적용되는 일반적인 사항으로 맞지 않는 것은?

① 섭씨 15도 이하에서 보관할 것
② 상처가 있는 부위 등에는 사용을 자제할 것
③ 어린이 손이 닿지 않는 곳에 보관할 것
④ 화장품 사용 시 또는 사용 후 직사광선에 의하여 사용부위가 붉은 반점, 부어오름 또는 가려움증 등의 이상 증상이나 부작용이 있는 경우 전문의 등과 상담할 것
⑤ 직사광선을 피해서 보관할 것

해설 보관 온도에 대한 주의사항은 없음

답: ①

46 다음 중 회수대상 화장품에 해당하는 것은?

① 맞춤형화장품조제관리사가 그해 정기 교육을 받지 않고 판매한 화장품
② 동물성 원료가 포함된 화장품
③ 생산원가 이하로 판매된 화장품
④ 영업의 등록에 따른 맞춤형화장품조제관리사를 두지 아니하고 판매한 맞춤형화장품
⑤ 맞춤형화장품조제관리사를 두지 아니하고 판매한 기능성 화장품

해설
- 안전용기 · 포장 등을 위반한 화장품전부 또는 일부가 변패(變敗)된 화장품
- 병원미생물에 오염된 화장품
- 이물이 혼입되었거나 부착된 것 중 보건위생상 위해를 발생할 우려가 있는 화장품
- 화장품에 사용할 수 없는 원료를 사용하였거나 유통화장품 안전관리 기준에 적합하지 아니한 화장품
- 사용기한 또는 개봉 후 사용기간(병행 표기된 제조연월일을 포함한다)을 위조 · 변조한 화장품
- 화장품제조업자 또는 화장품책임판매업자 스스로 국민보건에 위해를 끼칠 우려가 있어 회수가 필요하다고 판단한 화장품
- 영업의 등록에 따른 등록을 하지 아니한 자가 제조한 화장품 또는 제조 · 수입하여 유통 · 판매한 화장품
- 영업의 등록에 따른 신고를 하지 아니한 자가 판매한 맞춤형화장품
- 영업의 등록에 따른 맞춤형화장품조제관리사를 두지 아니하고 판매한 맞춤형화장품
- 의약품으로 잘못 인식할 우려가 있게 기재 · 표시된 화장품
- 판매의 목적이 아닌 제품의 홍보 · 판매촉진 등을 위하여 미리 소비자가 시험 · 사용하도록 제조

또는 수입된 화장품

• 화장품의 포장 및 기재 · 표시 사항을 훼손(맞춤형화장품 판매를 위하여 필요한 경우는 제외) 또는 위조 · 변조한 것

답: ④

47 다음 중 화장품 작업장 내 직원의 위생 기준으로 맞는 것은?

① 적절한 위생관리 기준 및 절차를 마련하고 제조소 내의 생산에 직접 간여하는 직원은 이를 준수해야 한다.
② 작업소 및 보관소 내의 모든 직원은 도시락 외의 음식물 등을 반입해서는 아니 된다.
③ 피부에 외상이 있거나 질병에 걸린 직원은 건강이 양호해지거나 화장품의 품질에 영향을 주지 않는다는 의사의 소견이 있기 전까지는 화장품과 직접적으로 접촉되지 않도록 격리되어야 한다.
④ 제조구역별 접근권한이 있는 작업원 및 방문객은 가급적 제조, 관리 및 보관구역 내에 들어가지 않도록 하고, 불가피한 경우 사전에 직원 안전에 대한 교육에 따르도록 하고 감독하여야 한다.
⑤ 작업소 및 보관소 내의 모든 직원은 화장품의 오염을 방지하기 위해 마스크와 장갑을 착용해야 한다.

해설 (1) 적절한 위생관리 기준 및 절차를 마련하고 제조소 내의 모든 직원은 이를 준수해야 한다.
(2) 작업소 및 보관소 내의 모든 직원은 화장품의 오염을 방지하기 위해 규정된 작업복을 착용해야 하고 음식물 등을 반입해서는 아니된다.
(3) 피부에 외상이 있거나 질병에 걸린 직원은 건강이 양호해지거나 화장품의 품질에 영향을 주지 않는다는 의사의 소견이 있기 전까지는 화장품과 직접적으로 접촉되지 않도록 격리되어야 한다.
(4) 제조구역별 접근권한이 있는 작업원 및 방문객은 가급적 제조, 관리 및 보관구역 내에 들어가지 않도록 하고, 불가피한 경우 사전에 직원 위생에 대한 교육 및 복장 규정에 따르도록 하고 감독하여야 한다.(제6조 직원의 위생)

답: ③

48 원자재 용기 및 시험기록서의 필수적인 기재 사항이 아닌 것은?

① 공급자가 부여한 제조번호 또는 관리번호
② 수령일자
③ 원자재 공급자명
④ 공급자가 만든 제조일자
⑤ 원자재 공급자가 정한 제품명

해설 제조일자, 발주일자는 기재하지 않아도 됨

답: ⑤

49 다음 인체 생리와 화장품에 대한 설명을 맞게 한 것은?

① 화장품은 인체를 청결,미화하여 매력을 더하고 용모를 밝게 변화시키거나 피부,모발, 구강의 건강을 유지 또는 증진하기 위한 것이다.
② 화장품은 인체에 바르고 문지르거나 뿌리는 등 이와 유사한 방법으로 사용되는 물품으로서 인체에 대한 작용이 강한 것을 말한다.
③ 기초화장품은 피부를 청결하게 하고 진피의 보습을 위해 필요한 것이다.

④ 각질층에는 천연보습인자와 세라마이드 등의 세포간지질이 존재한다.
⑤ 연령이 증가할수록 각질층의 천연보습인자와 진피층의 히아루론산 등의 고분자 점액질이 증가하고 피지 분비량은 감소하게 된다.

해설 화장품은 구강의 건강과 관계없음. 인체에 대한 작용이 경미한 것. 인체에 대한 작용이 약한 것. 기초화장품은 각질층의 보습을 위해 필요. 연령이 증가할수록 각질층의 천연보습인자와 진피층의 히아루론산 등의 고분자 점액질이 감소.

답: ④

50 다음중 보관용 검체에 대한 설명으로 옳은 것은?

① 제조단위별로 사용기한 경과 후 1년간 보관하며 개봉 후 사용기간을 기재하는 경우에는 제조일로부터 2년간 보관하여야 한다.
② 제품의 검체채취란 제품 시험용 및 보관용 검체를 채취하는 일이며, 제품 규격에 따라 최소의 수량여야 한다.
③ 보관용 검체는 신재품 개발을 위하여 사용하게 된다.
④ 검체는 무균실 냉장 보관한다.
⑤ 보관용 검체는 일반적으로 제품 시험을 2번 실시할 수 있는 양을 보관한다.

해설
- 개봉 후 사용기간을 기재하는 경우에는 제조일로부터 3년간 보관하여야 한다.
- 충분한 수량 채취한다.
- 보관용 검체는 재시험이나 불만 사항의 해결을 위하여 사용하게 된다.

답: ⑤

51 유통화장품 안전관리기준 제6조에 의하면 인위적으로 물질을 첨가하지 않았으나 제조 또는 보관과정 중 비의도적으로 유래된 물질의 검출 허용 한도를 정하였는데 여기에 포함되지 않은 것은?

① 코발트
② 납
③ 니켈
④ 비소
⑤ 안티몬

해설 납, 니켈, 비소, 수은, 안티몬, 가드뮴

답: ①

52 맞춤형화장품관리사의 권한으로서 판매한 것끼리 묶은 것은?

ㄱ. 향수 200ml를 40ml로 소분하여 판매하였다. ㄴ. 수입된 화장품에 식품의약품안전처장이 정하는 원료를 추가하여 혼합한 화장품을 판매하였다. ㄷ. 판매 허가된 화장품에 식품의약품안전처장이 고시한 기능성화장품의 효능 · 효과를 나타내는 원료를 추가하여 혼합한 화장품을 판매하였다. ㄹ. 판매가 허가된 제조 또는 수입된 화장품을 도매하였다. ㅁ. 판매 허가된 화장품에 천연색소를 혼합하여 판매하였다.

① ㄱ, ㄴ
② ㄴ, ㄷ
③ ㄷ, ㄹ
④ ㄹ, ㅁ
⑤ ㄱ, ㅁ

답: ①

53 검체 채취와 보관에 대한 설명이다. 올바르지 않는 것은?

① 시험용 검체는 오염되거나 변질되지 아니하도록 채취하고, 채취한 후에는 원상태에 준하는 포장을 해야 한다.
② 시험용 검체의 용기에는 명칭 또는 확인코드를 기재한다.
③ 완제품의 보관용 검체는 적절한 보관조건 하에 지정된 구역 내에서 제조단위별로 사용기한 경과 후 6개월간 보관하여야 한다.
④ 완제품의 보관용 검체는 개봉 후 사용기간을 기재하는 경우에는 제조일로부터 3년간 보관하여야 한다.
⑤ 시험용 검체의 용기에는 검체채취 일자, 제조번호를 기재한다.

해설 완제품의 보관용 검체는 적절한 보관 조건하에 지정된 구역 내에서 제조단위별로 사용기한 경과 후 1년간 보관하여야 한다.

답: ③

54 다음 화장품의 품질요소인 안정성에서 물리적인 변화끼리 짝지은 것은?

가. 내용물의 색상이 변함(변색)
나. 내용물에서 역겨운 냄새가 남(변취)
다. 내용물에 가라앉은 것이 있음(침전)
라. 내용물이 층으로 나누어짐(분리)
마. 내용물에 곰팡이가 생김(미생물 오염)

① 가, 나
② 나, 다
③ 다, 라
④ 라, 마
⑤ 마, 가

해설 다른 것은 화학적 변화이다.

답: ③

55 사용기한과 개봉 후 사용기한에 대해서 바르게 설명한 것은?

① 맞춤형화장품의 사용기한 또는 개봉 후 사용기간은 맞춤형화장품의 혼합 또는 소분에 사용되는 내용물의 사용기한 또는 개봉 후 사용 기간과 같아야 한다.
② 개봉 후 사용기간을 기재할 경우에는 제조연월일을 병행 표기하여야 한다.
③ 사용기한 또는 개봉 후 사용기간만을 기재 · 표시할 수 없다.
④ 맞춤형화장품의 사용기한 또한 개봉 후 사용기간은 맞춤형화장품의 혼합 또는 소분에 사용되는 내용물의 사용기한과는 상관없다.
⑤ 맞춤형화장품의 사용기한 또한 개봉 후 사용기간은 맞춤형화장품의 혼합 또는 소분에 사용되

는 내용물의 사용기한과는 상관없다.

해설 맞춤형화장품의 사용기한 또는 개봉 후 사용기간은 맞춤형화장품의 혼합 또는 소분에 사용되는 내용물의 사용기한 또는 개봉 후 사용 기간을 초과할 수 없다
사용기한 또는 개봉 후 사용기간만을 기재 · 표시할 수 있다.

답: ②

56 맞춤형화장품조제관리사가 A화장품에 B원료를 혼합하여 조제 화장품을 만들었다. 보기의 조제화장품의 사용기한으로 알맞은 것은?

가. A화장품 사용기한 2022년 10월 5일 나. B원료 사용기한 2022년 6월 9일 다. 조제일 2020년 12월 3일

① 2020년 12월 3일
② 2022년 6월 9일
③ 2022년 10월 5일
④ 2022년 6월 8일
⑤ 2022년 10월 4일

해설 맞춤형화장품의 사용기한 또는 개봉 후 사용기간은 맞춤형화장품의 혼합 또는 소분에 사용되는 내용물의 사용기한 또는 개봉 후 사용 기간을 초과할 수 없다.

답 ②

57 고객에게 처방할 원료로 나열된 것 중에서 A와 B의 성분으로 맞는 것은?

〈맞춤형화장품조제관리사의 고객 상담〉 고객 : 최근 햇빛을 많이 받아서 인지 피부가 거칠어지고 눈 밑으로 주름이 생겼어요. **맞춤형화장품조제관리사** : 피부상태 측정부터 먼저 해 보시죠. 측정해보니 피부가 검게 그을렸고 주름이 많이 생기셨네요. 얼굴색을 밝게 하고 주름을 펴지게 A 와 B 성분을 넣어 조제해 드리겠습니다. 〈원료〉 가. 살리실릭애씨드 나. 알파-비사보롤 다. 아데노신 라. 글리세린

① 가, 나
② 나, 다
③ 라, 가
④ 가, 다
⑤ 나, 라

해설 살리실릭애씨드(여드름), 알파-비사보롤(미백), 아데노신(주름), 글리세린(보습)

답: ②

58 화장품의 원료 특성이 바르게 설명된 것은?

① 고급알코올은 화장품을 증가시킨다.
② 고급지방산은 R−COOH 화학식의 물질로 글라이콜릭애씨드가 해당된다.
③ 왁스는 고급지방산과 고급알코올의 에테르결합으로 구성되어 있고 팔미틱산이 해당한다.
④ 점증제에는 에멀젼의 안정성을 높이고 점도를 증가시키기 위해 사용되고 카보머가 해당된다.
⑤ 실리콘오일은 철, 질소로 구성되어 있고 퍼발림성이 우수하다. 다이메치콘이 여기에 해당된다.

해설 고급알코올은 화장품의 점도를 조절한다

답: ④

59 천연화장품에 사용할 수 있는 보존제로 옳은 것은?

① 디엠디엠하이단토인
② 메칠이소치아졸리논
③ 페녹시 에탄올
④ 소빅애씨드 및 그 염류
⑤ 벤제토늄클로라이드

답: ④

60 다음 중 위해성 등급이 다른 것은?

① 화장품에 사용할 수 없는 원료를 사용
② 인체건강에 미치는 위해영향이 크지 않거나 일시적인 경우
③ 사용상의 제한이 필요한 원료의 사용기준을 위반하여 사용한 경우
④ 유통화장품 안전관리 기준에 적합하지 않은 경우
⑤ 인체건강에 미치는 위해 영향은 없으나 제품의 변질, 용기 · 포장의 훼손 등으로 유효성에 문제가 있는 경우

해설 1등급 위해성(화장품의 사용으로 인하여 인체건강에 미치는 위해 영향이 크거나 중대한 경우), 2등급 위해성(화장품 사용으로 인하여 인체건강에 미치는 위해영향이 크지 않거나 일시적인 경우, 식품의약품안전처장이 정하여 고시한 화장품에 사용할 수 없는 원료를 사용하였거나 사용상의 제한이 필요한 원료의 사용기준을 위반하여 사용한 경우 또는 유통화장품 안전관리 기준(내용량의 기준에 관한 부분은 제외한다)에 적합하지 않은 경우), 3등급 위해성(화장품 사용으로 인하여 인체건강에 미치는 위해영향은 없으나 유효성이 입증되지 않은 경우, 화장품 사용으로 인하여 인체건강에 미치는 위해영향은 없으나 제품의 변질, 용기 · 포장의 훼손 등으로 유효성에 문제가 있는 경우)

답: ⑤

61 화장품의 품질요소에 대한 설명으로 맞지 않는 것은?

① 안전성− 피부에 대한 자극, 알레르기, 독성 등이 없거나 적은 것을 의미
② 안정성 − 보관 시에 변질, 변색, 변취, 미생물 오염이 없어야 함을 의미
③ 유효성 − 피부에 적절한 보습, 노화억제, 자외선 차단, 미백, 세정, 메이크업, 색채효과 등을 부여하는 것을 의미
④ 사용성− 피부에 사용했을 때 손놀림 쉽고 피부에 매끄럽게 잘 스며들어야 함을 의미

⑤ 유용성 – 피부에 대해 트러블을 해소하고 미적으로 개선시키는 기능을 행하는 것을 의미

해설 화장품의 품질요소는 안전성, 안정성, 유효성, 사용성

답: ⑤

62 화장품에 대한 정의로 바르지 않는 것은?

① 인체를 청결 미화하여 매력을 더하는 것
② 용모를 밝게 변화시키는 것
③ 피부, 모발, 구강의 건강을 유지 또는 증진시키기 위한 것
④ 인체에 바르고 문지르거나 뿌리는 등 이와 유사한 방법으로 사용되는 물품
⑤ 인체에 대한 작용이 경미 한 것

해설 인체를 청결 · 미화하여 매력을 더하고 용모를 밝게 변화시키거나 피부 · 모발의 건강을 유지 또는 증진하기 위하여 인체에 바르고 문지르거나 뿌리는 등 이와 유사한 방법으로 사용되는 물품으로서 인체에 대한 작용이 경미한 것

답: ③

63 다음 중 화장품과 화장품유형이 바르게 연결된 것은?

① 마스카라 – 색조 화장용
② 손 · 발의 피부연화 제품 – 기초화장품
③ 헤어 컨디셔너 – 두발 염색용 제품류
④ 폼 클렌저 – 목욕용 제품류
⑤ 프리셰이브 로션 – 기초화장용 제품류

해설 마스카라–눈화장용, 헤어 컨디셔너–두발용 제품류, 폼 클렌저 – 인체 세정용 제품류, 프리셰이브 로션 – 면도용 제품류

답: ②

64 안전용기 · 포장을 가장 맞게 설명한 것은?

① 성인이 쉽게 개봉하기 어렵게 튼튼하게 만든 포장
② 13세 이하의 어린이가 안전하게 개봉할 수 있게 한 포장
③ 만 5세 미만의 어린이가 개봉하기는 어렵게 한 포장
④ 용기 입구 부분이 펌프 또는 방아쇠로 작동되는 분무용기식 포장
⑤ 휘발성 분사용 제품의 폭발성을 제거한 포장

답: ③

65 주름개선에 도움을 주는 기능을 하는 성분과 함량으로 옳은 것은?

① 레티놀–10,000IU/g
② 레티닐팔미테이트–2,500IU/g
③ 아데노신–0.04%
④ 폴리에톡실레이티드레틴아마이드–0.01%

⑤ 알부틴- 2~5%

해설 레티놀-2,500IU/g, 레티닐팔미테이트-10,000IU/g, 아데노신-0.04%, 폴리에톡실레이티드레틴아마이드-0.05~0.2%이고, 알부틴은 미백 기능 성분이다.

답: ③

66 작업장의 위생관리 기준에서 제조시설의 세척 및 평가방법의 항목과 평가내용에 포함되지 않는 것은?

① 곤충, 해충이나 쥐를 막는 방법 및 점검주기
② 제조시설의 분해 및 조립 방법
③ 청소상태 검수방법
④ 이전 작업 표시 제거방법
⑤ 작업 전 청소상태 확인방법

해설 책임자 지정, 세척 및 소독 계획, 세척방법과 세척에 사용되는 약품 및 기구, 제조시설의 분해 및 조립 방법, 이전 작업 표시 제거방법, 청소상태 유지방법, 작업 전 청소상태 확인방법, 곤충, 해충이나 쥐를 막는 방법 및 점검주기, 그 밖의 필요한 사항

답: ③

67 유효성 또는 기능에 관한 자료에 대한 설명에서 효력시험 자료가 아닌 것은?

① 심사대상 효능을 뒷받침하는 성분의 효력에 대한 비임상 시험자료로서 효과발현의 작용기전이 포함된 자료
② 국내·외 대학 또는 전문 연구기관에서 시험한 것으로서 당해 기관의 장이 발급한 자료
③ 당해 기능성화장품이 개발국 정부에 제출되어 평가된 모든 효력시험자료로서 개발국 정부(허가 또는 등록기관)가 제출받았거나 승인하였음을 확인한 것 또는 이를 증명한 자료
④ 과학논문인용색인(Science Citation Index 또는 Science Citation Index Expanded)에 등재된 전문학회지에 게재된 자료
⑤ 사람에게 적용 시 효능·효과 등 기능을 입증할 수 있는 자료로서, 관련분야 전문의사, 연구소 또는 병원 기타 관련기관에서 5년 이상 해당 시험경력을 가진 자의 지도 및 감독 하에 수행·평가된 자료

해설 ⑤는 인체적용시험자료

답: ⑤

68 다음 중 화장비누의 내용량 기준으로 옳은 것은?

① 제품 3개를 가지고 시험할 때 그 건조중량은 표기량에 대하여 97% 이상여야 한다.
② 제품 3개를 가지고 시험할 때 그 건조중량은 표기량에 대하여 95% 이상여야 한다.
③ 제품 3개를 가지고 시험할 때 그 건조중량이 기준치를 벗어날 경우 9개를 더 취하여 시험한다.
④ 제품3개를 가지고 시험할 때 그 건조중량이 기준치를 벗어날 경우 3개를 더 취하여 시험한다.
⑤ 제품3개를 가지고 시험할 때 그 건조중량은 표기량에 대하여 100% 이상여야 한다.

해설 화장품 품질검사시 제품 3개를 가지고 시험할 때 그 평균 내용량이 표기량에 대하여 97% 이상여

야 한다. 다만, 화장비누의 경우 건조중량을 내용량으로 한다. 이 기준치를 벗어날 경우 6개를 더 취하여 시험할 때 9개의 평균 내용량이 표기량에 대하여 97%이상여야 한다.

답: ①

69 유통화장품의 안전관리 기준에서 점토를 원료로 사용한 분말제품을 제외한 그밖의 제품에 대한 납의 검출 허용 한도는?

① 5㎍/g이하
② 10㎍/g이하
③ 20㎍/g이하
④ 30㎍/g이하
⑤ 50㎍/g이하

해설 점토를 원료로 사용한 분말제품은 50㎍/g이하

답: ③

70 보기에 나타난 위해성 등급과 다른 위해성 등급에 해당하는 것은?

용기의 포장이 불량하여 유통화장품의 안전관리 기준에 적합하지 않는 화장품 전부 또는 일부가 변폐된 화장품

① 고시한 화장품에 사용할 수 없는 원료를 사용한 화장품
② 용기 · 포장의 훼손 등으로 유효성에 문제가 있는 경우의 화장품
③ 유통화장품 안전관리 기준(내용량의 기준에 관한 부분은 제외한다)에 적합하지 않은 경우인 화장품
④ 화장품의 사용으로 인하여 인체건강에 미치는 위해영향이 큰 화장품
⑤ 사용상의 제한이 필요한 원료의 사용기준을 위반하여 사용한 경우의 화장품

해설 ④는 1등급 위해성, 예시된 것은 2등급, 3등급 위해성

답: ④

71 다음 중 안전용기를 사용해야 하는 품목으로 모두 옳은 것은?

가. 아세톤을 함유하는 네일 에나멜 리무버 및 네일 폴리시 리무버 나. 용기 입구 부분이 펌프 또는 방아쇠로 작동되는 분무용기 제품 다. 압축 분무용기 제품(에어로졸 제품 등) 라. 어린이용 오일 등 개별포장 당 탄화수소류를 10퍼센트 이상 함유하고 운동점도가 21센티스톡스(섭씨 40도 기준) 이하인 비에멀젼 타입의 액체상태의 제품 마. 개별 포장당 메틸 살리실레이트를 5퍼센트 이상 함유하는 액체상태의 제품

① 가, 나, 다
② 가, 다, 마
③ 가, 라, 마
④ 나, 다, 라
⑤ 다, 라, 마

답: ③

72 화장품의 전성분 표시 방법으로 올바르지 않은 것은?

① 손발톱용 제품류에서 호수별로 착색제가 다르게 사용된 경우 '± 또는 +/−'의 표시 다음에 사용된 모든 착색제 성분을 함께 기재 · 표시할 수 있다.
② 착향제는 "향료"로 표시할 수 있다.
③ 화장품 제조에 사용된 함량이 많은 것부터 기재 · 표시하며 3퍼센트 이하로 사용된 성분, 착향제 또는 착색제는 순서에 상관없이 기재 · 표시할 수 있다.
④ 산성도(pH) 조절 목적으로 사용되는 성분은 그 성분을 표시하는 대신 중화반응에 따른 생성물로 기재 · 표시할 수 있고, 비누화반응을 거치는 성분은 비누화반응에 따른 생성물로 기재 · 표시할 수 있다.
⑤ 화장품의 1차 포장 또는 2차 포장의 무게가 포함되지 않은 용량 또는 중량을 기재 · 표시해야 하고 화장비누의 경우에는 수분을 포함한 중량과 건조중량을 함께 기재 · 표시해야 한다.

해설 1퍼센트 이하로 사용된 성분, 착향제 또는 착색제는 순서에 상관없이 기재 · 표시할 수 있다.

답: ③

73 화장품에 사용되는 원료 중 사용제한 원료들로 맞는 것은?

성분에 대한 기재 방법

① 점증제. 보존재, 색소
② 산화방지제, 색소, 자외선차단제
③ 보존재, 색소, 자외선차단제
④ 산화방지제, 색소, 보존재
⑤ 점증제. 색소, 자외선차단제

답: ③

74 다음 보기에 나타난 조항에 따라 기재 · 표시를 생략할 수 있는 성분은?

> 가. 제조과정 중에 제거되어 최종 제품에는 남아 있지 않은 성분
> 나. 안정화제, 보존제 등 원료 자체에 들어 있는 부수 성분으로서 그 효과가 나타나게 하는 양보다 적은 양이 들어 있는 성분
> 다. 내용량이 10밀리리터 초과 50밀리리터 이하 또는 중량이 10그램 초과 50그램 이하 화장품의 포장인 경우

① 타르색소
② 납
③ 샴푸와 린스에 들어 있는 인산염의 종류
④ 과일산(AHA)
⑤ 기능성화장품의 경우 그 효능 · 효과가 나타나게 하는 원료

해설 그 외에 식품의약품안전처장이 배합 한도를 고시한 화장품의 원료, 그 밖의 성분은 생략 할 수 없다.

답: ②

75 다음 중 화장품 원료와 기능이 바르게 연결된 것은?

① 고분자화합물 - 점도증가, 피막형성
② 색재 - 미생물의 증식 방지
③ 금속이온 봉쇄제 - 피복력을 갖고, 자외선을 방어하는 기능과 더불어 피부결점을 커버
④ 왁스- 각질을 제거하는 필링, 보습
⑤ 알파 하이드록시애씨(AHA) - 유지의 산화를 방지하고 제품의 품질을 일정하게 유지

해설 색재(피복력을 갖고, 자외선을 방어하는 기능과 더불어 피부결점을 커버), 금속이온 봉쇄제(유지의 산화를 방지하고 제품의 품질을 일정하게 유지), 방부제(미생물의 증식 방지), 알파 하이드록시애씨(AHA,각질을 제거하는 필링, 보습)

답: ①

76 다음 중 화장품 원료의 특성이 바르게 연결된 것은?

① 세인트 존스 - 민감한 피부, 붉은 피부, 여드름, 상처치료, 근육통과 같은 통증 완화
② 폴리비닐알코올 - 피막형성제, 점증제
③ 다이메티콘 - 기포방지제, 피부보호제, 수분차단제
④ 솔비톨 - 청량감,감미료(습윤조정제), 단백질 변성 방지, 보향성 등의 작용
⑤ 카보머 (Carbomer) - 수용성 점증제

해설 세인트 존스(민감한 피부, 붉은 피부, 여드름, 상처치료, 근육통과 같은 통증 완화), 폴리비닐알코올(피막형성제, 점증제), 다이메티콘(기포방지제, 피부보호제, 수분차단제), 솔비톨(청량감, 습윤조정제, 단백질 변성 방지, 보향성 등의 작용)

답: ⑤

77 다음 중 청정도 작업실과 관리기준으로 바른 것은?

① 미생물시험실 - 낙하균: 10개/hr 또는 부유균: 20개/㎥
② 제조실 - 낙하균: 10개/hr 또는 부유균: 20개/㎥
③ 충전실 - 낙하균: 30개/hr 또는 부유균: 200개/㎥
④ 포장실 - 낙하균: 30개/hr 또는 부유균: 200개/㎥
⑤ 완제품보관소 - 낙하균: 30개/hr 또는 부유균: 200개/㎥㎥

해설 청정도 1등급: 클린벤치 / 낙하균: 10개/hr 또는 부유균: 20개/㎥

청정도 2등급: 제조실, 성형실, 충전실, 내용물보관소, 원료칭량실, 미생물시험실 / 낙하균: 30개/hr 또는 부유균: 200개/㎥

청정도 3등급: 포장실 / 갱의, 포장재의 외부 청소 후 반입

청정도 4등급: 포장재보관소, 완제품보관소, 관리품보관소, 원료보관소, 갱의실, 일반시험실

답: ③

78 유통화장품의 안전관리 기준상 물휴지의 포름알데하이드 검출 허용 한도는?

① 1㎍/g이하 ② 10㎍/g이하

③ 20㎍/g이하　　④ 50㎍/g이하
⑤ 100㎍/g이하

답: ③

79 고객에게 처방할 원료로 나열된 것 중에서 A와 B의 성분으로 맞는 것은?

〈맞춤형화장품조제관리사의 고객 상담〉

고객 : 우리 딸이 햇빛을 많이 받아서 피부가 그을렸고 여드름이 심해요, 알맞은 화장품을 추천해 주세요.

맞춤형화장품조제관리사 : 얼굴이 밝아지고 여드름을 억제되는 A 와 B 성분을 넣어 조제해 드리겠습니다.

〈원료〉

가. 살리실릭애씨드　　나. 알부틴
다. 레티놀　　라, 히알론산나틀륨

① 가, 나　　② 나, 다
③ 라, 가　　④ 가, 다
⑤ 나, 라

해설 살리실릭애씨드(여드름), 알부틴(미백), 레티놀(주름), 히알론산나틀륨(보습)

답: ①

80 화장품 포장의 기재 · 표시에 관한 설명으로 옳은 것은?

① 화장비누의 경우에는 건조중량을 기재 · 표시해야 한다.
② 대통령령으로 정하는 바에 따라 읽기 쉽고 이해하기 쉬운 한글로 정확히 기재 · 표시한다.
③ 한자 또는 외국어를 함께 적을 수 있고, 수출용 제품 등의 경우에는 그 수출 대상국의 언어로 적을 수 있다.
④ 화장품의 2차 포장의 무게까지 포함한 용량 또는 중량을 기재 · 표시해야 한다.
⑤ 화장품의 성분을 표시하는 경우에는 성분을 잘 알 수 있는 특수 용어를 사용할 것

해설 화장비누는 수분을 포함한 중량과 건조중량을 함께 기재. 총리령으로 정함. 포장의 무게가 포함되지 않은 용량 또는 중량을 기재. 성분을 표시하는 경우에는 표준화된 일반명을 사용할 것.

답: ③

81 화장품의 가격 기재 표시사항의 설명으로 옳지 않은 것은?

① 가격은 소비자에게 화장품을 직접 판매하는 자가 판매하려는 가격을 표시하여야 한다.
② 표시방법과 그 밖에 필요한 사항은 총리령으로 정한다.
③ 가격표시는 다른 문자 또는 문장보다 쉽게 볼 수 있는 곳에 한다.
④ 읽기 쉽고 이해하기 쉬운 한글로 정확히 기재 · 표시하여야 하되, 한자 또는 외국어를 함께 기재할 수 있다.
⑤ 수출용 제품 등의 경우에는 그 수출 대상국의 언어만 표시기재 하면 된다.

해설 한글로 읽기 쉽도록 기재 · 표시할 것. 다만, 한자 또는 외국어를 함께 적을 수 있고, 수출용 제품 등의 경우에는 그 수출 대상국의 언어로 적을 수 있다.

답: ⑤

82 보기에 나열된 해당하는 성분을 0.5퍼센트 이상 함유하는 제품의 경우에는 해당 품목의 안정성시험 자료는 언제까지 보관해야 하는가?

가. 레티놀(비타민A) 및 그 유도체 나. 아스코빅애시드(비타민C) 및 그 유도체 다. 토코페롤(비타민E) 라. 과산화화합물 마. 효소 * 레티놀, 아스코빅애시드 등등 안전성 자료 1년간 보존해야하는 문제

① 제조일로부터 3년
② 제조일로부터 2년
③ 사용기한이 만료되는 날부터 6개월
④ 사용기한이 만료되는 날부터 1년
⑤ 개봉일로부터 2년

답: ④

83 화장품 포장재의 폐기에 대한 설명으로 옳지 않는 것은?

① 재입고 할 수 없는 제품의 폐기처리규정을 작성하여야 한다.
② 품질에 문제가 있거나 회수 · 반품된 제품의 폐기 또는 재작업 여부는 품질보증 책임자에 의해 승인되어야 한다.
③ 변질 · 변패 또는 병원미생물에 오염되지 않고 제조일로부터 1년이 경과하지 않았으면 재작업 대상이 된다.
④ 변질 · 변패 또는 병원미생물에 오염되지 않고 사용기한이 2년 이상 남아있는 경우는 재작업 대상이 된다.
⑤ 폐기 대상은 따로 보관하고 규정에 따라 신속하게 폐기하여야 한다.

해설 재작업은 그 대상 아래 두 가지가 충족해야 한다.
- 변질 · 변패 또는 병원미생물에 오염되지 아니한 경우
- 제조일로부터 1년이 경과하지 않았거나 사용기한이 1년 이상 남아있는 경우

답: ④

84 화장품 원료로 사용상 제한이 필요하지 않은 것은?

① 아이소프로필미리스테이트
② 티타늄디옥사이드
③ 징크옥사이드
④ 메칠이소치아졸리넨
⑤ 글루타랄

해설 사용상의 제한이 필요한 원료는 자외선 차단성분으로 티타늄디옥사이드, 징크옥사이드등은 사용한도를 두어 제한하고 있으며, 염모제 성분으로 2-메칠-5-히드록시에칠아미노페놀, 5-아미노-6-클로로-o-크레솔 등은 사용할 때 농도상한을 두고 있으며, 보존제 성분으로 데하이드로아세틱애씨드, 글루타랄(펜탄-1,5-디알) 등은 에어로졸 제품에 사용을 금하고 있으며, 메칠이소치아졸리넨 등은 사용 후 씻어내는 제품에만 사용가능 하는 등 원료에 따른 사용한도를 제한하거나 사용을 금지 또는 일부 제품에만 사용할 수 있도록 하고 있다. 아이소프로필미리스테이트는 에스테프오일로 제한이 없다.

답: ①

85 내용물 및 원료의 관리기준으로 옳지 않는 것은?

① 원자재 및 반제품은 바닥과 벽에 닿지 않도록 보관하고 선입선출에 의하여 출고할 수 있도록 보관한다.
② 원자재 및 반제품은 품질에 나쁜 영향을 미치지 아니하는 조건에서 선입선출에 의하여 출고할 수 있도록 보관한다.
③ 원자재 및 반제품의 보관 기간이 지나면 사용여부에 대한 재평가하는 시스템이 확립되어 한다.
④ 원자재, 시험 중인 제품 및 부적합품은 각각 구획된 장소에서 보관한다.
⑤ 서로 혼동을 일으킬 우려가 없는 시스템도 보관되는 경우에는 각각 구획된 장소에 보관해야 한다.

답: ⑤

86 기능성화장품의 기능과 성분이 바르지 않게 연결 된 것은?

① 자외선차단 – 시녹세이트, 에칠헥실트리아존
② 피부 미백 – 알부틴, 알파-비사보롤
③ 주름개선 – 레티놀, 아데노신
④ 탈모방지 – 비오틴, 엘-멘톨
⑤ 제모 – 치오글리콜산, 징크피리치온

해설 징크피리치온은 탈모방지 성분이다.

답: ⑤

87 맞춤형화장품의 안정성 정보를 신속하게 책임판매업자에게 보고할 사항이 아닌 것은?

① 안전용기 · 포장이 위반되는 화장품
② 전부 또는 일부가 변패(變敗)된 화장품
③ 병원미생물에 오염된 화장품
④ 맞춤형화장품 판매를 위해 화장품의 포장 및 기재 · 표시 사항을 훼손된 화장품
⑤ 코뿔소 뿔 또는 호랑이 뼈와 그 추출물을 사용한 화장품

해설 화장품의 포장 및 기재 · 표시 사항을 훼손(맞춤형화장품 판매를 위하여 필요한 경우는 제외한다)

답: ④

88 화장품의 가격 기재 표시사항 중 생략할 수 있는 것은?

① 내용물의 용량 또는 중량
② 사용기한 또는 개봉 후 사용기간
③ 화장품의 명칭
④ 화장품 제조에 사용된 성분
⑤ 화장품제조업자 및 화장품판매업자의 사업자번호

해설 화장품제조업자 및 화장품판매업자의 상호 및 주소가 기재사항이다. 이 밖에도 제조번호, 기능성화장품의 기재 · 표시가 필요하다

답: ⑤

89 제조구역별 위생관리에 대한 설명으로 옳지 않은 것은?

① 제조구역별 접근권한이 없는 작업원 및 방문객은 불가피하게 출입할 경우는 사전에 직원 위생에 대한 교육 및 복장 규정에 따르도록 하고 감독하여야 한다.
② 작업소 및 보관소 내의 모든 직원들은 화장품의 오염을 방지하기 위해 규정된 작업복을 착용해야 한다.
③ 제조구역별 접근권한이 없는 작업원 및 방문객은 가급적 출입을 제한한다.
④ 방문객의 출입기록을 남길 수 있어야 한다.
⑤ 질병에 걸린 직원은 방역용 작업복을 입고 작업에 참여한다.

해설 질병에 걸린 직원이 작업에 참여하지 못하게 한다.

답: ⑤

90 유통화장품의 안전관리 기준상 디옥산 검출 허용 한도는?

① 1㎍/g이하
② 10㎍/g이하
③ 20㎍/g이하
④ 50㎍/g이하
⑤ 100㎍/g이하

답: ⑤

91 천연화장품 및 유기농화장품의 설명으로 옳은 것은?

① 용기와 포장은 일반 화장품의 포장에 사용되는 것을 사용할 수 있다.
② 식물 원료는 식물 그 자체로서 가공하지 않거나, 이 식물을 가지고 고시에서 허용하는 물리적 화학적 공정에 따라 가공한 화장품 원료를 말한다.
③ 유기농화장품은 중량 기준으로 유기농 함량이 전체 제품에서 5% 이상여야 하며, 유기농 함량을 포함한 천연 함량이 전체 제품에서 95% 이상으로 구성되어야 한다.
④ 원료 중 자연에서 대체하기 곤란한 원료는 5% 이내에서 사용할 수 있고 석유화학 부분(petrochemical moiety의 합)은 2%를 초과할 수 없다.
⑤ 미네랄 원료는 지질학적 작용에 의해 자연적으로 생성된 물질(화석연료로부터 기원한 물질 포함)을 가지고 고시에서 허용하는 물리적 공정에 따라 가공한 화장품 원료이다. 화석연료로부터 기원한 물질은 제외한다.

해설 용기와 포장에 폴리염화비닐(Polyvinyl chloride (PVC)), 폴리스티렌폼(Polystyrene foam)을 사용할 수 없음. 식물원료는 물리적 공정으로 한다. 유기농함량이 10%이상. 화석연료로부터 기원한 물질은 제외.

답: ④

92 고객에게 처방할 원료로 나열된 것 중에서 A와 B의 성분으로 맞는 것은?

〈맞춤형화장품조제관리사의 고객 상담〉
고객 : 최근 제 얼굴이 건조하고 눈 밑으로 주름이 생겼어요.
맞춤형화장품조제관리사 : 피부상태 측정부터 먼저 해 보시죠.
측정해보니 피부가 많이 건조해졌고 주름이 생겼네요. 얼굴을 촉촉하게 하고 주름을 펴지게 A와 B성분을 넣어 조제해 드리겠습니다.
〈원료〉
가. 살리실릭애씨드　　나. 닥나무추출물
다. 아데노신　　라. 글리세린

① 가, 나
② 나, 다
③ 다, 라
④ 가, 다
⑤ 나, 라

해설 살리실릭애씨드(여드름), 닥나무추출물(미백), 아데노신(주름), 글리세린(보습)

답: ③

93 다음 화장품 중 판매가 가능한 것은?

① 판매의 목적이 아닌 제품의 홍보 · 판매촉진 등을 위하여 미리 소비자가 시험 · 사용하도록 제조 또는 수입된 화장품
② 맞춤형화장품조제관리사를 두지 아니하고 판매한 맞춤형화장품
③ 화장품책임판매업을 등록을 하지 아니한 곳에서 판매한 화장품
④ 화장품의 포장 및 기재 · 표시 사항을 조제목적으로 훼손한 맞춤형화장품
⑤ 화장품의 용기에 담은 내용물을 나누어 판매하여서는 아니 된다.

답: ④

94 치오글라이콜릭애씨드 또는 그 염류를 주성분으로 하는 냉2욕식 퍼머넌트웨이브용 제품의 기준으로 적합한 것은?

① pH : 4.5~ 9.6
② 중금속 : 30㎍/g이하
③ 비소 : 20㎍/g이하
④ 철 : 5㎍/g이하
⑤ 알칼리 : 0.1N염산의 소비량은 검체 7ml에 대하여 1ml 이하

해설 알칼리 : 0.1N염산의 소비량은 검체 1ml에 대하여 7ml 이하, pH : 4.5~ 9.6, 중금속 : 20㎍/g이하, 비소 : 5㎍/g이하, 철 : 2㎍/g이하

답: ①

95 화장품 표시 · 광고 시 준수사항에 해당하지 않는 것은?

① 의약품으로 잘못 인식할 우려가 있는 내용, 제품의 명칭 및 효능 · 효과 등에 대한 표시 · 광고를 하지 말 것
② 사실과 다르게 다른 제품을 비방하거나 비방한다고 의심이 되는 표시 · 광고를 하지 말 것
③ 국제적 멸종위기종의 가공품이 함유된 화장품임을 표현하거나 암시하는 표시 · 광고를 하지 말 것
④ 경쟁상품과 비교하는 표시 · 광고는 비교 대상 및 기준을 분명히 밝히고 객관적으로 확인될 수 있는 사항만을 표시 · 광고하여야 함
⑤ 의사 · 치과의사 · 한의사 · 약사 · 의료기관 등에서 지정 · 공인 · 추천 · 지도 · 연구 · 개발 또는 사용한다는 암시하는 등의 표시 · 광고를 하지 말 것

해설 사실 유무와 관계없이 다른 제품을 비방하거나 비방한다고 의심이 되는 표시 · 광고를 하지 말 것

답: ②

96 다음 위해화장품의 회수에 대하여 옳게 설명한 것은?

① 위해화장품을 회수하거나 회수하는 데에 필요한 조치를 하려는 영업자는 해당 화장품이 유통 중인 사실을 알게 된 경우 판매중지 등의 조치를 5일 이내에 실시하여야 한다.
② 화장품을 회수하거나 회수하는 데에 필요한 조치를 하려는 회수의무자는 회수대상화장품이라는 사실을 안 날부터 15일 이내에 회수계획서를 지방식품의약품안전청장에게 제출하여야 한다.
③ 회수의무자는 회수대상화장품의 제조업자에게 방문, 우편, 전화, 전보, 전자우편, 팩스 또는 언론매체를 통한 공고 등을 통하여 회수계획을 통보하여야 한다.
④ 회수한 위해화장품을 폐기를 한 회수의무자는 폐기확인서를 작성하여 2년간 보관하여야 한다.
⑤ 회수종료일은 1등급 위해성은 회수를 시작한 날부터 15일 이내, 2등급 위해성은 회수를 시작한 날부터 30일 이내, 3등급 위해성은 회수를 시작한 날부터 45일 이내

해설 판매중지 등의 조치를 즉시 실시. 회수대상화장품이라는 사실을 안 날부터 5일 이내에 회수계획서 제출. 회수의무자는 회수대상화장품의 판매자, 맞춤형화장품판매업자 및 그 밖에 해당 화장품을 업무상 취급하는 자에게 회수계획을 통보. 3등급 위해성도 회수를 시작한 날부터 30일 이내

답: ④

97 화장품 포장의 기재 · 표시에서 성분표시를 생략할 수 없는 것은?

① 내용량이 10밀리리터 초과 50밀리리터 이하인 기능성화장품의 효능 · 효과가 나타나게 하는 성분
② 중량이 10그램 초과 50그램 이하 화장품의 포장인 것으로 몇가지 성분을 제외한 성분
③ 제조과정 중에 제거되어 최종 제품에는 남아 있지 않은 성분
④ 안정화제, 보존제 등 원료 자체에 들어 있는 부수 성분으로서 그 효과가 나타나게 하는 양보다 적은 양이 들어 있는 성분
⑤ 내용량이 10밀리리터 초과 50밀리리터 이하인 것으로 몇가지 성분을 제외한 성분

해설 기능성화장품의 효능 · 효과가 나타나게 하는 성분은 생략할 수 없음

답: ①

98 화장품 제조 시설기준을 설명한 것으로 옳지 않은 것은?

① 수세실과 화장실은 접근이 쉬워야 하나 생산구역과 분리되어 있을 것
② 제품의 오염을 방지하고 적절한 온도 및 습도를 유지할 수 있는 공기조화시설 등 적절한 환기시설을 갖출 것
③ 바닥, 벽, 천장은 가능한 청소하기 쉽게 매끄러운 표면을 지니고 소독제 등의 부식성에 저항력이 있을 것
④ 작업소 전체에 적절한 조명을 설치하고, 조명이 파손될 경우를 대비한 제품을 보호할 수 있는 처리절차를 마련할 것
⑤ 외부와 연결된 창문은 환기를 자주 하기 위해 가능한 열리기 용이하게 할 것

해설 외부와 연결된 창문은 가능한 열리지 않도록 할 것

답: ⑤

99 맞춤형화장품 포장의 기재 · 표시에 관한 설명으로 옳은 것은?

① 제조업자, 및 맞춤형화장품 판매업자 상호가 반드시 기재되어야 한다.
② 혼합에 들어간 화장품의 명칭을 여러 개 표시한다.
③ 맞춤형화장품은 제조연월일 대신 혼합 · 소분일을 표기하여야 한다.
④ 가격, 제조번호를 필수적으로 기재하여야 한다.
⑤ 제조연월을 필수적으로 기재하여야 한다.

해설 책임판매업자 및 맞춤형화장품 판매업자 상호가 반드시 기재되어야 한다.
맞춤형화장품은 제조연월일 대신 혼합 · 소분일을 표기하여야 한다.
제조번호 대신 식별번호, 제조연월일 대신 소분연월일을 기재한다.

답: ③

100 화장품과 원자재의 보관관리에 대한 설명으로 바르지 않은 것은?

① 완제품은 적절한 조건하의 정해진 장소에서 보관하여야 하며, 매일 재고 점검을 수행해야 한다.
② 설정된 보관기한이 지나면 사용의 적절성을 결정하기 위해 재평가시스템을 확립하여야 하며, 동 시스템을 통해 보관기한이 경과한 경우 사용하지 않도록 규정하여야 한다.
③ 원자재, 반제품 및 벌크 제품은 품질에 나쁜 영향을 미치지 아니하는 조건에서 보관하여야 하며 보관기한을 설정하여야 한다.
④ 원자재, 반제품 및 벌크 제품은 바닥과 벽에 닿지 아니하도록 보관하고, 선입선출에 의하여 출고할 수 있도록 보관하여야 한다.
⑤ 원자재, 시험 중인 제품 및 부적합품은 각각 구획된 장소에서 보관하여야 한다.

해설 주기적으로 재고 점검을 수행해야 한다.

답: ①

〈기출문제 분석을 통해 본 합격을 위한 대비 방법〉

• **문제 분석**

1. 문제의 난이도가 높았는데, 지문이 긴 문제들이 많으면서 단순 질문보다는 전체적인 이해가 되어야 답을 할 수 있을 정도이기 때문에 시간이 부족했다.
2. 다른 내용과 연관시키면서 질의문의 문장을 헷갈리게 표현하였으며, '옳지 않은 것을 고르시오 보다 옳은 것을 고르시오' 로 질의한 문제가 많았기 때문에 지엽적인 부문(예, 물질 성분)까지 깊이 있게 이해하고 암기해야 풀 수 있었다.
3. 원료 관련 문제가 매우 많이 출제되었는데, 성분의 명칭, 포함 혹은 사용 수치, 사용처, 원료분석방법 등에 대해서는 충분하게 이해하고 암기해야 하는데, 법령 조항과 연결되게 하여 혼란스러운 문항도 많이 출제되었다.
4. 화장품법을 전체적으로 충분하게 이해하고 암기하여야 한다. 화장품법 외의 관련법도 연관성을 가지고 깊이 있게 이해해야 한다. 법령에서는 고시 및 고시에 달린 별표의 세부 내용에서도 출제되었다.
5. 단답형 문항은 객관식에 비해 난이도가 오히려 평범했다. 용어, 물질 성분, 규제예외조항 등을 파악하고 있는지 묻는 문제가 많았고, 개요적인 전체적인 내용보다, 개념의 내용 중 일부를 쓰는 문제나 세부적인 내용을 질문하는 문제가 많았다.
6. 맞춤형화장품조제관리사로서 숙지할 내용은 물론, 화장품 책임판매자가 알아야 할 부분도 많이 출제되었다.

• **합격 대비 전략**

1. 화장품 법령에 대한 구체적이고 완벽한 이해와 암기가 요구된다.
   예) 대통령령, 총리령, 식품의약품안전처장, 지방식품의약품안전청장 중 어디에서 정했고, 어디에서 감독하고, 신고해야 하는지 상세하게 이해해야 한다.
   - 화장품법, 법령, 시행규칙
   - 식약처 세부사항(부칙)
   - 식약청이 고시하는 원료
   - 최신 개정 법령
2. 물질(원료의 성분, 함량, 효능 등)
   아토피, 여드름 등에 들어가는 물질, 성분 함량 등을 모두 관련성을 가지고 암기해야 한다.
3. 아동용과 부작용 발생요소, 위해사례 등에 대해 구체적으로 이해한다.
   사용제한원료, 알레르기 유발성분에 대해 더 심도 있게 학습해야 한다.
4. 맞춤형조제관리사로서 고객 상담과 처방원료를 섞는 것을 사례별로 숙지하고, 관련 기기, 환경에 대해서는 이해하여야 한다.
5. 피부와 모발에 대한 기본적인 이해가 필요하다.
7. 안전관리 관련, 비타민 관련 내용도 구체적으로 이해해야 한다.

- **시험 보는 요령**
  1. 시간이 충분하지 않기 때문에 답을 빨리 확정할 수 있는 뒷부분(81~100번)의 단답형을 먼저 푼다.
  2. 객관식에서는 문제를 풀면서 확실하게 아는 것을 먼저 답을 체크한다.
  3. 객관식에서 답이 확실하지 않을 때에는 5가지 항목 중 확실하게 아닌 것만 X표로 지운다.
  4. 100문제라는 많은 문제에서는 문제간에 관련된 것이 많다. 객관식을 풀면서 답을 찾지 못한 주관식 문제와 관계된 내용을 통해 나머지 주관식 문제를 해결한다.
  5. 객관식도 4번 내용과 같이 나머지 문제를 해결한다.
  6. 문제 풀이를 다 못 마쳤어도 약간의 여유시간을 가지고 답안지에 옮긴다. (100문제를 OMR 카드에 마크하려면 10분 이상 여유를 가져야 한다.) 그리고 남은 문제를 풀어서 답안지에 옮긴다.

PART I

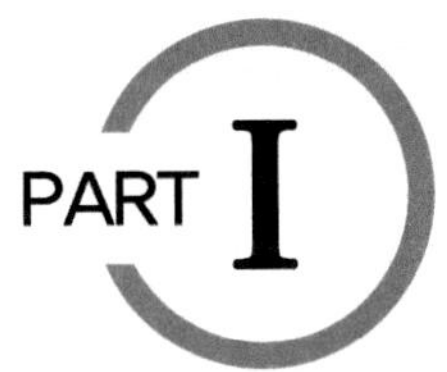

화장품법의 이해

- 화장품법
- 개인정보보호법
- 적중예상문제

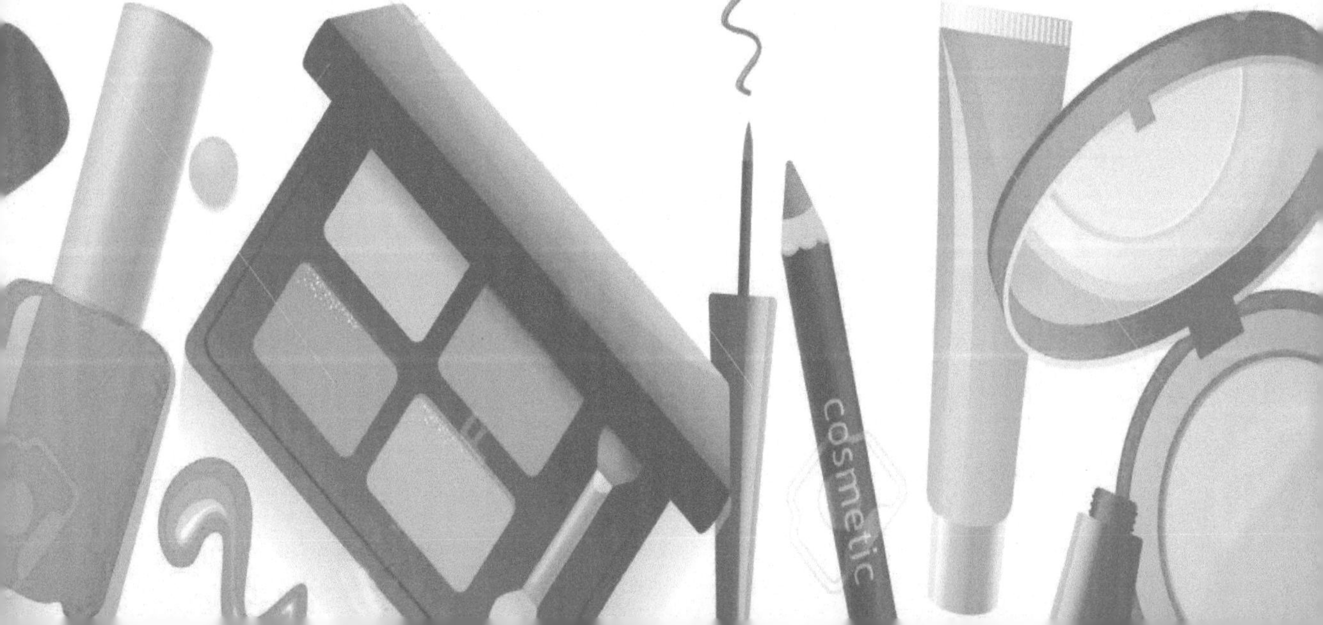

화장품법

제1장 총칙

1. 화장품법의 입법취지 및 목적(법 제 1 조)

1999년 9월 7일 약사법(1953년 제정)에서 화장품법이 분리되어 제정되었다.
이 법은 화장품의 제조 · 수입 · 판매 및 수출 등에 관한 사항을 규정함으로써 국민보건향상과 화장품 산업의 발전에 기여함을 목적으로 한다.

2. 화장품의 정의(법 제 2 조)

1. "화장품"이란 인체를 청결 · 미화하여 매력을 더하고 용모를 밝게 변화시키거나 피부모발의 건강을 유지 또는 증진하기 위하여 인체에 바르고 문지르거나 뿌리는 등 이와 유사한 방법으로 사용되는 물품으로서 인체에 대한 작용이 경미한 것을 말한다.
2. "기능성화장품"이란 화장품 중에서 다음 각 목의 어느 하나에 해당되는 것으로서 총리령으로 정하는 화장품을 말한다.
   가. 피부의 미백에 도움을 주는 제품
   나. 피부의 주름개선에 도움을 주는 제품
   다. 피부를 곱게 태워주거나 자외선으로부터 피부를 보호하는 데에 도움을 주는 제품
   라. 모발의 색상 변화 · 제거 또는 영양공급에 도움을 주는 제품
   마. 피부나 모발의 기능약화로 인한 건조함, 갈라짐, 빠짐, 각질화 등을 방지하거나 개선하는 데에 도움을 주는 제품

2의2. "천연화장품"이란 동식물 및 그 유래 원료 등을 함유한 화장품으로서 식품의약품안전처장이 정하는 기준에 맞는 화장품을 말한다.

3. "유기농화장품"이란 유기농원료, 동식물 및 그 유래 원료 등을 함유한 화장품으로서 식품의약품안전처장이 정하는 기준에 맞는 화장품을 말한다.

3의2. "맞춤형화장품"이란 다음 각 목의 화장품을 말한다.
   가. 제조 또는 수입된 화장품의 내용물에 다른 화장품의 내용물이나 식품의약품안전처장이 정하는 원료를 추가하여 혼합한 화장품
   나. 제조 또는 수입된 화장품의 내용물을 소분(小分)한 화장품

4. "안전용기 · 포장"이란 만 5세 미만의 어린이가 개봉하기 어렵게 설계 · 고안된 용기나 포장을 말한다.

5. "사용기한"이란 화장품이 제조된 날부터 적절한 보관 상태에서 제품이 고유의 특성을 간직한 채 소비자가 안정적으로 사용할 수 있는 최소한의 기한을 말한다.
6. "1차 포장"이란 화장품 제조시 내용물과 직접 접촉하는 포장용기를 말한다.
7. "2차 포장"이란 1차 포장을 수용하는 1개 또는 그 이상의 포장과 보호재 및 표시의 목적으로 한 포장(첨부문서 등을 포함한다)을 말한다.
8. "표시"란 화장품의 용기 · 포장에 기재하는 문자 · 숫자 또는 도형을 말한다.
9. "광고"란 라디오 · 텔레비전 · 신문 · 잡지 · 음성 · 음향 · 영상 · 인터넷 · 인쇄물 · 간판, 그 밖의 방법에 의하여 화장품에 대한 정보를 나타내거나 알리는 행위를 말한다.
10. "화장품제조업"이란 화장품의 전부 또는 일부를 제조(2차 포장 또는 표시만의 공정은 제외한다)하는 영업을 말한다.
11. "화장품책임판매업"이란 취급하는 화장품의 품질 및 안전 등을 관리하면서 이를 유통 · 판매하거나 수입대행형 거래를 목적으로 알선 · 수여(授與)하는 영업을 말한다.
12. "맞춤형화장품판매업"이란 맞춤형화장품을 판매하는 영업을 말한다.

3. 기능성화장품의 범위(시행규칙 제 2 조)

1. 피부에 멜라닌색소가 침착하는 것을 방지하여 기미 · 주근깨 등의 생성을 억제함으로써 피부의 미백에 도움을 주는 기능을 가진 화장품
2. 피부에 침착된 멜라닌색소의 색을 엷게 하여 피부의 미백에 도움을 주는 기능을 가진 화장품
3. 피부에 탄력을 주어 피부의 주름을 완화 또는 개선하는 기능을 가진 화장품
4. 강한 햇볕을 방지하여 피부를 곱게 태워주는 기능을 가진 화장품
5. 자외선을 차단 또는 산란시켜 자외선으로부터 피부를 보호하는 기능을 가진 화장품
6. 모발의 색상을 변화[탈염(脫染) · 탈색(脫色)을 포함한다]시키는 기능을 가진 화장품. 다만, 일시적으로 모발의 색상을 변화시키는 제품은 제외한다.
7. 체모를 제거하는 기능을 가진 화장품. 다만, 물리적으로 체모를 제거하는 제품은 제외한다.
8. 탈모 증상의 완화에 도움을 주는 화장품. 다만, 코팅 등 물리적으로 모발을 굵게 보이게 하는 제품은 제외한다.
9. 여드름성 피부를 완화하는데 도움을 주는 화장품. 다만, 인체세정용 제품류로 한정한다.
10. 피부 장벽의 기능을 회복하여 가려움 등의 개선에 도움을 주는 화장품
11. 튼살로 인한 붉은 선을 엷게 하는데 도움을 주는 화장품

4. 화장품의 유형

화장품 유형과 사용 시의 주의사항(시행규칙, 별표3)

1. 화장품의 유형(의약외품은 제외한다)

가. 영 · 유아용(만 3세 이하의 어린이용을 말한다. 이하 같다) 제품류

1) 영 · 유아용 샴푸, 린스 2) 영 · 유아용 로션, 크림 3) 영 · 유아용 오일
4) 영 · 유아 인체 세정용 제품 5) 영 · 유아 목욕용 제품

나. 목욕용 제품류

1) 목욕용 오일 · 정제 · 캡슐 2) 목욕용 소금류 3) 버블 배스
4) 그 밖의 목욕용 제품류

다. 인체 세정용 제품류

1) 폼 클렌저 2) 바디 클렌저
3) 액체 비누 및 화장 비누(고체 형태의 세안용 비누) 4) 외음부 세정제
5) 물휴지. 다만, 「위생용품 관리법」(법률 제14837호) 제2조(정의)제1호라목2)에서 말하는 「식품위생법」 제36조(벌칙)제1항제3호에 따른 식품접객업의 영업소에서 손을 닦는 용도 등으로 사용할 수 있도록 포장된 물티슈와 「장사 등에 관한 법률」 제29조(자발적 관리의 지원)에 따른 장례식장 또는 「의료법」 제3조(영업의 등록)에 따른 의료기관 등에서 시체(屍體)를 닦는 용도로 사용되는 물휴지는 제외한다.
6) 그 밖의 인체 세정용 제품류

라. 눈 화장용 제품류

1) 아이브로 펜슬 2) 아이 라이너 3) 아이 섀도 4) 마스카라
5) 아이 메이크업 리무버 6) 그 밖의 눈 화장용 제품류

마. 방향용 제품류

1) 향수 2) 분말향 3) 향낭(香囊) 4) 콜롱 5) 그 밖의 방향용 제품류

바. 두발 염색용 제품류

1) 헤어 틴트 2) 헤어 컬러스프레이 3) 염모제 4) 탈염 · 탈색용 제품
5) 그 밖의 두발 염색용 제품류

사. 색조 화장용 제품류

1) 볼연지 2) 페이스 파우더, 페이스 케이크
3) 리퀴드(liquid) · 크림 · 케이크 파운데이션 4) 메이크업 베이스
5) 메이크업 픽서티브 6) 립스틱, 립라이너 7) 립글로스, 립밤
8) 바디페인팅, 페이스페인팅, 분장용 제품 9) 그 밖의 색조 화장용 제품류

아. 두발용 제품류

1) 헤어 컨디셔너　2) 헤어 토닉　3) 헤어 그루밍 에이드　4) 헤어 크림 · 로션
5) 헤어 오일　6) 포마드　7) 헤어스프레이 · 무스 · 왁스 · 젤
8) 샴푸, 린스
9) 퍼머넌트 웨이브　10) 헤어스트레이트너　11) 흑채
12) 그 밖의 두발용 제품류

자. 손발톱용 제품류

1) 베이스코트, 언더코트　2) 네일폴리시, 네일에나멜　3) 탑코트
4) 네일 크림 · 로션 · 에센스　5) 네일폴리시 · 네일에나멜 리무버
6) 그 밖의 손발톱용 제품류

차. 면도용 제품류

1) 애프터셰이브 로션　2) 남성용 탤컴　3) 프리셰이브 로션　4) 셰이빙 크림
5) 셰이빙 폼　6) 그 밖의 면도용 제품류

카. 기초화장용 제품류

1) 수렴 · 유연 · 영양 화장수(face lotions)　2) 마사지 크림　3) 에센스, 오일
4) 파우더　5) 바디 제품　6) 팩, 마스크　7) 눈 주위 제품
8) 로션, 크림　9) 손 · 발의 피부연화 제품
10) 클렌징 워터, 클렌징 오일, 클렌징 로션, 클렌징크림 등 메이크업 리무버
11) 그 밖의 기초화장용 제품류

타. 체취 방지용 제품류

1) 데오도런트　2) 그 밖의 체취 방지용 제품류

파. 체모 제거용 제품류

1) 제모제　2) 제모왁스　3) 그 밖의 체모 제거용 제품류

5. 화장품의 품질요소

화장품의 품질요소는 안전성, 안정성, 사용성 및 유효성이다.

구분	상세설명	식품의약품안전처 고시
안전성 (safety)	피부에 대한 자극, 알러지, 독성 등 인체에 부작용이 없어야 함	화장품 안전성 정보관리 규정
안정성 (stability)	보관 시에 변질, 변색, 변취, 미생물 오염이 없어야 함	개봉 후 사용기간의 시험조건 방법은 화장품 안정성 시험가이드 라인 규정

사용성 (usability)	피부에 사용했을 때 손놀림 쉽고 피부에 매끄럽게 잘 스며들어야 함	위해성평가 등에 대해서는 인체적용 위해성 평가 등에 관한 규정
유효성 (efficacy)	피부에 적절한 보습, 노화억제, 자외선 차단, 미백, 세정, 메이크업, 색채효과 등을 부여해야 함	화장품은 유효성보다는 안전성이 우선이어야 하며, 화장품제조업 등록만으로 생산할 수 있는 일반 화장품과 식품의약품안전처에 보고하거나 허가를 득해야만 생산할 수 있는 기능성 화장품으로 분류할 수 있으며, 일반 화장품은 기초화장품, 색조화장품, 세정화장품으로 분류된다.

6. 화장품의 유형별 특성

유형	특성
영유아용	만 3세 미만 유아와 어린이가 사용하는 샴푸, 린스, 로션, 크림, 오일, 인체 세정제 제품, 목욕용 제품으로 순하고 자극성이 없는 제품
목욕용	샤워, 목욕 시에 전신에 사용되는 사용 후 바로 씻어내는 제품
인체 세정용	비누 등으로 손, 얼굴에 주로 사용한 후 바로 씻어내는 제품
눈 화장용	눈 주위에 매력을 더하기 위해 사용하는 메이크업 제품
방향용	오래된 화장품 중 하나로 향(香)을 몸에 지니거나 뿌리는 제품
두발 염색용	모발의 색을 변화시키거나(염모) 탈색시키는(탈염) 제품
색조 화장용	얼굴과 신체에 매력을 더하기 위해 사용하는 메이크업 제품
두발용	모발의 세정, 컨디셔닝, 정발, 웨이브형성, 스트레이팅, 증모효과에 사용하는 제품
손발톱용	손톱과 발톱의 관리 및 영양보충과 메이크업에 사용하는 제품
면도용	면도 할 때와 면도 후에 피부보호 및 피부진정 등에 사용하는 제품
기초화장용	피부의 보습, 수렴, 유연(에몰리언트), 영양공급, 세정, 피부트러블방지 등에 사용하는 스킨케어 제품
체취 방지용	몸에서 나는 냄새를 제거하거나 줄여주는 제품
체모 제거용	몸에 난 털을 제거하는 제모에 사용하는 제모제, 제모왁스 등의 제품

7. 영업의 세부 종류와 범위(시행령 제 2 조)

화장품의 영업형태는 2020년 3월 13일까지는 화장품제조업자, 화장품책임판매업자로 분류되며, 2020년 3월 14일부터는 맞춤형화장품판매업자가 추가된다. 영업자란 위의 3가지 모두를 의미한다.

1. 화장품제조업
   가. 화장품을 직접 제조하는 영업
   나. 화장품 제조를 위탁받아 제조하는 영업
   다. 화장품의 포장(1차 포장만 해당한다)을 하는 영업
2. 화장품책임판매업
   가. 화장품제조업자가 화장품을 직접 제조하여 유통 · 판매하는 영업
   나. 화장품제조업자에게 위탁하여 제조된 화장품을 유통 · 판매하는 영업
   다. 수입된 화장품을 유통 · 판매하는 영업
   라. 수입대행형 거래를 목적으로 화장품을 알선 · 수여(授與)하는 영업
3. 맞춤형화장품판매업
   가. 제조 또는 수입된 화장품의 내용물에 다른 화장품의 내용물이나 식품의약품안전처장이 정하여 고시하는 원료를 추가하여 혼합한 화장품을 판매하는 영업
   나. 제조 또는 수입된 화장품의 내용물을 소분(小分)한 화장품을 판매하는 영업

제2장 화장품의 제조 · 유통

1. 화장품제조업자 또는 화장품책임판매업자 변경등록(시행규칙 제 5 조)

1. 화장품제조업자가 변경등록을 하여야 하는 경우
   가. 화장품제조업자의 변경(법인인 경우에는 대표자의 변경)
   나. 화장품제조업자의 상호 변경(법인인 경우에는 법인의 명칭 변경)
   다. 제조소의 소재지 변경
   라. 제조 유형 변경
2. 화장품책임판매업자가 변경등록을 하여야 하는 경우
   가. 화장품책임판매업자의 변경(법인인 경우에는 대표자의 변경)
   나. 화장품책임판매업자의 상호 변경(법인인 경우에는 법인의 명칭 변경)

다. 화장품책임판매업소의 소재지 변경
라. 책임판매관리자의 변경
마. 책임판매 유형 변경

2. 화장품제조업 등의 변경등록(시행규칙 제 5 조)

3. 화장품제조업자 또는 화장품책임판매업자가 변경등록 시에 제출해야 할 서류
   - 변경 사유가 발생한 날부터 30일 이내 : 지방식품의약품안전청장에게 제출
   - 등록 관청을 달리하는 화장품제조소 또는 화장품책임판매업소의 소재지 변경의 경우 : 새로운 소재지를 관할하는 지방식품의약품안전청장에게 제출

1) 화장품제조업자가 제출해야 할 서류
   · 화장품제조업 변경등록 신청서(전자문서로 된 신청서 포함)
   · 화장품제조업 등록필증
   · 화장품제조업자 변경(법인은 대표자의 변경)시 추가 제출서류
     가. 정신질환자에 해당하지 않음을 증명하는 의사 진단서(제조업자만 제출)
     나. 마약류의 중독자에 해당되지 않음을 증명하는 의사의 진단서(제조업자만 제출)
     다. 양도 · 양수의 경우에는 이를 증명하는 서류
     라. 상속의 경우에는 가족관계증명서
   · 제조소의 소재지 변경의 경우 : 시설의 명세서 제출
   · 제조유형 변경의 경우
   화장품의 포장(1차 포장만 해당)을 하는 영업으로 등록한 자가 직접 제조하는 영업이나 제조를 위탁받아 제조하는 영업으로 변경 또는 추가하는 경우 : 시설의 명세서 제출

2) 화장품책임판매업자가 제출해야 할 서류
   · 화장품책임판매업 변경등록 신청서(전자문서로 된 신청서 포함)
   · 화장품책임판매업 등록필증
   · 화장품제조업자 변경(법인은 대표자의 변경)시 추가 제출서류
     가. 양도 · 양수의 경우에는 이를 증명하는 서류
     나. 상속의 경우에는 가족관계증명서
   · 책임판매관리자 변경의 경우 : 책임판매관리자의 자격을 확인할 수 있는 서류
   · 책임판매 유형 변경의 경우 : 수입대행형 거래를 목적으로 화장품을 알선 · 수여(授與)하는 영업으로 등록한 자가 화장품제조업자가 화장품을 직접 제조하여 유통 · 판매하는 영업, 화장품제조업자에게 위탁하여 제조된 화장품을 유통 · 판매하는 영업,

· 수입된 화장품을 유통 · 판매하는 영업으로 책임판매 유형을 변경 또는 추가하는 경우 : 화장품의 품질관리 및 책임판매 후 안전관리에 적합한 기준에 관한 규정 제출, 책임판매관리자의 자격을 확인할 수 있는 서류

3. 시설기준 등(시행규칙 제 6 조)

① 화장품제조업을 등록하려는 자가 갖추어야 하는 시설기준

1. 제조 작업을 하는 다음 각 목의 시설을 갖춘 작업소
   가. 쥐 · 해충 및 먼지 등을 막을 수 있는 시설
   나. 작업대 등 제조에 필요한 시설 및 기구
   다. 가루가 날리는 작업실은 가루를 제거하는 시설
2. 원료 · 자재 및 제품을 보관하는 보관소
3. 원료 · 자재 및 제품의 품질검사를 위하여 필요한 시험실
4. 품질검사에 필요한 시설 및 기구

② 시설의 일부를 갖추지 아니할 수 있는 경우

1. 화장품제조업자가 화장품의 일부 공정만을 제조하는 경우에는 해당 공정에 필요한 시설 및 기구 외의 시설 및 기구
2. 다음의 기관 등에 원료 · 자재 및 제품에 대한 품질검사를 위탁하는 경우에는 원료 · 자재 및 제품의 품질검사를 위하여 필요한 시험실, 품질검사에 필요한 시설 및 기구
   가. 보건환경연구원
   나. 원료 · 자재 및 제품의 품질검사를 위하여 필요한 시험실을 갖춘 제조업자
   다. 화장품 시험 · 검사기관
   라. 사단법인인 한국의약품수출입협회

③ 제조업자는 화장품의 제조시설을 이용하여 화장품 외의 물품을 제조할 수 있다.
다만, 제품 상호간에 오염의 우려가 있는 경우에는 그러하지 아니하다.(제품 상호간에 오염 우려가 없으면 세탁비누, 향초를 생산할 수 있다.)

4. 책임판매관리자의 자격기준(시행규칙 제 8 조)

① 수입대행형 거래를 목적으로 화장품을 알선 · 수여하는 영업은 제외

1. 의사, 약사
2. 대학교에서 학사 이상의 학위를 취득한 사람

가. 이공계 학과 또는 향장학 · 화장품과학 · 한의학 · 한약학과 등을 전공한 사람

나. 간호학과, 간호과학과, 건강간호학과를 전공하고 화학 · 생물학 · 생명과학 · 유전학 · 유전공학 · 향장학 · 화장품과학 · 의학 · 약학 등 관련 과목을 20학점 이상 이수한 사람

3. 전문대학 졸업자

가. 화학 · 생물학 · 화학공학 · 생물공학 · 미생물학 · 생화학 · 생명과학 · 생명공학 · 유전공학 · 향장학 · 화장품과학 · 한의학과 · 한약학과 등 화장품 관련 분야를 전공한 후 화장품 제조 또는 품질관리 업무에 1년 이상 종사한 경력이 있는 사람

나. 간호학과, 간호과학과, 건강간호학과를 전공하고 화학 · 생물학 · 생명과학 · 유전학 · 유전공학 · 향장학 · 화장품과학 · 의학 · 약학 등 관련 과목을 20학점 이상 이수한 후 화장품 제조나 품질관리업무에 1년 이상 종사한 경력이 있는 사람. 식품의약품안전처장이 정하여 고시하는 전문 교육과정을 이수한 사람

4. 화장품 제조 또는 품질관리 업무에 2년 이상 종사한 경력이 있는 사람

5. 책임판매관리자의 직무수행(시행규칙 제 8 조 ②항, ③항)

1. 품질관리기준에 따른 품질관리 업무
2. 책임판매 후 안전관리기준에 따른 안전확보 업무
3. 원료 및 자재의 입고(入庫)부터 완제품의 출고에 이르기까지 필요한 시험 · 검사 또는 검정에 대하여 제조업자를 관리 · 감독하는 업무

③ 상시근로자수가 10명 이하인 화장품책임판매업을 경영하는 화장품책임판매업자(법인인 경우에는 그 대표자)가 자격기준에 해당될 때 책임판매관리자를 둔 것으로 본다.

6. 맞춤형화장품판매업의 신고(시행규칙 제 8 조의 2)

맞춤형화장품 조제관리사 자격증 사본 첨부, 소재지를 관할하는 지방식품의약품안전청장에게 제출

1. 신고번호 및 신고한 연월일
2. 맞춤형 화장품판매업을 신고. 한자의 성명 및 생년월일(법인인 경우는 대표자의 성명 및 생년월일)
3. 맞춤형화장품 판매업자의 상호 및 소재지
4. 맞춤형화장품 판매업소의 상호 및 소재지
5. 맞춤형화장품 조제관리사의 성명, 생년월일 및 자격증 번호

7. 맞춤형화장품 판매업의 변경신고(시행규칙 제 8 조의 3)

1. 맞춤형화장품 판매업자를 변경하는 경우
2. 맞춤형화장품 판매업소의 상호 또는 소재지를 변경하는 경우
3. 맞춤형화장품 조제관리사를 변경하는 경우

① 1항에 따른 변경신고: 맞춤형화장품 판매업 신고필증과 그 변경을 증명하는 서류를 첨부하여 소재지관할하는 지방식품의약품청장에게 제출

② 2항에 따른 변경신고: 소재지 변경시에는 새로운 소재지를 관할하는 지방식품안정청장에게 제출

8. 맞춤형화장품 조제관리사 자격시험(시행규칙 제 8 조의 4)

매년 1회 이상 실시 90일전까지 식품의약품안전처 인터넷 홈페이지 공고

1. 제 1과목 : 화장품관련 법령 및 제도 등에 관한 사항
2. 제 2과목 : 화장품의 제조 및 품질관리와 원료의 사용기준 등에 관한 사항
3. 제 3과목 : 화장품의 유통 및 안전관리 등에 관한 사항
4. 제 4과목 : 맞춤형화장품의 특성 · 내용 및 관리 등에 관한 사항

9. 화장품제조업 또는 화장품책임판매업의 등록이나 맞춤형화장품판매업의 신고를 할 수 없는 결격사유(법 제 3 조의 3)

〈화장품제조업 등록을 할 수 없는 자〉

1. 「정신건강증진 및 정신질환자 복지서비스 지원에 관한 법률」에 따른 정신질환자 (전문의가 화장품제조업자로서 적합하다고 인정하는 사람은 제외)
2. 피성년후견인 또는 파산선고를 받고 복권되지 아니한 자
3. 「마약류 관리에 관한 법률」에 따른 마약류의 중독자
4. 화장품법 또는 「보건범죄 단속에 관한 특별조치법」을 위반하여 금고 이상의 형을 선고받고 그 집행이 끝나지 아니하거나 그 집행을 받지 아니하기로 확정되지 아니한 자
5. 제24조(등록의 취소 등)에 따라 등록이 취소되거나 영업소가 폐쇄(이 조 제1호부터 제3호까지의 어느 하나에 해당하여 등록이 취소되거나 영업소가 폐쇄된 경우는 제외)된 날부터 1년이 지나지 아니한 자

〈화장품판매업등록 혹은 맞춤형화장품판매업 신고를 할 수 없는 자〉(법 제24조)

1. 피성년후견인 또는 파산선고를 받고 복권되지 아니한 자
2. 화장품법 또는 「보건범죄 단속에 관한 특별조치법」을 위반하여 금고 이상의 형을 선고받고 그 집행이 끝나지 아니하거나 그 집행을 받지 아니하기로 확정되지 아니한 자
3. 등록이 취소되거나 영업소가 폐쇄된 날부터 1년이 지나지 아니한 자

10. 맞춤형화장품조제관리사 자격시험(법 제 3 조의 4)

① 화장품과 원료 등에 대하여 식품의약품안전처장이 실시하는 자격시험에 합격하여야 한다.
② 맞춤형화장품조제관리사가 거짓이나 그 밖의 부정한 방법으로 시험에 합격한 경우에는 자격을 취소하여야 하며, 자격이 취소된 사람은 취소된 날부터 3년간 자격시험에 응시할 수 없다.

11. 기능성화장품의 심사(법 제 4 조)

① 화장품제조업자, 화장품책임판매업자 또는 대학 · 연구소 등은
 · 품목별로 안전성 및 유효성에 관하여 심사를 받거나 보고서를 제출하여야 한다.
 · 제출한 보고서나 심사받은 사항을 변경할 때에도 또한 같다.
② 제1항에 따른 유효성에 관한 심사는 제2조(정의)제2호 각 목에 규정된 효능 · 효과에 한하여 실시한다.
③ 심사에 필요한 자료를 식품의약품안전처장에게 제출한다.
④ 심사 또는 보고서 제출의 대상과 절차 등에 관하여 필요한 사항은 총리령으로 정한다.

12. 기능성화장품의 심사 및 제출서류(시행규칙 제 9 조)

① 기능성화장품으로 인정받아 판매하려는 화장품제조업자, 화장품책임판매업자 또는 대학 · 연구기관 · 연구소(연구기관)는
 · 식품의약품안전평가원장의 심사
 · 품목별로 기능성화장품 심사의뢰서(전자문서 포함)와 첨부서류 제출

〈첨부서류〉

1. 기원(起源) 및 개발 경위에 관한 자료
2. 안전성에 관한 자료

가. 단회 투여 독성 시험자료
나. 1차 피부 자극 시험자료
다. 안(眼)점막 자극 또는 그 밖의 점막 자극 시험자료
라. 피부 감작성(感作性) 시험자료
마. 광독성(光毒性) 및 광감작성 시험자료
바. 인체 첩포(貼布試驗) 시험자료

3. 유효성 또는 기능에 관한자료
   가. 효력 시험자료
   나. 인체 적용 시험자료
4. 자외선 차단지수 및 자외선A 차단등급 설정의 근거자료(자외선을 차단 또는 산란시켜 자외선으로부터 피부를 보호하는 기능을 가진 화장품의 경우만 해당)
5. 기준 및 시험방법에 관한 자료[검체(檢體)를 포함한다]

〈자료제출 생략〉

· 제품의 효능 · 효과를 나타내는 성분 · 함량을 고시한 품목의 경우
  – 제1호부터 제4호까지의 자료제출을 생략할 수 있다.
· 기준 및 시험방법을 고시한 품목의 경우
  – 제5호의 자료제출을 각각 생략할 수 있다.

13. 보고서 제출대상 등(시행규칙 제 10 조)

① 기능성화장품의 심사를 받지 아니하고 보고서를 제출하여야 하는 대상은 다음 각 호와 같다.
  1. 효능 · 효과가 나타나게 하는 성분의 종류 · 함량, 효능 · 효과, 용법 · 용량, 기준 및 시험방법이 식품의약품안전처장이 고시한 품목과 같은 기능성화장품
  2. 이미 심사를 받은 기능성화장품과 다음 사항이 모두 같은 품목
     가. 효능 · 효과가 나타나게 하는 원료의 종류 · 규격 및 함량
     나. 효능 · 효과
     다. 기준(pH에 관한 기준은 제외한다) 및 시험방법
     라. 용법 · 용량
     마. 제형

② 기능성화장품으로 인정받아 판매 등을 하려는 화장품제조업자,화장품책임판매업자 또는 연구기관 등은 품목별로 기능성화장품 심사 제외 품목 보고서(전자문서 포함)를 식품의약품안전평가원장에게 제출해야 한다.

14. 영유아 또는 어린이 사용 화중품의 표시 · 광고(시행규칙 제 10 조의 2)

① 연령기준

1. 영유아 : 만 3세 이하
2. 어린이 : 만 4세 이상부터 만 13세 이하까지

② 표시 · 광고의 범위

1. 표시의 경우 : 화장품의 1차 포장 또는 2차 포장에 영유아 또는 어린이가 사용할 수 있는 화장품임을 특정하여 표시하는 경우
2. 광고의 경우 : 식품의약품안전처장이 정하여 고시하는 매체 · 수단에 영유아 또는 어린이가 사용할 수 있는 화장품임을 특정하여 광고하는 경우

15. 제품별 안전성 자료의 작성 · 보관(시행규칙 제 10 조의 3)

1. 화장품의 1차 포장에 사용기한을 표시하는 경우
   영유아 또는 어린이가 사용할 수 있는 화장품임을 표시 · 광고한 날부터 마지막으로 제조 · 수입된 제품의 사용기한 만료일 이후 1년까지의 기간, 이 경우 제조는 화장품의 제조번호에 따른 제조일자를 기준, 수입은 통관일자 기준
2. 화장품의 1차 포장에 개봉 후 사용기간을 표시하는 경우
   영유아 또는 어린이가 사용할 수 있는 화장품을 표시 · 광고한 날부터 마지막으로 제조 · 수입한 제품의 제조연월일 만료일 이후 3년까지의 기간

16. 실태조사의 실시(시행규칙 제 10 조의 4)

1. 제품별 안전성자료의 작성 및 보관현황
2. 소비자의 사용실태
3. 사용 후 이상사례의 현황 및 조치결과
4. 영유아 또는 어린이 사용 화장품에 대한 표시 · 유통 · 광고의 현황 및 추세
5. 그 밖에 식품의약품안전처장이 필요하다고 인정하는 사항
6. 5년마다 실시한다.

17. 영유아 또는 어린이 사용 화장품의 관리(법 제 4 조의 2)

① 화장품책임판매업자는 영유아 또는 어린이가 사용할 수 있는 화장품임을 표시 · 광고하려는 경우에는 제품별로 안전과 품질을 입증할 수 있는 제품별 안전성 자료를 작성 및 보관하여야 한다.

1. 제품 및 제조방법에 대한 설명 자료
2. 화장품의 안전성 평가 자료
3. 제품의 효능 · 효과에 대한 증명 자료

18. 영업자의 의무 등(법 제 5 조)

① 화장품제조업자
- · 화장품의 제조와 관련된 기록 · 시설 · 기구 등. 관리 방법 준수
- · 원료 · 자재 · 완제품 등에 대한 시험 · 검사 · 검정 실시 방법 및 의무 준수

② 화장품책임판매업자
- · 화장품의 품질관리기준
- · 책임판매 후 안전관리기준
- · 품질검사 방법 및 실시 의무
- · 안전성 · 유효성 관련 정보사항 등의 보고 및 안전대책 마련 의무
- · 화장품의 생산실적 또는 수입실적 보고
- · 화장품의 제조과정에 사용된 원료의 목록등 보고

  * 원료의 목록에 관한보고는 화장품의 유통 · 판매 전에 하여야 한다.

③ 맞춤형화장품판매업자
- · 맞춤형화장품 판매장 시설 · 기구의 관리 방법
- · 혼합 · 소분 안전관리기준의 준수 의무
- · 혼합 · 소분되는 내용물 및 원료에 대한 설명의무 준수

④ 화장품책임판매업자는 화장품의 생산실적 등을 식품의약품안전처장에게 보고

⑤ 책임판매관리자 및 맞춤형화장품조제관리사
- · 화장품의 안전성 확보 및 품질관리에 관한 교육을 매년 받아야 한다.

⑥ 국민 건강상 위해를 방지하기 위하여 필요하다고 인정될 때
- · 영업자에게 화장품 관련 법령 및 제도(화장품의 안전성 확보 및 품질관리에 관한 내용을 포함)에 관한 교육을 받을 것을 명할 수 있다.

* 영업자 : 화장품제조업자, 화장품책임판매업자, 맞춤형화장품판매업자

· 교육을 받아야 하는 자가 둘 이상의 장소에서 화장품제조업, 화장품책임판매업 또는 맞춤형화장품판매업을 하는 경우에는 종업원 중에서 총리령으로 정하는 자를 책임자로 지정하여 교육을 받게 할 수 있다.

19. 화장품책임판매업자의 준수사항(시행규칙 제 11 조)

1. 별표 1의 품질관리기준에 따른 화장품책임판매업자의 지도 · 감독 및 요청에 따를 것
2. 제조관리기준서 · 제품표준서 · 제조관리기록서 및 품질관리기록서(전자문서 형식을 포함)를 작성 · 보관할 것
3. 보건위생상 위해(危害)가 없도록 제조소, 시설 및 기구를 위생적으로 관리하고 오염되지 아니하도록 할 것
4. 화장품의 제조에 필요한 시설 및 기구에 대하여 정기적으로 점검하여 작업에 지장이 없도록 관리 · 유지할 것
5. 작업소에는 위해가 발생할 염려가 있는 물건을 두어서는 아니 되며, 작업소에서 국민보건 및 환경에 유해한 물질이 유출되거나 방출되지 아니하도록 할 것
6. 품질관리를 위하여 필요한 사항을 화장품책임판매업자에게 제출할 것
   다만, 다음 각 목의 어느 하나에 해당하는 경우 제출하지 아니할 수 있다.
   가. 화장품제조업자와 화장품책임판매업자가 동일한 경우
   나. 화장품제조업자가 제품을 설계 · 개발 · 생산하는 방식으로 제조하는 경우로서 품질 · 안전관리에 영향이 없는 범위에서 화장품제조업자와 화장품책임판매업자 상호 계약에 따라 영업비밀에 해당하는 경우
7. 원료 및 자재의 입고부터 완제품의 출고에 이르기까지 필요한 시험 · 검사 또는 검정을 할 것
8. 제조 또는 품질검사를 위탁하는 경우 제조 또는 품질검사가 적절하게 이루어지고 있는지 수탁자에 대한 관리 · 감독을 철저히 하고, 제조 및 품질관리에 관한 기록을 받아 유지 · 관리할 것

20. 화장품제조업자가 준수하여야 할 사항(시행규칙 제 12 조)

1. 별표 1의 품질관리기준을 준수할 것
2. 별표 2의 책임판매 후 안전관리기준을 준수할 것
3. 제조업자로부터 받은 제품표준서 및 품질관리기록서(전자문서 형식을 포함)를 보관할 것

4. 수입한 화장품에 대하여 수입관리기록서를 작성 · 보관할 것
5. 제조번호별로 품질검사를 철저히 한 후 유통시킬 것
6. 화장품의 제조를 위탁하거나 제조업자에게 품질검사를 위탁하는 경우 제조 또는 품질검사가 적절하게 이루어지고 있는지 수탁자에 대한 관리 · 감독을 철저히 하여야 하며, 제조 및 품질관리에 관한 기록을 받아 유지 · 관리하고, 그 최종 제품의 품질관리를 철저히 할 것
7. 식품의약품안전처장이 고시하는 우수화장품 제조관리기준과 같은 수준 이상이라고 인정되는 경우에는 국내에서의 품질검사를 하지 아니할 수 있다.
8. 인정을 받은 수입 화장품 제조회사의 품질관리기준이 우수화장품 제조관리기준과 같은 수준 이상이라고 인정되지 아니하여 인정이 취소된 경우에는 품질검사를 하여야 한다. 현지실사에 필요한 신청절차 등은 식품의약품안전처장이 정하여 고시한다.
9. 다음 각 목의 어느 하나에 해당하는 성분을 0.5퍼센트 이상 함유하는 제품의 경우에는 해당 품목의 안정성시험 자료를 최종 제조된 제품의 사용기한이 만료되는 날부터 1년간 보존할 것
   가. 레티놀(비타민A) 및 그 유도체
   나. 아스코빅애시드(비타민C) 및 그 유도체
   다. 토코페롤(비타민E)
   라. 과산화화합물
   마. 효소

21. 맞춤형화장품 판매업자의 준수사항(시행규칙 제 12 조의 2)

1. 판매장 시설 · 기구를 정기적으로 점검
2. 혼합 · 소분 안전관리를 준수할 것
   가. 혼합 · 소분전에 혼합 · 소분에 사용되는 내용물 또는 원료에 대한 품질성적서를 확인할 것
   나. 혼합 · 소분전에 손을 소독하거나 세정할 것. 다만, 혼합 · 소분시 일회용장갑을 착용하는 경우 그렇지 않다.
   다. 혼합 · 소분전에 혼합 · 소분된 제품을 담을 포장용기의 오염여부를 확인할 것
   라. 혼합 · 소분에 사용되는 장비 또는 기구 등은 사용전에 위생상태점검, 사용 후 세척
   마. 그 밖의 식품의약품안전처장이 고시하는 사항
3. 판매내역서 작성 · 보관
   가. 제조번호
   나. 사용기한 또는 개봉 후 사용기간

다. 판매일자 및 판매량

4. 소비자에게 설명

가. 혼합 · 소분에 사용된 내용물 · 원료의 내용 및 특성

나. 맞춤형화장품의 주의사항

5. 부작용 발생시 지체없이 식품의약품안전처장에게 보고

22. 화장품의 생산실적등 보고(시행규칙 제 13 조)

① 화장품책임판매업자는 화장품업 단체를 통하여 식품의약품안전처장에게 매년 2월 말까지 보고

· 지난해의 생산실적 또는 수입실적

· 화장품의 제조과정에 사용된 원료의 목록을 화장품의 유통 · 판매 전까지 보고해야 한다.

· 보고한 목록이 변경된 경우에도 또한 같다.

· 전자무역문서로 표준통관 예정보고를 하고 수입하는 화장품책임판매업자는 수입실적 및 원료의 목록을 보고하지 아니할 수 있다.

23. 화장품책임판매업자 등의 교육(시행규칙 제 14 조)

책임판매 관리자

맞춤형화장품 조제관리사

품질관리기준에 따라 품질관리 업무에 종사하는 종업원

1. 교육실시기관은 교육계획을 전년도 11월30일까지 식품의약품안전처장에게 제출
2. 교육시간은 4시간 이상 8시간 이하
3. 교육내용 법령 및 제도, 안전성확보 및 품질관리사항 등이며, 식품의약품안전처장 승인을 받아야 함.
4. 교육을 수료한 사람에게 수료증 발급 후 매년 1월 31일까지 전년도 교육실적을 식품의약품안전처장에게 보고, 교육자료는 2년간 보관.
5. 교재비 · 실습비 및 강사수당 등 교육대상자로부터 징수할 수 있다.

24. 위해화장품의 회수(법 제 5 조의 2)

① 안전용기 · 포장(법 제9조),

② 영업의 금지(법 제15조), 판매 등의 금지(법 제16조제1항)에 위반되어 국민보건에 위해를 끼치거나 끼칠 우려가 있는 화장품이 유통 중인 사실을 알게 된 경우 : 지체 없이 회수하거나 회수에 필요한 조치를 하고 회수계획을 식품의약품안전처장에게 미리 보고하여야 한다.

③ 회수 또는 회수에 필요한 조치를 성실하게 이행한 영업자는 행정처분을 감경 또는 면제할 수 있다.

25. 회수대상 화장품의 기준 및 위해성 등급 등(시행규칙 제 14 조의 2)

① 회수대상 중인 유통 중인 화장품

1. 안전용기 · 포장 사용을 위반한 화장품(법 제9조)
2. 영업금지에 위배되는 화장품(법 제5조)
   - · 전부 또는 일부가 변패(變敗)된 화장품(법 제15조제2호)
   - · 병원미생물에 오염된 화장품(법 제15조제3호)
   - · 이물이 혼입되었거나 부착된 화장품 중 보건위생상 위해를 발생할 우려가 있는 화장품(법 제15조제4호)
   - · 화장품에 사용할 수 없는 원료를 사용한 화장품(법 제15조제5호)
   - · 유통화장품 안전관리 기준(내용량의 기준은 제외)에 적합하지 아니한 화장품(법 제15조제5호)
   - · 사용기한 또는 개봉 후 사용기간(병행 표기된 제조연월일을 포함)을 위조 · 변조한 화장품(법 제15조제5호)
3. 법 제16조제1항에 위배되는 화장품

- · 등록을 하지 아니한 자가 제조한 화장품 또는 제조 · 수입하여 유통 · 판매한 화장품
- · 신고를 하지 아니한 자가 판매한 맞춤형화장품
- · 맞춤형화장품조제관리사를 두지 아니하고 판매한 맞춤형화장품
- · 의약품으로 잘못 인식할 우려가 있게 기재 · 표시된 화장품
  - · 판매의 목적이 아닌 제품의 홍보 · 판매촉진 등을 위하여 미리 소비자가 시험 · 사용하도록 제조 또는 수입된 화장품
  - · 화장품의 포장 및 기재 · 표시 사항을 훼손(맞춤형화장품 판매를 위하여 필요한 경우는 제외) 또는 위조 · 변조한 것

26. 위해화장품의 회수계획 및 회수절차 등(시행규칙 제 14 조의 3)

① 화장품을 회수하거나 회수하는 데에 필요한 조치를 하려는 화장품제조업자 또는 화장품책임판매업자(회수 의무자)는 해당 화장품에 대하여 즉시 판매중지 등의 필요한 조치를 하여야 하고 회수대상 화장품이라는 사실을 안 날부터 5일 이내에 다음의 서류와 함께 회수계획서 제출

1. 해당 품목의 제조 · 수입기록서 사본
2. 판매처별 판매량 · 판매일 등의 기록
3. 회수 사유를 적은 서류

② 제출된 회수계획이 미흡하다고 판단 시 보완을 명할 수 있다.

③ 회수의무자는 판매자 또는 업무상 취급하는 자에게 통보

· 방문, 우편, 전화, 전보, 전자우편, 팩스 또는 언론매체를 통한 공고 등을 통하여 회수계획을 통보

· 통보 사실을 입증할 수 있는 자료를 회수종료일부터 2년간 보관

· 회수한 화장품을 폐기하려는 경우 폐기신청서 제출

· 관계 공무원의 참관 하에 환경 관련 법령에서 정하는 바에 따라 폐기

· 폐기를 한 회수의무자는 폐기확인서를 작성하여 2년간 보관

④ 회수계획을 통보받은 자

· 회수대상화장품을 회수의무자에게 반품

· 회수확인서를 작성하여 회수의무자에게 송부

⑤ 회수한 화장품을 폐기하려는 경우 제출서류

· 회수계획서 사본, 회수확인서 사본

⑥ 회수를 완료한 경우 제출서류

· 회수종료신고서

· 회수확인서 사본

· 폐기확인서 사본(폐기한 경우에만)

· 평가보고서 사본

27. 행정처분의 감경 또는 면제(시행규칙 제 14 조의 4)

① 행정처분의 감경 또는 면제 기준

1. 회수계획량의 5분의4 이상을 회수한 경우

· 그 위반행위에 대한 행정처분을 면제

2. 회수계획량 중 일부를 회수한 경우

가. 회수계획량의 3분의 1 이상을 회수한 경우

· 행정처분의 기준이 등록취소인 경우에는 업무정지 2개월 이상 6개월 이하의 범위에서 처분

· 행정처분기준이 업무정지 또는 품목의 제조 · 수입 · 판매 업무정지인 경우에는 정지처분기간의 3분의 2 이하의 범위에서 경감

나. 회수계획량의 4분의 1 이상 3분의 1 미만을 회수한 경우

· 행정처분기준이 등록취소인 경우에는 업무정지 3개월 이상 6개월 이하의 범위에서 처분

· 행정처분기준이 업무정지 또는 품목의 제조 · 수입 · 판매 업무정지인 경우에는 정지처분기간의 2분의 1 이하의 범위에서 경감

28. 폐업 등의 신고(법 제 6 조)(시행규칙 제 15 조)

폐업 등의 신고(법 제6조)

① 영업자의 폐업 등의 신고

1. 폐업 또는 휴업하려는 경우

2. 휴업 후 그 업을 재개하려는 경우

(휴업기간이 1개월 미만이거나 그 기간 동안 휴업하였다가 그 업을 재개하는 경우에는 제외)

② 식품의약품안전처장이 등록 취소할 수 있는 경우

· 화장품제조업자 또는 화장품책임판매업자가 세무서장에게 폐업신고를 한 경우

③ 관할 세무서장이 사업자등록을 말소한 경우

(등록을 취소하기 위하여 필요하면 관할 세무서장에게 화장품제조업자 또는 화장품책임판매업자의 폐업여부에 대한 정보제공을 요청할 수 있다)

④ 폐업 등의 수리여부를 신고인에게 통지 · 폐업신고 또는 휴업신고를 받은 날부터 7일 이내

⑤ 정한 기간 내에 신고수리 여부 또는 민원처리 관련 법령에 따른 처리기간의 연장을 신고인에게 통지하지 아니하면 그 기간(민원처리 관련 법령에 따라 처리기간이 연장 또는 재연장된 경우에는 해당 처리기간을 말한다)이 끝난 날의 다음 날에 신고를 수리한 것으로 본다.

폐업 등의 신고(시행규칙 제15조)

① 영업자가 폐업 또는 휴업하거나 휴업 후 그 업을 재개하는 경우에는 폐업 · 휴업 · 재개한 날부터 20일 이내에 화장품책임판매업 등록필증 또는 화장품제조업 등록필증(폐업 또는 휴

업의 경우만 해당)을 첨부하여 신고서(전자문서로 된 신고서 포함)를 지방식품의약품안전청장에게 제출하여야 한다.

29. 화장품의 사후관리 기준

식품의약품안전처에서 화장품 영업자를 대상으로 실시하는 감시는 정기감시, 수시감시, 기획감시, 품질감시가 있다.

구 분	상세내용
정기감시	· 화장품제조업자, 화장품책임판매업자에 대한 정기적인 지도 · 점검 · 각 지방청별 자체계획에 따라 수행 · 조직, 시설, 제조품질관리, 표시기재 등 화장품 법령 전반, 연1회
수시감시	· 고발, 진정, 제보 등으로 제기된 위법사항에 대한 점검 · 준수사항, 품질, 표시광고, 안전기준 등 모든 영역 · 불시점검원칙, 문제제기 사항 중점관리 · 정보수집, 민원, 사회적 현안 등에 따라 즉시 점검이 필요하다고 판단되는 사항, 연중
기획감시	· 사전 예방적 안전관리를 위한 선제적 대응감시 · 위해 우려 또는 취약분야, 시의성 · 예방적 감시분야 · 중앙과 지방의 상호협력 필요분야 등(지방청, 지자체) · 감시주제에 따른 제조업자, 제조판매업자, 판매자 점검, 연중
품질감시 (수거감시)	· (연간) 시중 유통품을 계획에 따라 지속적인 수거검사 · (기획, 청원검사 등) 특별한 이슈와 문제제기가 있을 경우 실시 · 수거품에 대한 유통화장품 안전관리기준에 적합여부 확인

제3장 화장품의 취급

1. 화장품 안전기준 등(법 제8조)

① 화장품의 제조 등에 사용할 수 없는 원료를 지정하여 고시하여야 한다.

· 특별히 사용상의 제한이 필요한 원료

② (살균)보존제, 색소, 자외선차단제는 사용기준을 지정하여 고시하여야 하며, 지정 · 고시된 원료 외의 (살균)보존제, 색소, 자외선차단제 등은 사용할 수 없다.

③ 화장품원료 등의 위해요소를 신속히 평가하여 그 위해 여부를 결정하여야 한다.
④ 위해평가가 완료된 경우에는 해당 화장품원료 등을 화장품의 제조에 사용할 수 없는 원료로 지정하거나 그 사용기준을 지정하여야 한다.
⑤ 지정 · 고시된 원료의 사용기준의 안전성을 정기적으로 검토하여야 하고, 그 결과에 따라 지정 · 고시된 원료의 사용기준을 변경할 수 있다.

2. 화장품원료 등의 위해평가(시행규칙 제 17 조)

① 위해평가의 확인 · 결정 · 평가 등의 과정을 거쳐 실시한다.
  1. 위해요소의 인체 내 독성을 확인하는 위험성 확인과정
  2. 위해요소의 인체노출 허용량을 산출하는 위험성 결정과정
  3. 위해요소가 인체에 노출된 양을 산출하는 노출평가과정
  4. 제1호부터 제3호까지의 결과를 종합하여 인체에 미치는 위해 영향을 판단하는 위해도 결정과정
② 국내외의 연구 · 검사기관에서 이미 위해평가를 실시하였거나 위해요소에 대한 과학적 시험 · 분석 자료가 있는 경우에는 그 자료를 근거로 위해 여부를 결정할 수 있다.

3. 지정 · 고시된 원료의 사용기준의 안전성 검토(시행규칙 제 17 조의 2)

① 지정 · 고시된 원료의 사용기준의 안전성 검토 주기는 5년으로 한다.
② 안전성을 검토할 때에는 사전에 안전성 검토 대상을 선정하여 실시해야 한다.

4. 원료의 사용기준 지정 및 변경 신청 등(시행규칙 제 17 조의 3)

화장품제조업자, 화장품책임판매업자 또는 연구기관 등은 지정 · 고시되지 않은 원료의 사용기준을 지정 · 고시하거나 지정 · 고시된 원료의 사용기준을 변경해 줄 것을 신청하려는 경우 신청서에 아래 각 호의 서류를 첨부하여 제출해야 한다.
① 지정 · 고시된 원료의 사용기준 변경 신청 서류
  1. 제출자료 전체의 요약본
  2. 원료의 기원, 개발경위, 국내 · 외 사용기준 및 사용현황 등에 관한 자료
  3. 원료의 특성에 관한 자료

4. 안전성 및 유효성에 관한 자료(유효성에 관한 자료는 해당하는 경우에만 제출)
5. 원료의 기준 및 시험방법에 관한 시험성적서

② 신청인은 보완 일부터 60일 이내에 추가 자료를 제출하거나 보완 제출기한의 연장을 요청할 수 있다.

③ 자료를 제출한 날 (보완된 자료를 제출한 날)부터 180일 이내에 심사 결과통지서를 보내야 한다.

5. 안전용기 · 포장 등(법 제 9 조)

① 화장품책임판매업지 및 맞춤형화장품판매업자는 화장품을 판매할 때에는 이린이가 화장품을 잘못 사용하여 인체에 위해를 끼치는 사고가 발생하지 아니하도록 안전용기 · 포장을 사용 하여야 한다.

안전용기 · 포장 대상 제외 품목은 아래와 같다.

· 일회용 제품
· 용기 입구 부분이 펌프 또는 방아쇠로 작동되는 분무용기 제품,
· 압축 분무용기 제품(에어로졸 제품 등)

6. 안전용기 · 포장 대상 품목 및 기준(시행규칙 제 18 조)

① 안전용기 · 포장을 사용하여야 하는 품목

1. 아세톤을 함유하는 네일 에나멜 리무버 및 네일 폴리시 리무버
2. 어린이용 오일 등 개별포장 당 탄화수소류를 10퍼센트 이상 함유하고 운동점도가 21센티스톡스(섭씨 40도 기준) 이하인 비에멀젼 타입의 액체상태의 제품
3. 개별포장당 메틸 살리실레이트를 5퍼센트 이상 함유하는 액체상태의 제품

② 안전용기 · 포장은 만 5세 미만의 어린이가 개봉하기는 어렵게 된 것이어야 한다.

· 개봉하기 어려운 정도의 구체적인 기준 및 시험방법 : 산업통상자원부장관이 정하여 고시

7. 화장품 포장의 기재 · 표시 등(시행규칙 제 19 조)

② 기재 · 표시를 생략할 수 있는 성분

1. 제조과정 중에 제거되어 최종 제품에는 남아 있지 않은 성분

2. 안정화제, 보존제 등 원료 자체에 들어 있는 부수 성분으로서 그 효과가 나타나게 하는 양보다 적은 양이 들어 있는 성분
3. 내용량이 10밀리리터 초과 50밀리리터 이하 또는 중량이 10그램 초과 50그램 이하 화장품의 포장인 경우에는 다음 각 목의 성분을 제외한 성분
   가. 타르색소　　　나. 금박
   다. 샴푸와 린스에 들어 있는 인산염의 종류　　　라. 과일산(AHA)
   마. 기능성화장품의 경우 그 효능 · 효과가 나타나게 하는 원료
   바. 식품의약품안전처장이 배합 한도를 고시한 화장품의 원료

8. 화장품의 포장에 기재 · 표시하여야 하는 사항(시행규칙 제 19 조제 4 항)

④ 화장품의 포장에 기재 · 표시하여야 하는 사항
1. 식품의약품안전처장이 정하는 바코드
2. 기능성화장품의 경우 심사받거나 보고한 효능 · 효과, 용법 · 용량
3. 성분명을 제품 명칭의 일부로 사용한 경우 그 성분명과 함량(방향용 제품은 제외)
4. 인체 세포 · 조직 배양액이 들어있는 경우 그 함량
5. 화장품에 천연 또는 유기농으로 표시 · 광고하려는 경우에는 원료의 함량
6. 수입화장품인 경우에는 제조국의 명칭(원산지를 표시한 경우 생략), 제조회사명 및 그 소재지
7. "질병의 예방 및 치료를 위한 의약품이 아님"이라는 문구를 넣어야 하는 기능성화장품
   · 탈모증상의 완화에 도움을 주는 화장품
   · 여드름성 피부를 완화하는데 도움을 주는 화장품
   · 아토피성 피부로 인한 건조함 등을 완화하는데 도움을 주는 화장품
   · 튼살로 인한 붉은 선을 엷게 하는데 도움을 주는 화장품
8. 사용기준이 지정 · 고시된 원료 중 보존제의 함량을 기재 · 표시하여야 하는 경우
   가. 영 · 유아용 제품류인 경우
   나. 화장품에 어린이용 제품(만 4세이상부터 13세 이하의 어린이를 대상으로 생산된 제품)임을 특정하여 표시 · 광고하려는 경우

⑤ 화장품의 제조에 사용된 성분의 기재 · 표시를 생략하려는 경우에는 다음 각 호의 어느 하나에 해당하는 방법으로 생략된 성분을 확인할 수 있도록 하여야 한다.
1. 소비자가 모든 성분을 즉시 확인할 수 있도록 포장에 전화번호나 홈페이지 주소를 적을 것
2. 모든 성분이 적힌 책자 등의 인쇄물을 판매업소에 늘 갖추어 둘 것

9. 화장품의 가격표시, 기재 · 표시상의 주의사항(시행규칙 제 20 조, 시행규칙 제 21 조)

화장품의 가격표시

① 소비자에게 직접 판매하는 자(판매자)가 판매하려는 가격을 표시

② 일반 소비자가 알기 쉽도록 표시하되, 그 세부적인 표시방법은 식품의약품안전처장이 정하여 고시한다.

기재 · 표시상의 주의사항

① 화장품 포장의 기재 · 표시 및 화장품의 가격표시상의 준수사항

- 한글로 읽기 쉽도록 기재 · 표시할 것
- 한자 또는 외국어를 함께 기재할 수 있다.
- 수출용 제품 등의 경우에는 그 수출 대상국의 언어로 적을 수 있다.
- 화장품의 성분을 표시하는 경우에는 표준화된 일반명을 사용할 것

10. 부당한 표시 · 광고 행위 등의 금지(법 제 13 조)

① 영업자 또는 판매자는 다음 각 호의 어느 하나에 해당하는 표시 또는 광고를 하여서는 아니 된다.

1. 의약품으로 잘못 인식할 우려가 있는 표시 또는 광고
2. 기능성화장품이 아닌 화장품을 기능성화장품으로 잘못 인식할 우려가 있거나 기능성화장품의 안전성 · 유효성에 관한 심사결과와 다른 내용의 표시 또는 광고
3. 천연화장품 또는 유기농화장품이 아닌 화장품을 천연화장품 또는 유기농화장품으로 잘못 인식할 우려가 있는 표시 또는 광고
4. 그 밖에 사실과 다르게 소비자를 속이거나 소비자가 잘못 인식하도록 할 우려가 있는 표시 또는 광고

11. 표시 · 광고 내용의 실증 등(법 제 14 조)

① 영업자 및 판매자는 자기가 행한 표시 · 광고 중 사실과 관련한 사항에 대하여는 이를 실증할 수 있어야 한다.

② 영업자 또는 판매자가 행한 표시 · 광고의 실증이 필요하다고 인정하는 경우에는 그 내용을 구체적으로 명시하여 해당 영업자 또는 판매자에게 관련 자료의 제출을 요청할 수 있다.

③ 실증자료의 제출을 요청받은 영업자 또는 판매자는 요청받은 날부터 15일 이내에 그 실증자

료를 제출하여야 한다.

④ 제출기간 내에 이를 제출하지 아니한 채 계속하여 표시 · 광고를 하는 때에는 실증자료를 제출할 때까지 그 표시 · 광고 행위의 중지를 명하여야 한다.

⑤ 실증자료의 제출을 요청받아 제출한 경우에는 다른 법률에 따라 다른 기관이 요구하는 자료 제출을 거부할 수 있다.

12. 표시 · 광고 실증의 대상 등(시행규칙 제 23 조)

① 화장품의 포장 또는 화장품 광고의 매체 또는 수단에 의한 표시 · 광고 중 사실과 다르게 소비자를 속이거나 소비자가 잘못 인식하게 할 우려가 있어 실증이 필요하다고 인정하는 표시 · 광고로 한다.

② 화장품제조업자, 화장품책임판매업자 또는 판매자가 제출하여야 하는 실증자료의 범위 및 요건

1. 시험결과 : 인체 적용시험 자료, 인체 외 시험 자료 또는 같은 수준 이상의 조사 자료일 것
2. 조사결과 : 표본설정, 질문사항, 질문방법이 그 조사의 목적이나 통계상의 방법과 일치할 것
3. 실증방법 : 실증에 사용되는 시험 또는 조사의 방법은 학술적으로 널리 알려져 있거나 관련분야에서 일반적으로 인정된 방법 등으로서 과학적이고 객관적인 방법일 것

③ 화장품제조업자, 화장품책임판매업자 또는 판매자가 실증자료를 제출할 때 다음사항을 적고 이를 증명할 수 있는 자료를 첨부하여 제출하여야 한다.

가. 실증방법

나. 시험 · 조사기관의 명칭, 대표자의 성명, 주소 및 전화번호

다. 실증 내용 및 결과

라. 실증자료 중 영업상 비밀에 해당되어 공개를 원하지 아니하는 경우에는 그 내용 및 사유

13. 천연화장품 및 유기농화장품에 대한 인증, 유효기간, 표시(법 제 14 조의 2,3,4)

[천연화장품 및 유기농화장품에 대한 인증]

① 천연화장품 및 유기농화장품의 품질제고를 유도하고 소비자에게 보다 정확한 제품 정보가 제공될 수 있도록 기준에 적합한 천연화장품 및 유기농화장품에 대하여 인증할 수 있다.

② 인증을 받으려는 화장품제조업자, 화장품책임판매업자 또는 총리령으로 정하는 대학 · 연구소 등은 식품의약품안전처장에게 인증을 신청하여야 한다.

③ 인증의 취소

1. 거짓이나 그 밖의 부정한 방법으로 인증을 받은 경우
2. 인증기준에 적합하지 아니하게 된 경우

④ 인증업무를 효과적으로 수행하기 위하여 필요한 전문 인력과 시설을 갖춘 기관 또는 단체를 인증기관으로 지정하여 인증업무를 위탁할 수 있다.

[인증의 유효기간]

① 인증을 받은 날부터 3년

② 인증의 유효기간을 연장 받으려는 자는 유효기간 만료 90일 전에 연장신청을 하여야 한다.

[인증의 표시]

① 인증을 받은 화장품에 대해서는 인증표시를 할 수 있다.

② 누구든지 인증을 받지 아니한 화장품에 대하여 인증표시나 이와 유사한 표시를 하여서는 아니 된다.

14. 천연화장품 및 유기농화장품의 인증 등(시행규칙 제 23 조의 2)

③ 인증을 한 인증기관에 보고해야 할 경우

1. 인증제품 명칭의 변경
2. 인증제품을 판매하는 책임판매업자의 변경

④ 인증의 유효기간을 연장 받으려는 경우에는 유효기간 만료 90일 전까지 서류제출
다만, 부득이한 사유로 연장신청이 불가능한 경우에는 다른 인증기관에 신청할 수 있다.

⑥ 인증기관의 장은 수수료를 신청인으로부터 받을 수 있다.

⑦ 인증의 세부절차와 방법 등은 식품의약품안전처장이 정하여 고시한다.

15. 천연화장품 및 유기농화장품의 인증기관의 지정 등(시행규칙 제 23 조의 3)

[인증기관이 변경 신청해야 하는 경우]

④ 변경 사유가 발생한 날부터 30일 이내 신청

1. 인증기관의 대표자
2. 인증기관의 명칭 및 소재지
3. 인증업무의 범위

⑤ 인증기관의 준수사항

1. 인증신청, 인증심사 및 인증사업자에 관한 자료를 법 제14조의3제1항에 따른 인증의 유효기간이 끝난 후 2년 동안 보관할 것

2. 식품의약품안전처장의 요청이 있는 경우에는 인증기관의 사무소 및 시설에 대한 접근을 허용하거나 필요한 정보 및 자료를 제공할 것

16. 인증의 유효기간, 인증의 표시, 인증기관 지정의 취소 등 (법 제 14 조의 3)(법 제 14 조의 4)(법 제 14 조의 5)

인증의 유효기간(법 제14조의3)

① 인증의 유효기간 3년

② 연장은 유효기간 만료 90일 전 신청

인증의 표시(법 제14조의4)

① 인증 받은 화장품에 대해서는 인증표시

인증기관 지정의 취소 등(법 제14조의5)

1. 거짓이나 그 밖의 부정한 방법으로 인증기관의 지정을 받은 경우
2. 표시 · 광고 내용의 실증 등 지정기준에 적합하지 아니하게 된 경우

17. 영업의 금지(법 제 15 조)

① 화장품을 판매하거나 판매할 목적으로 제조 · 수입 · 보관 또는 진열 금지 화장품(수입대행형 거래를 목적으로 하는 알선 · 수여를 포함)

1. 심사를 받지 아니하거나 보고서를 제출하지 아니한 기능성화장품
2. 전부 또는 일부가 변패(變敗)된 화장품
3. 병원미생물에 오염된 화장품
4. 이물이 혼입되었거나 부착된 것
5. 화장품에 사용할 수 없는 원료를 사용하였거나 유통화장품 안전관리 기준에 적합하지 아니한 화장품
6. 코뿔소 뿔 또는 호랑이 뼈와 그 추출물을 사용한 화장품
7. 보건위생상 위해가 발생할 우려가 있는 비위생적인 조건에서 제조되었거나 시설기준에 적합하지 아니한 시설에서 제조된 것
8. 용기나 포장이 불량하여 해당 화장품이 보건위생상 위해를 발생할 우려가 있는 것
9. 사용기한 또는 개봉 후 사용기간(병행 표기된 제조연월일을 포함한다)을 위조 · 변조한 화장품

18. 동물실험을 실시한 화장품 등의 유통판매 금지(법 제 15 조의 2)

① 화장품책임판매업자는 동물실험을 실시한 화장품 또는 동물실험을 실시한 화장품원료를 사용하여 제조 또는 수입한 화장품을 유통 · 판매하여서는 아니 된다. 다만, 아래 각 호는 그러하지 아니하다.

1. 보존제, 색소, 자외선차단제 등 특별히 사용상의 제한이 필요한 원료에 대하여 그 사용기준을 지정하거나 국민보건상 위해 우려가 제기되는 화장품원료 등에 대한 위해 평가를 하기 위하여 필요한 경우
2. 동물대체시험법이 존재하지 아니하여 동물실험이 필요한 경우
3. 화장품 수출을 위하여 수출 상대국의 법령에 따라 동물실험이 필요한 경우
4. 수입 상대국의 법령에 따라 제품 개발에 동물실험이 필요한 경우
5. 동물실험을 실시하여 개발된 원료를 화장품의 제조 등에 사용하는 경우
6. 동물실험을 대체할 수 있는 실험을 실시하기 곤란한 경우

19. 판매 등의 금지(법 제 16 조)

① 화장품을 판매하거나 판매할 목적으로 보관 또는 진열 금지 화장품

1. 등록을 하지 아니한 자가 제조한 화장품 또는 제조 · 수입하여 유통 · 판매한 화장품

1의2. 신고를 하지 아니한 자가 판매한 맞춤형화장품

1의3. 맞춤형화장품조제관리사를 두지 아니하고 판매한 맞춤형화장품

2. 화장품 기재사항, 가격표시, 기재 · 표시상의 주의 규정 위반 화장품 또는 의약품으로 잘못 인식할 우려가 있게 기재 · 표시된 화장품
3. 판매의 목적이 아닌 제품의 홍보 · 판매촉진 등을 위하여 미리 소비자가 시험 · 사용하도록 제조 또는 수입된 화장품(소비자에게 판매하는 화장품에 한함)
4. 화장품의 포장 및 기재 · 표시 사항을 훼손(맞춤형화장품 판매를 위하여 필요한 경우는 제외) 또는 위조 · 변조한 것

② 누구든지 화장품의 용기에 담은 내용물을 나누어 판매하여서는 아니 된다.
(맞춤형화장품조제관리사를 통하여 판매하는 맞춤형화장품판매업자는 제외)

제4장 감독

1. 관계 공무원의 자격 등(시행규칙 제 24 조)

① 감시공무원의 자격

1. 대학교에서 약학 또는 화장품 관련 분야의 학사학위 이상을 취득한 사람(법령에서 이와 같은 수준 이상의 학력이 있다고 인정한 사람을 포함)
2. 화장품에 관한 지식 및 경력이 풍부하다고 지방식품의약품안전청장이 인정하거나 특별시장 · 광역시장 · 도지사 또는 시장 · 군수 · 구청장(자치구의 구청장)이 추천한 사람

② 관계 공무원은 그 권한을 표시하는 증표를 관계인에게 내보여야 한다.

2. 소비자화장품 안전관리감시원(법 제 18 조의 2), 자격 등(시행규칙 제 26 조의 2)

① 소비자화장품 안전관리감시원 위촉할 수 있는 사람

1. 법 제17조(단체설립)에 따라 설립된 단체의 임원중 해당 단체장이 추천한 사람
2. 소비자단체의 임원중 해당 단체의 장이 추천한 사람
3. 법 제8조(화장품안전기준 등)의 해당되는 사람
4. 식품의약품안전처장이 정하여 고시하는 교육과정을 이수한 사람

② 소비자화장품 안전관리감시원의 직무

1. 유통 중인 화장품이 표시기준에 맞지 아니하거나 제13조 제1항 각 호의 어느 하나에 해당하는 표시 또는 광고를 한 화장품인 경우 관할행정관청에 신고하거나 그에 관한 자료 제공

(화장품법 제13조 제1항) 각호의 어느 하나에 표시 또는 광고를 한 화장품은 행정관청에 신고하거나 그에 관한 자료제공

1. 의약품으로 잘못 인식할 우려가 있는 표시 또는 광고
2. 기능성화장품이 아닌 화장품을 기능성화장품으로 잘못 인식할 우려가 있거나 기능성 화장품의 안전성 · 유효성에 관한 심사결과와 다른 내용의 표시 또는 광고
3. 천연화장품 또는 유기농화장품이 아닌 화장품을 천연화장품 또는 유기농화장품으로 잘못 인식할 우려가 있는 표시 또는 광고
4. 그 밖에 사실과 다르게 소비자를 속이거나 소비자가 잘못 인식하도록 할 우려가 있는 표시 또는 광고

③ 관계 공무원이 하는 출입 · 검사 · 질문 · 수거의 지원

④ 관계 공무원의 물품 회수 · 폐기 등의 업무 지원

⑤ 행정처분의 이행 여부 확인 등의 업무 지원
⑥ 화장품의 안전사용과 관련된 홍보 등의 업무
⑦ 소비자화장품안전관리감시원 해촉하여야 하는 경우
1. 해당 소비자화장품감시원을 추천한 단체에서 퇴직하거나 해임된 경우
2. 직무와 관련하여 부정한 행위를 하거나 권한을 남용한 경우
3. 질병이나 부상 등의 사유로 직무수행이 어렵게 된 경우

3. 회수 · 폐기명령 등(법 23 조)

① 판매 · 보관 · 진열 · 제조 또는 수입한 화장품이나 그 원료 · 재료(물품) 등이 국민보건에 위해를 끼칠 우려가 있는 경우에는 해당물품의 회수 · 폐기 등의 조치를 명함
② 아래의 법을 위반하여 국민보건에 위해를 끼칠 우려가 있는 경우에는 해당물품의 회수 · 폐기 등의 조치 (안전용기 · 포장, 영업의 금지, 판매 등의 금지)
③ 해당 영업자 · 판매자 또는 그 밖에 화장품을 업무상 취급하는 자에게 해당 물품의 회수 · 폐기 등의 조치를 명하여야 한다.
· 명령을 받은 영업자 · 판매자 또는 그 밖에 화장품을 업무상 취급하는 자는 미리 회수계획을 식품의약품안전처장에게 보고하여야 한다.
④ 공무원으로 하여금 해당 물품을 폐기하게 하거나 그 밖에 필요한 처분을 하게할 수 있다.
1. 제1항 및 제2항에 따른 명령을 받은 자가 그 명령을 이행하지 아니한 경우
2. 그 밖에 국민보건을 위하여 긴급한 조치가 필요한 경우

4. 위해화장품의 공표(시행규칙 제 28 조)

① 공표명령을 받은 영업자는 지체 없이 위해발생 사실을 게재
· 전국을 보급지역으로 하는 1개 이상의 일반일간신문에 게재 및 해당 영업자의 인터넷 홈페이지에 게재하고, 식물의약품안전처의 인터넷 홈페이지에 게재요청 하여야한다.
② 게재 내용
1. 화장품을 회수한다는 내용의 표제
2. 제품명
3. 회수대상화장품의 제조번호
4. 사용기한 또는 개봉 후 사용기간(병행 표기된 제조연월일을 포함)
5. 회수 사유

6. 회수 방법
7. 회수하는 영업자의 명칭
8. 회수하는 영업자의 전화번호, 주소, 그 밖에 회수에 필요한 사항

③ 공표를 한 영업자는 다음 각 호를 지체 없이 지방식품의약품안전청장에게 통보 하여야 한다.

1. 공표일
2. 공표매체
3. 공표횟수
4. 공표문 사본 또는 내용

5. 등록의 취소 등(법 24 조)

① 영업자의 등록 취소, 영업소 폐쇄(맞춤형화장품판매업)

· 품목의 제조 · 수입 및 판매(수입대행형 거래를 목적으로 하는 알선 · 수여를 포함)의 금지를 명하거나 1년의 범위에서 기간을 정하여 그 업무의 전부 또는 일부에 대한 정지를 명할 수 있다. 다만, 제3호 또는 제14호(광고업무에 한정하여 정지를 명한 경우 제외)에 해당하는 경우에는 등록을 취소하거나 영업소를 폐쇄하여야 한다.

1. 화장품제조업 또는 화장품책임판매업의 변경사항 등록을 하지 아니한 경우
2. 시설을 갖추지 아니한 경우

2의2. 맞춤형화장품판매업의 변경신고를 하지 아니한 경우

4. 국민보건에 위해를 끼쳤거나 끼칠 우려가 있는 화장품을 제조 · 수입한 경우
5. 제4조 제1항을 위반하여 심사를 받지 아니하거나 보고서를 제출하지 아니한 기능성 화장품을 판매한 경우

5의2. 제품별 안정성 자료를 작성 또는 보관하지 아니한 경우

6. 제5조를 위반하여 영업자의 준수사항을 이행하지 아니한 경우

6의2. 회수대상 화장품을 회수하지 아니하거나 회수하는 데에 필요한 조치를 하지 아니한 경우

6의3. 회수계획을 보고하지 아니하거나 거짓으로 보고한 경우

8. 화장품의 안전용기 · 포장에 관한 기준을 위반한 경우
9. 규정을 위반하여 화장품의 용기 또는 포장 및 첨부문서에 기재 · 표시한 경우
10. 제13조를 위반하여 화장품을 표시 · 광고하거나 중지명령을 위반하여 화장품을 표시 · 광고행위를 한 경우
11. 제15조를 위반하여 판매하거나 판매의 목적으로 제조 · 수입 · 보관 또는 진열한 경우

12. 제18조 제1항 · 제2항에 따른 검사 · 질문 · 수거 등을 거부하거나 방해한 경우
13. 시정명령 · 검사명령 · 개수명령 · 회수명령 · 폐기명령 또는 공표명령 등을 이행하지 아니한 경우

13의2. 회수계획을 보고하지 아니하거나 거짓으로 보고한 경우

· 아래의 경우에는 등록을 취소하거나 영업소를 폐쇄하여야 한다.

제3조의3 각 호의 어느 하나에 해당하는 경우

(① 정신질환자, ② 피성년후견인, 파산선고 후 복원되지 않은 자, ③ 마약류중독자, ④ 화장품법 및 보건범죄단속에관한 특별조치법 위반으로 금고이상, ⑤ 등록이 취소되거나 영업소가 폐쇄된 된 날부터 1년이 지나지 아니한 자)

14. 업무정지기간 중에 업무를 한 경우(광고 업무에 한정하여 정지를 명한 경우는 제외)

6. 영업자의 지위 승계 / 행정제재처분 효과의 승계(법 26 조, 26 조의 2)

[영업자의 의무 및 지위 승계]

· 영업자가 사망하거나 그 영업을 양도한 경우 또는 법인인 영업자가 합병한 경우에는 그 상속인, 영업을 양수한 자

· 합병 후 존속하는 법인이나 합병에 따라 설립되는 법인이 그 영업자의 의무 및 지위를 승계한다.

[행정제재처분 효과의 승계]

· 영업자의 지위를 승계한 경우 종전의 영업자에 대한 행정제재처분의 효과: 처분 기간이 끝난 날부터 1년간 해당 영업자의 지위를 승계한 자에게 승계된다.

· 행정제재처분의 절차가 진행 중일 때: 해당 영업자의 지위를 승계한 자에 대하여 그 절차를 계속 진행할 수 있다.

다만, 영업자의 지위를 승계한 자가 지위를 승계할 때에 그 처분 또는 위반 사실을 알지 못하였음을 증명하는 경우에는 그러하지 아니하다.

7. 청문(법 27 조)

[청문을 하여야 하는 경우]

1. 인증의 취소
2. 인증기관 지정의 취소 또는 업무의 전부에 대한 정지

3. 등록의 취소, 영업소 폐쇄, 품목의 제조 · 수입 및 판매 금지 또는 업무의 전부에 대한 정지를 명하고자 하는 경우

8. 과징금처분(법 28 조)

① 영업자에게 그 업무정지처분을 갈음하여 10억원 이하의 과징금을 부과할 수 있다.

③ 필요한 경우에는 다음 각 호의 사항을 적은 문서로 관할 세무관서의 장에게 과세정보 제공을 요청할 수 있다.

1. 납세자의 인적 사항
2. 과세 정보의 사용 목적
3. 과징금 부과기준이 되는 매출금액

[과징금 미납시]

과징금 부과처분을 취소시 → 업무정지처분을 하거나 국세 체납처분의 예에 따라 이를 징수한다.

⑤ 체납된 과징금의 징수를 위한 자료 또는 정보 요청

1. 건축물대장 등본 : 국토교통부장관
2. 토지대장 등본 : 국토교통부장관
3. 자동차등록원부 등본 : 특별시장 · 광역시장 · 특별자치시장 · 도지사 또는 특별자치도지사

9. 과징금의 산정기준(시행령 제 11 조) 과징금의 부과 · 징수절차(시행령 제 12 조) 과징금 미납자에 대한 처분(시행령 제 13 조)

[과징금의 산정기준]

· 과징금의 총액은 10억원을 초과하여서는 아니 된다.

[과징금의 부과 · 징수절차]

· 과징금을 부과하려면 그 위반행위의 종류와 과징금의 금액 등을 적어 서면으로 통지

[과징금 미납자에 대한 처분]

· 납부기한까지 내지 아니한 경우: 납부기한이 지난 후 15일 이내에 독촉장을 발부

· 독촉장 발부 후 납부기한: 독촉장을 발부하는 날부터 10일 이내

[독촉장을 받고도 납부기한까지 과징금을 내지 아니한 경우]

· 과징금부과처분을 취소 → 업무정지처분

· 과징금부과처분을 취소하고 업무정지처분을 하려면 처분대상자에게 서면으로 그 내용을 통

지하되, 서면에는 처분이 변경된 사유와 업무정지 처분의 기간 등 업무정지처분에 필요한 사항을 적어야 한다.

10. 위반사실의 공표(법 제 28 조의 2)

① 행정처분이 확정된 자에 대한 처분 사유, 처분내용, 처분 대상자의 명칭 · 주소 및 대표자 성명, 해당 품목의 명칭 등 처분과 관련한 사항으로서 대통령령으로 정하는 사항을 공표할 수 있다.

② 공표방법 등 공표에 필요한 사항(시행령 제13조)

1. 처분 사유
2. 처분 내용
3. 처분 대상자의 명칭 · 주소 및 대표자 성명
4. 해당 품목의 명칭 및 제조번호

(공표는 식품의약품안전처의 인터넷 홈페이지에 게재)

제5장 보칙

1. 등록필증 등의 재교부, 수수료(법 제 31 조, 32 조)

(등록필증 등의 재교부)

· 영업자가 등록필증 · 신고필증 또는 기능성화장품 심사결과 통지서 등을 잃어버리거나 못쓰게 될 때는 다시 교부 받을 수 있다.

(수수료 납부)

· 등록 · 신고 · 심사 또는 인증을 받거나

· 등록 · 신고 · 심사 또는 인증 받은 사항을 변경하고자 하는 경우

2. 화장품산업의 지원 (법 제 33 조)

· 보건복지부장관과 식품의약품안전처장의 화장품산업의 진흥을 위한 기반조성 및 경쟁력 강화에 필요한 시책을 수립 · 시행

3. 국제협력 (법 제 33 조의 2)

· 식품의약품안전처장은 화장품의 수출진흥 및 안전과 품질관리 등을 위하여 수입국 · 수출국과 협력체결 등 국제협력에 노력.

4. 권한 등의 위임 · 위탁 (법 제 34 조)

· 식품의약품안전처장의 권한은 그 일부를 대통령령으로 정하는 바에 따라 지방식품의약품안전청장이나 특별시장 · 광역시장 · 도지사 또는 특별자치도지사에게 위임할 수 있다.

제6장 벌칙

1. 처벌의 종류

① 행정처분 : 일반적으로 행정법의 경(輕)한 위반(의무이행을 태만이 했을 때)

1) 업무정지 : 제조업무정지, 판매업무정지, 광고업무정지

② 과징금 : 업무정지를 금전적으로 대신하여 부과

과징금의 대상 : 업무정지처분으로 인해 이용자(소비자)에게 심한 불편을 초래하는 경우, 그 밖의 특별한 사유가 인정되는 경우에 한하며 과징금, 부과기준 규정에 따른다.

③ 벌칙 : 형사처벌로 징역형과 벌금형이 있다(징역형과 벌금형을 함께 부과할 수 있다).

④ 과태료 : 국가 또는 공공단체가 국민에게 과하는 금전벌로, 형벌이 아니고 일종의 행정처분

2. 과징금

① 식품의약품안전처장은 영업자에게 업무정지처분을 하여야 할 경우에는 그 업무정지처분을 갈음하여 10억원 이하의 '과징금을 부과할 수 있으며(화장품법 제 28조), 세부적인 사항은 식품의약품안전처 과징금 부과처분 기준 등에 관한 규정에 따른다.

② 과징금의 산정은 화장품법 시행령 별표1의 일반기준과 업무정지 1일에 해당하는 과징금 산정기준에 따라 산정하며, 과징금의 총액은 10억원을 초과하여서는 아니된다.

• 일반기준

가. 업무정지 1개월은 30일을 기준으로 한다.

나. 화장품의 영업자에 대한 과징금 산정기준은 다음과 같다.

1) 판매업무 또는 제조업무의 정지처분을 갈음하여 과징금처분을 하는 경우에는 처분일이 속한 연도의 전년도 모든 품목의 1년간 총 생산금액 및 총 수입금액을 기준으로 한다(전품목).

2) 품목에 대한 판매업무 또는 제조업무의 정지처분을 갈음하여 과징금처분을 하는 경우에는 처분일이 속한 연도의 전년도 해당 품목의 1년간 총 생산금액 및 총 수입금액을 기준으로 한다(해당품목).

3) 영업자가 신규로 품목을 제조 또는 수입하거나 휴업 등으로 1년간의 총 생산금액 및 총 수입금액을 기준으로 과징금을 산정하는 것이 불합리하다고 인정되는 경우에는 분기별 또는 월별 생산금액 및 수입금액을 기준으로 산정한다.

다. 해당 품목 판매업무 또는 광고업무의 정지처분을 갈음하여 과징금처분을 하는 경우에는 처분일이 속한 연도의 전년도 해당 품목의 1년간 총 생산금액 및 총 수입금액을 기준으로 하고, 업무정지 1일에 해당하는 과징금의 2분의 1의 금액에 처분기간을 곱하여 산정한다.

③ 과징금 부과대상의 세부기준(과징금 부과처분 기준 등에 관한 규정, 식품의약품안전처훈령)

- 내용량 시험이 부적합한 경우로서 인체에 유해성이 없다고 인정된 경우
- 제조업자 또는 제조판매업자가 자진회수계획을 통보하고 그에 따라 회수한 결과 국민보건에 나쁜 영향을 끼치지 아니한 것으로 확인된 경우
- 포장 또는 표시만의 공정을 하는 제조업자가 해당 품목의 제조 또는 품질 검사에 필요한 시설 및 기구 중 일부가 없거나 화장품을 제조하기 위한 작업소의 기준을 위반한 경우
- 제조업자 또는 제조판매업자가 변경등록(단, 제조업자의 소재지 변경은 제외)을 하지 아니한 경우
- 식품의약품안전처장이 고시한 사용기준 및 유통화장품 안전관리 기준을 위반한 화장품 중 부적합정도 등이 경미한 경우
- 제조판매업자가 안전성 및 유효성에 관한 심사를 받지 않거나 그에 관한 보고서를 식약처장에게 제출하지 않고 기능성화장품을 제조 또는 수입하였으나 유통 · 판매에는 이르지 않은 경우
- 기재 · 표시를 위반한 경우
- 제조업자 또는 제조판매업자가 이물질이 혼입 또는 부착 된 화장품을 판매하거나 판매의 목적으로 제조 · 수입 · 보관 또는 진열하였으나 인체에 유해성이 없다고 인정되는 경우
- 기능성화장품에서 기능성을 나타나게 하는 주원료의 함량이 심사 또는 보고한 기준치에 대해 5% 미만으로 부족한 경우

3. 벌칙(벌금형/징역형)

① 3년 이하의 징역 또는 3천만원 이하의 벌금에 처하는 자

- 제3조(영업의 등록)제1항 전단을 위반한 자
- 제3조(영업의 등록)의2제1항 전단을 위반한 자
- 제3조(영업의 등록)의2제2항을 위반한 자
- 제4조(기능성화장품의 심사 등)제1항 전단을 위반한 자
- 제14조(표시 · 광고 내용의 실증 등)의2제3항제1호의 거짓이나 부정한 방법으로 인증받은 자
- 제14조(표시 · 광고 내용의 실증 등)의4제2항을 위반하여 인증표시를 한 자
- 제15조(영업의 금지)를 위반한 자
- 제16조(판매 등의 금지)제1항제1호 또는 제4호를 위반한 자

② 1년 이하의 징역 또는 1천만원 이하의 벌금에 처하는 자

- 제 4조(기능성화장품의 심사 등)의2제1항, 제9조, 제13조(부당한 표시 · 광고행위 등의 금지), 제16조(판매 등의 금지)제1항제2호 · 3호 또는 같은 조 제2항을 위반한 자
- 제14조(표시 · 광고 내용의 실증 등)제4항에 따른 중지명령에 따르지 아니한 자

③ 200만원 이하의 벌금에 처하는 자

- 화장품제조업자는 화장품의 제조와 관련된 기록 · 시설 · 기구 등 관리 방법, 원료 · 자재 · 완제품 등에 대한 시험 · 검사 · 검정 실시 방법 및 의무 등에 관하여 총리령으로 정하는 사항을 준수하지 않은 자
- 화장품책임판매업자는 화장품의 품질관리기준, 책임판매 후 안전관리기준, 품질 검사 방법 및 실시 의무, 안전성 · 유효성 관련 정보사항 등의 보고 및 안전대책 마련 의무 등에 관하여 총리령으로 정하는 사항을 준수하지 않은 자
- 맞춤형화장품판매업자는 맞춤형화장품 판매장 시설 · 기구의 관리 방법, 혼합 · 소분 안전관리 기준의 준수 의무, 혼합 · 소분되는 내용물 및 원료에 대한 설명 의무 등에 관하여 총리령으로 정하는 사항을 준수하지 않은 자
- 영업자는 국민보건에 위해(危害)를 끼치거나 끼칠 우려가 있는 화장품이 유통 중인 사실을 알게된 경우에는 지체 없이 해당 화장품을 회수하거나 회수하는 데에 필요한 조치를 하여야 하는데 이를 위반한 자
- 화장품을 회수하거나 회수하는 데에 필요한 조치를 하려는 영업자는 회수계획을 식품의약품안전처장에게 미리 보고하여야 하는데 이를 위반한 자
- 화장품의 1차 포장 또는 2차 포장에는 총리령으로 정하는 바에 따른 기재 · 표시사항을 위반한 자(단, 가격표시는 제외)

· 1차 포장에 표시의무항목(화장품의 명칭, 영업자의 상호, 제조번호, 사용기한 또는 개봉 후 사용기간)을 1차 포장에 표시하지 않은 자
· 제14조(표시 · 광고 내용의 실증 등)의3에 따른 인증의 유효기간이 경과한 화장품에 대하여 인증표시를 한 자
· 제18조(보고와 검사 등), 제19조(시정명령), 제20조(검사명령), 제22조(개수명령) 및 제23조(회수 · 폐기명령 등)에 따른 명령을 위반하거나 관계 공무원의 검사 · 수거 또는 처분을 거부 · 방해하거나 기피한 자

④ 징역형과 벌금형은 이를 함께 부과할 수 있다.

4. 과태료

① 과태료의 부과기준은 화장품법 시행령 별표2(과태료의 부과기준)에서 일반기준과 개별기준으로 정하고 있다.

가. 하나의 위반행위가 둘 이상의 과태료 부과기준에 해당하는 경우에는 그 중 금액이 큰 과태료 부과기준을 적용한다.

나. 식품의약품안전처장은 해당 위반행위의 정도, 위반횟수, 위반행위의 동기와 그 결과 등을 고려하여 과태료 금액의 2분의 1의 범위에서 그 금액을 늘리거나 줄일 수 있다. 다만, 늘리는 경우에도 법 제40조제1항에 따른 과태료 금액의 상한을 초과할 수 없다.

• **개별기준**

위반행위	근거 법조문	과태료 (단위:만원)
가. 법 제4조(기능성화장품의 심사 등)제1항 후단을 위반하여 변경심사를 받지 않은 경우	법 제40조제1항제2호	100
나. 법 제5조제4항(생산실적 또는 수입실적, 원료목록보고)을 위반하여 화장품의 생산실적 또는 수입실적 또는 화장품원료의 목록 등을 보고하지 않은 경우	법 제40조제1항제3호	50
다. 법 제5조제5항(책임판매관리자, 맞춤형화장품조제관리사의교육이수의무)에 따른 명령을 위반한 경우	법 제40조제1항제4호	50
라. 법 제6조(폐업 등의 신고)를 위반하여 폐업 등의 신고를 하지 않은 경우	법 제40조제1항제5호	50
마. 법 제10조제1항제7호 및 제11조를 위반하여 화장품의 판매가격을 표시하지 아니한 자	법 제40조제1항제5호의2	50

바. 법 제15조의2(동물실험을 실시한 화장품 등의 유통판매 금지)제1항을 위반하여 동물실험을 실시한 화장품 또는 동물실험을 실시한 화장품원료를 사용하여 제조(위탁제조를 포함한다)또는 수입한 화장품을 유통 · 판매한 경우	법 제40조제1항제7호	100
사. 법 제18조(보고와 검사 등)에 따른 명령을 위반하여 보고를 하지 않은 경우	법 제40조제1항제6호	100

5. 행정처분

① 식품의약품안전처장은 등록을 취소하거나 영업소 폐쇄를 명하거나, 품목의 제조 · 수입 및 판매의 금지를 명하거나 1년의 범위에서 기간을 정하여 그 업무의 전부 또는 일부에 대한 정지를 명할 수 있으며 그 경우는 아래와 같다.

- 화장품제조업 또는 화장품책임판매업의 변경 사항 등록을 하지 아니한 경우
- 화장품법제3조제2항에(영업의 등록)따른 시설을 갖추지 아니한 경우
- 맞춤형화장품판매업의 변경신고를 하지 아니한 경우
- 화장품법제3조의3(결격사유)각 호의 어느 하나에 해당하는 경우
- 국민보건에 위해를 끼쳤거나 끼칠 우려가 있는 화장품을 제조 · 수입한 경우
- 기능성화장품의 심사를 받지 아니하거나 보고서를 제출하지 아니한 기능성화장품을 판매한 경우
- 영업자의 준수사항(화장품법 5조)을 이행하지 아니한 경우
- 회수대상 화장품을 회수하지 아니하거나 회수하는 데에 필요한 조치를 하지 아니한 경우
- 위해화장품의 회수계획을 보고하지 아니하거나 거짓으로 보고한 경우
- 화장품을 안전용기 · 포장에 관한 기준을 위반한 경우
- 화장품법제10조(화장품의 기재사항),제11조(화장품의 가격표시),제12조(기재 · 표시상의 주의)의 규정을 위반하여 화장품의 용기 또는 포장 및 첨부문서에 기재 · 표시한 경우
- 화장품법제13조(부당한 표시 · 광고 행위 등의 금지)를 위반하여 화장품을 표시 · 광고하거나 중지명령을 위반하여 화장품을 표시 · 광고 행위를 한 경우
- 화장품법제15조(영업의 금지)를 위반하여 판매하거나 판매의 목적으로 제조 · 수입 · 보관 또는 진열한 경우
- 화장품법제18조제1항 · 제2항(보고와 검사 등)에 따른 검사 · 질문 · 수거 등을 거부하거나 방해한 경우
- 시정명령 · 검사명령 · 개수명령 · 회수명령 · 폐기명령 또는 공표명령 등을 이행하지 아니한

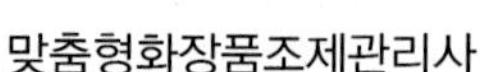

경우

· 화장품법제23조제3항(회수 · 폐기명령 등)에 따른 회수계획을 보고하지 아니하거나 거짓으로 보고한 경우

· 업무정지기간 중에 업무를 한 경우

② 화장품법 제3호(영업의 등록)또는 제 14호(표시 · 광고 내용의 실증 등)(광고 업무에 한정하여 정지를 명한 경우는 제외한다)에 해당하는 경우에는 등록을 취소하거나 영업소를 폐쇄하여야 한다.

③ 행정처분의 상세한 기준은 화장품법 시행규칙 별표7에 일반기준과 개별기준으로 규정하고 있다.

6. 양벌규정

① 법인의 대표자나, 또는 개인의 대리인, 사용인, 그 밖의 종업원이 그 법인 또는 개인의 업무에 관하여 제36조(벌칙), 제37조(벌칙), 제38조(벌칙)의 어느 하나에 해당하는 위반행위를 하면 그 행위자를 벌하는 외에 그 법인 또는 개인에게도 해당 조문의 벌금형을 과(科)한다.

② 법인 또는 개인이 그 위반행위를 방지하기 위하여 해당 업무에 관하여 상당한 주의와 감독을 게을리하지 아니한 경우에는 그러하지 아니하다.

개인정보보호법

개인정보보호법의 목적은 개인의 정보의 수집 및 유출 오용남용으로부터 사생활의 비밀 등을 보호하기위한 취지로 2011년 3월 제정되었다.

1. 고객관리 프로그램 운영

1) 고객관리 프로그램

① 고객관리 프로그램은 소프트웨어 및 하드웨어로 구성된다.

② 소프트웨어는 운영 소프트웨어(operating software)와 펌 소프트웨어(firm software)로 이루어져 있고 하드웨어는 모니터, 바코드 리더기 등으로 구성될 수 있다. 소프트웨어는 정기적으로 업데이트를 실시하여 적절하게 프로그램이 운영될 수 있도록 한다.

2) 고객관리 데이터

① 데이터는 손상에 대비하여 물리적 및 전자적 수단을 이용하여 보호되어야 한다. 저장된 데이터에는 접근성, 가독성, 정확성이 요구된다.

② 데이터는 보관 기간 동안에는 데이터에 접근할 수 있어야 하며, 주기적으로 데이터가 백업되어야 한다.

③ 백업 데이터의 완전성, 정확성 및 데이터 복구 능력을 확인하고 이를 정기적으로 점검 한다.

④ 데이터의 폐기 시는 개인정보 보호법에 따라 복구 · 재생되지 않도록 한다.

⑤ 데이터의 유출방지를 방지하고 데이터 손실을 막기 위해 해킹방어 프로그램과 백신프로그램이 있어야 한다.

3) 고객관리

고객정보 입력, 고객정보 관리 및 고객상담은 다음의 개인정보 보호법에서 규정하는 사항에 따라 이루어져야 한다.

(1) 용어의 정의

① 개인정보

- 살아 있는 개인에 관한 정보(성명, 주민등록번호, 지문, 영상 등)
- 다른 정보와 쉽게 결합하여 특정 개인을 식별할 수 있는 정보(이름+전화번호, 이름+주소, 이름+주소+전화번호)

② 개인정보처리자

업무를 목적으로 개인정보파일을 운용하기 위하여 스스로 또는 다른 사람을 통하여 개인정보를 처리하는 공공기관, 법인, 단체 및 개인 등

③ 개인정보보호책임자

개인정보 처리에 관한 업무를 총괄해서 책임지거나 업무처리를 최종적으로 결정하는 자로 개인정보의 처리에 관한 업무를 총괄하는 책임자

④ 개인정보취급자

개인정보처리자의 지휘 · 감독을 받아 개인정보를 처리하는 임직원, 파견근로자, 시간제근로자 등

⑤ 민감정보

사상 · 신념, 노동조합 · 정당의 가입 · 탈퇴, 정치적 견해, 건강, 성생활 등에 관한 정보, 그 밖에 정보주체의 사생활을 현저히 침해할 우려가 있는 개인정보 (예 유전정보)

⑥ 고유식별정보

개인을 고유하게 구별하기 위하여 부여된 식별정보 (예 주민번호, 운전면허번호, 여권번호, 외국인 등록번호)

2. 개인정보 보호 원칙(법 제 3 조)

① 처리목적의 명확화, 목적에 필요한 범위 내에서 적법하고 정당하게 최소한으로 수집
② 목적 외의 용도로 활용하여서는 아니 된다.
③ 정확성, 완전성 및 최신성이 보장되도록 하여야 한다.
④ 정보주체의 권리가 침해 받을 가능성과 그 위험정도를 고려하여 개인정보를 안전하게 관리
⑤ 개인정보처리에 관한 사항 공개, 열람청구권 등 정보주체의 권리를 보장
⑥ 정보주체의 사생활 침해를 최소화 하는 방법으로 개인정보 처리
⑦ 익명처리가 가능한 경우, 익명에 의해 처리될 수 있도록 한다.
⑧ 개인정보처리자는 책임과 의무를 준수, 정보주체의 신뢰성 확보

3. 정보주체의 권리(법 제 4 조)

① 개인정보의 처리에 관한 정보를 제공받을 권리
② 개인정보의 처리에 관한 동의여부, 동의범위 등을 선택하고 결정할 권리
③ 개인정보의 처리여부를 확인하고 개인정보에 대하여 열람을 요구할 권리

④ 개인정보의 처리 정지, 정정, 삭제 및 파기를 요구할 권리
⑤ 발생한 피해를 신속하고 공정한 절차에 따라 구제받을 권리

4. 개인정보의 수집, 이용(법 제 15 조)

① 정보주체의 동의를 받은 경우
② 법률에 특별한 규정이 있거나 법령상 의무를 준수하기 위하여 불가피한 경우
③ 공공기관이 법령 등에서 정하는 소관업무의 수행을 위하여 불가피한 경우
④ 정보주체와 계약의 체결 및 이행을 위하여 불가피한 경우
⑤ 명백히 정보주체 또는 제 3자의 급박한 생명, 신체, 재산의 이익을 위하여 필요하다고 인정되는 경우
⑥ 개인정보처리자의 정당한 이익을 달성하기 위하여 필요한 경우로서 명백하게 정보주체의 권리보다 우선하려는 경우

5. 개인정보 수집 제한(법 제 16 조)

① 필요한 최소한의 개인정보 수집
② 입증책임은 개인정보 처리자가 부담
③ 최소한의 정보 외의 개인정보 수집에는 동의 거부가 가능
④ 최소한의 정보 외의 개인정보 수집에 동의하지 아니한다는 이유로 정보 주체에게 재화 또는 서비스의 제공을 거부 금지하여서는 안된다.
⑤ 위반시 3천만원 이하의 과태료

6. 개인정보의 제공(법 제 17 조)

제 3자에게 제공이 가능한 경우 : 정보주체의 동의를 받은 경우 또는 불가피한 경우, 위반 시 5년 이하의 징역 또는 5천만원 이하의 벌금
〈동의를 받을 때 의무사항〉 : 정보주체의 동의를 받은 경우
① 개인정보를 제공받는자
② 개인정보를 제공받는자의 개인 정보 이용 목적
③ 제공하는 개인정보의 항목

④ 개인정보를 제공받는 자의 개인정보 보유 및 이용기간
⑤ 정보의 주체에게 동의를 받지 않고 국외의 제3자에게 제공할때는 정보주체에게 알리고 동의를 받아야 하며 국외 이전에 관한 계약을 체결하여서는 아니 된다.

7. 개인정보의 파기(법 제 21 조)

① 보유기간이 경과하면 목적 달성 후 5일 이내에 파기 관리 대장을 작성해서 파일 명칭, 파일 방법 등을 기재하고 정보보호 책임자 승인을 받고 파기
② 개인정보 파기시에는 복원이 불가능하도록 조치
③ 다른 법령에 따라 보존하여야 하는 경우, 다른 개인정보와 분리하여 저장, 관리
④ 파기방법 : 파기문서→파쇄 또는 소각, 전자적 파일→영구삭제
⑤ 파기절차 : 개인정보 보호책임자가 개인정보 파기 시행 후, 파기결과 확인

8. 개인정보 동의서에 명확히 표시하여야 하는 사항

① 재화나 서비스 홍보 등의 목적으로 개인정보를 이용하여 정보주체에게 연락할 수 있다는 사실
② 고유식별정보
③ 개인정보를 제공받는 자 및 개인정보를 제공받는 자의 개인정보 이용목적
④ 보유 및 이용기간
⑤ 표시방법
- 글씨는 9포인트 이상의 크기로 하되 다른 내용보다 20%이상 크게 표기할 것
- 다른색의 글씨, 굵은 글씨 또는 밑줄 등을 사용하여 명확히 알 수 있도록 할 것
- 중요한 내용이 많을 경우 별도로 요약

9. 민감정보의 범위(시행령 제 18 조)

① 유전자검사 등의 결과로 얻어진 유전정보
② 범죄경력 자료에 해당하는 정보

10. 고유식별정보의 범위(시행령 제 19 조)

공공기관이 개인정보의 목적 외 이용, 제공 제한의 규정에 따라 정보처리 하는 경우 제외
① 주민등록법에 따른 주민등록번호
② 여권법에 따른 여권번호
③ 도로교통법에 따른 운전면허의 면허번호
④ 출입국관리법에 따른 외국인 등록번호

11. 개인정보의 안전성 확보 조치(시행령 제 30 조)

1. 개인정보의 안전한 처리를 위한 내부 관리계획의 수립 · 시행
2. 개인정보에 대한 접근 통제 및 접근 권한의 제한 조치
3. 개인정보를 안전하게 저장 · 전송할 수 있는 암호화 기술의 적용 또는 이에 상응하는 조치
4. 개인정보 침해사고 발생에 대응하기 위한 접속 기록의 보관 및 위조 · 변조 방지를 위한 조치
5. 개인정보에 대한 보안프로그램의 설치 및 갱신
6. 개인정보의 안전한 보관을 위한 보관시설의 마련 또는 잠금장치의 설치 등 물리적 조치

12. 개인정보 처리방침의 내용 및 공개방법 등(시행령 제 31 조)

1. 처리방침의 내용
   ① 처리하는 개인정보의 항목
   ② 개인정보의 파기에 관한 사항
   ③ 개인정보의 안전성 확보조치에 관한 사항
2. 개인정보처리자는 변경한 개인정보 처리방침을 인터넷 홈페이지에 지속적 게재
3. 인터넷 홈페이지에 게재할 수 없는 경우는 다음 각호의 어느 하나 이상의 방법으로 처리방침 공개
   ① 개인정보처리자의 사업장 등의 보기쉬운 장소에 게시하는 방법
   ② 관보, 사업장 시 · 도 이상 보급지역으로 하는 일반일간신문, 일반주간신문 및 인터넷 신문에 싣는 방법
   ③ 정보주체에게 배포하는 간행물 · 소식지 · 홍보지 또는 청구서 등에 지속적으로 싣는 방법
   ④ 재화나 용역을 제공하기 위하여 개인정보처리자와 정보주체가 각성한 계약서 등에 실어 정보주체에게 발급하는 방법

13. 개인정보 파일의 등록사항(시행령 제 33 조)

① 개인정보파일을 운용하는 공공기관의 명칭
② 개인정보파일로 보유하고 있는 개인정보의 정보주체 수
③ 해당 공공기관에서 개인정보 처리관련 업무를 담당하는 부서
④ 개인정보의 열람요구를 접수 · 처리하는 부서
⑤ 열람을 제한하거나 거절할 수 있는 개인정보의 범위 및 제한 또는 거절 사유

14. 개인정보 유출 통지 등(법 제 34 조)

다음 각 호의 사실을 알려야 한다.
① 유출된 개인정보의 항목
② 유출된 시점과 경위
③ 유출로 인하여 발생할 수 있는 피해를 최소화하기 위하여 정보주체가 할 수 있는 방법 등에 관한 정보
④ 개인정보처리자의 대응조치 및 피해구제 절차
⑤ 정보주체에게 피해가 발생한 경우 신고 등을 접수할 수 있는 담당부서 및 연락처

과징금의 부과 등(법 제34조의2)

1. 주민등록번호가 분실 · 도난 · 유출 또는 훼손된 경우에는 5억원 이하의 과징금을 부과 징수할 수 있다.

15. 금지행위(법 제 59 조)

개인정보를 처리하거나 처리하였던 자는 다음 각호의 어느 하나에 해당하는 행위를 하여서는 아니된다.
① 거짓이나 그 밖의 부정한 수단이나 방법으로 개인정보를 취득하거나 처리에 관한 정보를 동의 받는 행위
② 업무상 알게 된 개인정보를 누설하거나 권한 없이 다른 사람이 이용하도록 제공하는 행위
③ 정당한 권한 없이 또는 허용된 권한을 초과하여 다른 사람의 개인정보를 훼손, 멸실, 유출하는 행위

16. 비밀유지 등(법 제 60 조)

직무상 알게된 비밀을 다른사람에게 누설하거나 직무목적외의 용도로 사용불가. 다만 법률에 특별한 규정이 있는 경우는 예외.

① 보호위원회 기능 등에 따른 보호위원회의 업무

② 개인정보영향 평가에 따른 영향평가 업무

③ 설치 및 구성에 따른 분쟁조정위원회의 분쟁조정 업무

17. 벌칙(법 제 70 조~73 조)

10년 이하의 징역 또는 1억원 이하의 벌금(법 제70조)

① 공공기관에서 처리하고 있는 개인정보를 변경, 말소하여 공공기관의 업무수행의 중단 · 마비 등 심각한 지장을 초래한 자.

② 거짓이나 그 밖의 수단이나 방법으로 개인정보를 취득 후 영리 또는 부정 목적으로 제 3자에게 제공한 자와 이를 교사 · 알선한 자

5년 이하의 징역 또는 5천만원 이하의 벌금(법 제71조)

① 정보주체의 동의를 받지 아니하고 제 3자에게 제공한 자 및 제공받는 자

② 법 제27조3항 등 관계 법을 위반하여 개인정보를 제공 및 제공 받은 자

③ 민감정보를 처리한 자

④ 고유 식별정보를 처리한 자

⑤ 개인정보 누설자

⑥ 개인정보를 훼손, 멸실, 변경, 위조 또는 유출한 자

3년 이하의 징역 또는 2천만원 이하의 벌금(법 제72조)

① 영상정보처리기기를 설치목적과 다른 목적으로 임의로 조작하거나 다른 곳을 비추는 자 또는 녹음기능을 사용한 자

② 법 제59조제1호를 위반하여 개인정보취득, 처리에 관한 동의를 받는자 및 제공 받는자

③ 법 제60조 위반 비밀누설 및 목적 외 사용자

2년 이하의 징역 또는 2천만원 이하의 벌금(법 제73조)

① 법 제29조 등 안전성 확보를 하지 아니하여 개인정보를 분실 · 도난 · 유출 · 위조 · 변조 또는 훼손당한 자

② 법 제36조2항 위반하여 개인정보를 계속이용 및 제 3자에게 제공한 자

③ 법 제37조제2항 위반 개인정보처리를 정지하지 아니하고 계속 이용 및 제 3자에게 제공한 자

적중예상문제

1 **화장품법의 개정이유 및 주요 내용으로 옳은 것은?**

① 국민보건에 위해를 끼치거나 끼칠 우려가 있어 회수가 필요한 화장품의 위해성 등급 및 그 분류기준은 위해성의 경미한 정도에 따라 분류한다.
② 해당 위해성 등급별 분류기준을 세부적으로 정하며, 회수 대상 화장품을 회수하고 회수 계획을 보고하지 않은 경우 행정처분으로 벌금이 부과된다.
③ 화장품제조업자 또는 화상품책임판매업자가 행정구역의 개편에 따라 소재지를 변경하는 경우에는 그 변경등록 기간을 현행 30일에서 90일까지로 연장한다.
④ 자외선차단 성분 등과 주름개선 또는 미백 성분 등이 혼합된 기능성화장품에 대해서는 심사와 보고서를 제출한 후 판매할 수 있도록 한다.
⑤ 화장비누에 대한 용량 · 중량을 표시하는 경우 포장재를 포함한 중량과 건조중량을 함께 표시하도록 한다.

해설 회수 대상 화장품의 위해성 등급을 그 위해성 정도에 따라 가등급, 나등급 및 다등급으로 구분하고, 해당 위해성 등급별 분류기준을 세부적으로 정하며, 회수 대상 화장품을 회수하지 않거나 회수 계획을 보고하지 않은 경우 등에 대한 행정처분 세부 기준을 마련하고 위해성 등급이 다등급인 화장품의 회수를 공표하는 경우에는 일반일간신문 게재를 생략할 수 있도록 하는 등 법률에서 위임된 사항과 그 시행에 필요한 사항을 정한다.

자외선차단 성분 등과 주름개선 또는 미백 성분 등이 혼합된 기능성화장품에 대해서는 심사를 받지 않고 보고서를 제출한 후 판매할 수 있도록 하며, 화장비누에 대한 용량 · 중량을 표시하는 경우 수분을 포함한 중량

답: ③

2 **화장품 제조업에 속하는 영업 범위의 설명으로 옳은 것은?**

① 화장품을 직접 제조하거나 제조를 위탁받아 화장품을 제조 또는 화장품 1차 포장에 한하는 경우
② 화장품을 직접 제조해 유통 판매하려는 경우
③ 수입한 화장품의 내용물을 소분(小分)한 화장품으로 유통, 판매하려는 경우
④ 위탁하여 제조한 화장품을 판매하려는 경우
⑤ 수입된 화장품에 다른 화장품의 내용물이나 식품의약품안전처장이 정하는 원료를 추가하는 경우

해설 화장품을 직접 제조하는 영업 또는 위탁받아 제조하는 영업, 화장품의 포장(1차 포장에 해당한다)을 하는 영업

답: ①

3 화장품책임판매업에 속하는 영업 범위에 대한 설명으로 옳은 것은?

① 직접 제조한 화장품을 유통, 판매하는 영업
② 원료를 추가하여 혼합한 화장품을 판매하는 영업
③ 제조한 화장품을 1차 포장하려는 경우
④ 맞춤형화장품을 판매하는 영업을 말한다.
⑤ 제조 수입된 화장품의 내용물에 다른 화장품의 내용물을 추가하는 경우

해설 화장품제조업자(법 제3조제1항에 따라 화장품제조업을 등록한 자를 말한다. 이하 같다)가 화장품을 직접 제조하여 유통 · 판매하는 영업

답: ①

4 맞춤형화장품판매업의 영업 범위로 옳은 것은?

① 제조된 화장품의 내용물에 다른 화장품의 내용물을 혼합하여 판매하는 경우
② 수입된 화장품을 수입대행형 거래를 목적으로 화장품을 알선 · 수여(授與)하는 영업
③ 화장품 제조를 위탁 받아 제조하는 경우
④ 1차 2차 포장만 하려는 경우
⑤ 수입한 화장품을 유통, 판매하려는 경우

해설 제조 또는 수입된 화장품의 내용물에 다른 화장품의 내용물이나 식품의약품안전처장이 정하여 고시하는 원료를 추가하여 혼합한 화장품을 판매하는 영업

답: ①

5 화장품법에 따라 등록이 아닌 신고가 필요한 영업의 형태로 맞는 것은?

① 화장품 수입대행법
② 화장품 책임판매업
③ 맞춤형화장품 판매업
④ 화장품 수입업
⑤ 화장품 제조법

해설 맞춤형화장품판매업을 하려는 자는 총리령으로 정하는 바에 따라 식품의약품안전처장에게 신고하여야 한다. 신고한 사항 중 총리령으로 정하는 사항을 변경할 때에도 또한 같다.

답: ③

6 화장품의 유형 확대로 새로운 유형으로 규정한 제품류로 옳은 것은?

① 손 · 발의 피부연화제품
② 체취방지용 제품류(액취방지제 제외)
③ 외음부 세정제
④ 두발용 제품류
⑤ 눈 화장용 제품류

해설 의약외품으로 분류되어 관리되던 품목 중 외음부 세정액을 인체세정용 제품류로, 손 · 발의 피부연화제품을 기초화장용 제품류로 전환하여 분류하고, 체취방지용 제품류(액취방지제 제외)를 새로운 화장품의 유형으로 규정함.

답: ②

7 화장품에 대한 설명으로 바르지 않는 것은?

① 인체를 청결 · 미화하여 매력을 더하고 용모를 변화시켜준다.
② 피부나 모발의 건강을 유지 또는 증진하기 위해 사용한다.
③ 피부질환 예방을 위하여 살균, 살충 및 이와 유사한 용도로 사용 할 수 있다.
④ 인체에 바르고 문지르거나 뿌리는 등 이와 유사한 방법으로 사용한다.
⑤ 화장품은 인체에 대한 작용이 경미한 것을 말하며 의약품에 해당하는 물품은 제외한다.

해설 피부질환 예방이나 살균, 살충 같은 용어는 사용 할 수 없다.

답: ③

8 다음은 화장품 포장의 기재 · 표시 사항 규정 중 소용량 화장품의 기준으로 옳은 것은?

① 15밀리리터 이하 또는 15그램 이하
② 10밀리리터 이하 또는 10그램 이하
③ 15밀리리터 이하 또는 10그램 이하
④ 10밀리리터 이하 또는 15그램 이하
⑤ 10밀리리터 이하 또는 20그램 이하

해설 포장에 명칭, 상호 및 가격만을 표시할 수 있는 소용량 화장품의 기준을 15밀리리터 이하 또는 15그램 이하에서 10밀리리터 이하 또는 10그램 이하로 변경

*판매의 목적이 아닌 화장품의 포장에는 가격 대신 견본품이나 비매품 등의 표시를 하도록 하는 등 구체적인 기재 · 표시 방법을 정함.

답: ②

9 다음은 화장품책임판매업자가 영유아 또는 어린이가 사용할 수 있는 화장품임을 표시 · 광고하려는 경우 제품별로 안전과 품질을 입증할 수 있는 자료로 옳은 것은?

① 제품 및 사용방법에 대한 설명 자료
② 화장품의 안전성 평가 자료
③ 제품의 부작용에 대한 자료
④ 알레르기 유발물질에 대한 자료
⑤ 제품의 성분에 대한 자료

해설 제품 및 제조방법에 대한 설명자료, 화장품의 안전성 평가자료, 제품의 효능 · 효과에 대한 증명자료를 작성 및 보관하여야 한다.

답: ②

10 다음은 영유아 또는 어린이 사용 화장품임을 표시 · 광고하려는 경우에 그 연령 기준으로 옳은 것은?

① 영유아는 만 3세 이하로, 어린이는 만 4세 이상부터 만 13세 이하까지로 정함
② 영유아는 만 24개월 이하로, 어린이는 만 4세 이상부터 만 14세 이하까지로 정함
③ 영유아는 만 3세 이하로, 어린이는 만 5세 이상부터 만 15세 이하까지로 정함
④ 영유아는 만 12개월 이하로, 어린이는 만 4세 이상부터 만 13세 이하까지로 정함
⑤ 영유아는 만 3세 이하로, 어린이는 만 4세 이상부터 만 12세 이하까지로 정함

해설 화장품책임판매업자는 영유아(만3세 미만) 또는 어린이(만4세~13세 이하) 사용 화장품이라는 내용을 화장품의 1차 포장 또는 2차 포장에도 표시

답: ①

11 다음은 안전용기 · 포장을 사용하여야 하는 품목으로 옳은 것은?

① 일회용 제품
② 용기 입구 부분이 펌프 또는 방아쇠로 작동되는 분무용기 제품
③ 아세톤을 함유하는 네일 에나멜 리무버 및 네일 폴리시리무버
④ 에어로졸 제품
⑤ 압축 분무용기 제품

해설 일회용 제품, 용기 입구 부분이 펌프 또는 방아쇠로 작동되는 분무용기 제품, 압축 분무용기 제품(에어로졸 제품 등)은 제외 품목

답: ③

12 다음의 성분들은 하나에 해당하는 성분을 0.5% 이상 함유하는 제품의 경우에는 해당 품목의 안정성시험 자료를 최종 제조된 제품의 사용기한이 만료되는 날부터 1년 보존해야 한다. 해당 되지 않는 성분은?

① 계면활성제
② 레티놀(비타민A) 및 그 유도체
③ 과산화화합물
④ 토코페롤(비타민C)
⑤ 효소

해설 레티놀(A)및 그 유도체, 아스코빅애시드(비타민C)및 그 유도체, 토코페롤(비타민E), 과산화화합물, 효소 해당.

답: ①

13 다음은 결격사유에 대한 내용으로 화장품제조업을 등록할 수 없는 경우로 옳은 것은?

① 파산선고를 받고 복권된 자
② 마약류 관리에 관한 법률에 따른 마약류의 중독자
③ 음주운전으로 면허가 취소된 자
④ 교통법규를 위반하여 벌금형을 받은 자
⑤ 보건범죄 단속에 관한 특별조치법을 위반하여 금고형을 받고 집행을 받은 자(1년 이상)

해설 마약류 관리에 관한 법률에 따른 마약류의 중독자와 정신건강증진 및 정신질환자 복지서비스 지원에 관한 법률에 따른 정신질환자의 경우. 다만, 전문의가 화장품제조업자로서 적합하다고 인정하는 사람은 제외함.

답: ②

14 다음은 기능성화장품의 범위가 아닌 것은?

① 멜라닌색소가 침착하는 것을 방지하여 피부 미백에 도움을 주는 화장품
② 강한 햇볕을 방지하여 피부를 곱게 태워주는 기능을 가진 화장품
③ 일시적으로 모발의 색상을 변화시키는 제품
④ 인체세정용 제품류로 한정한 여드름성 피부 완화에 도움을 주는 화장품
⑤ 아토피성 피부로 인한 건조함 등을 완화하는데 도움을 주는 화장품

해설 일시적으로 모발의 색상을 변화시키는 제품, 물리적으로 체모를 제거하는 제품, 코팅 등 물리적으로 모발을 굵게 보이게 하는 제품은 제외.

답: ③

15 기능성화장품의 유효성 또는 기능에 관한 자료에 해당하는 자료로 옳은 것은?

① 단회투여독성 시험자료
② 1차 피부자극 시험자료
③ 안점막자극 또는 기타점막자극 시험자료
④ 피부감작성 시험자료
⑤ 효력 시험자료

해설 유효성 또는 기능에 관한 자료는 효력 시험자료, 인체적용 시험자료

답: ⑤

16 다음은 기능성화장품의 안전성에 관한 자료를 제출 하지 않아도 되는 경우로 옳은 것은?

① 식품의약품안전처장이 제품의 효능 · 효과를 나타내는 성분 · 함량을 고시한 품목의 경우
② 기능성화장품 기준 및 시험방법을 고시한 품목의 경우
③ 기능성화장품의 심사를 받지 않고 식품의약품안전평가원장에게 보고서를 제출 하지 않은 경우
④ 대학의 전공자들이 기능성화장품 심사의뢰서를 제출하여 심사를 받으려고 하는 경우
⑤ 화장품제조업자, 화장품판매업자가 연구기관 등에 위탁하여 심사를 의뢰한 경우

해설 식품의약품안전처장이 제품의 효능 · 효과를 나타내는 성분 · 함량을 고시한 품목의 경우 1. 기원(起源) 및 개발 경위에 관한 자료 2. 안전성에 관한 자료 3. 유효성 또는 기능에 관한 자료 4. 자외선 차단지수 및 자외선A 차단등급 설정의 근거자료

답: ①

17 다음은 영유아 또는 어린이 사용 화장품의 위해요소 저감화 계획에 대한 설명으로 바르지 않는 것은?

① 식품의약품안전처장이 수립하는 위해요소 저감화 계획에는 위해요소 저감화를 위한 기본 방향 및 목표, 위해요소 저감화를 위한 추진 정책, 위해요소 저감화 추진을 위한 환경 여건 및 관련 정책의 평가 등에 관한 사항이 포함되도록 함
② 식품의약품안전처장은 위해요소 저감화 계획을 수립하는 경우에는 실태조사에 대한 분석 및 평가 결과를 반영해야 함
④ 식품의약품안전처장은 위해요소 저감화 계획을 수립한 경우에는 그 내용을 식품의약품안전처 인터넷 홈페이지에 공개해야 함.
⑤ 위해요소 저감화 계획의 수립이 규정한 사항 외에 수립 대상, 방법 및 절차 등에 필요한 세부 사항은 관할 지방청장이 정함

해설 영유아 또는 어린이 사용 화장품의 위해요소 저감화 계획이 규정한 사항 외에 위해요소 저감화 계획의 수립 대상, 방법 및 절차 등에 필요한 세부 사항은 식품의약품안전처장이 정한다.

답: ⑤

18 맞춤형화장품에 대한 설명으로 옳은 것을 모두 고르시오.

> (ㄱ) 수입대행형 거래를 목적으로 알선 · 수여하는 영업
> (ㄴ) 화장품의 품질 및 안전 등을 관리하면서 이를 유통 · 판매하는 영업
> (ㄷ) 제조 또는 수입된 화장품의 내용물을 소분(小分)한 화장품
> (ㄹ) 제조 또는 수입된 화장품의 내용물에 다른 화장품의 내용물이나 식품의약품안전처장이 정하는 원료를 추가하여 혼합한 화장품
> (ㅁ) 맞춤형화장품을 판매하는 영업을 말한다.

① (ㄱ), (ㄴ)
② (ㄴ), (ㄷ)
③ (ㄱ), (ㄴ), (ㄷ)
④ (ㄷ), (ㅁ)
⑤ (ㄷ), (ㄹ), (ㅁ)

해설 제조 또는 수입된 화장품의 내용물에 다른 화장품의 내용물이나 식품의약품안전처장이 정하여 고시하는 원료를 추가하여 혼합한 화장품을 판매하는 영업, 제조 또는 수입된 화장품의 내용물을 소분(小分)한 화장품을 판매하는 영업, 맞춤형 화장품을 판매하는 영업.

답: ⑤

19 화장품제조업을 등록하려고 하는 자가 제출해야하는 서류로 옳은 것은?

① 책임판매관리자의 자격을 확인할 수 있는 서류
② 책임판매 유형
③ 정신질환자에 해당하지 않음을 증명하는 의사의 진단서
④ 파산선고를 받고 복권되었다는 서류
⑤ 화장품의 품질관리 및 책임판매 후 안전관리 기준에 관한 규정 사항

해설 [정신건강증진 및 정신질환자 복지서비스 지원에 관한 법률]에 따른 정신 질환자가 아님을 증명하는 의사의 진단서, [마약류 관리에 관한 법률]에 따른 마약류의 중독자가 아님을 증명하는 전문의 진단서, 시설의 명세서

답: ③

20 다음은 화장품제조업자 또는 화장품책임판매업자 변경등록에 대한 설명으로 옳은 것은?

① 화장품제조업, 화장품책임판매업자는 대표자의 주소지 변경이 있을 경우 변경등록을 하여야 한다.
② 화장품책임판매업자는 책임판매관리자의 변경 시에는 변경등록이 필요 없다.
③ 화장품제조업자는 제조유형의 변경은 변경등록과는 상관이 없다.
④ 제조소의 소재지 변경은 변경등록을 하지만 화장품책임판매업소 소재지 변경은 해당하지 않는다.
⑤ 화장품제조업자 또는 화장품책임판매업자는 다른 변경등록을 하는 경우에는 변경 사유가 발생한 날부터 30일, 행정구역 개편에 따른 소재지 변경은 90일 이내로 한다.

해설 변경 사유가 발생한 날부터 30일(행정구역 개편에 따른 소재지 변경의 경우에는 90일) 이내에 전자문서를 포함한 변경등록 신청서, 등록필증, 해당서류를 첨부하여 지방식품의약품안전청장에게 제출하여야 한다. 이 경우 등록 관청을 달리하는 소재지 변경의 경우에는 새로운 소재지를 관할하는 지방식품의약품안전청장에게 제출하여야 한다.

답: ⑤

21 화장품제조업자가 제조소의 소재지 변경등록을 하여야 하는 경우 갖추어야 하는 서류로 옳은 것은?

① 정신 질환자가 아님을 증명하는 의사의 진단서
② 마약류 관리에 관한 법률에 따른 마약류의 중독자가 아님을 증명하는 전문의 진단서
③ 시설의 명세서
④ 양도 · 양수를 증명하는 서류
⑤ 가족관계를 증명하는 서류

해설 제조소의 소재지 변경인 경우 시설의 명세서가 필요하며 행정구역개편에 따른 사항은 제외한다.

답: ③

22 다음은 수입 대행형 거래를 목적으로 화장품을 알선 · 수여(授與)하는 화장품판매 유형으로 등록한 자가 화장품을 직접 유통 · 판매하는 책임판매 유형으로 변경 또는 추가하는 경우 갖추어야 하는 서류로 옳은 것은?

① 시설의 명세서
② 제조소의 소재지 변경서류
③ 정신질환자가 아님을 증명하는 의사의 진단서
④ 책임판매자의 변경서류
⑤ 화장품의 품질관리 및 책임판매 후 안전관리에 적합한 기준에 관한 규정

해설 화장품의 품질관리 및 책임판매 후 안전관리에 적합한 기준에 관한 규정과 책임판매 관리자의 자격을 확인할 수 있는 서류

답: ⑤

23 다음은 영유아 또는 어린이 사용 화장품의 실태조사와 관련하여 실태조사에 포함 되어야 하는 내용으로 옳은 것은?

① 제품별 효능 · 효과 자료의 작성 및 보관 현황
② 영유아 또는 어린이의 사용 실태
③ 사용 후 부작용에 대한 현황
④ 화장품 유형별에 대한 표시 · 광고의 현황 및 추세
⑤ 영유아 또는 어린이 사용 화장품의 유통 현황 및 추세

해설 제품별 안전성 자료의 작성 및 보관 현황, 소비자의 사용실태, 사용 후 이상사례의 현황 및 조치 결과, 영유아 또는 어린이 사용 화장품에 대한 표시 · 광고의 현황 및 추세, 영유아 또는 어린이 사용 화장품의 유통 현황 및 추세, 그밖에 식품의약품안전처장이 필요하다고 인정하는 사항

답: ⑤

24 다음은 화장품을 제조 할 때 시설의 일부를 갖추지 아니할 수 있는 경우로 옳은 것은?

① 화장품 외의 물품을 제조 할 때
② 원료 · 자재 및 제품의 품질검사를 위하여 필요한 시험실을 갖춘 제조업자
③ 작업대 등 제조에 필요한 시설 및 기구를 갖춘 경우
④ 쥐 · 해충 및 먼지 등을 막을 수 있는 시설을 갖춘 경우
⑤ 원료 · 자재 및 제품을 보관하는 보관소 시설을 갖춘 경우

해설 1. 화장품제조업자가 화장품의 일부 공정만을 제조하는 경우에는 해당 공정에 필요한 시설 및 기구 외의 시설 및 기구
2. 「보건환경연구원법」 따른 보건환경연구원
3. 원료 · 자재 및 제품의 품질검사를 위하여 필요한 시험실을 갖춘 제조업자
4. 「식품 · 의약품분야 시험 · 검사 등에 관한 법률」 화장품 시험 · 검사기관
5. 「약사법」 조직된 사단법인인 한국의약품수출입협회

답: ②

25 다음은 현행 제도의 운영상 개정이유 및 주요내용으로 기재 · 표시를 의무화해야 하는 것으로 옳은 것은?

① 알레르기 유발성분이 있는 착향제의 경우에는 해당 성분의 명칭을 기재 · 표시하도록 함
② 영 · 유아용 제품류 이거나 어린이용 제품임을 화장품에 표시 · 광고하려는 경우에는 화장품의 모든 성분을 기재 · 표시하도록 함
③ 화장품 성분 중 착향제에 해당하는 모든 성분을 기재 · 표시함
④ 화장품에 보존제의 함량을 기재 · 표시함
⑤ 화장품의 보존제에 해당하는 모든 성분을 기재 · 표시함

해설 영 · 유아용 제품류 이거나 어린이용 제품임을 화장품에 표시 · 광고하려는 경우에는 화장품에 그 보존제의 함량을 표시 · 기재하도록 의무화하는 한편, 알레르기 유발성분이 있는 착향제의 경우에도 해당 성분의 명칭을 기재 · 표시하도록 의무화 함

답: ①

26 다음은 회수 대상 화장품의 기준 및 회수 절차에 대한 설명으로 옳은 것은?

① 제조업자 또는 제조판매업자가 자진하여 회수하여야 하는 대상 화장품을 변패(變敗)된 화장품, 병원미생물에 오염된 화장품, 안전용기 · 포장을 사용하지 아니한 화장품 등으로 정함
② 회수대상 화장품이라는 사실을 안 날부터 10일 이내에 회수계획서에 서류를 첨부하여 지방식품의약품안전처장에게 제출하여야 한다.
③ 위해 화장품을 회수하려는 제조업자 또는 제조판매업자는 회수계획서 및 회수확인서를 지방식품의약품안전처장에게 제출
④ 회수 대상 화장품을 관할 구청에 회수계획을 통보하도록 함
⑤ 해당 품목의 제조 · 수입기록서 사본과 회수계획 서류를 지방식품의약품안전처장에게 제출

해설 회수대상화장품이라는 사실을 안 날부터 5일 이내에 회수계획서에 1. 해당 품목의 제조 · 수입기록서 사본 2. 판매처별 판매량 · 판매일 등의 기록 3. 회수사유를 적은 서류 첨부하여 지방식품의약품안전청장에게 제출하여야 한다. 그리고 위해 화장품을 회수하는 제조업자 또는 제조판매업자

는 회수계획서를 지방식품의약품안전청장에게 제출 하고, 회수대상 화장품을 업무상 취급하는 자 등에게 회수계획을 통보하도록 함.

답: ①

27 위해성 회수 등급에 따라 회수 기간이 바르게 설명한 것은?

① 가등급인 화장품: 회수를 시작한 날부터 15일 이내,
② 나 등급 또는 다 등급인 화장품: 회수를 시작한 날부터 15일 이내
③ 나 등급 화장품: 회수를 시작한 날부터 20일 이내
④ 다 등급인 화장품: 회수를 시작한 날부터 15일 이내
⑤ 나 등급 또는 다 등급인 화장품: 회수를 시작한 날부터 25일 이내

해설 위해성 등급이 가등급인 화장품: 회수를 시작한 날부터 15일 이내, 위해성 등급이 나 등급 또는 다 등급인 화장품: 회수를 시작한 날부터 30일 이내

답: ①

28 위해 화장품 회수와 관련된 행정처분의 감경 또는 면제의 기준에 대한 내용으로 옳은 것은?

① 회수계획에 따른 회수계획량의 5분의 4 이상을 회수한 경우: 그 위반행위에 대한 행정처분을 경감
② 회수계획량의 3분의 1 이상을 회수한 경우: 행정처분 기준이 등록취소인 경우에는 업무정지 3개월 이상 9개월 이하의 범위에서 처분
③ 회수계획량의 3분의 1 이상을 회수한 경우: 행정처분 기준이 업무정지 또는 품목의 제조 · 수입 · 판매 업무정지인 경우에는 정지처분 기간을 면제
④ 회수계획량의 4분의 1 이상 3분의 1 미만을 회수한 경우: 행정처분 기준이 등록취소인 경우에는 업무정지 1개월 이상 3개월 이하의 범위에서 처분
⑤ 회수계획량의 4분의 1 이상 3분의 1 미만을 회수한 경우: 행정처분 기준이 업무정지 또는 품목의 제조 · 수입 · 판매 업무정지인 경우에는 정지처분 기간의 2분의 1 이하의 범위에서 경감

해설 1. 회수계획에 따른 회수계획량의 5분의 4 이상을 회수한 경우: 그 위반행위에 대한 행정처분을 면제
2. 회수계획량의 3분의 1 이상을 회수한 경우:
- 행정처분의 기준이 등록취소인 경우에는 업무정지 2개월 이상 6개월 이하의 범위에서 처분
- 행정처분 기준이 업무정지 또는 품목의 제조 · 수입 · 판매 업무정지인 경우에는 정지처분 기간의 3분의 2 이하의 범위에서 경감
3. 회수계획량의 4분의 1이상 3분의 1 미만을 회수한 경우:
- 행정처분기준이 등록취소인 경우에는 업무정지 3개월 이상 6개월 이하의 범위에서 처분
- 행정처분기준이 업무정지 또는 품목의 제조 · 수입 · 판매 업무정지인 경우에는 정지처분 기간의 2분의 1 이하의 범위에서 경감

답: ⑤

29 다음은 위해 화장품의 공포명령을 받은 영업자의 조치로 바른 것은?

① 제조업자 등의 회수계획 보고 등에 따라 공표명령을 받은 해당 제조업자 등은 관할 관청에

회수계획량을 보고 한다.
② 공표명령을 받은 해당 제조업자는 식품의약품안전처의 화장품을 회수한다는 내용을 보고 한다.
③ 공표 명령을 받은 영업자는 해당 영업자의 인터넷 홈페이지에 게재하면 된다.
④ 공표명령을 받은 해당 제조업자 등은 제품명, 회수 사유 · 방법 등을 일간신문 및 해당 영업자의 인터넷 홈페이지에 게재하고, 식품의약품안전처의 인터넷 홈페이지에 게재를 요청 하도록 한다.
⑤ 위해성 등급이 가등급인 화장품의 경우에는 해당 일반일간신문에 게재를 생략할 수 있다.

해설 공표명령을 받은 영업자는 지체 없이 위해발생 사실을 전국 보급지역으로 하는 1개 이상의 일반 일간신문[당일 인쇄 · 보급되는 해당 신문의 전체 판(版)을 말한다] 및 해당 영업자의 인터넷 홈페이지에 게재하고, 식품의약품안전처의 인터넷 홈페이지에 게재를 요청하여야 한다. 다만, 위해성 등급이 다 등급인 화장품의 경우에는 해당 일반 일간신문에의 게재를 생략할 수 있다.

답: ④

30 다음은 화장품제조업자 또는 화장품책임판매업자의 변경등록에 관한 내용으로 옳은 것은?

① 등록관청을 달리하는 화장품제조소 또는 화장품책임판매업소의 소재지 변경의 경우에는 대표자 주소지의 지방식품의약품안전청장에게 제출하여야 한다.
② 제조업자의 책임판매관리자 변경에 해당하는 경우이다.
③ 화장품제조업자 또는 화장품책임판매업자는 변경등록을 하는 경우에는 변경 사유가 발생한 날부터 30일
④ 화장품제조업자 또는 화장품책임판매업자의 행정구역 개편에 따른 소재지 변경의 경우에는 60일
⑤ 화장품제조업 변경등록 신청서, 등록필증과 해당서류는 관할구청에 제출하여야 한다.

해설 ① 등록관청을 달리하는 화장품제조소 또는 화장품책임판매업소의 소재지 변경의 경우에는 새로운 소재지를 관할하는 지방식품의약품안전청장에게 제출하여야 한다.
② 화장품 책임판매업자의 책임판매관리자의 변경에 해당하는 경우
④ 화장품제조업자 또는 화장품책임판매업자의 행정구역 개편에 따른 소재지 변경의 경우에는 90일
⑤ 화장품제조업, 화장품책임판매업은 변경등록 신청서, 등록필증 및 해당 서류를 첨부하여 지방식품의약품안전청장에게 제출하여야 한다.

답: ③

31 화장품의 책임판매 후 안전관리기준에 대한 용어로 "안전관리 정보"의 정의로 바르게 설명 한 것은?

① 화장품책임판매 후 안전관리 업무 중 그 결과에 따른 필요한 조치에 관한 업무를 말한다.
② 화장품책임판매 후 정보 수집의 결과에 따른 필요한 조치에 관한 업무를 말한다.
③ 화장품책임판매 후 안전관리 검토 및 그 결과에 따른 필요한 조치에 관한 업무를 말한다.
④ 책임판매 후 안전관리기준 그밖에 적정 사용을 위한 정보를 말한다.
⑤ 화장품의 품질, 안전성 · 유효성, 그밖에 적정사용을 위한 정보를 말한다.

해설 "안전관리 정보"란 화장품의 품질, 안전성 · 유효성, 그밖에 적정사용을 위한 정보를 말함.

답: ⑤

32 화장품책임판매업자는 안전관리 정보의 검토 및 그 결과에 따른 안전 확보 조치를 책임판매관리자에게 수행하도록 해야 한다. 책임판매관리자가 수행해야하는 업무로 옳은 것은?

① 안전 확보 업무를 총괄할 것
② 책임판매관리자에게 학회나 문헌 등에서 안전관리 정보를 수집한다.
③ 안전 확보 조치를 수행할 경우 문서로 지시하고 이를 보관할 것
④ 안전 확보 조치계획을 화장품책임판매업자에게 문서로 보고한 후 그 사본을 보관할 것
⑤ 안전 확보 조치를 수행할 경우 문서로 지시하고 이를 보관할 것

해설 책임판매관리자의 안전관리 정보의 검토 및 그 결과에 따른 안전 확보 조치 업무

1. 학회, 문헌, 그 밖의 연구보고 등에 따라 수집한 안전관리 정보를 신속히 검토 · 기록할 것
2. 수집한 안전관리 정보의 검토 결과 조치가 필요하다고 판단될 경우 회수, 폐기, 판매 정지 또는 첨부 문서의 개정, 식품의약품안전처장에게 보고 등 안전 확보 조치를 할 것
3. 안전 확보 조치계획을 화장품책임판매업자에게 문서로 보고한 후 그 사본을 보관할 것

답: ④

33 안전 확보 업무에 관한 내용으로 옳은 것은?

① 화장품책임판매 후 안전관리 업무 중 정보수집, 검토 및 그 결과에 따른 필요한 조치
② 책임판매관리자에게 수행하도록 한다.
③ 안전 확보 조치를 결정하고 이를 기록 보관할 것
④ 안전 확보를 조치를 수행할 경우 문서로 보관할 것
⑤ 안전 확보 조치를 실시하고 문서로 보고한 후 보관할 것

해설 화장품책임판매 후 안전관리 업무 중 정보수집, 검토 및 그 결과에 따른 필요한 조치는 안전 확보 조치 실시의 내용

답: ①

34 책임판매관리자의 업무의 내용이 아닌 것은?

① 안전 확보 조치를 수행할 경우 문서로 지시하고 이를 보관할 것
② 안전 확보 업무를 총괄할 것
③ 안전 확보 업무가 적정하고 원활하게 수행되는 것을 확인 기록 · 보관할 것
④ 안전 확보 업무의 수행을 위하여 필요하다고 인정할 때에는 화장품책임판매업자에게 문서로 보고한 후 보관할 것
⑤ 책임판매관리자는 안전확보 업무에 관련된 조직 및 인원을 적정하고 원활하게 수행할 능력을 갖는 인원을 충분히 갖추어야 한다.

해설 화장품책임판매업자는 안전 확보 업무에 관련된 조직 및 인원으로 책임판매관리자를 두어야 하며, 안전 확보 업무를 적정하고 원활하게 수행할 능력을 갖는 인원을 충분히 갖추어야 한다.

답: ⑤

35 안전용기 · 포장을 뜻하는 것은?

① 만 5세 미만의 어린이가 개봉하기 어렵게 설계 · 고안된 용기나 포장을 말한다.

② 화장품의 1차 포장
③ 화장품 2차 포장
④ 화장품 내용물을 소분(小分)하여 포장
⑤ 화장품의 용기 포장에 기재하는 문자 숫자. 도형 또는 그림을 말한다.

해설 "안전용기 · 포장"이란 만 5세 미만의 어린이가 개봉하기 어렵게 설계 · 고안된 용기나 포장을 말한다.

답: ①

36 화장품책임판매업자는 영유아 또는 어린이가 사용할 수 있는 화장품임을 표시 · 광고하려는 경우에는 제품별로 안전과 품질을 입증할 수 있는 자료 작성 및 보관해야 하는 것으로 옳은 것은?

① 화장품의 안전성 평가 자료
② 제품 및 품질관리에 대한 설명 자료
③ 제품의 유효성에 대한 증빙자료
④ 제품의 부작용에 대한 증빙자료
⑤ 제품의 사용법

해설 1. 제품 및 제조방법에 대한 설명 자료
2. 화장품의 안전성 평가 자료
3. 제품의 효능 · 효과에 대한 증명 자료

답: ①

37 영유아 또는 어린이 사용 화장품의 관리에 대한 내용으로 옳지 않은 것은?

① 화장품책임판매업자는 영유아 또는 어린이가 사용할 수 있는 화장품임을 표시 · 광고하려는 경우에는 제품별로 안전과 품질을 입증할 수 있는 자료를 작성 및 보관
② 식품의약품안전처장은 소비자가 화장품을 안전하게 사용할 수 있도록 교육 및 홍보를 할 수 있다.
③ 식품의약품안전처장은 화장품에 대하여 제품별 안전성 자료, 소비자 사용실태, 사용 후 이상사례 등에 대하여 주기적으로 실태조사를 실시하고, 위해요소의 저감화를 위한 계획을 수립한다.
④ 영유아 또는 어린이의 연령 및 표시 · 광고의 범위, 제품별 안전성 자료의 작성 범위 및 보관기간 등과 제2항에 따른 실태조사 및 계획 수립의 범위, 시기, 절차 등에 필요한 사항을 총리령으로 정한다.
⑤ 유효성에 관한 심사는 규정된 효능 · 효과에 한하여 실시하고 보고서 제출의 대상과 절차 등에 관하여 필요한 사항은 총리령으로 정한다.

해설 심사 또는 보고서 제출의 대상과 절차 사항은 기능성화장품의 심사에 해당

답: ⑤

38 화장품책임판매업자, 맞춤형화장품판매업자의 영업자 의무 사항의 내용으로 바르지 않는 것은?

① 화장품책임판매업자는 화장품의 제조와 관련된 기록 · 시설 · 기구 등 관리 방법, 원료 · 자재 · 완제품 등에 대한 시험 · 검사 · 검정실시 방법 및 의무 등에 관하여 총리령으로 정하는 사항 준수.
② 화장품책임판매업자는 화장품의 품질관리기준, 책임판매 후 안전관리기준, 품질 검사 방법 및 실시 의무, 안전성 · 유효성 관련 정보사항 등의 보고 및 안전대책 마련 의무 등에 관하여

총리령으로 정하는 사항을 준수.

③ 책임판매관리자 및 맞춤형화장품 조제관리사는 화장품의 안전성 확보 및 품질관리에 관한 교육을 매년 받아야 한다.

④ 맞춤형화장품판매업자는 맞춤형화장품 판매장 시설 · 기구의 관리방법, 혼합 · 소분 안전관리기준의 준수 의무, 혼합 · 소분되는 내용물 및 원료에 대한 설명의무 등에 관하여 총리령으로 정하는 사항을 준수.

⑤ 식품의약품안전처장은 국민 건강상 위해를 방지하기 위하여 필요하다고 인정하면 화장품 관련 법령 및 제도(화장품의 안전성 확보 및 품질관리에 관한 내용을 포함)에 관한 교육을 받을 것을 명할 수 있다.

해설 화장품제조업의 영업자 의무로 화장품의 제조와 관련된 기록 · 시설 · 기구 등 관리 방법, 원료 · 자재 · 완제품 등에 대한 시험·검사·검정실시 방법 및 의무 등에 관하여 총리령으로 정하는 사항을 준수하여야 한다.

답: ①

39 영업자의 폐업 등의 신고에 관한 내용으로 옳지 않은 것은?

① 폐업 또는 휴업하려는 경우 식품의약품안전처장에게 신고하여야 한다.

② 휴업기간이 1개월 미만이거나 그 기간 동안 휴업하였다가 그 업을 재개하는 경우에도 동일하다.

③ 관할 세무서장에게 폐업신고를 하거나 관할 세무서장이 사업자등록을 말소한 경우에는 등록을 취소할 수 있다.

④ 식품의약품안전처장은 폐업신고 또는 휴업신고를 받은 날부터 7일 이내에 신고수리 여부를 신고인에게 통지하여야 한다.

⑤ 식품의약품안전처장이 정한 기간 내에 신고수리 여부 또는 민원처리 관련 법령에 따른 처리기간의 연장을 신고인에게 통지하지 아니하면 그 기간 날의 다음 날에 신고를 수리한 것으로 본다.

해설 휴업기간이 1개월 미만이거나 그 기간 동안 휴업하였다가 그 업을 재개하는 경우에는 총리령으로 정하는 바에 따라 식품의약품안전처장에게 신고하지 않는다.

답: ②

40 화장품의 1차 포장에만 기재 · 표시 사항으로 옳은 것은?

① 가격
② 내용물의 용량 또는 중량
③ 영업자의 상호 및 주소
④ 해당 화장품 제조에 사용된 모든 성분
⑤ 사용기한 또는 개봉 후 사용기간

해설 1. 화장품의 명칭 2. 영업자의 상호 3. 제조번호 4. 사용기한 또는 개봉 후 사용 기간

답: ⑤

41 영업자 또는 판매자의 부당한 표시 · 광고행위 등의 금지와 관련한 내용으로 해당되지 않은 것은?

① 의약품으로 잘못 인식할 우려가 있는 표시 또는 광고

② 기능성화장품이 아닌 화장품을 기능성화장품으로 잘못 인식할 우려가 있거나 심사결과와 다른 내용의 표시 또는 광고

③ 천연화장품 또는 유기농화장품이 아닌 화장품을 천연화장품 또는 유기농화장품으로 잘못 인식할 우려가 있는 표시 또는 광고
④ 판매자는 자기가 행한 표시 · 광고 중 사실과 관련한 사항에 대하여는 이를 실증할 수 있어야 한다.
⑤ 사실과 다른 소비자를 속이거나 소비자가 잘못 인식하도록 할 우려가 있는 표시 또는 광고

해설 표시 · 광고 내용의 실증 등의 내용으로 영업자 및 판매자는 자기가 행한 표시 · 광고 중 사실과 관련한 사항에 대하여는 이를 실증할 수 있어야 한다.

답: ④

42 영업자 및 판매자가 자기가 행한 표시 · 광고 내용의 실증에 대한 설명으로 옳지 않은 것은?

① 실증자료의 제출을 요청받은 영업자 또는 판매자는 요청받은 날부터 15일 이내에 식품의약품안전처장에게 제출하여야 한다.
② 영업자 및 판매자는 자기가 행한 표시 · 광고 중 사실과 관련한 사항에 대해 실증할 수 있어야 한다.
③ 식품의약품안전처장은 정당한 사유가 있다고 인정하는 경우에는 그 제출기간을 연장할 수 있다.
④ 제출기간 내에 이를 제출하지 아니한 채 계속하여 표시 · 광고를 하는 때에도 실증자료를 제출할 때까지 그 표시 · 광고 행위의 중지를 명하여야 한다.
⑤ 다른 법률에 따른 다른 기관의 자료요청이 있는 경우에는 특별한 사유가 없어도 이에 응할 필요는 없다.

해설 식품의약품안전처장은 제출받은 실증자료에 대하여 「표시 · 광고의 공정화에 관한 법률」 등 다른 법률에 따른 다른 기관의 자료요청이 있는 경우에는 특별한 사유가 없는 한 이에 응하여야 한다.

답: ⑤

43 천연화장품 및 유기농화장품에 대한 인증에 관한 설명으로 옳지 않는 것은?

① 식품의약품안전처장이 정하는 기준에 적합한 천연화장품 및 유기농화장품에 대하여 인증할 수 있다.
② 거짓이나 그 밖의 부정한 방법으로 인증을 받은 경우 인증을 취소한다.
③ 식품의약품안전처장이 정하는 인증기준에 적합하지 않은 경우
④ 전문 인력과 시설을 갖춘 기관 또는 단체를 인증기관으로 지정하여 인증업무를 위탁할 수 있다.
⑤ 인증절차, 인증기관의 지정기준, 인증제도 운영에 필요한 사항은 단체장으로 정한다.

해설 인증절차, 인증기관의 지정기준, 인증제도 운영에 필요한 사항은 총리령으로 정한다.

답: ⑤

44 인증의 유효기간은?

① 인증 받은 날로부터 1년
② 인증 받은 날로부터 2년
③ 인증 받은 날로부터 3년
④ 인증 받은 날로부터 5년
⑤ 인증 받은 날로부터 10년

해설 제14조의2제1항에 따른 인증의 유효기간은 인증을 받은 날부터 3년으로 한다.

답: ③

45 인증의 유효기간을 연장 받으려면 만료 전 몇 일전에 연장신청을 하여야 하나?

① 만료 15일 전
② 만료 30일 전
③ 만료 60일 전
④ 만료 90일 전
⑤ 만료 120일 전

해설 인증의 유효기간을 연장 받으려는 자는 유효기간 만료 90일 전에 총리령으로 정하는 바에 따라 연장신청을 하여야 한다.

답: ④

46 화장품을 판매하는 영업의 금지 조항에 해당하지 않는 것은?

① 전부 또는 일부가 변패(變敗)된 화장품
② 병원미생물에 오염된 화장품
③ 용기나 포장이 불량하여 해당 화장품이 보건위생상 위해가 발생할 우려가 있는 것
④ 화장품에 사용할 수 없는 원료를 사용하였거나 유통화장품 안전관리 기준에 적합한 화장품
⑤ 사용기한 또는 개봉 후 사용기간과 제조연월일이 병행 표기된 화장품

해설 사용기한 또는 개봉 후 사용기간(병행 표기된 제조연월일을 포함한다)을 위조 · 변조한 화장품

답: ⑤

47 다음은 기능성 화장품으로 볼 수 없는 것은?

① 모발의 색상을 변화[탈염(脫染) · 탈색(脫色)을 포함한다]시키는 기능을 가진 화장품
② 체모를 제거하는 기능을 가진 화장품
③ 인체세정용 제품류로 한정한 여드름성 피부 완화제품
④ 자외선을 차단 또는 산란시켜 자외선으로부터 피부를 보호하는 기능을 가진 화장품
⑤ 피부에 침착된 멜라닌색소의 엷게 치료하는 것이 목적인 화장품

해설 기능성화장품의 범위는 화장품 법에 따르며, 치료를 목적으로 할 수는 없다.

답: ⑤

48 다음은 기능성 화장품으로 옳은 것은?

① 아토피성 피부로 인한 건조함 등을 완화하는데 도움을 주는 화장품
② 튼살로 인한 붉은 선을 치료하는 제품
③ 코팅 등 물리적으로 모발을 굵게 보이게 하는 제품
④ 물리적으로 체모를 제거하는 제품
⑤ 일시적으로 모발의 색상을 변화시키는 제품

해설 기능성화장품의 범위는 치료를 목적으로 하거나 코팅 등 물리적으로 모발을 굵게 보이게 하는 제품, 물리적으로 체모를 제거하는 제품, 일시적으로 모발의 색상을 변화 시키는 제품은 해당하지 않는다.

답: ①

49 소비자화장품안전관리감시원의 자격 및 업무 내용으로 옳은 것은?

① 설립된 단체의 임직원 중 식품의약품안전처장이 추천하는 사람
② 화장품제조업자 등이 설립한 단체의 대표
③ 의사 또는 약사 등으로 위촉
④ 화장품제조업자가 제조중인 화장품의 안전관리에 관한 업무를 지원
⑤ 화장품의 유통과 관련된 홍보 등의 업무를 수행 하도록 함

해설 소비자화장품안전관리감시원은 화장품제조업자 등이 설립한 단체의 임직원 또는 소비자 단체의 임직원 중에서 해당 단체의 장이 추천한 사람이나 의사 또는 약사 등으로 위촉하고, 유통중인 화장품의 안전관리에 관한 업무를 지원하거나 화장품의 안전사용과 관련된 홍보 등의 업무를 수행하도록 한다.

답: ③

50 다음은 제조업 및 제조판매업의 등록사항 · 등록절차 및 시설기준 등에 관한 내용으로 옳은 것은?

① 화장품업자를 제조업자 및 유통판매업자로 구분하여 등록하도록 함.
② 제조업 또는 제조판매업을 하려는 자는 관할 구청에 등록하도록 한다.
③ 등록한 사항 중 상호나 소재지 등의 변경은 변경등록을 하지 않아도 된다.
④ 제조업자는 화장품 제조에 필요한 작업소 · 보관소 · 시험실 및 품질검사에 필요한 시설 등을 갖추도록 함
⑤ 제조업자는 화장품 제조에 필요한 안전성 평가 자료 및 품질검사에 필요한 시설 등을 갖추도록 함

해설 1) 법률개정으로 화장품업자를 제조업자 및 제조판매업자로 구분하여 등록하도록 함에 따라 등록절차 등 등록에 관한 사항을 정할 필요가 있음.
2) 제조업 또는 제조판매업을 하려는 자는 지방식품의약품안정청장에게 등록하도록 하고, 등록한 사항 중 상호나 소재지 등의 변경은 변경등록을 하도록 하며, 제조업자는 화장품 제조에 필요한 작업소 · 보관소 · 시험실 및 품질검사에 필요한 시설 등을 갖추도록 함.

답: ④

51 다음은 화장품책임판매업자의 준수사항으로 옳은 것은?

① 제품사용 기준을 준수 할 것
② 책임판매 후 안전관리기준을 준수할 것
③ 유통업자로부터 받은 제품표준서 및 품질관리기록서를 보관할 것
④ 제조업자로부터 받은 사항을 적거나 또는 첨부한 제조관리기록서를 작성 · 보관할 것
⑤ 수입한 화장품에 대하여 작성 · 보관해야할 서류는 제품의 효능 · 효과에 대한 서류

해설 1. 품질관리기준을 준수할 것
2. 책임판매 후 안전관리 기준을 준수할 것
3. 제조업자로부터 받은 제품표준서 및 품질관리기록서(전자문서 형식을 포함한다)를 보관할 것
4. 수입한 화장품에 대하여 다음 각 목의 사항을 적거나 또는 첨부한 수입관리기록서를 작성 · 보관할 것

답: ②

52 다음은 화장품제조업자의 준수사항으로 옳은 것은?

① 안전관리기준에 따른 화장품책임판매업자의 지도 · 감독 및 요청에 따를 것
② 제조관리기준서 · 제품표준서 · 제조관리기록서 및 품질관리기록서(전자문서 형식을 포함한다)를 작성 · 보관할 것
③ 보건위생상 위해(危害)가 없도록 제품을 관리하고 오염되지 아니하도록 할 것
④ 화장품의 제조에 필요한 시설에 대하여 안전점검을 하므로 작업에 지장이 없도록 관리 · 유지할 것
⑤ 작업 소에는 위해가 발생할 수도 있으며, 국민보건 및 환경에 유해한 물질이 유출될 수도 있다.

해설 1. 품질관리기준에 따른 화장품책임판매업자의 지도 · 감독 및 요청에 따를 것
2. 제조관리기준서 · 제품표준서 · 제조관리기록서 및 품질관리기록서(전자문서 형식을 포함한다)를 작성 · 보관할 것
3. 보건위생상 위해(危害)가 없도록 제조소, 시설 및 기구를 위생적으로 관리하고 오염되지 아니하도록 할 것
4. 화장품의 제조에 필요한 시설 및 기구에 대하여 정기적으로 점검하여 작업에 지장이 없도록 관리 · 유지할 것
5. 작업 소에는 위해가 발생할 염려가 있는 물건을 두어서는 아니 되며, 작업 소에서 국민보건 및 환경에 유해한 물질이 유출 되거나 방출되지 아니하도록 할 것
6. 제2호의 사항 중 품질관리를 위하여 필요한 사항을 화장품책임판매업자에게 제출할 것.
7. 원료 및 자재의 입고부터 완제품의 출고에 이르기까지 필요한 시험 · 검사 또는 검정을 할 것
8. 제조 또는 품질검사를 위탁하는 경우 제조 또는 품질검사가 적절하게 이루어지고 있는지 수탁자에 대한 관리 · 감독을 철저히 하고, 제조 및 품질관리에 관한 기록을 받아 유지 · 관리할 것

답: ②

53 화장품책임판매업자 등의 영업금지 위반 내용으로 교육명령의 대상에 해당 하지 않는 것은?

① 심사를 받고 보고서를 제출하지 않은 기능성화장품
② 용기나 포장이 불량하여 해당 화장품이 보건위생상 위해를 발생할 우려가 있는 것
③ 사용기한 또는 개봉 후 사용기간(병행 표기된 제조연월일을 포함한다)을 위조 · 변조한 화장품
④ 화장품에 사용할 수 없는 원료를 사용하였거나 유통화장품 안전관리기준에 적합하지 아니한 화장품
⑤ 코뿔소 뿔 또는 호랑이 뼈와 그 추출물을 사용한 화장품

해설 ① 심사를 받지 아니하거나 보고서를 제출하지 아니한 기능성화장품

답: ①

54 다음은 화장품제조업자, 화장품책임판매업자 또는 판매자가 제출하여야 하는 실증자료의 범위 및 요건으로 옳은 것은?

① 시험결과: 인체 적용시험 조사자료
② 시험결과: 인체 외 시험 조사자료
③ 조사결과: 표본설정, 질문사항, 질문방법 등을 통한 조사자료
④ 조사결과: 학술적으로 널리 알려진 통계상 방법과 일치할 것

⑤ 실증방법: 시험 또는 조사의 방법은 여러 사람에게 널리 알려져 있거나 과학적이고 객관적인 방법일 것

해설 1. 시험결과: 인체 적용시험 자료, 인체 외 시험 자료 또는 같은 수준 이상의 조사자료일 것
2. 조사결과: 표본설정, 질문사항, 질문방법이 그 조사의 목적이나 통계상의 방법과 일치할 것
3. 실증방법: 실증에 사용되는 시험 또는 조사의 방법은 학술적으로 널리 알려져 있거나 관련 산업 분야에서 일반적으로 인정된 방법 등으로서 과학적이고 객관적인 방법일 것

답: ⑤

55 다음은 제조판매업자 또는 제조업자가 화장품에 대한 검사기관으로 지정받으려는 사항에 관한 내용으로 옳은 것은?

① 화장품 검사기관으로 지정받으려는 기관은 설비시설, 책임판매관리자 등의 지정기준을 갖추어야한다.
② 품질검사시설, 품질검사원 등의 지정기준을 갖추어 관할 구청장에게 지정을 신청한다.
③ 지정받은 검사기관은 검사업무와 관련된 자료를 3년간 보관한다.
④ 검사업무와 관련된 자료를 보관할 것을 권장하며 준수사항 위반 등에 대한 행정처분은 없다.
⑤ 지정받은 검사기관은 검사업무와 관련된 자료를 1년간 보관하는 등 준수사항을 지키도록 한다.

해설 화장품 검사기관으로 지정받으려는 기관은 품질검사시설, 품질검사원 등의 지정기준을 갖추어 식품의약품안전처장에게 지정을 신청하도록 하고, 지정받은 검사기관은 검사업무와 관련된 자료를 3년간 보관하는 등 준수사항을 지키도록 하며, 준수사항 위반 등에 대한 행정처분의 기준을 정함.

답: ③

56 다음 프로필렌글리콜(Propylene glycol) 성분을 함유하고 있는 제품의 사용상의 주의 사항으로 옳은 것은?

① 이 성분에 과민하거나 알레르기 병력이 있는 사람은 신중히 사용할 것
② 눈, 코 또는 입 등에 닿지 않도록 주의하여 사용할 것
③ 같은 부위에 연속해서 3초 이상 분사하지 말 것
④ 정해진 용법과 용량을 잘 지켜 사용할 것
⑤ 눈에 들어갔을 때에는 즉시 씻어낼 것

해설 프로필렌글리콜(Propylene glycol)을 함유하고 있는 제품에만 이 성분에 과민하거나 알레르기 병력이 있는 사람은 신중히 사용할 것을 표시한다.

답: ①

57 다음 화장품의 유형을 바르게 연결한 것으로 옳은 것은?

① 체모 제거용 제품류–데오더런트
② 체취 방지용 제품류–손 · 발의 피부연화 제품
③ 기초화장용 제품류–팩, 마스크
④ 면도용 제품류–네일 에나멜 리무버
⑤ 인체 세정용 제품류–바디 제품

해설 바디 제품은 기초화장품에 속하며, 인체 세정용 제품류에는 폼 클렌저, 바디 클렌저, 액체 비누 및 화장비누, 외음부 세정제, 물휴지, 그 밖의 인체 세정용 제품류

답: ③

58 화장품책임판매업자가 영업을 위해 고객으로부터 얻은 정보를 개인정보보호법에 따른 관리 방법으로 옳지 않은 것은?

① 개인정보처리 자는 개인정보가 분실, 도난 되지 않게 한다.
② 개인정보처리 자는 개인정보가 유출되지 않도록 관리한다.
③ 개인정보처리 자는 개인정보를 위조, 변조 또는 훼손되지 않도록 관리한다.
④ 개인정보 보호책임자를 지정하여 개인정보취급자에 대한 교육을 한다.
⑤ 고객정보를 또 다른 영업 목적으로 제 3자에게 제공 할 수 있다.

해설 개인정보처리 자는 개인정보보호법에 따라 개인정보처리에 대하여 정보주체의 동의를 받아야 한다.

답: ⑤

59 민감 정보의 범위에 속하지 않은 것은?

① 거주지 주소 변경
② 유진자김사 등의 결과로 얻어진 유전정보
③ 범죄경력 자료에 해당하는 정보
④ 사생활을 현저히 침해할 우려가 있는 개인정보로서 대통령령으로 정하는 정보
⑤ 사상 · 신념, 노동조합 · 정당의 가입 · 탈퇴, 정치적 견해, 건강, 성생활 등에 관한 정보

해설 사상 · 신념, 노동조합 · 정당의 가입 · 탈퇴, 정치적 견해, 건강, 성생활 등에 관한 정보, 그밖에 정보주체의 사생활을 현저히 침해할 우려가 있는 개인정보로서 대통령령으로 정하는 정보(이하 "민감 정보"라 한다)

답: ①

60 개인정보 법에 따른 민감 정보 및 고유 식별정보의 처리를 식품의약품안전처장의 권한을 위임 받은 자가 처리할 수 없는 사무는?

① 법 제3조의4제1항에 따른 맞춤형화장품조제관리사 자격시험에 관한 사무
② 법 제3조의2제1항에 따른 맞춤형화장품판매업의 신고 및 변경신고에 관한 사무
③ 기능성화장품의 심사 등에 관한 사무를 수행하기 위해 불가피한 경우 「개인정보 보호법」에 따른 건강에 관한 정보자료를 처리할 수 있다.
④ 주민등록증과 외국인 등록증 발급에 관한 사무
⑤ 등록의 취소, 영업소의 폐쇄명령, 품목의 제조 · 수입 및 판매의 금지명령, 업무의 전부 또는 일부에 대한 정지명령에 관한 사무

해설 고유 식별정보의 처리에 따른 주민등록번호 또는 외국인등록번호가 포함된 자료를 처리할 수 있다.

답 : ④

PART Ⅱ

화장품 제조 및 품질관리

- 기능성화장품 심사에 관한 규정
- 천연화장품 및 유기농화장품의 기준에 관한 규정
- 화장품의 색소 종류와 기준 및 시험방법

2.1 화장품원료의 종류와 특성

2.2 화장품의 기능과 품질

2.3 화장품 사용제한 원료

2.4 화장품관리

2.5 위해사례 판단 및 보고

| 적중예상문제 |

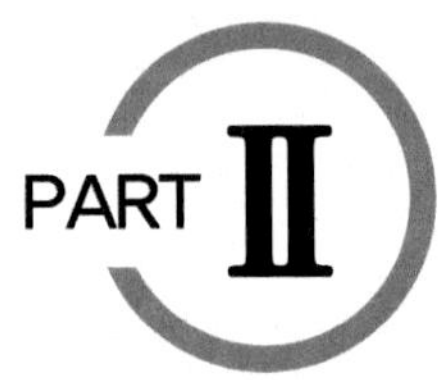

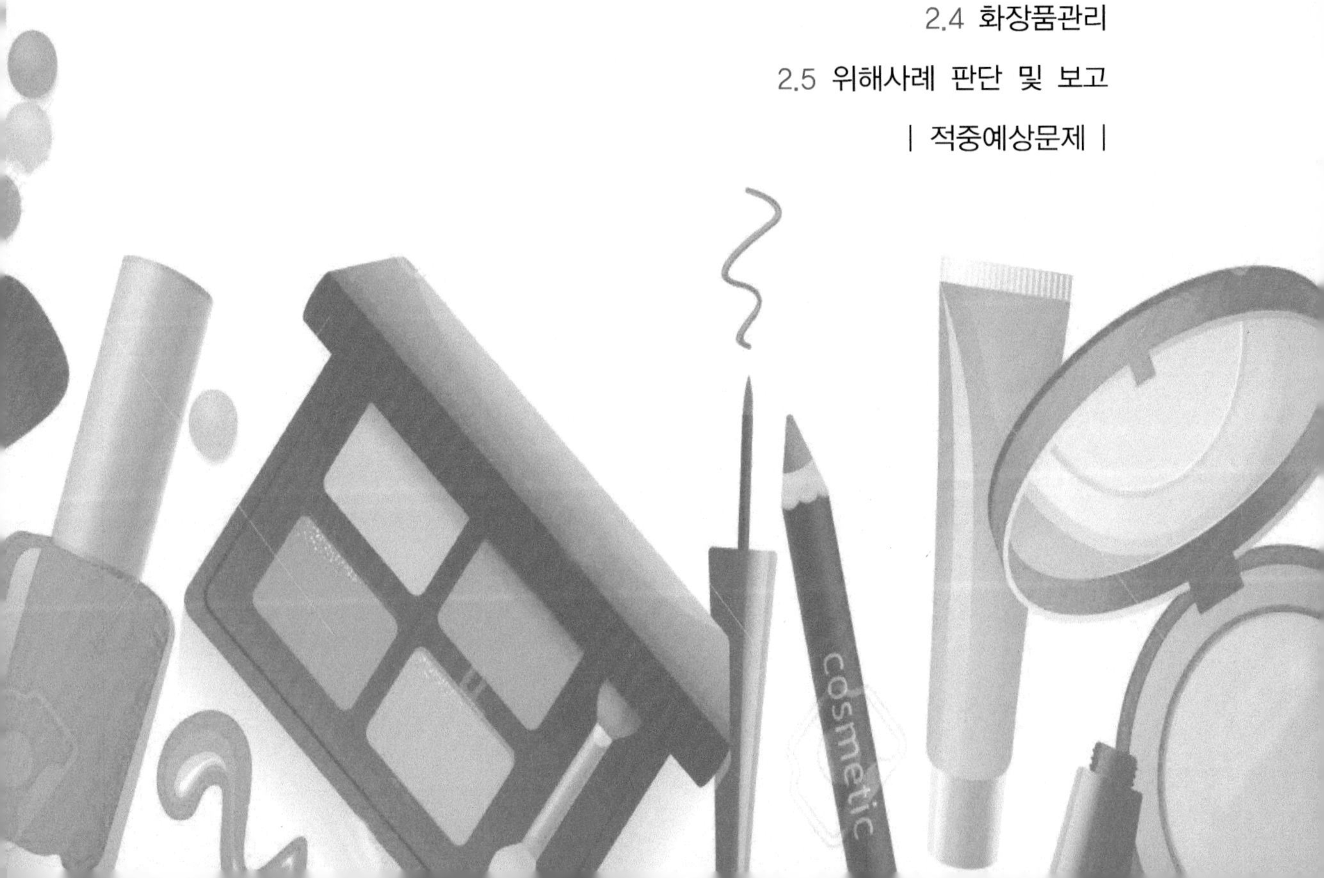

기능성화장품 심사에 관한 규정

[시행 2019. 6. 17.] [식품의약품안전처고시 제2019-47호, 2019. 6. 17., 일부개정]

제1장 총칙

제1조(목적) 이 규정은 「화장품법」 제4조 및 같은 법 시행규칙 제9조에 따라 기능성화장품을 심사받기 위한 제출 자료의 범위, 요건, 작성요령, 제출이 면제되는 범위 및 심사기준 등에 관한 세부사항을 정함으로써 기능성화장품의 심사업무에 적정을 기함을 목적으로 한다.

제2조(정의) ① 이 규정에서 사용하는 용어의 정의는 다음 각 호와 같다.

1. "기능성화장품"은 「화장품법」 제2조제2호(화장품법 정의)및 같은 법 시행규칙 제2조(기능성화장품의 범위)에 따른 화장품을 말한다.
2. 삭제

② 이 규정에서 사용하는 용어 중 별도로 정하지 아니한 용어의 정의는 「의약품등의 독성시험기준」(식품의약품안전처고시)에 따른다.

제3조(심사대상) 이 규정에 따라 심사를 받아야 하는 대상은 기능성화장품으로 한다. 또한 이미 심사완료 된 결과에 대한 변경심사를 받고자 하는 경우에도 또한 같다.

제2장 심사자료

제4조(제출 자료의 범위) 기능성화장품의 심사를 위하여 제출하여야 하는 자료의 종류는 다음 각 호와 같다. 다만, 제6조(제출 자료의 면제 등)에 따라 자료가 면제되는 경우에는 그러하지 아니하다.

1. 안전성, 유효성 또는 기능을 입증하는 자료
   가. 기원 및 개발경위에 관한 자료
   나. 안전성에 관한 자료(다만, 과학적인 타당성이 인정되는 경우에는 구체적인 근거자료를 첨부하여 일부 자료를 생략할 수 있다.)
      (1) 단회투여독성 시험자료
      (2) 1차 피부자극 시험자료

(3) 안점막자극 또는 기타점막자극 시험자료

(4) 피부감작성 시험자료

(5) 광독성 및 광감작성 시험자료(자외선에서 흡수가 없음을 입증하는 흡광도 시험자료를 제출하는 경우에는 면제함)

(6) 인체첩포 시험자료

(7) 인체누적첩포 시험자료(인체적용 시험자료에서 피부이상반응 발생 등 안전성 문제가 우려된다고 판단되는 경우에 한함)

다. 유효성 또는 기능에 관한 자료(다만, 화장품법 시행규칙 제2조제6호(모발의 색상을 변화[탈염(脫染)·탈색(脫色)을 포함한다]시키는 기능을 가진 화장품)의 화장품은 (3)의 자료만 제출한다)

(1) 효력시험자료

(2) 인체적용시험자료

(3) 염모효력시험자료(화장품법 시행규칙 제2조제6호(모발의 색상을 변화[탈염(脫染).탈색(脫色)을 포함한다]시키는 기능을 가진 화장품)의 화장품에 한함)

라. 자외선차단지수(SPF), 내수성자외선차단지수(SPF, 내수성 또는 지속내수성) 및 자외선A차단등급(PA) 설정의 근거자료(화장품법 시행규칙 제2조제4(강한 햇볕을 방지하여 피부를 곱게 태워주는 기능을 가진 화장품)호 및 제5호(자외선을 차단 또는 산란시켜 자외선으로부터 피부를 보호하는 기능을 가진 화장품)의 화장품에 한함)

2. 기준 및 시험방법에 관한 자료(검체 포함)

제5조(제출 자료의 요건) 제4조에 따른 기능성화장품의 심사 자료의 요건은 다음 각 호와 같다.

1. 안전성, 유효성 또는 기능을 입증하는 자료

가. 기원 및 개발경위에 관한 자료

당해 기능성화장품에 대한 판단에 도움을 줄 수 있도록 명료하게 기재된 자료

나. 안전성에 관한 자료

(1) 일반사항

「비임상시험관리기준」(식품의약품안전처고시)에 따라 시험한 자료. 다만, 인체첩포 시험 및 인체 누적 첩포시험은 국내·외 대학 또는 전문 연구기관에서 실시하여야 하며, 관련분야 전문의사, 연구소 또는 병원 기타 관련기관에서 5년 이상 해당 시험경력을 가진 자의 지도 및 감독하에 수행·평가되어야 함

(2) 시험방법

(가) 독성시험법에 따르는 것을 원칙으로 하며 기타 독성시험법에 대해서는 「의약

품등의 독성시험기준」(식품의약품안전처고시)을 따를 것

(나) 다만 시험방법 및 평가기준 등이 과학적 · 합리적으로 타당성이 인정되거나 경제협력개발기구(Organization for Economic Cooperation and Development) 또는 식품의약품안전처가 인정하는 동물대체시험법인 경우에는 규정된 시험법을 적용하지 아니할 수 있음

다. 유효성 또는 기능에 관한 자료

(1) 효력시험에 관한 자료

심사대상 효능을 뒷받침하는 성분의 효력에 대한 비임상시험자료로서 효과발현의 작용기전이 포함되어야 하며, 다음 중 어느 하나에 해당할 것

(가) 국내 · 외 대학 또는 전문 연구기관에서 시험한 것으로서 당해 기관의 장이 발급한 자료(시험시설 개요, 주요설비, 연구 인력의 구성, 시험자의 연구경력에 관한 사항이 포함될 것)

(나) 당해 기능성화장품이 개발국 정부에 제출되어 평가된 모든 효력시험 자료로서 개발국 정부(허가 또는 등록기관)가 제출받았거나 승인하였음을 확인한 것 또는 이를 증명한 자료

(다) 과학논문인용색인(Science Citation Index 또는 Science Citation Index Expanded)에 등재된 전문학회지에 게재된 자료

(2) 인체적용시험자료

사람에게 적용 시 효능 · 효과 등 기능을 입증할 수 있는 자료로서, 관련분야 전문의사, 연구소 또는 병원 기타 관련기관에서 5년 이상 해당 시험경력을 가진 자의 지도 및 감독하에 수행 · 평가되고, 같은 호 다목(1) (가) 및 (나)에 해당할 것. 다만, 「화장품법 시행규칙」제2조제10호(아토피성 피부로 인한 건조함 등을 완화하는데 도움을 주는 화장품)에 해당하는 기능성화장품의 경우에는 「의약품 등의 안전에 관한 규칙」제30조제2항에 따라 식품의약품안전처장이 지정한 임상시험 실시기관 또는 식품의약품안전처장이 현지실사 결과 「의약품 등의 안전에 관한 규칙」 의약품 임상시험 관리기준과 동등 이상의 수준으로 관리된다고 판단되는 외국의 임상시험실시기관에서 수행 · 평가된 자료에 해당할 것

(3) 염모효력시험자료

인체모발을 대상으로 효능 · 효과에서 표시한 색상을 입증하는 자료

라. 자외선차단지수(SPF), 내수성자외선차단지수(SPF), 자외선A차단등급(PA) 설정의 근거자료

(1) 자외선차단지수(SPF) 설정 근거자료
자외선 차단효과 측정방법 및 기준 · 일본(JCIA) · 미국(FDA) · 유럽(Cosmetics Europe) 또는 호주/뉴질랜드(AS/NZS)등의 자외선차단지수 측정방법에 의한 자료

(2) 내수성자외선차단지수(SPF) 설정 근거자료
자외선 차단효과 측정방법 및 기준 · 미국(FDA) · 유럽(Cosmetics Europe) 또는 호주/뉴질랜드(AS/NZS) 등의 내수성자외선차단지수 측정방법에 의한 자료

(3) 자외선A차단등급(PA) 설정 근거자료
자외선 차단효과 측정방법 및 기준 또는 일본(JCIA) 등의 자외선A 차단효과 측정방법에 의한 자료

2. 기준 및 시험방법에 관한 자료
품질관리에 적정을 기할 수 있는 시험항목과 각 시험항목에 대한 시험방법의 밸리데이션, 기준치 설정의 근거가 되는 자료. 이 경우 시험방법은 공정서, 국제표준화기구(ISO) 등의 공인된 방법에 의해 검증되어야 한다.

제6조(제출 자료의 면제 등) ① 「기능성화장품 기준 및 시험방법」(식품의약품안전처 고시), 국제화장품원료집(ICID), 「식품의 기준 및 규격」(식품의약품안전처 고시) 및 「식품첨가물의 기준 및 규격」(식품의약품안전처 고시)(Ⅱ. 화학적합성품, 천연첨가물 및 혼합제제류 중 제3. 품목별 성분규격 및 보존기준의 나. 천연첨가물에 한한다)에서 정하는 원료로 제조되거나 제조되어 수입된 기능성화장품의 경우 제4조제1호 나목의 자료 제출을 면제한다. 다만, 유효성 또는 기능 입증자료 중 인체적용시험자료에서 피부이상반응 발생 등 안전성 문제가 우려된다고 식품의약품안전처장이 인정하는 경우에는 그러하지 아니하다.

② 제4조제1호 다목에서 정하는 유효성 또는 기능에 관한 자료 중 인체적용시험자료를 제출하는 경우 효력시험자료 제출을 면제할 수 있다. 다만, 이 경우에는 효력시험자료의 제출을 면제받은 성분에 대해서는 효능 · 효과를 기재 · 표시할 수 없다.

③ 자료 제출이 생략되는 기능성화장품의 종류에서 성분 · 함량을 고시한 품목의 경우에는 제4조제1호 가목부터 다목까지의 자료 제출을 면제한다.

④ 이미 심사를 받은 기능성화장품[제조판매업자가 같거나 제조업자(제조업자가 제품을 설계 · 개발 · 생산하는 방식으로 제조한 경우만 해당한다)가 같은 기능성화장품만 해당한다]과 그 효능 · 효과를 나타내게 하는 원료의 종류, 규격 및 분량(액상인 경우 농도), 용법 · 용량이 동일하고, 각 호 어느 하나에 해당하는 경우 제4조제1호의 자료 제출을 면제한다.

1. 효능 · 효과를 나타나게 하는 성분을 제외한 대조군과의 비교실험으로서 효능을 입증한

경우

2. 착색제, 착향제, 현탁화제, 유화제, 용해보조제, 안정제, 등장제, pH 조절제, 점도조절제, 용제만 다른 품목의 경우. 다만, 「화장품법 시행규칙」 제2조제10호 및 제11호(튼살로 인한 붉은 선을 엷게 하는데 도움을 주는 화장품)에 해당하는 기능성화장품은 착향제, 보존제만 다른 경우에 한한다.

⑤ 자외선차단지수(SPF) 10이하 제품의 경우에는 제4조제1호 라목의 자료 제출을 면제한다.

⑥ 자외선을 차단 또는 산란시켜 자외선으로부터 피부를 보호하는 기능을 가진 제품의 경우 이미 심사를 받은 기능성화장품[제조판매업자가 같거나 제조업자(제조업자가 제품을 설계 · 개발 · 생산하는 방식으로 제조한 경우만 해당한다)가 같은 기능성화장품만 해당한다]과 그 효능 · 효과를 나타내게 하는 원료의 종류, 규격 및 분량(액상의 경우 농도), 용법 · 용량 및 제형이 동일한 경우에는 제4조제1호의 자료 제출을 면제한다. 다만, 내수성 제품은 이미 심사를 받은 기능성화장품[제조판매업자가 같거나 제조업자(제조업자가 제품을 설계 · 개발 · 생산하는 방식으로 제조한 경우만 해당한다)가 같은 기능성화장품만 해당한다]과 착향제, 보존 제를 제외한 모든 원료의 종류, 규격 및 분량, 용법 · 용량 및 제형이 동일한 경우에 제4조제1호의 자료 제출을 면제한다.

⑦ 삭제

⑧ 자료제출이 생략되는 기능성화장품의 종류 중 제4호(모발의 색상을 변화시키는 기능을 가진 제품의 성분 및 함량)의 2제형 산화염모제에 해당하나 제1제를 두 가지로 분리하여 제1제 두 가지를 각각 2제와 섞어 순차적으로 사용하거나, 또는 제1제를 먼저 혼합한 후 제2제를 섞는 것으로 용법 · 용량을 신청하는 품목(단, 용법 · 용량 이외의 사항은 자료제출이 생략되는 기능성화장품의 종류 중 제4호에 적합하여야 한다)은 제4조제1호(염모제: 모발의 염모)의 자료 제출을 면제한다.

제7조(자료의 작성 등) ① 제출 자료는 제5조에 따른 요건에 적합하여야 하며 품목별로 각각 기재된 순서에 따라 목록과 자료별 색인번호 및 쪽을 표시하여야 하며, 식품의약품안전평가원장이 정한 전용프로그램으로 작성된 전자적 기록매체(CD · 디스켓 등)와 함께 제출하여야 한다. 다만, 각 조에 따라 제출 자료가 면제 또는 생략되는 경우에는 그 사유를 구체적으로 기재하여야 한다.

② 외국의 자료는 원칙적으로 한글요약문(주요사항 발췌) 및 원문을 제출하여야 하며, 필요한 경우에 한하여 전체 번역문(화장품 전문지식을 갖춘 번역자 및 확인자 날인)을 제출하게 할 수 있다.

제8조(자료의 보완 등) 식품의약품안전평가원장은 제출된 자료가 제4조부터 제6조까지의 규정에서 정하는 자료의 제출범위 및 요건에 적합하지 않거나 제3장의 심사기준을 벗어나는 경우 그 내용을 구체적으로 명시하여 자료제출자에게 보완요구 할 수 있다.

제3장 심사기준

제9조(제품명) 제품명은 이미 심사를 받은 기능성화장품의 명칭과 동일하지 아니하여야 한다. 다만, 수입품목의 경우 서로 다른 제조판매업자가 제조소(원)가 같은 동일 품목을 수입하는 경우에는 제조판매업자명을 병기하여 구분하여야 한다.

제10조(원료 및 그 분량) ① 기능성화장품의 원료 및 그 분량은 효능 · 효과 등에 관한 자료에 따라 합리적이고 타당하여야 하고, 각 성분의 배합의의가 인정되어야 하며, 다음 각 호에 적합하여야 한다.

1. 기능성화장품의 원료 성분 및 그 분량은 제제의 특성을 고려하여 각 성분마다 배합목적, 성분명, 규격, 분량(중량, 용량)을 기재하여야 한다. 다만, 「화장품 안전기준 등에 관한 규정」에 사용한도가 지정되어 있지 않은 착색제, 착향제, 현탁화제, 유화제, 용해보조제, 안정제, 등장제, pH 조절제, 점도 조절제, 용제 등의 경우에는 적량으로 기재할 수 있고, 착색제 중 식품의약품안전처장이 지정하는 색소(황색4호 제외)를 배합하는 경우에는 성분명을 "식약처장 지정색소"라고 기재할 수 있다.
2. 원료 및 그 분량은 "100밀리리터중" 또는 "100그람중"으로 그 분량을 기재함을 원칙으로 하며, 분사제는 "100그람중"(원액과 분사제의 양 구분표기)의 함량으로 기재한다.
3. 각 원료의 성분명과 규격은 다음 각 호에 적합하여야 한다.
   가. 성분명은 제6조제1항의 규정에 해당하는 원료집에서 정하는 명칭 [국제화장품원료집의 경우 INCI(International Nomenclature Cosmetic Ingredient) 명칭]을, 별첨규격의 경우 일반명 또는 그 성분의 본질을 대표하는 표준화된 명칭을 각각 한글로 기재한다.
   나. 규격은 다음과 같이 기재하고, 그 근거자료를 첨부하여야 한다.
      (1) 효능 · 효과를 나타나게 하는 성분
      「기능성화장품 기준 및 시험방법」(식품의약품안전처고시)에서 정하는 규격기준의 원료인 경우 그 규격으로 하고, 그 이외에는 "별첨규격" 또는 "별규"로 기재하며 기준 및 시험방법의 작성요령에 따라 작성할 것
      (2) 효능 · 효과를 나타나게 하는 성분 이외의 성분

제6조제1항의 규정에 해당하는 원료집에서 정하는 원료인 경우 그 수재 원료집의 명칭(예 : ICID)으로, 「화장품 색소 종류와 기준 및 시험방법」(식품의약품안전처 고시)에서 정하는 원료인 경우 "화장품색소고시"로 하고, 그 이외에는 "별첨규격" 또는 "별규"로 기재하며 기준 및 시험방법의 작성요령에 따라 작성할 것

② 삭제

③ 삭제

제11조(제형) 제형은 「기능성화장품 기준 및 시험방법」(식품의약품안전처 고시) 통칙에서 정하고 있는 제형으로 표기한다. 다만, 이를 정하고 있지 않은 경우 제형을 간결하게 표현할 수 있다.

제12조 삭제

제13조(효능 · 효과) ① 기능성화장품의 효능 · 효과는 「화장품법」 제2조제2(기능성화장품의 범위)호 각 목에 적합하여야 한다.

② 자외선으로부터 피부를 보호하는데 도움을 주는 제품에 자외선차단지수(SPF) 또는 자외선A차단등급(PA)을 표시하는 때에는 다음 각 호의 기준에 따라 표시한다.

1. 자외선차단지수(SPF)는 측정결과에 근거하여 평균값(소수점이하 절사)으로부터 −20%이하 범위내 정수(예: SPF평균값이 '23'일 경우 19~23 범위정수)로 표시하되, SPF 50이상은 "SPF50+"로 표시한다.
2. 자외선A차단등급(PA)은 측정결과에 근거하여 자외선 차단효과 측정방법 및 기준에 따라 표시한다.

제14조(용법 · 용량) 기능성화장품의 용법 · 용량은 오용될 여지가 없는 명확한 표현으로 기재하여야 한다.

제15조(사용 시의 주의사항) 「화장품법 시행규칙」 화장품 유형과 사용 시의 주의사항의 2. 사용 시의 주의사항 및 「화장품 사용 시의 주의사항 표시에 관한 규정」(식품의약품안전처 고시)을 기재하되, 별도의 주의사항이 필요한 경우에는 근거자료를 첨부하여 추가로 기재할 수 있다.

제16조 삭제

제17조(기준 및 시험방법) 기준 및 시험방법에 관한 자료는 기준 및 시험방법 작성요령에 적합하여야 한다.

제4장 보칙

제18조(자문등) 식품의약품안전처장은 이 규정에 의한 기능성화장품의 심사 등을 위해 필요하다고 인정되는 경우에는 「식품의약품안전처 정책자문위원회 규정」(식품의약품안전처 훈령)에 따른 화장품 분야 소위원회의 자문을 받을 수 있다.

제19조(규제의 재검토) 「행정규제기본법」 제8조 및 「훈령 · 예규 등의 발령 및 관리에 관한 규정」에 따라 2014년 1월 1일을 기준으로 매 3년이 되는 시점(매 3년째의 12월 31일까지를 말한다)마다 그 타당성을 검토하여 개선 등의 조치를 하여야 한다.

부칙 〈제2019-47호, 2019. 6. 17.〉

제1조(시행일) 이 고시는 고시한 날부터 시행한다.

제2조(적용례) 이 고시는 고시 시행 후 최초로 식품의약품안전평가원장에게 제출되는 기능성화장품 심사의뢰서(변경을 포함한다)부터 적용한다.

천연화장품 및 유기농화장품의 기준에 관한 규정

[시행 2019. 7. 29.] [식품의약품안전처고시 제2019-66호, 2019. 7. 29., 일부개정.]

제1장 총칙

제1조(목적) 이 고시는 「화장품법」 제2조제2호의2, 제2조제3호 및 제14조의2제1항에 따른 천연화장품 및 유기농화장품의 기준을 정함으로써 화장품 업계 · 소비자 등에게 정확한 정보를 제공하고 관련 산업을 지원하는 것을 목적으로 한다.

제2조(용어의 정의) 이 고시에서 사용하는 용어의 정의는 다음과 같다.

1. "유기농 원료"란 다음 각 목의 어느 하나에 해당하는 화장품원료를 말한다.
   가. 「친환경농어업 육성 및 유기식품 등의 관리 · 지원에 관한 법률」에 따른 유기농수산물 또는 이를 이 고시에서 허용하는 물리적 공정에 따라 가공한 것
   나. 외국 정부(미국, 유럽연합, 일본 등)에서 정한 기준에 따른 인증기관으로부터 유기농수산물로 인정받거나 이를 이 고시에서 허용하는 물리적 공정에 따라 가공한 것
   다. 국제유기농업운동연맹(IFOAM)에 등록된 인증기관으로부터 유기농 원료로 인증 받거나 이를 이 고시에서 허용하는 물리적 공정에 따라 가공한 것
2. "식물 원료"란 식물(해조류와 같은 해양식물, 버섯과 같은 균사체를 포함한다) 그 자체로서 가공하지 않거나, 이 식물을 가지고 이 고시에서 허용하는 물리적 공정에 따라 가공한 화장품원료를 말한다.
3. "동물에서 생산된 원료(동물성 원료)"란 동물 그 자체(세포, 조직, 장기)는 제외하고, 동물로부터 자연적으로 생산되는 것으로서 가공하지 않거나, 이 동물로부터 자연적으로 생산되는 것을 가지고 이 고시에서 허용하는 물리적 공정에 따라 가공한 계란, 우유, 우유단백질 등의 화장품원료를 말한다.
4. "미네랄 원료"란 지질학적 작용에 의해 자연적으로 생성된 물질을 가지고 이 고시에서 허용하는 물리적 공정에 따라 가공한 화장품원료를 말한다. 다만, 화석연료로부터 기원한 물질은 제외한다.
5. "유기농유래 원료"란 유기농 원료를 이 고시에서 허용하는 화학적 또는 생물학적 공정에 따라 가공한 원료를 말한다.
6. "식물유래, 동물성유래 원료"란 제2호 또는 제3호의 원료를 가지고 이 고시에서 허용하는

화학적 공정 또는 생물학적 공정에 따라 가공한 원료를 말한다.

7. "미네랄유래 원료"란 제4호의 원료를 가지고 이 고시에서 허용하는 화학적 공정 또는 생물학적 공정에 따라 가공한 미네랄유래 원료를 말한다.
8. "천연 원료"란 제1호부터 제4호까지의 원료를 말한다.
9. "천연유래 원료"란 제5호부터 제7호까지의 원료를 말한다.

제2장 천연화장품 및 유기농화장품의 기준

제3조(사용할 수 있는 원료) ① 천연화장품 및 유기농화장품의 제조에 사용할 수 있는 원료는 다음 각 호와 같다. 다만, 제조에 사용하는 원료는 오염물질에 의해 오염되어서는 아니 된다.

1. 천연 원료
2. 천연유래 원료
3. 물
4. 기타 (식품의약품안전처에서 고시한 허용기타원료 및 허용합성원료)

② 합성원료는 천연화장품 및 유기농화장품의 제조에 사용할 수 없다. 다만, 천연화장품 또는 유기농화장품의 품질 또는 안전을 위해 필요하나 따로 자연에서 대체하기 곤란한 제1항 제4호의 원료는 5% 이내에서 사용할 수 있다. 이 경우에도 석유화학 부분(petrochemical moiety의 합)은 2%를 초과할 수 없다.

제4조(제조공정) ① 원료의 제조공정은 간단하고 오염을 일으키지 않으며, 원료 고유의 품질이 유지될 수 있어야 한다. 허용되는 공정 또는 금지되는 공정은 식품의약품안전처에서 고시한 것과 같다.

② 천연화장품 및 유기농화장품의 제조에 대해 금지되는 공정은 다음 각 호와 같다.

1. 식품의약품안전처에서 고시한 금지되는 공정
2. 유전자 변형 원료 배합
3. 니트로스아민류 배합 및 생성
4. 일면 또는 다면의 외형 또는 내부구조를 가지도록 의도적으로 만들어진 불용성이거나 생체지속성인 1~100나노미터 크기의 물질 배합
5. 공기, 산소, 질소, 이산화탄소, 아르곤 가스 외의 분사제 사용

제5조(작업장 및 제조설비) ① 천연화장품 또는 유기농화장품을 제조하는 작업장 및 제조설비는 교차오염이 발생하지 않도록 충분히 청소 및 세척되어야 한다.

② 작업장과 제조설비의 세척제는 식품의약품안전처에서 고시한 세척제에 사용가능한 원료에 적합하여야 한다.

제6조(포장) 천연화장품 및 유기농화장품의 용기와 포장에 폴리염화비닐(Polyvinyl chloride (PVC)), 폴리스티렌폼(Polystyrene foam)을 사용할 수 없다.

제7조(보관) ① 유기농화장품을 제조하기 위한 유기농 원료는 다른 원료와 명확히 표시 및 구분하여 보관하여야 한다.

② 표시 및 포장 전 상태의 유기농화장품은 다른 화장품과 구분하여 보관하여야 한다.

제8조(원료조성) ① 천연화장품은 천연 및 유기농 함량 계산방법에 따라 계산하였을때 중량 기준으로 천연함량이 전체 제품에서 95% 이상으로 구성되어야 한다.

② 유기농화장품은 천연 및 유기농 함량 계산방법에 따라 계산하였을때 중량 기준으로 유기농 함량이 전체 제품에서 10% 이상이어야 하며, 유기농 함량을 포함한 천연 함량이 전체 제품에서 95% 이상으로 구성되어야 한다.

③ 천연 및 유기농 함량의 계산방법은 식품의약품안전처에서 고시한 천연 및 유기농 함량 계산방법과 같다.

제9조(자료의 보존) 화장품의 책임판매업자는 천연화장품 또는 유기농화장품으로 표시·광고하여 제조, 수입 및 판매할 경우 이 고시에 적합함을 입증하는 자료를 구비하고, 제조일(수입일 경우 통관일)로부터 3년 또는 사용기한 경과 후 1년 중 긴 기간 동안 보존하여야 한다.

제10조(재검토기한) 「훈령·예규 등의 발령 및 관리에 관한 규정」에 따라 2020년 1월 1일을 기준으로 매 3년이 되는 시점(매 3년째의 12월 31일까지를 말한다)마다 그 타당성을 검토하여 개선 등의 조치를 하여야 한다.

부칙 〈제2019-66호, 2019. 7. 29.〉

제1조(시행일) 이 고시는 고시한 날부터 시행한다.

제2조(유기농화장품 표시 등에 관한 경과조치) 이 고시 시행 당시 종전의 규정에 따라 기재·표시된 화장품의 포장은 이 고시 시행일부터 1년 동안 사용할 수 있다.

화장품의 색소 종류와 기준 및 시험방법

[시행 2020. 3. 1.] [식품의약품안전처고시 제2019-73호, 2019. 8. 29., 일부개정]

제1조(목적) 「화장품법」에 따라 화장품에 사용할 수 있는 화장품의 색소 종류와 색소의 기준 및 시험방법을 정함을 목적으로 한다.

제2조(용어의 정의) 이 고시에서 사용하는 용어의 뜻은 다음과 같다.

1. "색소"라 함은 화장품이나 피부에 색을 띄게 하는 것을 주요 목적으로 하는 성분을 말한다.
2. "타르색소"라 함은 제1호의 색소 중 콜타르, 그 중간생성물에서 유래되었거나 유기합성하여 얻은 색소 및 그레이크, 염, 희석제와의 혼합물을 말한다.
3. "순색소"라 함은 중간체, 희석제, 기질 등을 포함하지 아니한 순수한 색소를 말한다.
4. "레이크"라 함은 타르색소를 기질에 흡착, 공침 또는 단순한 혼합이 아닌 화학적 결합에 의하여 확산시킨 색소를 말한다.
5. "기질"이라 함은 레이크 제조시 순색소를 확산시키는 목적으로 사용되는 물질을 말하며 알루미나, 브랭크휙스, 크레이, 이산화티탄, 산화아연, 탤크, 로진, 벤조산알루미늄, 탄산칼슘 등의 단일 또는 혼합물을 사용한다.
6. "희석제"라 함은 색소를 용이하게 사용하기 위하여 혼합되는 성분을 말하며, 「화장품 안전기준 등에 관한 규정」(식품의약품안전처 고시) 화장품의 색소 원료는 사용할 수 없다.
7. "눈 주위"라 함은 눈썹, 눈썹 아래쪽 피부, 눈꺼풀, 속눈썹 및 눈(안구, 결막낭, 윤문상 조직을 포함한다)을 둘러싼 뼈의 능선 주위를 말한다.

제3조(화장품 색소의 종류) 화장품의 색소의 종류, 사용부위 및 사용한도는 식품의약품안전처 고시내용과 같으며, 레이크는 제4조에 정하는 바에 따른다. 다만, 특별한 경우에 한하여 그 사용을 제한할 수 있다.

제4조(레이크의 종류) 제3조에 따른 레이크는 화장품 색소 중 타르색소의 나트륨, 칼륨, 알루미늄, 바륨, 칼슘, 스트론튬 또는 지르코늄염(염이 아닌 것은 염으로 하여)을 기질에 확산시켜서 만든 레이크로 한다.

제5조(기준 및 시험방법) 색소의 기준 및 시험방법은 식품의약품안전처 고시와 같다. 다만, 기준

및 시험방법이 수재되어 있지 않거나 기타 과학적 · 합리적으로 타당성이 인정되는 경우 자사 기준 및 시험방법으로 설정하여 시험할 수 있다.

제6조(재검토기한) 식품의약품안전처장은 「훈령 · 예규 등의 발령 및 관리에 관한 규정」에 따라 이 고시에 대하여 2017년 1월 1일 기준으로 매3년이 되는 시점(매 3년째의 12월 31일까지를 말한다)마다 그 타당성을 검토하여 개선 등의 조치를 하여야 한다.

부칙 〈제2019-73호, 2019. 8. 29.〉

제1조(시행일) 이 고시는 고시 후 6개월이 경과한 날부터 시행한다. 다만, 식품의약품안전처 고시한 화장품의 색소의 제127호의 개정규정은 2019년 12월 31일부터 시행한다.

제2조(적용례) 이 고시는 고시 시행 후 화장품제조업자 및 책임판매업자가 제조(위탁제조를 포함한다) 또는 수입(통관일 을 기준으로 한다)한 화장품부터 적용한다.

제3조(경과조치) 이 고시 시행 전에 종전 규정에 따라 제조 또는 수입된 화장품은 고시 시행일로부터 2년이 되는 날까지 유통 · 판매할 수 있다.

2.1 화장품원료의 종류와 특성

1) 화장품의 주요성분

화장품의 주요성분은 부형제, 활성성분, 첨가제, 착향제 등 네 가지로 나누어 볼 수 있다. 제품에 따라 각 성분의 배합비율이나 배합방법, 사용원료가 달라진다.

① 부형제: 유탁액을 만드는데 쓰는 부형제는 주로 물, 오일, 왁스, 유화제에서 가장 많은 부피를 차지한다.

② 활성성분: 화장품에 특별한 효능을 부여하기 위해 사용하는 물질로 각 제품의 특징을 나타내는 역할을 한다. 미백, 주름개선 및 자외선 차단 성분 등이 대표적이다.

③ 첨가제: 화장품의 화학반응이나 변질을 막고 안정된 상태로 유지하기 위해 첨가하는 성분으로 보존제나 산화방지제 등을 말한다.

④ 착향제: 화장품에서 좋은 향이 나도록 돕는 향료이다.

2) 화장품원료의 종류

(1) 수성원료

정제수(물)	• 화장품에 있어서 가장 중요한 성분 중 하나 • 정제시키고 UV램프에 살균한 물을 사용해야 함 • 피부보습의 기초물질, 색조화장품을 빼놓고는 필수적 원료
에탄올	• 수렴,청결,살균제,가용화제,건조촉진제 등으로 이용 • 에틸알코올 주로 사용 • 대표적인 화장품은 아스트리젠트(수렴화장수)

(2) 유성원료

① 피부 및 모발에 유연성, 윤활작용, 광택효과

② 피부표면에서의 마찰효과, 피막을 형성해 외부 유해물질 침투억제 작용

③ 피부표면 수분 증발억제

④ 오일류, 왁스류, 고급지방산류, 고급알코올류, 탄화수소류, 에스테르류, 실리콘류

식물성 오일	• 주로 식물의 잎이나 열매에서 추출 • 향은 좋으나 피부에 흡수되는 속도가 느린 편이고, 쉽게 산화되기 쉬움 • 아보카도오일, 동백오일, 올리브유, 마카다미아오일, 달맞이꽃오일, 로즈힙오일등
동물성 오일	• 주로 동물의 피하지방이나 장기에서 추출 • 향이 강하나 피부 친화성이 좋아 피부에 흡수가 빠름 • 밍크오일, 난황오일, 라놀린등
광물성 오일	• 무색, 투명하며 냄새가 없음 • 피부호흡을 방해할 수 있음 • 파라핀, 바셀린등
왁 스	• 화학구조상 고급지방산과 고급알코올의 에스테르 • 광택을 부여, 사용 감을 향상시키기 위해 주로사용 • 칸델릴라왁스, 카나우바왁스, 비즈왁스등
고급지방산류	• 일반적으로 R-COOH 등으로 표시되는 화합물 • 천연의 유지와 밀납등에 에스테르유로 함유 • 라우릭애씨드, 미리스틱애씨드, 팔미트틱애시드, 스테아릭애씨드등
고급알코올류	• 탄소원자수가 6이상인 알코올의 총칭 • 세틸알토올, 스테아일알코올, 아소스테아릴알코올등
탄화수소류	• 화학적으로 불활성 • 변질, 산패의 우려가 없고, 가격이 저렴 • 유분감이 강하고 피부트러블 유발가능성 • 파라핀, 바셀린, 스쿠알렌등
에스테르류	• 유성감이 없음 • 보습, 침투성 좋음 • 이소프로필미리스테이트, 이소프로필팔미테이트

(3) 계면활성제

① 두 물질의 경계면에 흡착해 성질을 변화시키는 물질

② 물과 기름이 잘 섞이게 하는 유화제와 소량의 기름을 물에 녹게하는 가용화제

③ 고체입자를 물에 균일하게 분산시키는 분산제

④ 그 외 습윤제, 기포제, 소포제, 세정제 등

음이온계면활성제	• 세정력, 기포형성 • 비누, 샴푸, 클렌징제품
양이온계면활성제	• 살균 ,소독, 대전방지효과 • 헤어린스, 트리트먼트
양쪽성계면활성제	• 피부자극이 적음, 세정력 • 저자극샴푸, 베이비샴푸
비이온계면활성제	• 피부자극이 적음 • 기초, 메이크업 화장품

※ 자극이 큰 순서: 양이온 > 음이온 > 양쪽성 > 비이온

(4) 보습제

① 건조하고 각질이 일어나는 피부를 진정시키고 피부를 부드럽고 매끄럽게 하는 성분

다가알코올(폴리오)	• 프로필렌글라이콜, 부틸렌글라이콜, 폴리에틸렌글라이콜, 솔비톨
천연보습인자	• 아미노산, 젖산나트륨
고분자보습제	• 히아루론산, 콘드리친황산, 콜라겐

(5) 점증제

① 점도를 유지하거나 제품의 안정성을 유지하기 위해 쓰임
② 보습제, 계면활성제로서 일부에 이용하기도 함
③ 구아검, 산탄검, 젤라틴, 메틸셀롤로오스, 알긴산염, 폴리비닐알코올, 벤토나이트 등
④ 점도를 유지하거나 제품의 안정성을 유지하기 위해 쓰임
⑤ 보습제, 계면활성제로서 일부에 이용하기도 함
⑥ 구아제, 산탄검, 카보머, 젤라틴, 메틸셀롤로오스, 알길산염, 폴리비닐알코올, 벤토나이트 등

(6) 보존제

① 화장품을 개봉한 후 미생물에 의한 변질을 막기 위해 사용
② 이미다졸리다닐우레아, 벤질알코올, 페녹시에탄올등

(7) 산화방지제

① 화장품에 사용되는 기름이나 왁스 등의 물질도 공기 중에 분자상 산소를 흡수하여 자동산화를 일으키게 되는데 이것을 방지하는 물질
② BHT, BHA, 하이드로퀴논, 토코페롤등

(8) 킬레이트제(금속이온봉쇄제)

① 금속이온이 화장품 성분과 결합하여 산패의 촉매역할 방지(화장품 산패에 영향을 미치는 철과 구리이온을 제거하며 제형의 안전성을 높이는데 사용됨)

② EDTA(에틸렌디아민테트라아세트산), 글루코닉애씨드, 비타민 B12(코발라민)등

(9) 색소

① 화장품에 배합되어 채색의 역할

② 유기합성색소, 무기안료, 천연색소로 나눌 수 있음

유기합성색소	• 염료, 레이크, 유기안료
무기안료	• 백색안료, 착색안료, 체질안료
천연색소	• 코치닐, 베타카로틴, 안토시아닌등

(10) 향료(착향제)

① 향을 내는 성분

② 무향료란 제품에 향료를 첨가하지 않은 것으로 원료자체의 향이 날 수 있음

③ 무향제품은 향을 없앤 제품으로 원료의 향을 없애기 위해 향료를 쓰기도 함

④ 향료는 천연향료, 합성향료, 조합향료로 나눌 수 있음

(11) 비타민

① 지용성 비타민류가 수용성 비타민보다 피부표면에서의 친화력이 강하고 경피흡수가 쉬움

비타민A	• 주름개선 효과 • 쉽게 산화되어 분해	• 레티닐팔미테이트
비타민C	• 강력한 항산화 작용, 콜라겐합성 촉진 • 쉽게 산화되는 성질	• 아스코빌포스페이트 • 아스코빌팔미테이트
비타민E	• 항산화작용 • 피부유연 및 세포성장	• 토코페릴아세테이트
비타민B5	• 끈적임이 없는 보습성분 • 피부진정 효과	• 판토테닐알코올
비타민B6	• 피지분비억제작용 • 지성피부에 효과적	• 피리독시디옥타노에이트 • 피리독시디팔미테이트

(12) 효능원료

- 미백, 주름개선, 탄력 감을 올리는 등의 특정 기능을 하는 효능성분
- 피부에 트러블을 일으키지 않으면서 최대한 효능을 낼 수 있는 적정량을 사용하도록 식품의약품안전처에서 관리하고 있음

① 피부를 곱게 태워주거나 자외선으로부터 피부를 보호하는데 도움을 주는 제품의 성분 및 함량(화장품의 유형(의약외품은 제외한다) 중 영·유아용 제품류 중 로션, 크림 및 오일, 기초화장용 제품류, 색조화장용 제품류에 한함)

연번	성분명	최대함량
1	〈삭 제〉	〈삭 제〉
2	드로메트리졸	1 %
3	디갈로일트리올리에이트	5 %
4	4-메칠벤질리덴캠퍼	4 %
5	멘틸안트라닐레이트	5 %
6	벤조페논-3	5 %
7	벤조페논-4	5 %
8	벤조페논-8	3 %
9	부틸메톡시디벤조일메탄	5 %
10	시녹세이트	5 %
11	에칠헥실트리아존	5 %
12	옥토크릴렌	10 %
13	에칠헥실디메칠파바	8 %
14	에칠헥실메톡시신나메이트	7.5 %
15	에칠헥실살리실레이트	5 %
16	〈삭 제〉	〈삭 제〉
17	페닐벤즈이미다졸설포닉애씨드	4 %
18	호모살레이트	10 %

연번	성분명	최대함량
19	징크옥사이드	25 %(자외선차단성분으로서)
20	티타늄디옥사이드	25 %(자외선차단성분으로서)
21	이소아밀p-메톡시신나메이트	10 %
22	비스-에칠헥실옥시페놀메톡시페닐트리아진	10 %
23	디소듐페닐디벤즈이미다졸테트라설포네이트	산으로 10 %
24	드로메트리졸트리실록산	15 %
25	디에칠헥실부타미도트리아존	10 %
26	폴리실리콘-15(디메치코디에칠벤잘말로네이트)	10 %
27	메칠렌비스-벤조트리아졸릴테트라메칠부틸페놀	10 %
28	테레프탈릴리덴디캠퍼설포닉애씨드 및 그 염류	산으로 10 %
29	디에칠아미노하이드록시벤조일헥실벤조에이트	10 %

② 피부의 미백에 도움을 주는 제품의 성분 및 함량

(제형은 로션제, 액제, 크림제 및 침적 마스크에 한하며, 제품의 효능 · 효과는 "피부의 미백에 도움을 준다"로, 용법 · 용량은 "본 품 적당량을 취해 피부에 골고루 펴 바른다. 또는 본 품을 피부에 붙이고 10~20분 후 지지체를 제거한 다음 남은 제품을 골고루 펴 바른다(침적 마스크에 한함)"로 제한함)

연번	성분명	함량
1	닥나무추출물	2%
2	알부틴	2~5%
3	에칠아스코빌에텔	1~2%
4	유용성감초추출물	0.05%
5	아스코빌글루코사이드	2%
6	마그네슘아스코빌포스페이트	3%
7	나이아신아마이드	2~5%
8	알파-비사보롤	0.5%
9	아스코빌테트라이소팔미테이트	2%

③ 피부의 주름개선에 도움을 주는 제품의 성분 및 함량

(제형은 로션제, 액제, 크림제 및 침적 마스크에 한하며, 제품의 효능 · 효과는 "피부의 주름개선에 도움을 준다"로, 용법 · 용량은 "본 품 적당량을 취해 피부에 골고루 펴 바른다. 또는 본품을 피부에 붙이고 10~20분 후 지지체를 제거한 다음 남은 제품을 골고루 펴 바른다(침적 마스크에 한함)"로 제한함)

연번	성분명	함량
1	레티놀	2,500IU/g
2	레티닐팔미테이트	10,000IU/g
3	아데노신	0.04%
4	폴리에톡실레이티드레틴아마이드	0.05~0.2%

④ 체모를 제거하는 기능을 가진 제품의 성분 및 함량

(제형은 액제, 크림제, 로션제, 에어로졸제에 한하며, 제품의 효능 · 효과는 "제모(체모의 제거)"로, 용법 · 용량은 "사용 전 제모 할 부위를 씻고 건조시킨 후 이 제품을 제모 할 부위의 털이 완전히 덮이도록 충분히 바른다. 문지르지 말고 5~10분간 그대로 두었다가 일부분을 손가락으로 문질러 보아 털이 쉽게 제거되면 젖은 수건[(제품에 따라서는) 또는 동봉된 부직포 등]으로 닦아 내거나 물로 씻어낸다. 면도한 부위의 짧고 거친 털을 완전히 제거하기 위해서는 한 번 이상(수일 간격) 사용하는 것이 좋다"로 제한함)

연번	성분명	함량
1	치오글리콜산 80%	치오글리콜산으로서 3.0~4.5 %

※ pH 범위는 7.0 이상 12.7 미만이어야 한다.

⑤ 여드름성 피부를 완화하는데 도움을 주는 제품의 성분 및 함량

(제형은 액제, 로션제, 크림 제에 한함(부직포 등에 침적된 상태는 제외함) 제품의 효능 · 효과는 "여드름성 피부를 완화하는데 도움을 준다"로, 용법 · 용량은 "본품 적당량을 취해 피부에 사용한 후 물로 바로 깨끗이 씻어낸다"로 제한함)

연번	성분명	함량
1	살리실릭애씨드	0.5 %

⑥ 탈모 증상의 완화에 도움을 주는 제품

덱스판테놀, 비오틴, 엘-멘톨, 징크피리처온, 징크피리치온 액(50%)

2.2 화장품의 기능과 품질

1) 화장품의 효과

(1) '화장품'이란 인체를 청결, 미화하여 매력을 더하고 용모를 밝게 변화시키거나 피부, 모발의 건강을 유지 또는 증진하기 위하여 인체에 바르고 문지르거나 뿌리는 등 이와 유사한 방법으로 사용되는 물품으로서 인체에 대한 작용이 경미한 것을 말한다.

☞ 효과 : 피부세정, 피부보호, 피부보습

(2) 기능성화장품의 효과

① 피부에 멜라닌색소가 침착하는 것을 방지하여 기미 · 주근깨 등의 생성을 억제함으로써 피부의 미백에 도움을 주는 기능을 가진 화장품

② 피부에 침착된 멜라닌색소의 색을 엷게 하여 피부의 미백에 도움을 주는 기능을 가진 화장품

☞ 효과 : 미백

③ 피부에 탄력을 주어 피부의 주름을 완화 또는 개선하는 기능을 가진 화장품

☞ 효과 : 주름개선

④ 강한 햇볕을 방지하여 피부를 곱게 태워주는 기능을 가진 화장품

☞ 효과 : 곱게 태워주는 기능

⑤ 자외선을 차단 또는 산란시켜 자외선으로부터 피부를 보호하는 기능을 가진 화장품

☞ 효과 : 자외선으로부터 피부 보호

⑥ 모발의 색상을 변화[탈염(脫染) · 탈색(脫色)을 포함한다]시키는 기능을 가진 화장품. 다만, 일시적으로 모발의 색상을 변화시키는 제품은 제외한다.

☞ 효과 : 모발의 탈염, 탈색

⑦ 체모를 제거하는 기능을 가진 화장품. 다만, 물리적으로 체모를 제거하는 제품은 제외한다.

☞ 효과 : 제모제(체모제거)

⑧ 탈모 증상의 완화에 도움을 주는 화장품. 다만, 코팅 등 물리적으로 모발을 굵게 보이게 하는 제품은 제외한다.

☞ 효과 : 탈모증상 완화에 도움

⑨ 여드름성 피부를 완화하는데 도움을 주는 화장품. 다만, 인체세정용 제품류로 한정한다.

☞ 효과 : 여드름 완화(인체세정용 제품)

⑩ 피부장벽(피부의 가장 바깥쪽에 존재하는 각질층의 표피를 말한다)의 기능을 회복하여 가려움 등의 개선에 도움을 주는 화장품.

☞ 효과 : 아토피 완화에 도움

⑪ 튼살로 인한 붉은 선을 엷게 하는데 도움을 주는 화장품
☞ 효과 : 튼살로 인한 붉은 선을 엷게 하는데 도움

2) 판매 가능한 맞춤형화장품 구성

「맞춤형화장품」이란 개인의 피부타입, 선호도 등을 반영하여 판매장에서 즉석으로 제품을 혼합 · 소분한 제품을 말한다.

맞춤형화장품
판매장에서 고객 개인별 피부 특성이나 색 · 향 등의 기호 · 요구를 반영하여 맞춤형화장품 조제관리사 자격을 가진 자가
① 화장품의 내용물을 소분하거나
② 화장품의 내용물에 다른 화장품의 내용물 또는 식약처장이 정하는 원료를 혼합한 화장품

원료와 원료를 혼합하는 것은 맞춤형화장품의 혼합이 아닌 '화장품제조'에 해당

- 맞춤형화장품을 판매하고자 하는 자는 「맞춤형화장품 판매업」으로 식약처 관할 지방청에 신고하여야 한다.
  * 식약처 관할 지방청에 조제관리사자격증 등을 제출하여 판매업 신고
- 맞춤형화장품 판매업자는 판매장마다 혼합 · 소분 등을 담당하는 국가자격시험을 통과한 「조제관리사」를 두어야 한다.
  * 「조제관리사」란 맞춤형화장품 판매장에서 맞춤형화장품의 내용물이나 원료의 혼합 · 소분 업무를 담당하는 자

3) 내용물 및 원료의 품질 성적서 구비

원료의 품질검사 성적서 인정 기준은 다음 각 항의 어느 하나에 해당할 경우와 같다.
① 제조업체의 원료에 대한 자가 품질검사 또는 공인검사기관 성적서

② 제조판매업체의 원료에 대한 자가 품질검사 또는 공인검사기관 성적서
③ 원료업체의 원료에 대한 공인검사기관 성적서
④ 원료업체의 원료에 대한 자가 품질검사 시험성적서 중 대한화장품협회의 '원료공급자의 검사결과 신뢰기준 자율규약' 기준에 적합한 것

원료공급자의 검사결과 신뢰 기준 자율규약

1. **목적** 화장품법 제5조제2항 및 같은 법 시행규칙 제12조제1항제7호(원료 및 자재의 입고부터 완제품의 출고에 이르기까지 필요한 시험 · 검사 또는 검정을 할 것)에 따라 화장품제조업자가 화장품원료의 시험 · 검사 시 원료공급자의 시험결과로 시험 · 검사 또는 검정을 갈음할 수 있는 기준을 제시함을 목적으로 한다.
2. **정의** 이 자율규약에서 사용하는 용어의 뜻은 다음과 같다.
① "원료공급자" 란 화장품원료를 직접 제조하는 제조회사 또는 제조하거나 수입된 화장품원료를 화장품제조업자에게 판매하는 판매회사 등을 말한다.
② "**원료공급자의 검사결과**"란 원료공급자가 직접 시험하거나 외부에 위탁하여 시험한 시험성적서를 말한다.
3. **적용 범위** 화장품제조업자가 화장품원료를 시험 · 검사하는 업무에 적용한다.
4. **원료 시험 · 검사**
① 화장품원료의 시험 · 검사 시 화장품제조업자는 입고된 원료에 대하여 원료의 특성 등을 고려하여 적정한 시험항목과 시험주기 등을 설정하여 시험 검사하여야 한다.
② 화장품원료의 시험 · 검사에서 원료공급자의 시험 · 검사 결과가 신뢰할 수 있을 경우 일부 시험항목에 대하여 해당 성적서로 시험검사 또는 검정을 갈음할 수 있다.
5. **원료공급자 시험 · 검사 결과 신뢰 기준**
① 신뢰할 수 있는 원료공급자의 시험 · 검사결과는 다음 각 호의 어느 하나와 같다.
  1. 화장품제조업자가 시험 · 검사를 수행할 인프라의 적절성과 역량에 대한 평가를 정기적으로 실시하여 원료공급자에 대한 신뢰성을 확보하거나 원료공급자가 GMP, ISO 9000 또는 이와 동등 이상의 품질보증시스템을 구축하고 있어 원료공급자에 대한 신뢰성이 확인된 경우
  2. 화장품제조업자가 원료공급자로부터 공급받은 원료에 대해서 적어도 3로트에 대하여 일정한 간격으로 제4조제1항에 따른 항목을 시험하여, 원료공급자가 제공한 시험성적서와 비교하여 시험성적서의 신뢰성을 확인한 경우
  3. 원료공급자가 화장품의 원료 · 자재 · 제품에 대한 품질검사의 위탁이 가능하도록 규정한 기관에서 시험 · 검사한 시험성적서를 제공하는 경우
  4. 기타 제1호부터 제3호까지와 동등 이상으로 원료공급자 또는 시험성적서에 대한 신뢰성을 확보한 경우
② 제1항에 따른 세부적인 사항은 화장품원료의 품질 · 안전에 대하여 문제가 발생하지 않는 범위 내에서 화장품제조업자가 자율적으로 정할 수 있다.

2.3 화장품 사용제한 원료

1) 화장품에 사용되는 사용제한 원료의 종류 및 사용한도

(1) 사용할 수 없는 원료: 화장품에 사용할 수 없는 원료는 **별표** 1(부록)

(2) 사용상의 제한이 필요한 원료에 대한 사용기준: 화장품에 사용상의 제한이 필요한 원료 및 그 사용기준은 **별표** 2(부록)와 같으며, **별표** 2의 원료 외의 보존제, 자외선 차단제 등은 사용할 수 없음

① 보존제 성분

② 자외선차단 성분

③ 염모제 성분

④ 식품의약품안전처에서 고시한 기타 원료

2) 착향제(향료)성분 중 알레르기 유발물질

(1) 화장품에 원료로 들어있는 착향제의 구성 성분 중 화장품의 포장에 성분의 명칭을 기재 · 표시하여야 하는 알레르기 유발성분의 종류를 구체적으로 지정함

[착향제의 구성 성분 중 알레르기 유발성분]

연번	성분명	CAS 등록번호
1	아밀신남알	CAS No 122-40-7
2	벤질알코올	CAS No 100-51-6
3	신나밀알코올	CAS No 104-54-1
4	시트랄	CAS No 5392-40-5
5	유제놀	CAS No 97-53-0
6	하이드록시시트로넬알	CAS No 107-75-5
7	이소유제놀	CAS No 97-54-1
8	아밀신나밀알코올	CAS No 101-85-9
9	벤질살리실레이트	CAS No 118-58-1
10	신남알	CAS No 104-55-2

연번	성분명	CAS 등록번호
11	쿠마린	CAS No 91-64-5
12	제라니올	CAS No 106-24-1
13	아니스에탄올	CAS No 105-13-5
14	벤질신나메이트	CAS No 103-41-3
15	파네솔	CAS No 4602-84-0
16	부틸페닐메칠프로피오날	CAS No 80-54-6
17	리날룰	CAS No 78-70-6
18	벤질벤조에이트	CAS No 120-51-4
19	시트로넬롤	CAS No 106-22-9
20	헥실신남알	CAS No 101-86-0
21	리모넨	CAS No 5989-27-5
22	메칠2-옥티노에이트	CAS No 111-12-6
23	알파-이소메칠이오논	CAS No 127-51-5
24	참나무이끼추출물	CAS No 90028-68-5
25	나무이끼추출물	CAS No 90028-67-4

※ 다만, 사용 후 씻어내는 제품에는 0.01% 초과, 사용 후 씻어내지 않는 제품에는 0.001% 초과 함유하는 경우에 한한다.

2.4 화장품관리

1) 화장품의 취급방법

(1) 화장품 포장의 기재 · 표시

① 1차 포장 또는 2차 포장에는 화장품의 명칭, 화장품책임판매업자의 상호, 가격, 제조번호와 사용기한 또는 개봉 후 사용기간(개봉 후 사용기간을 기재할 경우에는 제조연월일을 병행 표기하여야 한다)만을 기재 · 표시할 수 있다. 다만, 제2호의 포장의 경우 가격이나 견본품이나 비매품 등의 표시를 말한다.

1. 내용 량이 10밀리리터 이하 또는 10그램 이하인 화장품의 포장
2. 판매의 목적이 아닌 제품의 선택 등을 위하여 미리 소비자가 시험 · 사용하도록 제조 또는 수입된 화장품의 포장

② 기재 · 표시를 생략할 수 있는 성분이란 다음 각 호의 성분을 말한다.

1. 제조과정 중에 제거되어 최종 제품에는 남아 있지 않은 성분
2. 안정화제, 보존제 등 원료자체에 들어 있는 부수 성분으로서 그 효과가 나타나게 하는 양보다 적은 양이 들어 있는 성분
3. 내용 량이 10밀리리터 초과 50밀리리터 이하 또는 중량이 10그램 초과 50그램 이하 화장품의 포장인 경우에는 다음 각 목의 성분을 제외한 성분
   가. 타르색소
   나. 금박
   다. 샴푸와 린스에 들어 있는 인산염의 종류
   라. 과일산(AHA)
   마. 기능성화장품의 경우 그 효능 · 효과가 나타나게 하는 원료
   바. 식품의약품안전처장이 배합 한도를 고시한 화장품의 원료

③ 화장품의 포장에 기재 · 표시하여야 하는 사항은 다음과 같다.

1. 식품의약품안전처장이 정하는 바코드
2. 기능성화장품의 경우 심사받거나 보고한 효능 · 효과, 용법 · 용량
3. 성분 명을 제품 명칭의 일부로 사용한 경우 그 성분명과 함량(방향용 제품은 제외한다)
4. 인체 세포 · 조직 배양액이 들어있는 경우 그 함량
5. 화장품에 천연 또는 유기농으로 표시 · 광고하려는 경우에는 원료의 함량
6. 수입화장품인 경우에는 제조국의 명칭(「대외무역법」에 따른 원산지를 표시한 경우에는

제조국의 명칭을 생략할 수 있다), 제조회사명 및 그 소재지
7. 기능성화장품 중 탈모, 여드름, 아토피, 튼살에 해당하는 경우에는 "질병의 예방 및 치료를 위한 의약품이 아님"이라는 문구
8. 다음 각 목의 어느 하나에 해당하는 경우 법 제8조제2항(식품의약품안전처장은 보존 제, 색소, 자외선차단제 등과 같이 특별히 사용상의 제한이 필요한 원료에 대하여는 그 사용기준을 지정하여 고시하여야 하며, 사용기준이 지정 · 고시된 원료 외의 보존제, 색소, 자외선차단제 등은 사용할 수 없다)에 따라 사용기준이 지정 · 고시된 원료 중 보존제의 함량
   가. 만 3세 이하의 영 · 유아용 제품류인 경우
   나. 화장품에 어린이용 제품(만 13세 이하의 어린이를 대상으로 생산된 제품을 말한다. 다만, 가목에 따른 영 · 유아용 제품류는 제외한다)임을 특정하여 표시 · 광고하려는 경우

(2) 화장품 포장의 표시기준 및 표시방법

1. 화장품의 명칭
   다른 제품과 구별할 수 있도록 표시된 것으로서 같은 화장품책임판매업자의 여러 제품에서 공통으로 사용하는 명칭을 포함한다.
2. 화장품제조업자 및 화장품판매업자의 상호 및 주소
   가. 화장품제조업자 또는 화장품책임판매업자의 주소는 등록필증에 적힌 소재지 또는 반품 · 교환 업무를 대표하는 소재지를 기재 · 표시해야 한다.
   나. "화장품제조업자"와 "화장품책임판매업자"는 각각 구분하여 기재 · 표시해야 한다. 다만, 화장품제조업자와 화장품책임판매업자가 같은 경우는 "화장품제조업자 및 화장품책임판매업자"로 한꺼번에 기재 · 표시할 수 있다.
   다. 공정별로 2개 이상의 제조소에서 생산된 화장품의 경우에는 일부 공정을 수탁한 화장품제조업자의 상호 및 주소의 기재 · 표시를 생략할 수 있다.
   라. 수입화장품의 경우에는 추가로 기재 · 표시하는 제조국의 명칭, 제조회사명 및 그 소재지를 국내 "화장품제조업자"와 구분하여 기재 · 표시해야 한다.
3. 화장품 제조에 사용된 성분
   가. 글자의 크기는 5포인트 이상으로 한다.
   나. 화장품 제조에 사용된 함량이 많은 것부터 기재 · 표시한다. 다만, 1퍼센트 이하로 사용된 성분, 착향제 또는 착색제는 순서에 상관없이 기재 · 표시할 수 있다.
   다. 혼합원료는 혼합된 개별 성분의 명칭을 기재 · 표시한다.

라. 색조 화장용 제품류, 눈 화장용 제품류, 두발염색용 제품류 또는 손발톱용 제품류에서 호수별로 착색제가 다르게 사용된 경우 '± 또는 +/−'의 표시 다음에 사용된 모든 착색제 성분을 함께 기재 · 표시할 수 있다.

마. 착향제는 "향료"로 표시할 수 있다. 다만, 식품의약품안전처장은 착향제의 구성 성분 중 알레르기 유발물질로 알려진 성분이 있는 경우에는 해당 성분의 명칭을 기재 · 표시하도록 권장할 수 있다.

바. 산성도(pH) 조절 목적으로 사용되는 성분은 그 성분을 표시하는 대신 중화반응에 따른 생성물로 기재 · 표시할 수 있고, 비누화 반응을 거치는 성분은 비누화 반응에 따른 생성물로 기재 · 표시할 수 있다.

사. 성분을 기재 · 표시할 경우 화장품제조업자 또는 화장품책임판매업자의 정당한 이익을 현저히 침해할 우려가 있을 때에는 화장품제조업자 또는 화장품책임판매업자는 식품의약품안전처장에게 그 근거자료를 제출해야 하고, 식품의약품안전처장이 정당한 이익을 침해할 우려가 있다고 인정하는 경우에는 "기타 성분"으로 기재 · 표시할 수 있다.

4. 내용물의 용량 또는 중량

화장품의 1차 포장 또는 2차 포장의 무게가 포함되지 않은 용량 또는 중량을 기재 · 표시해야 한다. 이 경우 화장비누(고체 형태의 세안용 비누를 말한다)의 경우에는 수분을 포함한 중량과 건조중량을 함께 기재 · 표시해야 한다.

5. 제조번호

사용기한(또는 개봉 후 사용기간)과 쉽게 구별되도록 기재 · 표시해야 하며, 개봉 후 사용기간을 표시하는 경우에는 병행 표기해야 하는 제조연월일도 각각 구별이 가능하도록 기재 · 표시해야 한다.

6. 사용기한 또는 개봉 후 사용기간

가. 사용기한은 "사용기한" 또는 "까지" 등의 문자와 "연월일"을 소비자가 알기 쉽도록 기재 · 표시해야 한다. 다만, "연월"로 표시하는 경우 사용기한을 넘지 않는 범위에서 기재 · 표시해야 한다.

나. 개봉 후 사용기간은 "개봉 후 사용기간"이라는 문자와 "○○월" 또는 "○○개월"을 조합하여 기재 · 표시하거나, 개봉 후 사용기간을 나타내는 심벌과 기간을 기재 · 표시할 수 있다.

(예시: 심벌과 기간 표시) 개봉 후 사용기간이 12개월 이내인 제품

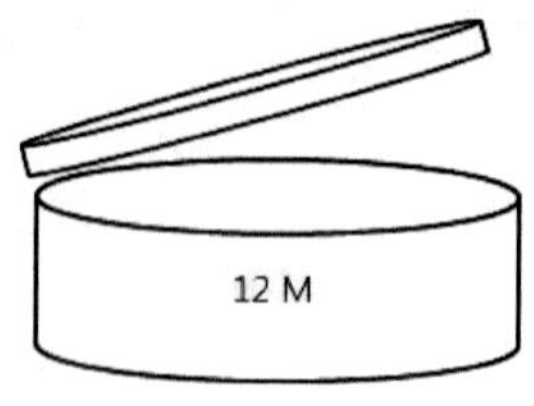

7. 기능성화장품의 기재 · 표시
   가. 기재 · 표시된 "기능성화장품" 글자 바로 아래에 "기능성화장품" 글자와 동일한 글자 크기 이상으로 기재 · 표시해야 한다.
   나. 기능성화장품을 나타내는 도안은 다음과 같이 한다.
      1) 표시기준(로고모형)

      2) 표시방법
         가) 도안의 크기는 용도 및 포장재의 크기에 따라 동일 배율로 조정한다.
         나) 도안은 알아보기 쉽도록 인쇄 또는 각인 등의 방법으로 표시해야 한다.

(3) 화장품 표시 · 광고의 범위 및 준수사항

1. 화장품 광고의 매체 또는 수단
   가. 신문 · 방송 또는 잡지
   나. 전단 · 팸플릿 · 견본 또는 입장권
   다. 인터넷 또는 컴퓨터통신
   라. 포스터 · 간판 · 네온사인 · 애드벌룬 또는 전광판
   마. 비디오물 · 음반 · 서적 · 간행물 · 영화 또는 연극
   바. 방문광고 또는 실연(實演)에 의한 광고
   사. 자기 상품 외의 다른 상품의 포장
   아. 그 밖에 가목부터 사목까지의 매체 또는 수단과 유사한 매체 또는 수단

2. 화장품 표시 · 광고 시 준수사항

가. 의약품으로 잘못 인식할 우려가 있는 내용, 제품의 명칭 및 효능 · 효과 등에 대한 표시 · 광고를 하지 말 것

나. 기능성화장품, 천연화장품 또는 유기농화장품이 아님에도 불구하고 제품의 명칭, 제조방법, 효능 · 효과 등에 관하여 기능성화장품, 천연화장품 또는 유기농화장품으로 잘못 인식할 우려가 있는 표시 · 광고를 하지 말 것

다. 의사 · 치과의사 · 한의사 · 약사 · 의료기관 또는 그 밖의 자(할랄화장품, 천연화장품 또는 유기농화장품 등을 인증 · 보증하는 기관으로서 식품의약품안전처장이 정하는 기관은 제외한다)가 이를 지정 · 공인 · 추천 · 지도 · 연구 · 개발 또는 사용하고 있다는 내용이나 이를 암시하는 등의 표시 · 광고를 하지 말 것. 다만, 법 제2조제1호부터 제3호까지의 정의에 부합되는 인체 적용시험 결과가 관련 학회발표 등을 통하여 공인된 경우에는 그 범위에서 관련 문헌을 인용할 수 있으며, 이 경우 인용한 문헌의 본래 뜻을 정확히 전달하여야 하고, 연구자 성명 · 문헌명과 발표연월일을 분명히 밝혀야 한다.

라. 외국제품을 국내제품으로 또는 국내제품을 외국제품으로 잘못 인식할 우려가 있는 표시 · 광고를 하지 말 것

마. 외국과의 기술제휴를 하지 않고 외국과의 기술제휴 등을 표현하는 표시 · 광고를 하지 말 것

바. 경쟁상품과 비교하는 표시 · 광고는 비교 대상 및 기준을 분명히 밝히고 객관적으로 확인될 수 있는 사항만을 표시 · 광고하여야 하며, 배타성을 띤 "최고" 또는 "최상" 등의 절대적 표현의 표시 · 광고를 하지 말 것

사. 사실과 다르거나 부분적으로 사실이라고 하더라도 전체적으로 보아 소비자가 잘못 인식할 우려가 있는 표시 · 광고 또는 소비자를 속이거나 소비자가 속을 우려가 있는 표시 · 광고를 하지 말 것

아. 품질 · 효능 등에 관하여 객관적으로 확인될 수 없거나 확인되지 않았는데도 불구하고 이를 광고하거나 법 제2조제1호에 따른 화장품의 범위를 벗어나는 표시 · 광고를 하지 말 것

자. 저속하거나 혐오감을 주는 표현 · 도안 · 사진 등을 이용하는 표시 · 광고를 하지 말 것

차. 국제적 멸종위기종의 가공품이 함유된 화장품임을 표현하거나 암시하는 표시 · 광고를 하지 말 것

카. 사실 유무와 관계없이 다른 제품을 비방하거나 비방한다고 의심이 되는 표시 · 광고를 하지 말 것

2) 화장품의 보관방법

(1) 원자재, 반제품 및 벌크 제품은 품질에 나쁜 영향을 미치지 아니하는 조건에서 보관하여야 하며 보관기한을 설정하여야 한다.

(2) 원자재, 반제품 및 벌크 제품은 바닥과 벽에 닿지 아니하도록 보관하고, 선입선출에 의하여 출고할 수 있도록 보관하여야 한다.

(3) 원자재, 시험 중인 제품 및 부적합품은 각각 구획된 장소에서 보관하여야 한다. 다만, 서로 혼동을 일으킬 우려가 없는 시스템에 의하여 보관되는 경우에는 그러하지 아니한다.

(4) 설정된 보관기한이 지나면 사용의 적절성을 결정하기 위해 재평가시스템을 확립하여야 하며, 동시스템을 통해 보관기한이 경과한 경우 사용하지 않도록 규정하여야 한다.

☞ 보관 조건은 각각의 원료와 포장재의 세부 요건에 따라 적절한 방식으로 정의되어야 한다. (예 : 냉장, 냉동보관)

원료와 포장재가 재포장될 때, 새로운 용기에는 원래와 동일한 라벨 링이 있어야 한다. 원료의 경우, 원래 용기와 같은 물질 혹은 적용할 수 있는 다른 대체물질로 만들어진 용기를 사용하는 것이 중요하다.

적절한 보관을 위해 다음 사항을 고려하여야 한다.

① 보관 조건은 각각의 원료와 포장재에 적합하여야 하고, 과도한 열기, 추위, 햇빛 또는 습기에 노출되어 변질되는 것을 방지할 수 있어야 한다.

② 물질의 특징 및 특성에 맞도록 보관, 취급되어야 한다.

③ 특수한 보관 조건은 적절하게 준수, 모니터링 되어야 한다.

④ 원료와 포장재의 용기는 밀폐되어, 청소와 검사가 용이하도록 충분한 간격으로, 바닥과 떨어진 곳에 보관되어야 한다.

⑤ 원료와 포장재가 재포장될 경우, 원래의 용기와 동일하게 표시되어야 한다.

⑥ 원료 및 포장재의 관리는 허가되지 않거나, 불합격 판정을 받거나, 아니면 의심스러운 물질의 허가되지 않은 사용을 방지할 수 있어야 한다.(물리적 격리(quarantine)나 수동 컴퓨터위치 제어 등의 방법)재고의 회전을 보증하기 위한 방법이 확립되어 있어야 한다. 따라서 특별한 경우를 제외하고, 가장 오래된 재고가 제일 먼저 불출되도록 선입선출 한다.

⑦ 재고의 신뢰성을 보증하고, 모든 중대한 모순을 조사하기 위해 주기적인 재고조사가 시행되어야 한다.

⑧ 원료 및 포장재는 정기적으로 재고조사를 실시한다.

⑨ 장기 재고품의 처분 및 선입선출 규칙의 확인이 목적으로 한다.

⑩ 중대한 위반 품이 발견되었을 때에는 일탈처리를 원료의 허용 가능한 보관 기한을 결정하기 위한 문서화된 시스템을 확립해야 한다. 보관기한이 규정되어 있지 않은 원료

는 품질부문에서 적절한 보관기한을 정할 수 있다. 이러한 시스템은 물질의 정해진 보관 기한이 지나면, 해당 물질을 재평가하여 사용 적합성을 결정하는 단계들을 포함해야 한다.

그러나 원칙적으로 원료공급처의 사용기한을 준수하여 보관기한을 설정하여야 하며, 사용기한내에서 자체적인 재시험 기간과 최대 보관기한을 설정 · 준수해야 한다.

원료의 사용기한은 사용 시 확인이 가능하도록 라벨에 표시되어야 한다.

원료와 포장재, 반제품 및 벌크 제품, 완제품, 부적합품 및 반품 등에 도난, 분실, 변질 등의 문제가 발생하지 않도록 작업자 외에 보관소의 출입을 제한하고, 관리하여야 한다.

3) 화장품의 사용방법

(1) 화장품 사용 시 깨끗한 손은 기본

씻지 않은 손으로 크림을 덜어내는 일은 절대 금물입니다. 덜어 내는 용기의 제품은 깨끗하게 관리된 주걱을 이용하여 사용할 만큼만 덜어내어서 바른다.

(2) 화장품에 먼지나 미생물의 유입방지를 위해 사용 후 항상 뚜껑을 바르게 꼭 닫음

개인용이라도 사용 후에는 뚜껑을 닫아서 보관해야 한다. 또한 습기와 물이 화장품에 섞이면 미생물이 살기에 아주 좋은 환경이 되므로 제품 내에 습기나 물이 들어가지 않도록 해야 한다.

(3) 화장품을 여러 사람이 같이 사용하면 감염, 오염의 위험이 있음

판매점의 테스트용 제품을 사용할 때는 일회용 도구를 사용하세요. 특히 눈 화장품은 감염의 위험이 크므로 같이 사용하면 안 된다.

(4) 화장에 사용되는 도구는 늘 깨끗하게 관리

퍼프나 아이섀도우 팁 등의 화장도구는 정기적으로 미지근한 물에 중성세제로 깨끗이 세탁한 후 완전히 건조시켜서 사용하여야 한다,

(5) 직사광선을 피해 서늘한 곳에 보관

화장품은 일반적으로 상온보관용으로 제조된다. 따라서 직사광선을 피해 서늘한 곳에 보관하는 것이 좋다.

(6) 사용기한이 표시된 제품은 반드시 표시기간 내 사용

개봉 한 화장품은 가능한 빨리 사용하는 것이 좋으며, 사용기한이 표시된 제품은 반드시 표시기간 내 사용하도록 해야 한다.

(7) 사용하고 있는 화장품의 내용물의 색상이나 향취가 변했을 경우 버림

층 분리가 일어난 경우에는 더 이상 사용하지 않고 버리는 것이 현명하다.

사용하던 화장품의 내용물의 색상이나 향취가 변했을 경우 버린다.

4) 화장품의 사용상 주의 사항

(1) 공통사항

- 화장품 사용 시 또는 사용 후 직사광선에 의하여 사용부위가 붉은 반점, 부어오름 또는 가려움증 등의 이상 증상이나 부작용이 있는 경우 전문의 등과 상담할 것
- 상처가 있는 부위 등에는 사용을 자제할 것
- 보관 및 취급 시의 주의사항
  가) 어린이의 손이 닿지 않는 곳에 보관할 것
  나) 직사광선을 피해서 보관할 것

(2) 개별사항

제품 종류	주의사항
미세한 알갱이가 함유되어 있는 스크러브세안제	알갱이가 눈에 들어갔을 때에는 물로 씻어내고, 이상이 있는 경우에는 전문의와 상담할 것
팩	눈 주위를 피하여 사용할 것
두발용, 두발염색용 및 눈 화장용 제품류	눈에 들어갔을 때에는 즉시 씻어낼 것
모발용 샴푸	가) 눈에 들어갔을 때에는 즉시 씻어낼 것 나) 사용 후 물로 씻어내지 않으면 탈모 또는 탈색의 원인이 될 수 있으므로 주의할 것
퍼머넌트 웨이브 제품 및 헤어 스트레이트너 제품	가) 두피 · 얼굴 · 눈 · 목 · 손 등에 약액이 묻지 않도록 유의하고, 얼굴 등에 약액이 묻었을 때에는 즉시 물로 씻어낼 것 나) 특이체질, 생리 또는 출산 전후이거나 질환이 있는 사람 등은 사용을 피할 것 다) 머리카락의 손상 등을 피하기 위하여 용법 · 용량을 지켜야 하며, 가능하면 일부에 시험적으로 사용하여 볼 것 라) 섭씨 15도 이하의 어두운 장소에 보존하고, 색이 변하거나 침전된 경우에는 사용하지 말 것 마) 개봉한 제품은 7일 이내에 사용할 것(에어로졸 제품이나 사용 중 공기유입이 차단되는 용기는 표시하지 아니한다) 바) 제2단계 퍼머액 중 그 주성분이 과산화수소인 제품은 검은 머리카락이 갈색으로 변할 수 있으므로 유의하여 사용할 것
외음부 세정제	가) 정해진 용법과 용량을 잘 지켜 사용할 것 나) 만 3세 이하 어린이에게는 사용하지 말 것

제품 종류	주의사항
	다) 임신 중에는 사용하지 않는 것이 바람직하며, 분만 직전의 외음부 주위에는 사용하지 말 것 라) 프로필렌글리콜(Propylene glycol)을 함유하고 있으므로 이 성분에 과민하거나 알레르기 병력이 있는 사람은 신중히 사용할 것(프로필렌글리콜 함유제품만 표시한다)
손·발의 피부연화 제품(요소제제의 핸드크림 및 풋크림)	가) 눈, 코 또는 입 등에 닿지 않도록 주의하여 사용할 것 나) 프로필렌글리콜(Propylene glycol)을 함유하고 있으므로 이 성분에 과민하거나 알레르기 병력이 있는 사람은 신중히 사용할 것(프로필렌글리콜 함유제품만 표시한다)
체취 방지용 제품	털을 제거한 직후에는 사용하지 말 것
고압가스를 사용하는 에어 로졸제품[무스의 경우 가) ~ 라)까지의 사항은 제외한다	가) 같은 부위에 연속해서 3초 이상 분사하지 말 것 나) 가능하면 인체에서 20센티미터 이상 떨어져서 사용할 것 다) 눈 주위 또는 점막 등에 분사하지 말 것. 다만, 자외선 차단제의 경우 얼굴에 직접 분사하지 말고 손에 덜어 얼굴에 바를 것 라) 분사 가스는 직접 흡입하지 않도록 주의할 것 마) 보관 및 취급상의 주의사항 (1) 불꽃길이시험에 의한 화염이 인지되지 않는 것으로서 가연성 가스를 사용하지 않는 제품 (가) 섭씨 40도 이상의 장소 또는 밀폐된 장소에 보관하지 말 것 (나) 사용 후 남은 가스가 없도록 하고 불 속에 버리지 말 것 (2) 가연성 가스를 사용하는 제품 (가) 불꽃을 향하여 사용하지 말 것 (나) 난로, 풍로 등 화기 부근 또는 화기를 사용하고 있는 실내에서 사용하지 말 것 (다) 섭씨 40도 이상의 장소 또는 밀폐된 장소에서 보관하지 말 것 (라) 밀폐된 실내에서 사용한 후에는 반드시 환기를 할 것 (마) 불 속에 버리지 말 것
고압가스를 사용하지 않는 분무형 자외선 차단제	얼굴에 직접 분사하지 말고 손에 덜어 얼굴에 바를 것
알파-하이드록시애시드 (α-hydroxyacid, AHA)(이하	가) 햇빛에 대한 피부의 감수성을 증가시킬 수 있으므로 자외선 차단제를 함께 사용할 것(씻어내는 제품 및 두발용 제품은 제외한다)

제품 종류	주의사항
"AHA"라 한다) 함유제품(0.5퍼센트 이하의 AHA가 함유된 제품은 제외한다)	나) 일부에 시험 사용하여 피부 이상을 확인할 것 다) 고농도의 AHA 성분이 들어 있어 부작용이 발생할 우려가 있으므로 전문의 등에게 상담할 것(AHA 성분이 10퍼센트를 초과하여 함유되어 있거나 산도가 3.5 미만인 제품만 표시한다)
염모제(산화염모제와 비산화염모제)	가) 다음 분들은 사용하지 마십시오. 사용 후 피부나 신체가 과민상태로 되거나 피부이상반응(부종, 염증 등)이 일어나거나, 현재의 증상이 악화될 가능성이 있습니다. (1) 지금까지 이 제품에 배합되어 있는 '과황산염'이 함유된 탈색제로 몸이 부은 경험이 있는 경우, 사용 중 또는 사용 직후에 구역, 구토 등 속이 좋지 않았던 분(이 내용은 '과황산염'이 배합된 염모제에만 표시한다) (2) 지금까지 염모제를 사용할 때 피부이상반응(부종, 염증 등)이 있었거나, 염색 중 또는 염색 직후에 발진, 발적, 가려움 등이 있거나 구역, 구토 등 속이 좋지 않았던 경험이 있었던 분 (3) 피부시험(패취테스트, patch test)의 결과, 이상이 발생한 경험이 있는 분 (4) 두피, 얼굴, 목덜미에 부스럼, 상처, 피부병이 있는 분 (5) 생리 중, 임신 중 또는 임신할 가능성이 있는 분 (6) 출산 후, 병중, 병후의 회복 중인 분, 그 밖의 신체에 이상이 있는 분 (7) 특이체질, 신장질환, 혈액질환이 있는 분 (8) 미열, 권태감, 두근거림, 호흡곤란의 증상이 지속되거나 코피 등의 출혈이 잦고 생리, 그 밖에 출혈이 멈추기 어려운 증상이 있는 분 (9) 이 제품에 첨가제로 함유된 프로필렌글리콜에 의하여 알레르기를 일으킬 수 있으므로 이 성분에 과민하거나 알레르기 반응을 보였던 적이 있는 분은 사용 전에 의사 또는 약사와 상의하여 주십시오(프로필렌글리콜 함유 제제에만 표시한다) 나) 염모제 사용 전의 주의 (1) 염색 전 2일전(48시간 전)에는 다음의 순서에 따라 매회 반드시 패취테스트(patch test)를 실시하여 주십시오. 패취테스트는 염모제에 부작용이 있는 체질인지 아닌지를 조사하는 테스트입니다. 과거에 아무 이상이 없이 염색한 경우에도 체질의 변화에 따라 알레르기 등 부작용이 발생할 수 있으므로 매회 반드시 실

제품 종류	주의사항
염모제(산화염모제와 비산화염모제)	시하여 주십시오. (패취테스트의 순서 ①~④를 그림 등을 사용하여 알기 쉽게 표시하며, 필요 시 사용상의 주의사항에 "별첨"으로 첨부할 수 있음) ① 먼저 팔의 안쪽 또는 귀 뒤쪽 머리카락이 난 주변의 피부를 비눗물로 잘 씻고 탈지면으로 가볍게 닦습니다. ② 다음에 이 제품 소량을 취해 정해진 용법대로 혼합하여 실험액을 준비합니다. ③ 실험 액을 앞서 세척한 부위에 동전 크기로 바르고 자연 건조시킨 후 그대로 48시간 방치합니다.(시간을 잘 지킵니다) ④ 테스트 부위의 관찰은 테스트 액을 바른 후 30분 그리고 48시간 후 총 2회를 반드시 행하여 주십시오. 그 때 도포 부위에 발진, 발적, 가려움, 수포, 자극 등의 피부 등의 이상이 있는 경우에는 손 등으로 만지지 말고 바로 씻어내고 염모는 하지 말아 주십시오. 테스트 도중, 48시간 이전이라도 위와 같은 피부이상을 느낀 경우에는 바로 테스트를 중지하고 테스트 액을 씻어내고 염모는 하지 말아 주십시오. ⑤ 48시간 이내에 이상이 발생하지 않는다면 바로 염모하여 주십시오. (2) 눈썹, 속눈썹 등은 위험하므로 사용하지 마십시오. 염모 액이 눈에 들어갈 염려가 있습니다. 그 밖에 두발 이외에는 염색하지 말아 주십시오. (3) 면도 직후에는 염색하지 말아 주십시오. (4) 염모 전후 1주간은 파마・웨이브(퍼머넨트웨이브)를 하지 말아 주십시오. 다) 염모 시의 주의 (1) 염모액 또는 머리를 감는 동안 그 액이 눈에 들어가지 않도록 하여 주십시오. 눈에 들어가면 심한 통증을 발생시키거나 경우에 따라서 눈에 손상(각막의 염증)을 입을 수 있습니다. 만일, 눈에 들어갔을 때는 절대로 손으로 비비지 말고 바로 물 또는 미지근한 물로 15분 이상 잘 씻어 주시고 곧바로 안과 전문의의 진찰을 받으십시오. 임의로 안약 등을 사용하지 마십시오. (2) 염색 중에는 목욕을 하거나 염색 전에 머리를 적시거나 감지 말아 주십시오. 땀이나 물방울 등을 통해 염모 액이 눈에 들어갈 염려가 있습니다.

<table>
<tr><th>제품 종류</th><th>주의사항</th></tr>
<tr><td>염모제(산화염모제와 비산화 염모제)</td><td>(3) 염모 중에 발진, 발적, 부어오름, 가려움, 강한 자극감 등의 피부 이상이나 구역, 구토 등의 이상을 느꼈을 때는 즉시 염색을 중지하고 염모 액을 잘 씻어내 주십시오. 그대로 방치하면 증상이 악화될 수 있습니다.
(4) 염모 액이 피부에 묻었을 때는 곧바로 물 등으로 씻어내 주십시오. 손가락이나 손톱을 보호하기 위하여 장갑을 끼고 염색하여 주십시오.
(5) 환기가 잘 되는 곳에서 염모하여 주십시오.
라) 염모 후의 주의
(1) 머리, 얼굴, 목덜미 등에 발진, 발적, 가려움, 수포, 자극 등 피부의 이상반응이 발생한 경우, 그 부위를 손으로 긁거나 문지르지 말고 바로 피부과 전문의의 진찰을 받으십시오. 임의로 의약품 등을 사용하는 것은 삼가 주십시오.
(2) 염모 중 또는 염모 후에 속이 안 좋아 지는 등 신체이상을 느끼는 분은 의사에게 상담하십시오.
마) 보관 및 취급상의 주의
(1) 혼합한 염모 액을 밀폐된 용기에 보존하지 말아 주십시오. 혼합한 액으로부터 발생하는 가스의 압력으로 용기가 파손될 염려가 있어 위험합니다. 또한 혼합한 염모 액이 위로 튀어 오르거나 주변을 오염시키고 지워지지 않게 됩니다. 혼합한 액의 잔액은 효과가 없으므로 잔액은 반드시 바로 버려 주십시오.
(2) 용기를 버릴 때는 반드시 뚜껑을 열어서 버려 주십시오.
(3) 사용 후 혼합하지 않은 액은 직사광선을 피하고 공기와 접촉을 피하여 서늘한 곳에 보관하여 주십시오.</td></tr>
<tr><td>탈염 · 탈색제</td><td>가) 다음 분들은 사용하지 마십시오. 사용 후 피부나 신체가 과민상태로 되거나 피부이상반응을 보이거나, 현재의 증상이 악화될 가능성이 있습니다.
(1) 두피, 얼굴, 목덜미에 부스럼, 상처, 피부병이 있는 분
(2) 생리 중, 임신 중 또는 임신할 가능성이 있는 분
(3) 출산 후, 병중이거나 또는 회복 중에 있는 분, 그 밖에 신체에 이상이 있는 분
나) 다음 분들은 신중히 사용하십시오.
(1) 특이체질, 신장질환, 혈액질환 등의 병력이 있는 분은 피부과 전</td></tr>
</table>

제품 종류	주의사항
탈염 · 탈색제	문의와 상의하여 사용하십시오. (2) 이 제품에 첨가제로 함유된 프로필렌글리콜에 의하여 알레르기를 일으킬 수 있으므로 이 성분에 과민하거나 알레르기 반응을 보였던 적이 있는 분은 사용 전에 의사 또는 약사와 상의하여 주십시오. 다) 사용 전의 주의 (1) 눈썹, 속눈썹에는 위험하므로 사용하지 마십시오. 제품이 눈에 들어갈 염려가 있습니다. 또한, 두발 이외의 부분(손발의 털 등)에는 사용하지 말아 주십시오. 피부에 부작용(피부이상반응, 염증 등)이 나타날 수 있습니다. (2) 면도 직후에는 사용하지 말아 주십시오. (3) 사용을 전후하여 1주일 사이에는 퍼머넌트웨이브 제품 및 헤어스트레이트너 제품을 사용하지 말아 주십시오. 라) 사용 시의 주의 (1) 제품 또는 머리 감는 동안 제품이 눈에 들어가지 않도록 하여 주십시오. 만일 눈에 들어갔을 때는 절대로 손으로 비비지 말고 바로 물이나 미지근한 물로 15분 이상 씻어 흘려 내시고 곧바로 안과 전문의의 진찰을 받으십시오. 임의로 안약을 사용하는 것은 삼가 주십시오. (2) 사용 중에 목욕을 하거나 사용 전에 머리를 적시거나 감지 말아 주십시오. 땀이나 물방울 등을 통해 제품이 눈에 들어갈 염려가 있습니다. (3) 사용 중에 발진, 발적, 부어오름, 가려움, 강한 자극감 등 피부의 이상을 느끼면 즉시 사용을 중지하고 잘 씻어내 주십시오. (4) 제품이 피부에 묻었을 때는 곧바로 물 등으로 씻어내 주십시오. 손가락이나 손톱을 보호하기 위하여 장갑을 끼고 사용하십시오. (5) 환기가 잘 되는 곳에서 사용하여 주십시오. 마) 사용 후 주의 (1) 두피, 얼굴, 목덜미 등에 발진, 발적, 가려움, 수포, 자극 등 피부 이상반응이 발생한 때에는 그 부위를 손 등으로 긁거나 문지르지 말고 바로 피부과 전문의의 진찰을 받아 주십시오. 임의로 의약품 등을 사용하는 것은 삼가 주십시오. (2) 사용 중 또는 사용 후에 구역, 구토 등 신체에 이상을 느끼시는 분은 의사에게 상담하십시오.

<table>
<tr><th>제품 종류</th><th>주의사항</th></tr>
<tr><td>탈염 · 탈색제</td><td>바) 보관 및 취급상의 주의
(1) 혼합한 제품을 밀폐된 용기에 보존하지 말아 주십시오. 혼합한 제품으로부터 발생하는 가스의 압력으로 용기가 파열될 염려가 있어 위험합니다. 또한, 혼합한 제품이 위로 튀어 오르거나 주변을 오염시키고 지워지지 않게 됩니다. 혼합한 제품의 잔액은 효과가 없으므로 반드시 바로 버려 주십시오.
(2) 용기를 버릴 때는 뚜껑을 열어서 버려 주십시오.</td></tr>
<tr><td>제모제(치오글라이콜릭애씨드 함유 제품에만 표시함)</td><td>가) 다음과 같은 사람(부위)에는 사용하지 마십시오.
(1) 생리 전후, 산전, 산후, 병후의 환자
(2) 얼굴, 상처, 부스럼, 습진, 짓무름, 기타의 염증, 반점 또는 자극이 있는 피부
(3) 유사 제품에 부작용이 나타난 적이 있는 피부
(4) 약한 피부 또는 남성의 수염부위
나) 이 제품을 사용하는 동안 다음의 약이나 화장품을 사용하지 마십시오.
(1) 땀발생억제제(Antiperspirant), 향수, 수렴로션(Astringent Lotion)은 이 제품 사용 후 24시간 후에 사용하십시오.
다) 부종, 홍반, 가려움, 피부염(발진, 알레르기), 광과민반응, 중증의 화상 및 수포 등의 증상이 나타날 수 있으므로 이러한 경우 이 제품의 사용을 즉각 중지하고 의사 또는 약사와 상의하십시오.
라) 그 밖의 사용 시 주의사항
(1) 사용 중 따가운 느낌, 불쾌감, 자극이 발생할 경우 즉시 닦아내어 제거하고 찬물로 씻으며, 불쾌감이나 자극이 지속될 경우 의사 또는 약사와 상의하십시오.
(2) 자극감이 나타날 수 있으므로 매일 사용하지 마십시오.
(3) 이 제품의 사용 전후에 비누류를 사용하면 자극감이 나타날 수 있으므로 주의하십시오.
(4) 이 제품은 외용으로만 사용하십시오.
(5) 눈에 들어가지 않도록 하며 눈 또는 점막에 닿았을 경우 미지근한 물로 씻어내고 붕산수(농도 약 2%)로 헹구어 내십시오.
(6) 이 제품을 10분 이상 피부에 방치하거나 피부에서 건조시키지 마십시오.
(7) 제모에 필요한 시간은 모질(毛質)에 따라 차이가 있을 수 있으므로 정해진 시간 내에 모가 깨끗이 제거되지 않은 경우 2~3일의 간격을 두고 사용하십시오.</td></tr>
</table>

(3) 그 밖에 화장품의 안전정보와 관련하여 기재 · 표시하도록 식품의약품안전처장이 정하여 고시하는 사용 시의 주의사항

연번	대상 제품	표시 문구
1	과산화수소 및 과산화수소 생성물질 함유 제품	눈에 접촉을 피하고 눈에 들어갔을 때는 즉시 씻어낼 것
2	벤잘코늄클로라이드, 벤잘코늄브로마이드 및 벤잘코늄사카리네이트 함유 제품	눈에 접촉을 피하고 눈에 들어갔을 때는 즉시 씻어낼 것
3	스테아린산아연 함유 제품(기초화장용 제품류 중 파우더 제품에 한함)	사용 시 흡입되지 않도록 주의할 것
4	살리실릭애씨드 및 그 염류 함유 제품 (샴푸 등 사용 후 바로 씻어내는 제품 제외)	만 3세 이하 어린이에게는 사용하지 말 것
5	실버나이트레이트 함유 제품	눈에 접촉을 피하고 눈에 들어갔을 때는 즉시 씻어낼 것
6	아이오도프로피닐부틸카바메이트(IPBC) 함유 제품 (목욕용 제품, 샴푸류 및 바디클렌저 제외)	만 3세 이하 어린이에게는 사용하지 말 것
7	알루미늄 및 그 염류 함유 제품 (체취방지용 제품류에 한함)	신장 질환이 있는 사람은 사용 전에 의사, 약사, 한의사와 상의할 것
8	알부틴 2% 이상 함유 제품	알부틴은 「인체적용시험자료」에서 구진과 경미한 가려움이 보고된 예가 있음
9	카민 함유 제품	카민 성분에 과민하거나 알레르기가 있는 사람은 신중히 사용할 것
10	코치닐추출물 함유 제품	코치닐추출물 성분에 과민하거나 알레르기가 있는 사람은 신중히 사용할 것
11	포름알데하이드 0.05% 이상 검출된 제품	포름알데하이드 성분에 과민한 사람은 신중히 사용할 것
12	폴리에톡실레이티드레틴아마이드 0.2% 이상 함유 제품	폴리에톡실레이티드레틴아마이드는 「인체적용시험자료」에서 경미한 발적, 피부건조, 화끈감, 가려움, 구진이 보고된 예가 있음
13	부틸파라벤, 프로필파라벤, 이소부틸파라벤 또는 이소프로필파라벤 함유 제품(영 · 유아용 제품류 및 기초화장용 제품류(만 3세 이하 어린이가 사용하는 제품) 중 사용 후 씻어내지 않는 제품에 한함)	만 3세 이하 어린이의 기저귀가 닿는 부위에는 사용하지 말 것

2.5 위해사례 판단 및 보고

1) 위해여부 판단

(1) 회수 대상 화장품의 기준 및 위해성 등급

① 회수 대상 화장품

1. 어린이가 사용하는 화장품의 안전용기 · 포장 위반으로 인체에 위해를 끼치는 사고 발생
2. 심사를 받지 아니하거나 보고서를 제출하지 아니한 기능성화장품
3. 전부 또는 일부가 변패(變敗)된 화장품
4. 병원미생물에 오염된 화장품
5. 이물이 혼입되었거나 부착된 것
6. 화장품에 사용할 수 없는 원료 사용
7. 유통화장품 안전관리 기준에 적합하지 아니한 화장품
8. 코뿔소 뿔 또는 호랑이 뼈와 그 추출물을 사용한 화장품
9. 보건위생상 위해가 발생할 우려가 있는 비위생적인 조건에서 제조되었거나, 시설기준에 적합하지 아니한 시설에서 제조된 화장품
10. 용기나 포장이 불량하여 해당 화장품이 보건위생상 위해를 발생할 우려가 있는 화장품
11. 사용기한 또는 개봉 후 사용기간(병행 표기된 제조연월일을 포함한다)을 위조 · 변조한 화장품
12. 화장품제조업 또는 화장품책임판매업을 등록을 하지 아니한 자가 제조한 화장품 또는 제조 · 수입하여 유통 · 판매한 화장품
13. 맞춤형화장품판매업 신고를 하지 아니한 자가 판매한 맞춤형화장품
14. 맞춤형화장품조제관리사를 두지 아니하고 판매한 맞춤형화장품
15. 화장품 또는 의약품으로 잘못 인식할 우려가 있게 기재 · 표시된 화장품
16. 판매의 목적이 아닌 제품의 홍보 · 판매촉진 등을 위하여 미리 소비자가 시험 · 사용하도록 제조 또는 수입된 화장품
17. 화장품의 포장 및 기재 · 표시 사항을 훼손(맞춤형화장품 판매를 위하여 필요한 경우는 제외한다) 또는 위조 · 변조한 것

② 위해성 등급

- 1등급 위해성: 화장품의 사용으로 인체건강에 미치는 위해영향이 크거나 중대한 경우
- 2등급 위해성

가. 화장품 사용으로 인하여 인체건강에 미치는 위해영향이 크지 않거나 일시적인 경우

나. 식품의약품안전처장이 정하여 고시한 화장품에 사용할 수 없는 원료를 사용 하였거나 사용상의 제한이 필요한 원료의 사용기준을 위반하여 사용한 경우 또는 유통화장품 안전관리 기준(내용 량의 기준에 관한 부분은 제외한다)에 적합하지 않은 경우

- 3등급 위해성

가. 화장품 사용으로 인하여 인체건강에 미치는 위해영향은 없으나 유효성이 입증되지 않은 경우

나. 화장품 사용으로 인하여 인체건강에 미치는 위해영향은 없으나 제품의 변질, 용기 · 포장의 훼손 등으로 유효성에 문제가 있는 경우

(2) 화장품원료의 위해평가

① 위해평가는 확인과정 · 결정과정 · 노출평가과정 · 위해도 결정과정을 거쳐 실시한다.

1. 위해요소의 인체 내 독성을 확인하는 위험성 확인과정
2. 위해요소의 인체노출 허용량을 산출하는 위험성 결정과정
3. 위해요소가 인체에 노출된 양을 산출하는 노출평가과정
4. 결과를 종합하여 인체에 미치는 위해 영향을 판단하는 위해도 결정과정

② 식품의약품안전처장은 제1항에 따른 결과를 근거로 식품의약품안전처장이 정하는 기준에 따라 위해 여부를 결정한다. 다만, 해당 화장품원료 등에 대하여 국내외의 연구 · 검사기관에서 이미 위해평가를 실시하였거나 위해요소에 대한 과학적 시험 · 분석 자료가 있는 경우에는 그 자료를 근거로 위해 여부를 결정할 수 있다.

③ 위해평가의 기준, 방법 등에 관한 세부사항은 식품의약품안전처장이 정하여 고시한다.

2) 위해사례 보고

(1) 위해화장품의 회수계획 및 회수절차

① 화장품을 회수하거나 회수하는 데에 필요한 조치를 하려는 화장품제조업자 또는 화장품책임판매업자(이하 "회수의무자"라 한다)는 해당 화장품에 대하여 즉시 판매중지 등의 필요한 조치를 하여야 하고, 회수대상화장품이라는 사실을 안 날부터 5일 이내에 회수계획서에 서류를 첨부하여 지방식품의약품안전청장에게 제출하여야 한다. 다만, 제출기한까지 회수계획서

의 제출이 곤란하다고 판단되는 경우에는 지방식품의약품안전청장에게 그 사유를 밝히고 제출기한 연장을 요청하여야 한다.

1. 해당 품목의 제조 · 수입기록서 사본
2. 판매처별 판매량 · 판매일 등의 기록
3. 회수사유를 적은 서류

② 회수의무자가 회수계획서를 제출하는 경우에는 위해성 등급의 구분에 따른 범위에서 회수기간을 기재해야 한다. 다만, 회수 기간 이내에 회수하기가 곤란하다고 판단되는 경우에는 지방식품의약품안전청장에게 그 사유를 밝히고 회수 기간 연장을 요청할 수 있다.

1. 위해성 등급이 가등급인 화장품: 회수를 시작한 날부터 15일 이내
2. 위해성 등급이 나등급 또는 다등급인 화장품: 회수를 시작한 날부터 30일 이내

③ 지방식품의약품안전청장은 제출된 회수계획이 미흡하다고 판단되는 경우에는 해당 회수의무자에게 그 회수계획의 보완을 명할 수 있다.

④ 회수의무자는 회수대상화장품의 판매자, 그 밖에 해당 화장품을 업무상 취급하는 자에게 방문, 우편, 전화, 전보, 전자우편, 팩스 또는 언론매체를 통한 공고 등을 통하여 회수계획을 통보하여야 하며, 통보 사실을 입증할 수 있는 자료를 회수종료일부터 2년간 보관하여야 한다.

⑤ 회수계획을 통보받은 자는 회수대상화장품을 회수의무자에게 반품하고, 회수확인서를 작성하여 회수의무자에게 송부하여야 한다.

⑥ 회수의무자는 회수한 화장품을 폐기하려는 경우에는 폐기신청서에 다음 각 호의 서류를 첨부하여 지방식품의약품안전청장에게 제출하고, 관계 공무원의 참관 하에 환경 관련 법령에서 정하는 바에 따라 폐기하여야 한다.

1. 회수계획서 사본
2. 회수확인서 사본

⑦ 폐기를 한 회수의무자는 폐기확인서를 작성하여 2년간 보관하여야 한다.

⑧ 회수의무자는 회수대상화장품의 회수를 완료한 경우에는 회수종료신고서에 서류를 첨부하여 지방식품의약품안전청장에게 제출하여야 한다.

1. 회수확인서 사본
2. 폐기확인서 사본(폐기한 경우에만 해당한다)
3. 평가보고서 사본

⑨ 지방식품의약품안전청장은 회수종료신고서를 받으면 다음 각 호에서 정하는 바에 따라 조치하여야 한다.

1. 회수계획서에 따라 회수대상화장품의 회수를 적절하게 이행하였다고 판단되는 경우에는 회수가 종료되었음을 확인하고 회수의무자에게 이를 서면으로 통보할 것

2. 회수가 효과적으로 이루어지지 아니하였다고 판단되는 경우에는 회수의무자에게 회수에 필요한 추가 조치를 명할 것

※ 출처: 식품의약품안전처 www.mfds.go.kr

- 김경영 · 배유경외 에센스화장품학, 메디시언
- 박성호 · 김영길외 화장품성분학, 훈민사

적중예상문제

1 다음은 기능성 화장품의 안전성에 관한 자료 제출을 면제 받을 수 있는 경우로 옳은 것은?

① 국제화장품원료집(ICID)이 정하는 원료로 제조되거나 제조되어 수입된 기능성화장품
② 제조업자가 효능 · 효과를 입증한 화장품
③ 책임판매업자가 효능 · 효과를 입증한 화장품
④ 기능성화장품으로 신 원료로 심사의뢰한 기능성 화장품
⑤ 화장품책임판매업자가 기능성화장품으로 심사받은 화장품

해설 「기능성화장품 기준 및 시험방법」(식품의약품안선처고시), 국제화장품원료집(ICID), 「식품의 기준 및 규격」(식품의약품안전처고시) 및 「식품첨가물의 기준 및 규격」(식품의 약품안전처고시)에서 정하는 원료로 제조되거나 제조되어 수입된 기능성화장품의 경우 안전성에 관한 자료제출을 면제한다.

*다만, 유효성 또는 기능 입증자료 중 인체적용시험자료에서 피부이상반응 발생 등 안전성 문제가 우려된다고 식품의약품안전처장이 인정하는 경우에는 그러하지 아니하다.

답: ①

2 천연화장품 및 유기농화장품의 인증절차에 대한 내용으로 옳지 않은 것은?

① 천연화장품 또는 유기농화장품으로 인증을 받으려는 화장품책임판매업자 등은 관련 서류를 갖추어 인증기관에 인증신청을 해야 한다.
② 신청을 받은 인증기관은 천연화장품 및 유기농화장품에 적합한지 여부를 심사한 후 그 결과를 신청인에게 통지해야 한다.
③ 천연화장품 또는 유기농화장품으로 인증을 받은 자는 인증제품의 명칭이 변경되는 등의 사유가 발생한 경우에는 해당 인증기관에 보고하도록 함
④ 인증사업자가 인증의 유효기간을 연장 받으려는 경우에는 유효기간 만료 90일 전까지 서류를 제출
⑤ 천연화장품 또는 유기농화장품으로 인증을 받은 자는 인증제품의 명칭이 변경되는 등의 사유가 발생한 경우에는 해당 관할 구청에 보고하도록 함

해설 천연화장품 또는 유기농화장품으로 인증을 받으려는 화장품제조업자 등은 관련 서류를 갖추어 인증기관에 인증 신청을 해야 하고, 신청을 받은 인증기관은 인증기준에 적합한지 여부를 심사한 후 그 결과를 신청인에게 통지해야 하며, 천연화장품 또는 유기농화장품으로 인증을 받은 자는 인증제품의 명칭이 변경되는 등의 사유가 발생한 경우에는 해당 인증기관에 보고하도록 함. 인증사업자가 인증의 유효기간을 연장 받으려는 경우에는 유효기간 만료 90일 전까지 서류를 갖추어 제출해야함
〈천연화장품 및 유기농화장품의 인증기관 지정절차 및 준수사항(안 제23조의3 신설)〉

답: ⑤

3 천연화장품 및 유기농화장품의 인증기관 지정절차 및 준수사항에 대한 내용으로 유효기간이 끝난 후 2년 동안 보관해야 할 서류로 옳은 것은?

① 인증신청, 인증심사 및 인증사업자에 관한 자료
② 인증기관의 대표자 서류
③ 인증기관의 명칭 및 소재지 관련서류
④ 인증업무의 범위에 관한 서류
⑤ 인증신청 및 인증기관의 관련 서류

해설 인증 유효기간은 인증을 받은 날부터 3년으로 하고, 인증신청, 인증심사 및 인증사업자에 관한 자료는 인증의 유효기간이 끝난 후 2년 동안 보관할 것, 변경 사유가 발생한 경우 변경한 날로부터 30일 이내로 변경신청을 하며, 인증의 유효기간을 연장 받으려는 자는 유효기간 만료 90일 전에 총리령으로 정하는 바에 따라 연장신청을 한다.

답: ①

4 화장품원료 등의 위해평가 과정으로 옳은 것은?

① 위해요소의 인체 내 면역을 확인하는 면역성 확인과정
② 위해요소의 인체노출 허용량을 산출하는 위험성 결정과정
③ 위해요소가 인체에 적용된 양을 산출하는 적용평가과정
④ 인체의 노출된 결과를 인체에 미치는 위해 영향을 판단하는 위해도 결정과정
⑤ 위해평가의 기준, 방법 등에 관한 세부 사항은 대한화장품협회장이 한다.

해설 1. 위해요소의 인체 내 독성을 확인하는 위험성 확인과정
2. 위해요소의 인체노출 허용량을 산출하는 위험성 결정과정
3. 위해요소가 인체에 노출된 양을 산출하는 노출평가과정
4. 제1부터 제3까지의 결과를 종합하여 인체에 미치는 위해 영향을 판단하는 위해도 결정과정

답: ②

5 화장품제조업자, 화장품책임판매업자 또는 판매자가 실증자료를 제출할 때 실증에 대한 사항을 적고 이를 증명할 수 있는 첨부 서류로 옳은 것은?

① 실증시험 결과
② 시험 · 조사기관의 조사결과
③ 실증 방법 및 결과
④ 실증자료 중 영업상 비밀에 해당되어 공개를 원하지 아니하는 경우에는 그 내용 및 사유
⑤ 실증자료 중 영업상 비밀에 해당 한다고 하더라도 실증 내용 및 결과 제출

해설 1. 실증방법
2. 시험 · 조사기관의 명칭, 대표자의 성명, 주소 및 전화번호
3. 실증 내용 및 결과
4. 실증자료 중 영업상 비밀에 해당되어 공개를 원하지 아니하는 경우에는 그 내용 및 사유

답: ④

6 다음은 기능성 화장품의 유효성 또는 기능에 관한 자료 중 인체적용시험자료를 제출하면 면제할 수 있는 자료는?

① 단회투여독성 시험자료
② 1차 피부자극 시험자료
③ 안점막자극 또는 기타점막자극 시험자료
④ 피부감작성 시험자료
⑤ 효력 시험자료

해설 ①,②,③,④ 안전성에 관한 자료
이 경우에는 효력시험자료의 제출을 면제받은 성분에 대해서는 효능 · 효과를 기재 · 표시할 수 없다.

답: ⑤

7 다음은 화장품의 기재 · 표시를 생략할 수 있는 성분으로 옳은 것은?

① 인체 세포 · 조직 배양액이 들어있는 원료
② 기능성화장품의 경우 심사받거나 보고한 원료
③ 화장품에 천연 또는 유기농 원료
④ 안정화제, 보존제 등 원료자체에 들어 있는 부수 성분으로서 그 효과가 나타나게 하는 양보다 적은 양이 들어 있는 성분
⑤ 자외선차단제 등과 같이 특별히 사용상의 제한이 필요한 원료

해설 1. 제조과정 중에 제거되어 최종 제품에는 남아 있지 않은 성분
2. 내용 량이 10밀리리터 초과 50밀리리터 이하 또는 중량이 10그램 초과 50그램 이하 화장품의 용기 또는 포장인 경우에는 성분을 제외한 성분으로 정함
ㄱ, 타르색소 ㄴ, 금박
ㄷ, 샴푸와 린스에 들어 있는 인산염의 종류, 과일산(AHA)
ㄹ, 기능성화장품의 경우 그 효능 · 효과가 나타나게 하는 원료
ㅁ, 식품의약품안전처장이 배합 한도를 고시한 화장품의 원료
3. ④번 내용

답: ④

8 화장품의 기재사항으로 1차 포장 2차 포장에 기재 · 표시하여야 하는 것으로 옳은 것은?

① 화장품의 효능 · 효과
② 사용 시의 부작용
③ 해당 화장품 제조에 사용된 주요 성분
④ 화장품제조업자의 주소
⑤ 사용할 때의 주의사항

해설 1. 화장품의 명칭
2. 영업자의 상호 및 주소
3. 해당 화장품 제조에 사용된 모든 성분(인체에 무해한 소량 함유 성분 등 총리령의로 정하는 성분은 제외한다)
4. 내용물의 용량 또는 중량
5. 제조번호
6. 사용기한 또는 개봉 후 사용기간
7. 가격
8. 기능성화장품의 경우 "기능성화장품"이라는 글자 또는 기능성화장품을 나타내는 도안으로서 식품의약품안전처장이 정하는 도안
9. 그 밖에 총리령으로 정하는 사항

답: ⑤

9 다음은 알파-하이드록시애씨드함유(AHA) 화장품에 대한 주의사항으로 기재 하여야 할 내용으로 옳은 것은?

① 0.5% 이하의 AHA가 함유된 제품은 전문의와 상담
② 햇빛에 대한 피부의 감수성을 저하 시킨다.
③ 고농도의 AHA 성분이 들어 있어 부작용이 발생할 경우 사용 중단한다.
④ AHA 성분이 5%를 초과하여 함유되어 있거나 산도가 4.5 미만인 제품만 표시한다.
⑤ AHA 성분이 10%를 초과하여 함유되어 있거나 산도가 3.5 미만인 제품만 표시한다.

해설 AHA가 함유되어 있는 화장품의 용기 또는 포장 등에 제품을 사용할 때에는 자외선 차단제를 함께 사용하여야 하며, 과일산을 10퍼센트 초과 함유하거나 산도 3.5 미만의 제품인 경우에는 피부과전문의 등과 상담하도록 하는 등의 주의사항을 기재하도록 함.
* 0.5퍼센트 이하의 AHA가 함유된 제품은 제외한다.

답: ⑤

10 다음 〈보기〉 중 맞춤형화장품조제관리사의 업무가 올바르게 진행한 경우를 모두 고르시오.

(가) 조제관리사가 크림을 조제하기 위하여 페녹시에탄올을 1%로 배합 조제하여 판매 하였다.
(나) 고객으로부터 선택된 제품을 맞춤형화장품판매업자가 매장 조제실에서 직접 조제하여 조제관리사에게 전달하였다.
(다) 책임판매업자가 기능성화장품으로 심사 또는 보고를 완료한 내용물에 맞춤형화장품조제관리사가 라벤다오일을 배합 조제하여 판매하였다.
(라) 맞춤형화장품조제관리사는 책임판매업자가 성분의 혼합범위를 규정하여 공급할 경우 그 범위 내에서 성분을 혼합 조제하여 판매하였다.
(마) 조제관리사는 고객으로부터 선택된 맞춤형화장품을 직접 조제하고 제품명을 지정하여 판매하였다.

① (가), (나)　② (다), (라)
③ (가), (라)　④ (라), (마)
⑤ (나), (다)

해설 (가) 사용상의 제한이 필요한 원료(페녹시에탄올)는 맞춤형화장품에 사용할 수 없다.
(나) 맞춤형화장품조제관리사가 매장 조제실에서 직접 조제해야 한다.
(마) 맞춤형화장품은 제품명이 정해져 있어야하고 제품명에 변화가 없어야 한다.

답: ②

11 다음 〈보기〉에서 화장품 함유 성분별 사용 시의 주의사항으로 "만 3세 이하 어린이에게는 사용 하지 말 것"의 표시 문구를 넣어야 하는 대상의 제품으로 옳은 것은 모두 고르시오.

(가) 아이오도프로피닐부틸카바메이트(IPBC)함유 제품(목욕용 제품, 샴푸류 및 바디클렌저 제외) (나) 벤잘코늄클로라이드, 벤잘코늄브로마이드 및 벤잘코늄사카리네이트 함유 제품 (다) 스테아린산아연 함유 제품 (라) 살리실릭애씨드 및 그 염류(샴푸 등 사용 후 바로 씻어내는 제품 제외) (마) 알루미늄 및 그 염류 함유 제품 (바) 과산화수소 및 과산화수소 생성물질 함유 제품

① (가), (라)
② (나), (다), (라)
③ (다), (라), (마)
④ (다), (마)
⑤ (가), (나)

해설 (나),(바) 눈에 접촉을 피하고 눈에 들어갔을 때 즉시 씻어 낼 것
(다) 사용 시 흡입되지 않도록 주의 할 것
(마) 신장질환이 있는 사람은 사용 전에 의사, 약사, 한의사와 상의 할 것

답: ①

12 다음 〈보기〉에서 맞춤형 화장품 조제에 필요한 원료 및 내용물 관리로 적절한 것을 모두 고르시오.

(가) 내용물 및 원료의 제조공정을 확인한다. (나) 내용물 및 원료의 사용 시에 주의사항을 확인한다. (다) 책임판매업자와 계약한 사항으로 내용물 및 원료의 비율을 따른다. (라) 내용물 및 원료의 입고시 보관조건을 확인한다. (마) 식품의약품안전처장이 고시한 원료의 효능 · 효과를 표기한다.

① (가), (나), (다)
② (나), (다), (라)
③ (다), (라), (마)
④ (가), (라), (마)
⑤ (나), (라), (마)

해설 (가) 제조번호를 확인한다.
(마) 식약처장이 고시한 기능성화장품의 효능 · 효과를 나타내는 원료는 맞춤형화장품에 사용할 수 없다. 단, 원료를 공급하는 화장품책임판매업자가 해당원료를 포함 하여 기능성화장품에 대한 심사를 받거나 보고서를 제출하는 경우는 제외

답: ②

13 계면활성제의 종류 중 세정효과, 기포형성능력이 우수하고, 샴푸, 클렌징품 등에 사용되는 계면활성제로 옳은 것은?

① 음이온성
② 양이오성
③ 양쪽성
④ 비이온성

⑤ 양쪽성과 비인온성

해설 계면활성제의 종류

- 음이온성–음전하 활성분자들을 가지고 있고, 주로 샴푸와 샤워젤에 거품을 많이 내고 세정력을 높이는 용도로 사용
- 양이온성–양전하 활성분자를 가지고 있고, 살균 소독작용이 크며, 정전기를 줄이고 머릿결을 촉촉하게 하며 컨디셔너로 많이 사용
- 양쪽성–음전하와 양전하 둘 다 취하는 활성분자이기 때문에 부드럽고 자극이 덜하며, 베이비샴푸, 건성모발, 거품안정화, 기포 촉진용으로 사용
- 비이온성–비이온성 계면활성제는 전하를 갖고 있지 않는 활성분자로서 기포특성은 좋지 않으나 세정력을 높이고 모발의 상태를 향상 시키는 역할. 피부자극이 적어 화장수의 가용화, 크림의 유화제등의 용도로 사용
- 피부자극 순서–양이온성〉음이온성〉양쪽성〉비이온성, 세정력 순서–음이온성〉양쪽성〉양이온성〉비이온성

답: ①

14 다음은 자외선에 관한 용어의 정의로 "자외선 A(UVA)차단지수"에 대한 설명 내용으로 옳은 것은?

① 자외선A 차단등급을 말하며, UVA 차단효과의 정도를 나타내며 약칭은 피에이(PA)라 한다.
② UVA를 차단하는 제품의 차단효과를 나타내는 지수로 자외선A 차단제품을 도포하여 얻은 최소지속형즉시흑화량을 자외선A 차단제품을 도포하지 않고 얻은 최소지속형즉시흑화량 으로 나눈 값이다.
③ UVA를 사람의 피부에 조사한 후 2~24시간의 범위 내에, 조사영역의 전 영역에 희미한 흑화가 인식되는 최소 자외선 조사량을 말한다.
④ UVB를 사람의 피부에 조사한 후 16~24시간의 범위 내에, 조사영역의 전 영역에 홍반을 나타낼 수 있는 최소한의 자외선 조사량을 말한다.
⑤ UVB를 차단하는 제품의 차단효과를 나타내는 지수로서 자외선차단제품을 도포하여 얻은 최소홍반량을 자외선차단제품을 도포하지 않고 얻은 최소홍반량으로 나눈 값이다.

해설 ① 자외선A 차단등급 ③ 최소지속형즉시흑화량 ④ 최소홍반량 ⑤ 자외선차단지수

답: ②

15 다음은 자외선(UV)의 분류를 설명한 내용으로 옳은 것은?

① 자외선C - 150~250nm
② 자외선B - 250~350nm
③ 자외선B - 290~320nm
④ 자외선A - 290~320nm
⑤ 자외선A - 310~400nm

해설 자외선C - 200~290nm, 자외선B - 290~320nm 자외선A - 320~400nm로 분류한다.

답: ③

16 다음 〈보기〉에서 사용상의 제한이 필요한 원료 중 염류에 해당하는 것으로 옳은 것은?

소듐, 이소프로필, 이소부틸, 페닐, 포타슘, 설페이트, 베타인, 메칠, 에칠, 프로필, 헥세티딘, 피리딘-2-올 1-옥사이드, 프로피오닉애씨드, 페녹시에탄올, 포믹애씨드 및 소듐포메이트, 클로로자이레놀

① 소듐, 이소프로필, 이소부틸, 페닐
② 포타슘, 설페이트, 베타인, 소듐
③ 메칠, 에칠, 프로필, 헥세티딘
④ 피리딘-2-올 1-옥사이드, 프로피오닉애씨드, 페녹시에탄올
⑤ 포믹애씨드 및 소듐포메이트, 클로로자이레놀

해설 염류의 예 : 소듐, 포타슘, 칼슘, 마그네슘, 암모늄, 에탄올아민, 클로라이드, 브로마이드, 설페이트, 이세데이트, 베타인 등

답: ②

17 다음은 보존제 성분으로 사용 후 씻어내는 원료로 사용한도를 바르게 연결한 것은?

① 메칠이소치아졸리논 0.15%
② 메칠클로로이소치아졸리논과 메칠이소치아졸리논 혼합물 0.0015%
③ 벤잘코늄클로라이드 0.001%
④ 벤질헤미포름알 0.25%
⑤ 소듐아이오데이트 0.01%

해설 메칠이소치아졸리논 0.0015%, 벤잘코늄클로라이드 0.1%, 벤질헤미포름알 0.15%, 소듐아이오데이트 0.1%

답: ②

18 다음〈보기〉는 자외선 차단성분에 대한 원료로 사용한도 10%의 원료를 모두 고르시오.

드로메트리졸트리실록산, 드로메트리졸, 디갈로일트리올리에이트, 디소듐페닐지벤즈이미다졸테트라설포네이트, 디에칠헥실부타미도트리아존, 디에칠아미노하이드록시벤조일헥실벤조에이트, 로우손과 디하이드록시아세톤의 혼합물, 4-메칠벤질리덴캠퍼, 벤조페논-4, 부틸메톡시디벤조일메탄, 시녹세이트, 에칠디하이드록시프로필파바

① 드로메트리졸트리실록산, 드로메트리졸, 디갈로일트리올리에이트, 벤조페논-4
② 디소듐페닐지벤즈이미다졸테트라설포네이트, 디에칠헥실부타미도트리아존, 4-메칠벤질리덴캠퍼
③ 디에칠헥실부타미도트리아존, 디에칠아미노하이드록시벤조일헥실벤조에이트,시녹세이트, 에칠디하이드록시프로필파바
④ 로우손과 디하이드록시아세톤의 혼합물, 메칠렌비스-벤조트리아졸릴테트라메칠부틸페놀, 디갈로일트리올리에이트,
⑤ 드로메트리졸, 디소듐페닐지벤즈이미다졸테트라설포네이트, 디에칠헥실부타미도트리아존, 디에칠아미노하이드록시벤조일헥실벤조에이트

해설 ⑤번을 포함한 메칠렌비스-벤조트리아졸릴테트라메칠부틸페놀, 비스에칠헥옥시페놀메톡시페닐트리아진, 옥토크릴렌, 이소마밀-p-메톡시신나메이트, 폴리실리콘-15, 호모살레이트

답: ⑤

19 다음은 피부 주름개선에 도움을 주는 제품의 성분 및 함량으로 바르지 않은 것은?

① 알파-비사보롤 0.5%
② 레티놀 2,500IU/g
③ 레티닐팔미테이트 10,000IU/g
④ 아데노신 0.04%
⑤ 폴리에톡실레이티드레티아마이드 0.05~0.2%

해설 알파-비사보롤 : 피부미백에 도움을 주는 제품

답: ①

20 다음 〈보기〉에서 염모제 성분 중 유효성분을 2종 이상 배합하는 경우에는 각 성분의 사용 시 농도(%)의 합계치가 5.0%를 넘지 않아야 하는 성분을 모두 고르시오.

피로갈롤, 모노에탄올아민, 카테콜, 히드록시벤조모르포린, 1.5-디히드록시나프탈렌, 2-메칠레조시놀, 황산m-아미노페놀, 과붕산나트륨, 황산철, α -나프톨, 과붕산나트륨일수화물

① 피로갈롤, 모노에탄올아민, 카테콜
② 히드록시벤조모르포린, 1.5-디히드록시나프탈렌, 황산m-아미노페놀
③ 2-메칠레조시놀, 과붕산나트륨, 황산철
④ α -나프톨, 과붕산나트륨일수화물, 피로갈롤
⑤ 모노에탄올아민, 카테콜, 황산m-아미노페놀

해설 ②번을 포함한 p-니트로-o-페닐렌디아민, 니트로-p-페닐렌디아민, 2-메칠-5히드로시에칠아미노페놀, 2-아미노-4-니트로페놀, 5-아미노-o-니트로페놀 등등

답: ②

21 다음 괄호안의 내용은 기능성 화장품의 성분명과 함량에 대한 내용이다. 설명으로 옳은 것은? (성분명: 치오글리콜산 80%, 함량: 치오글리콜산으로서 3.0~4.5%)

① 체모를 제거하는 기능을 가진 제품의 성분 및 함량
② pH 범위는 6.0이상 10.7미만이어야 한다.
③ 여드름성 피부를 완화하는데 도움을 주는 제품의 성분 및 함량
④ 피부에 사용한 후 물로 바로 깨끗이 씻어내는 제품
⑤ 모발의 색상을 변화시키는 기능을 가진 제품의 성분 및 함량

해설 체모를 제거하는 기능을 가진 제품의 성분 및 함량의 내용이며, pH 범위는 7.0이상 12.7미만이어야 한다.

답: ①

22 "유해사례(Adverse Event/Adverse Experience, AE)"에 대한 설명으로 옳은 것은?

① 위해사례와 화장품 간의 인과관계 가능성이 있다고 보고된 정보로서 그 인과관계가 알려지지 아니하거나 입증자료가 불충분한 것을 말한다.
② 화장품의 사용 중 발생한 바람직하지 않고 의도되지 아니한 징후, 증상 또는 질병을 말하며, 당해 화장품과 반드시 인과관계를 가져야 하는 것은 아니다.
③ 화장품 관련하여 국민보건에 직접 영향을 미칠 수 있는 안전성, 유효성에 관한 새로운 자료, 유해사례 정보 등을 말한다.
④ 중대한 유해사례 또는 이와 관련하여 식품의약품안전청장이 보고를 지시한다.
⑤ 화장품의 사용 중 발생한 바람직한 징후, 증상을 말한다.

답: ②

23 식품의약품안전처장은 다음 각 호에 따라 화장품 안전성 정보를 검토 및 평가하며 필요한 경우 정책자문위원회 등 전문가의 자문을 받을 수 있다. 빈칸에 들어갈 내용으로 옳은 것은?

1. 정보의 신뢰성 및 인과관계의 평가 등 2. 국내 · 외 사용현황 등 조사 · 비교 (화장품에 사용할 수 없는 원료사용 여부 등) 3. 외국의 조치 및 근거 확인(필요한 경우에 한함) 4. 관련 유해사례 등 (   ) 5. 종합검토

① 안전성 정보자료의 수집 · 조사
② 화장품의 안전성과 유효성의 증명
③ 인과관계에 대한 평가 자료
④ 사용상의 주의사항 등 추가
⑤ 제조 · 품질관리의 적정성 여부

답: ①

24 식품의약품안전처장 또는 지방식품의약품안전청장은 안정성 정보를 검토 및 평가한 결과에 따라 필요한 조치를 할 수 있다. 옳은 것은?

① 품목 평가 · 수출 · 판매 금지 및 조사 · 비교 등의 명령
② 제품의 주의사항 등 추가
③ 화장품의 안정성 정보 검토
④ 실마리 정보로 관리
⑤ 화장품 안전관리 등의 시험 · 검사 등 기타 필요한 조치

해설 1. 품목 제조 · 수입 · 판매 금지 및 수거 · 폐기 등의 명령　2. 사용상의 주의사항 등 추가
3. 조사연구 등의 지시　4. 실마리 정보로 관리
5. 제조 · 품질관리의 적정성 여부 조사 및 시험 · 검사 등 기타 필요한 조치

답: ④

25 중대한 위해사례가 아닌 것은?

① 사망을 초래하거나 생명을 위협하는 경우
② 화장품의 사용 중 발생한 바람직하지 않고 의도되지 아니한 징후, 증상
③ 선천적 기형 또는 이상을 초래하는 경우
④ 입원 또는 입원기간의 연장이 필요한 경우
⑤ 지속적 또는 중대한 불구나 기능저하를 초래하는 경우

해설 ②유해사례에 대한 내용

답: ②

26 화장품 사용 중 발생하였거나 알게 된 유해사례 등 안전성 정보에 대하여 식품의약품안전처 또는 화장품제조판매업자에게 보고해야 하는 것으로 옳은 것은?

① 화장품 정보관리 보고서
② 화장품 안전성 정보 보고서
③ 화장품 품질 보고서
④ 안전성 정보의 관리체계
⑤ 정보교환 보고서

해설 화장품 유해사례 보고서, 화장품 안전성 정보 보고서

답: ②

27 다음의 용어정의에 대한 설명으로 옳은 것은?

"유해사례와 화장품 간의 인과관계 가능성이 있다고 보고된 정보로서 그 인과관계가 알려지지 아니하거나 입증자료가 불충분한 것을 말한다."

① 위해사례
② 중대한 유해사례
③ 실마리 정보
④ 안전성 정보
⑤ 유해사례

해설 실마리 정보(Signal)

답: ③

28 다음은 화장품 사용 시 주의사항으로 맞지 않은 것은?

① 상처가 있는 부위 등에는 사용을 자제할 것
② 직사광선을 피해서 보관할 것
③ 어린이의 손이 닿지 않는 곳에 보관할 것
④ 사용 후 사용부위가 붉은 반점, 부어오름, 가려움증 등의 부작용이 있는 경우 전문의와 상담할 것
⑤ 화장품 사용 시 또는 사용 후 직사광선에 의하여 사용부위의 이상 증상이 있으면 손으로 만지지 말고 진정 되기를 기다린다.

해설 ⑤을 제외한 화장품 유형과 사용 시의 주의사항 중 공통사항에 대한 내용이다.

답: ⑤

29 다음은 화장품 유형의 분류에 따른 기초화장품이 아닌 것은?

① 애프터세이브 로션(aftershave lotions)
② 수렴 · 유연 · 영양 화장수(face lotions)
③ 마사지 크림, 에센스, 오일
④ 파우더, 바디 제품
⑤ 팩, 마스크

해설 애프터세이브 로션(aftershave lotions)–면도용 제품류

답: ①

30 다음은 알파–하이드록시애시드(α –hydroxyacid, AHA) 사용 시의 주의사항으로 옳지 않는 것은?

① 햇빛에 대한 피부의 감수성을 증가시킬 수 있으므로 자외선 차단제를 함께 사용
② 일부에 시험 사용하여 피부이상을 확인할 것
③ 성분이 10%를 초과하여 함유되는 경우는 제품에 표시하고 전문의 등에게 상담
④ AHA 성분 5% 이하 사용 시 주의사항 기제
⑤ 고농도의 AHA 성분이 들어 있는 경우 부작용이 발생할 우려가 있으므로 전문의와 상담

해설 5% 이하 사용 시 주의사항 기제 · 표시 하지 않아도 됨

답: ④

31 탈염 · 탈색제를 사용 할 때 주의사항에서 신중히 사용해야하는 경우로 옳은 것은?

① 특이체질, 신장질환, 혈액질환 등의 병력이 있는 분은 피부과 전문의와 상의하여 주십시오.
② 출산 후, 병중이거나 또는 회복 중에 있는 분
③ 두피, 얼굴, 목덜미에 부스럼, 피부병이 있는 분
④ 상처가 있는 부위 등에는 사용을 자제할 것
⑤ 생리 중, 임신 중 또는 임신할 가능성이 있는 분

해설 ①번의 경우와 프로필렌글리콜에 의하여 알레르기를 일으킬 수 있으므로 이 성분에 과민하거나 알레르기 반응을 보였던 적이 있는 분은 사용 전에 의사 또는 약사와 상의하여 주십시오.

답: ①

32 식품의약품안전처에서 선정한 착향제(향료) 구성 성분 중 알레르기 유발 물질이 아닌 것은?

① 나무이끼추출물
② 벤질신나메이트
③ 파네솔
④ 부틸페닐메칠프로피오날
⑤ 글리세린

해설 글리세린은 보습제

(향료 알레르기 유발물질 전성분 : 아밀신남알, 벤질알코올, 신나밀알코올, 시트랄, 유제놀, 하이드록시시트로넬알, 이소유제놀, 아밀신나밀알코올, 벤질살리실레이트, 신남알, 쿠마린, 제라니올, 아니스에탄올, 리날룰, 벤질벤조에이트, 시트로넬롤, 헥실신남알, 리모넨, 메칠2–옥티노에이트, 알파–이소메칠이오논, 참나무이끼추출물 등)

답: ⑤

33 다음은 사용상의 제한이 필요한 보존 제에 해당하는 성분을 고르시오?

① 토코페릴아세테이트
② 정제수
③ 글리세린
④ 페녹시에탄올
⑤ 향료

해설 사용상의 제한이 필요한 성분 페녹시에탄올 사용한도 1.0%

답: ④

34 향료 알레르기가 있는 고객이 제품에 대해 문의를 해왔을 때 제품에 부착된 〈보기〉의 설명서를 참조하여 고객에게 안내해야 할 말로 가장 적절한 것은?

- 제품명: 유기농 모이스춰로션
- 제품의 유형: 액상 에멀젼류
- 내용량: 50g
- 전성분: 정제수, 1,3부틸렌글리콜, 글리세린, 스쿠알란, 호호바유, 모노스테아린산글리세린, 피이지 소르비탄지방산에스터, 1,2헥산디올, 녹차추출물, 황금추출물, 참나무이끼추출물, 토코페롤, 잔탄검, 구연산나트륨, 수산화칼륨, 벤질알코올, 유제놀, 리모넨

① 이 제품은 유기농 화장품으로 알레르기 반응을 일으키지 않습니다.
② 이 제품은 알레르기는 면역성이 있어 반복해서 사용하면 완화될 수 있습니다.
③ 이 제품은 조제관리사가 조제한 제품이어서 알레르기 반응을 일으키지 않습니다.
④ 이 제품은 알레르기 완화 물질이 첨가되어 있어 알레르기 체질개선에 효과가 있습니다.
⑤ 이 제품은 알레르기를 유발할 수 있는 성분이 포함되어 있어 사용 시 주의를 요합니다.

해설 알레르기 유발물질: 참나무이끼추출물, 벤질알코올, 유제놀, 리모넨

답: ⑤

35 다음 〈보기〉는 2019년 9월 11일에 개정 고시된 화장품 사용 시의 주의사항 표시에 관한 규정 일부 개정고시(안)이다. 다음 ( )에 들어갈 내용으로 옳은 것은?

화장품 안전기준 등에 관한 규정 중 『화장품 사용 시의 주의사항 표시에 관한 규정』을 『화장품 사용 시의 주의사항 및 알레르기 유발성분 표시에 관한 규정』으로 한다.
: 신설
제3조(기재. 표시 대상 알레르기 유발성분) 규칙 별표4제3호마목에 따라 착향제의 구성 성분 중 해당 성분의 명칭을 기재 · 표시 하여야 하는 ( )의 종류는 별표2와 같다.
이 고시는 2020년 1월 1일부터 시행한다.

① 천연 원료유래 성분
② 알레르기 유발성분
③ 사용상의 제한이 필요한 원료
④ 화장품에 사용 할 수 없는 성분
⑤ 기능성 화장품원료

해설 별표2 착향제(향료)–알레르기 유발성분

답: ②

36 **화장품법 제4조의2(영유아 또는 어린이 사용 화장품의 관리)에서 화장품책임판매업자는 영유아 또는 어린이가 사용할 수 있는 화장품임을 표시 · 광고하려는 경우에는 제품별로 안전과 품질을 입증할 수 있는 "제품별 안전성 자료"를 작성 및 보관하여야 한다. 〈보기〉에서 모두 고르시오.**

1. 제품 및 제조방법에 대한 설명자료 2. 원료 사용기준 신청서 3. 제품의 효능 · 효과에 대한 증명자료 4. 화장품의 안전성 평가자료 5. 기능성화장품 심사의뢰서

① 1, 3, 4 ② 1, 2, 3
③ 2, 3, 4 ④ 3, 4, 5
⑤ 1, 4, 5

해설 제품별 안전성 자료(1, 3, 4의 내용)를 작성 및 보관하여야 한다.

답: ①

37 **다음은 착향제(향료)에 대한 설명으로 괄호 안에 들어갈 내용으로 옳은 것은?**

사용 후 씻어내는 제품에는 ( ) 초과, 사용 후 씻어내지 않는 제품에는 ( )초과 함유하는 경우에 한한다.

① 0.001%, 0.001% ② 0.01%, 0.01%
③ 0.01%, 0.001% ④ 0.1%, 0.01%
⑤ 0.001%, 0.01%

해설 사용 후 씻어내는 제품 0.01%, 사용 후 씻어내지 않는 제품 0.001%

답: ③

38 **사용상의 제한이 필요한 원료 중 영유아용 제품류 또는 만 13세 이하 어린이가 사용할 수 있음을 특정하여 표시하는 제품에는 사용금지 되는 성분이다. 사용 한도가 바르게 연결된 것은?**

① 메텐아민(헥사메칠렌테트라아민) – 0.15%
② 벤제토늄클로라이드 – 0.1%
③ 벤질알코올 – 1.0%
④ 살리실릭애씨드 및 그 염류 – 0.5%
⑤ *p*–클로로–*m*–크레졸 – 0.04%

해설 살리실릭애씨드 및 그 염류 – 사용한도 0.5%(다만 샴푸는 제외)

답: ④

39 **인체 세포 · 조직 배양액 안전기준에서 사용하는 용어의 정의로 옳은 것은?**

① "인체 세포 · 조직 배양액"은 인체에서 유래된 세포 또는 조직을 배양한 후 세포와 조직을 제

거하고 남은 액을 말한다.
② "공여자" 공여자에 대하여 문진, 검사 등에 의한 진단을 실시하여 해당 공여자가 세포 배양액에 사용되는 세포 또는 조직을 제공하는 것에 대해 적격성이 있는지를 판정하는 것을 말한다.
③ "공여자 적격성검사" 배양액에 사용되는 세포 또는 조직을 제공하는 사람을 말한다.
④ "윈도우 피리어드" 부유입자 및 미생물이 유입되거나 잔류하는 것을 통제하여 일정 수준 이하로 유지되도록 관리하는 구역의 관리주준을 정한 등급을 말한다.
⑤ "청정등급" 감염 초기에 세균, 진균, 바이러스 및 그 항원 · 항체 · 유전자 등을 검출할 수 없는 기간을 말한다.

해설 ② 공여자 적격성검사 ③ 공여자 ④ 청정등급 ⑤ 윈도우 피리어드

답: ①

40 세포 또는 조직에 대한 품질 및 안전성 확보에 필요한 정보를 확인할 수 있도록 세포 · 조직 채취 및 검사기록서를 작성 · 보존하여야 하는 내용으로 옳은 것은?

① 채취한 의료기관의 동의서
② 공여자의 생년월일
③ 공여자의 적격성 평가 결과
④ 공여자의 건강 검진결과
⑤ 인체 세포 · 조직 배양액

해설 1. 채취한 의료기관 명칭 2. 채취 연월일 3. 공여자의 식별 번호 4. 동의서
5. 세포 또는 조직의 종류, 채취방법, 채취량, 사용한 재료 등의 정보 ③번의 내용

답: ③

41 인체 세포 · 조직 배양액의 안전성 확보를 위하여 안정성 시험자료에 해당하는 것으로 옳은 것은?

① 제조번호, 제조연월일, 제조량의 자료
② 각 단계별 처리 및 취급과정의 자료
③ 1차 피부자극 시험자료
④ 피부예민성 시험자료
⑤ 사용한 원료의 목록자료

해설 1. 단회투여독성 시험자료 2. 반복투여독성 시험자료 3. 안점막자극 또는 기타점막자극 시험자료
4. 피부감작성 시험자료 5. 광독성 및 광감작성 시험자료 6. 인체 세포 · 조직 배양액의 구성성분에 관한 자료 7. 유전독성 시험자료 8. 인체첩포 시험자료 ③번 포함

답: ③

42 기능성화장품의 시험방법에 대한 내용으로 건조감량시험법을 바르게 설명한 것은?

① 검체를 원료각조에서 규정된 조건으로 건조하여 그 감량을 측정하는 방법이다.
② 검체 1g중의 에스텔를 검화 하고 유리산을 중화시키는데 필요한 수산화칼륨(KOH)의 mg수이다.
③ 검체를 다음방법으로 강열할 때 남는 양을 측정하는 방법이다.
④ 검체를 원료각조에서 규정한 조건으로 강열하여 그 감량을 측정하는 방법이다.
⑤ 검체 중에 들어있는 납(Pb)의 양의 한도를 시험하는 방법이다.

해설 ② 검화가측정법 ③ 강열잔분시험법 ④ 강열감량시험법 ⑤ 납(Pb)시험법

답: ①

43 다음의 위해화장품의 공표 문에 관련한 내용으로 옳은 것은?

① 공표문의 크기는 일반일간신문 게재용: 2단 20센티미터 이상
② 인터넷 홈페이지에 게재하는 것은 의무 사항은 아니다.
③ 회수화장품은 회수 사유에 대해서만 작성하면 된다.
④ 공표문 내용에 사용기한 또는 개봉 후 상용기간(병행 표기된 제조연월일) 포함
⑤ 회수화장품을 구입한 소비자에게는 그대로 사용하게 한다.

해설 일반일간신문 게재용: 3단 10센티미터 이상

인터넷 홈페이지 게재용: 회수문의 내용이 잘 보이도록 크기 조정 가능

공표문의 내용은 회수제품명, 제조번호, 회수사유, 회수방법, 회수영업자, 영업자주소, 연락처 ④번 포함

그 밖의 사항: 위해화장품 회수 관련 협조 요청

- 해당 회수화장품을 보관하고 있는 판매자는 판매를 중지하고 회수 영업지에게 반품히여 주시기 바랍니다.
- 해당 제품을 구입한 소비자께서는 그 구입한 업소에 되돌려 주시는 등 위해화장품 회수에 적극 협조하여 주시기 바랍니다.

답: ④

44 다음은 화장품 제조에 사용된 성분의 표시기준 및 표시방법에 대한 내용으로 옳은 것은?

① 글자의 크기는 5포인트 이상으로 한다.
② 착향제 성분은 1퍼센트 이하로 사용하여도 기재 · 표시한다.
③ 착향제 성분 중 알레르기 유발성분이 있는 경우에도 향료로 표시 할 수 있다.
④ 혼합원료는 혼합된 원료를 하나로 기재 · 표시한다.
⑤ 산성도(pH)조절 목적으로 사용되는 성분은 그 성분을 표시 · 기재한다.

해설 ② 1퍼센트 이하로 사용된 성분, 착향제 또는 착색제는 순서에 상관없이 기재 · 표시할 수 있다.

③ 착향제의 구성 성분 중 식품의약품안전처장이 정하여 고시한 알레르기 유발성분이 있는 경우에는 향료로 표시할 수 없고, 해당 성분의 명칭을 기재 · 표시해야 한다.

④ 혼합원료는 혼합된 개별 성분의 명칭을 기재 · 표시한다.

⑤ 산성도(pH)조절 목적으로 사용되는 성분은 그 성분을 표시 · 기재하는 대신 중화반응에 따른 생성물로 기재 · 표시할 수 있다.

답: ①

45 기능성화장품 포장의 표시기준 및 표시방법으로 옳은 것은?

① 사용기한은 "사용기한" 또는 "까지" 등의 문자와 "연월일"을 소비자가 알기 쉽도록 기재 · 표시해야 한다.
② 기능성 화장품은 개봉 후 사용기간이 12개월 이내로 기재 · 표시한다.
③ 문구는 법에 따라 기재 · 표시된 "기능성화장품" 글자 바로 아래에 "기능성화장품" 글자와 동일한 글자크기 이상으로 기재 · 표시해야 한다.
④ 개봉 후 사용기간을 표시하는 경우에는 병행 표기해야 하는 제조연월일에 각각 구별이 가능하도록 기재 · 표시한다.

⑤ 문구는 법에 따라 기재 · 표시된 "기능성화장품" 글자 바로 아래에 개봉 후 사용 기간 동일한 글자크기 이상으로 기재 · 표시해야 한다.

해설 "기능성화장품" 글자 바로 아래에 "기능성화장품" 글자와 동일한 글자크기 이상으로 기재 · 표시해야 한다.

답: ③

46 기능성화장품을 압착하여 얻은 액제 또는 로션 제를 가지고 시험할 때 기준치 ± 1.0이다. 다만 pH 범위로 옳은 것은?

① pH 범위 2.0~3.5
② pH 범위 2.5~5.7
③ pH 범위 3.0~9.0
④ pH 범위 3.5~9.9
⑤ pH 범위 3.7~8.5

해설 pH 범위는 3.0~9.0이다.

답: ③

47 기능성화장품의 원료성분의 기재항목 중 함량기준에 대한 설명으로 옳은 것은?

① 불안정한 원료성분인 경우는 그 원료의 품질에 관한 정보에 따라 기준치의 폭을 설정한다.
② 원칙적으로 함량은 백분율(%)로 표시하고 괄호 안에 분자식을 기재한다.
③ 함량기준 설정이 불가능한 이유가 명백한 때에는 그 이유를 구체적으로 기재한다.
④ 색, 형상, 냄새, 맛, 용해성 등을 구체적으로 기재한다.
⑤ 원료성분을 확인할 수 있는 화학적 시험방법을 기재한다.

해설 1.불안정한 원료성분인 경우는 그 분해물의 안전성에 관한 정보에 따라 기준치의 폭을 설정한다.
2. 함량기준 설정이 불가능한 이유가 명백한 때에는 생략할 수 있다. 다만, 그 이유를 구체적으로 기재한다.
3. ②번의 내용과 다만, 함량을 백분율(%)로 표시하기가 부적당한 것은 역사 또는 질소 함량 그 외의 적당한 방법으로 표시하며, 함량을 표시할 수 없는 것은 그 화학적 순물질의 함량으로 표시할 수 있다.

답: ②

48 기능성화장품의 원료성분 및 제제의 함량 또는 역가의 기준은 표시량 또는 표시역가에 대하여 다음 각 사항에 해당하는 함량을 함유한다. 함량으로 옳은 것은?

① 원료성분: 90.0% 이상
② 제제: 95.0% 이상
③ 치오글리콜산은 90.0~110.0%
④ 제제의 함량: 95.0%
⑤ 표시량: 90.0%

해설 1. 원료성분: 95.0% 이상
2. 제제: 90.0% 이상. 다만, 화장품법 시행규칙 제2조제7호의 화장품 중 치오글리콜산은 90.0~110.0%로 한다.
3. 기타 주성분의 함량시험이 불가능하거나 필요하지 않아 함량기준을 설정할 수 없는 경우에는

가능성 시험으로 대체할 수 있다.

답: ③

49 독성시험의 대표적인 시험방법으로 Adjuvant를 사용하는 시험법으로 옳은 것은?

① Morikawa법
② Open Epicutaneous Test
③ Draize Test
④ Buehler Test
⑤ Adjuvant and Patch Test

해설 1. Freund's Complete Adjuvant Test 2. Maximization Test
3. Optimization Test 4. Split Adjuvant Test
⑤ 번 해당

답: ⑤

50 인체사용시험 중 인체 첩포 시험에 대한 설명으로 옳은 것은?

① 피부과 전문의 또는 연구소 및 병원, 기타 관련기관에서 5년 이상 해당시험 경력을 가진 자의 지도하에 수행되어야 한다.
② 박테리아를 이용한 복귀돌연변이시험
③ 포유류 배양세포를 이용한 체외 염색체이상시험
④ 설치류 조혈세포를 이용한 체내 소핵 시험
⑤ 일반적으로 기니 픽을 사용하는 시험법을 사용한다.

해설 5년 이상 해당시험 경력을 가진 자의 지도하에 수행

답: ①

51 다음 〈보기〉에서 미네랄 유래 성분을 모두 고르시오.

구리가루, 베타인, 카라기난, 레시틴 및 그 유도체, 규조토, 토코페롤, 토코트리에놀, 오리자놀, 디소듐포스페이트, 안나토, 카로티노이드/잔토필, 앱설루트, 콘크리트, 레지노이드, 디칼슘포스페이트, 라놀린, 진탄검, 알킬베타인

① 구리가루, 규조토, 디소듐포스페이트, 디칼슘포스페이트
② 구리가루, 베타인, 카라기난, 레시틴 및 그유도체
③ 규조토, 토코페롤, 토코트리에놀, 오리자놀
④ 카로티노이드/잔토필, 앱설루트, 콘크리트
⑤ 레지노이드, 디칼슘포스페이트, 라놀린, 진탄검, 알킬베타인

해설 구리가루, 규조토, 디소듐포스페이트, 디칼슘포스페이트을 제외한 모든 성분은 허용, 기타원료이다.

답: ①

52 허용 기타원료 중 천연화장품에만 허용되는 원료로 옳은 것은?

① 글라이코스핑고리피드 및 글라이코리피드
② 앱설루트, 콘크리트, 레지노이드

③ 토코페롤, 토코트리에놀
④ 방향족, 알콕실레이트화
⑤ 할로겐화, 니트로젠 또는 황

해설 ①,③ 허용기타원료 ④,⑤사용이 불가한 원료

답: ②

53 다음 괄호 안에 들어갈 내용으로 옳은 것은?

> 석유화학 부분(petrochemical moiety의 합)은 전체 제품에서 2%를 초과할 수 없다.
> 석유화학 부분은 다음과 같이 계산한다.
> ( )
> 이 원료들은 유기농이 될 수 없다.

① 석유화학 부분(%) = 석유화학 유래 부분 몰중량 / 전체 분자량 × 100
② 석유화학 부분(%) = 천연 유래 원료 부분 몰중량 / 전체 분자량 × 100
③ 석유화학 부분(%) = 석유화학 유래 부분 몰중량 / 전체 분자량 × 200
④ 석유화학 부분(%) = 석유화학 유래 몰중량 / 분자량 × 100
⑤ 석유화학 부분(%) = 천연 유래 원료부분 몰중량 / 분자량 × 200

해설 석유화학 유래 부분 몰중량 / 전체 분자량 × 100

답: ①

54 물리적 공정 중 자연적으로 얻어지는 용매 사용(물, CO_2등) 공정 명으로 옳은 것은?

① 증류(Distillation)
② 추출(Extractions)
③ 여과(Filtration)
④ 동결건조(Lyophilization)
⑤ 삼출(Percolation)

해설 증류(Distillation)

답: ①

55 세척제에 사용가능한 원료 중 에톡실화 계면활성제는 다음 조건에 만족하여야 한다. 바르게 설명한 것은?

① 전체 계면활성제의 50% 이하일 것
② 에톡실화 6번 이하일 것
③ 천연 화장품에 혼합되지 않을 것
④ 혐기성 및 호기성 조건하에서 쉽고 빠르게 생분해될 것
⑤ 전체 계면활성제의 80%이하일 것

해설 1. 전체 계면활성제의 50% 이하일 것
2. 에톡실화 8번 이하일 것
3. 유기농 화장품에 혼합되지 않을 것

답: ①

56 유기농함량 계산방법 중 유기농함량 확인이 불가능한 경우 유기농함량 비율 계산방법으로 옳은 것은?

① 유기농함량 비율은 유기농 원료 및 유기농유래 원료에서 유기농 부분에 해당되는 함량 비율을 계산한다.
② 미네랄유래 원료는 유기농함량 비율 계산에 포함한다.
③ 유기농 원물만 사용하거나, 유기농 용매를 사용하여 유기농 원물을 추출한 경우 해당 원료의 유기농함량 비율은 100%로 계산한다.
④ 용매는 최종 추출물에 존재하는 양으로 계산하며 물도 용매로 계산한다.
⑤ 동일한 식물의 유기농과 비 유기농이 혼합되어 있는 경우 혼합물도 유기농으로 간주한다.

해설 1. 물, 미네랄 또는 미네랄유래 원료는 유기농함량 비율 계산에 포함 하지 않는다. 물은 제품에 직접 함유되거나 혼합 원료의 구성요소일 수 있다.
2. 수용성 및 비수용성 추출물 원료의 유기농함량 비율 계산방법은 다음과 같다. 단, 용매는 최종 추출물에 존재하는 양으로 계산하며 물은 용매로 계산하지 않고, 동일한 식물의 유기농과 비 유기농이 혼합되어 있는 경우 이 혼합물은 유기농으로 간주하지 않는다.
3. ③번 내용

답: ③

57 유기농함량 계산방법으로 신선한 원물로 복원하기 위해서는 실제 건조 비율을 사용하거나 중량을 일정 비율을 곱해야 한다. 옳은 것은?

① 나무, 껍질, 씨앗, 견과류, 뿌리 1 : 25
② 나무, 껍질, 씨앗, 꽃, 뿌리 1 : 2.5
③ 잎, 꽃, 지상부 1 : 5
④ 과일(예: 살구, 포도) 1 : 45
⑤ 물이 많은 과일(예: 오렌지, 파인애플) 1 : 5

해설 1. 나무, 껍질, 씨앗, 견과류, 뿌리 1 : 25 2. 잎, 꽃, 지상부 1 : 4.5
3. 과일(예: 살구, 포도) 1 : 5 4. 물이 많은 과일(예: 오렌지, 파인애플) 1 : 8

답: ①

58 화장품을 제조하면서 완전한 제거가 불가능한 물질에 대한 검출 허용 한도로 옳은 것은?

① 납: 점토를 원료로 사용한 분말제품은 50㎍/g이하, 그 밖의 제품은 20㎍/g이하
② 비소: 5㎍/g이하
③ 수은: 5㎍/g이하
④ 안티몬: 5㎍/g이하
⑤ 카드뮴: 10㎍/g이하

해설 비소: 10㎍/g이하, 수은: 1㎍/g이하, 안티몬: 10㎍/g이하, 카드뮴: 5㎍/g이하

답: ①

59 다음 물리적 공정이 아닌 것은?

① 흡수/흡착, 탈색/탈염(불활성 지지체)
② 분쇄, 원심분리
③ 원심분리, 상층액분리
④ 탈(脫)고무, 탈(脫)유
⑤ 응축/부가

해설 물리적 공정과 화학적 · 생물학적으로 구분하는 내용으로 응축/부가는 화학적 · 생물학적 공정에 해당

답: ⑤

60 다음 ㉠, ㉡에 들어갈 단어를 쓰시오.

(㉠)이란 제조 또는 품질관리 활동 등이 미리 정하여진 기준을 벗어나 이루어진 행위를 말한다. (㉡)이란 규정된 합격 판정 기준에 일치 하지 않는 검사, 측정 또는 시험결과를 말한다.

① 일탈, 기준일탈(out-of-specification)
② 제조, 품질보증
③ 품질보증, 일탈
④ 원료, 기준이탈(out-of-specification)
⑤ 공정관리, 변경관리

해설 일탈, 기준일탈의 내용

답: ①

61 동물성 원료에 대한 설명으로 바르지 않는 것은?

① 동물에서 생산된 그 자체의 원료
② 동물 그 자체(세포, 조직, 장기)를 제외한 동물로부터 자연적으로 생산된 것을 가지고 이 고시에서 허용하는 물리적 공정에 따라 만들어진 원료
③ 이 고시에서 허용하는 물리적 공정에 따라 가공한 계란 등의 화장품원료
④ 이 고시에서 허용하는 물리적 공정에 따라 가공한 우유 등의 화장품원료
⑤ 천연화장품 및 유기농화장품의 기준에 의해 만들어진 우유단백질 등의 화장품원료

해설 동물에서 생산된 그 자체(세포, 조직, 장기)를 제외한 원료

답: ①

유통 화장품 안전관리

- 우수화장품 제조 및 품질관리기준

3.1 작업장의 위생관리

3.2 작업자의 위생관리

3.3 설비 및 기구 관리

3.4 내용물 원료관리

3.5 포장재의 관리

| 적중예상문제 |

우수화장품 제조 및 품질관리기준

[식품의약품안전처 고시 제2020 - 12호(2020. 2. 25, 개정)]

제1장 총칙

제1조(목적) 이 고시는 「화장품법」 제5조제2항 및 같은 법 시행규칙 제12조제2항에 따라 우수화장품 제조 및 품질관리 기준에 관한 세부사항을 정하고, 이를 이행하도록 권장함으로써 우수한 화장품을 제조 · 공급하여 소비자보호 및 국민 보건 향상에 기여함을 목적으로 한다.

| 해설 | 화장품법 제5조(제조판매업자 등의 의무 등)제2항, 같은 법 시행규칙 제12조(제조업자의 준수사항 등)제2항에 따라 식품의약품안전처장은 식품의약품안전처장이 정하여 고시하는 우수화장품 제조관리기준을 준수하도록 화장품제조업자에게 권장할 수 있도록 규정하고 있다.

이에 따라, 식품의약품안전처에서는 우수화장품 제조 및 품질관리 기준에 관한 세부사항을 정하고 있는 「우수화장품 제조 및 품질관리기준」(Cosmetic Good Manufacturing Practice, 이하 "CGMP"라 한다)을 고시로 운영하고 있다.

CGMP는 품질이 보장된 우수한 화장품을 제조 · 공급하기 위한 제조 및 품질관리에 관한 기준으로서 직원, 시설 · 장비 및 원자재, 반제품, 완제품 등의 취급과 실시방법을 정한 것이다.

CGMP 3대 요소

① 인위적인 과오의 최소화

② 미생물오염 및 교차오염으로 인한 품질저하 방지

③ 고도의 품질관리체계 확립

화장품 제조업체에서 화장품 제조 및 품질관리시 CGMP 이행을 통하여 전반적으로 발생할 수 있는 위험과 잠재적인 문제를 상당히 감소시켜 유통화장품 품질 확보에 따른 소비자 보호 및 국민 보건 향상에 기여할 수 있을 것으로 기대되고, 생산성 향상도 기대할 수 있을 것이다.

제2조(용어의 정의) 이 고시에서 사용하는 용어의 뜻은 다음과 같다.

1. 〈삭 제〉
2. "제조" 란 원료 물질의 칭량부터 혼합, 충전(1차 포장), 2차 포장 및 표시 등의 일련의 작업을 말한다.
3. 〈삭 제〉

4. "품질보증" 이란 제품이 적합 판정 기준에 충족될 것이라는 신뢰를 제공하는데 필수적인 모든 계획되고 체계적인 활동을 말한다.
5. "일탈" 이란 제조 또는 품질관리 활동 등의 미리 정하여진 기준을 벗어나 이루어진 행위를 말한다.
6. "기준일탈 (out-of-specification)" 이란 규정된 합격 판정 기준에 일치하지 않는 검사, 측정 또는 시험결과를 말한다.

| 해설 | 일탈, 기준일탈 (out of specification) 일탈(Deviations)은 규정된 제조 또는 품질관리활동 등의 기준(예시: 기준서, 표준작업지침(Standard Operating Procedures) 등)을 벗어나 이루어진 행위이다.
기준일탈 (Out of specification)이란 어떤 원인에 의해서든 시험결과가 정한 기준값 범위를 벗어난 경우이다. 기준일탈은 엄격한 절차를 마련하여 이에 따라 조사하고 문서화 하여야 한다. 즉, 일탈(Deviations) 과 기준일탈 (out of specification)은 정해진 기준이나 규정된 제조 또는 품질관리활동을 벗어난 것을 의미하며, 업체의 상황에 따라 혼용 또는 분리해서 사용이 가능하며, 이러한 사항들을 규정화하여 필요시 적절한 조치 후 문서화하는 것이 중요하다.

7. "원료" 란 벌크 제품의 제조에 투입하거나 포함되는 물질을 말한다.
8. "원자재" 란 화장품원료 및 자재를 말한다.

| 해설 | 원자재: 화장품 제조시 사용된 원료, 용기, 포장재, 표시재료, 첨부문서 등을 말한다.

9. "불만" 이란 제품이 규정된 적합판정기준을 충족시키지 못한다고 주장하는 외부 정보를 말한다.
10. "회수" 란 판매한 제품가운데 품질결함이나 안전성 문제 등으로 나타난 제조번호의 제품(필요시 여타 제조번호 포함)을 제조소로 거두어들이는 활동을 말한다.
11. "오염" 이란 제품에서 화학적, 물리적, 미생물학적 문제 또는 이들이 조합되어 나타내는 바람직하지 않은 문제의 발생을 말한다.
12. "청소" 란 화학적인 방법, 기계적인 방법, 온도, 적용시간과 이러한 복합된 요인에 의해 청정도를 유지하고 일반적으로 표면에서 눈에 보이는 먼지를 분리, 제거하여 외관을 유지하는 모든 작업을 말한다.
13. "유지관리" 란 적절한 작업 환경에서 건물과 설비가 유지되도록 정기적 · 비정기적인 지원 및 검증 작업을 말한다.
14. "주요 설비" 란 제조 및 품질관련 문서에 명기된 설비로 제품의 품질에 영향을 미치는 필수적인 설비를 말한다.
15. "교정" 이란 규정된 조건하에서 측정기기나 측정시스템에 의해 표시되는 값과 표준기기의 참값을 비교하여 이들의 오차가 허용범위 내에 있음을 확인하고, 허용범위를 벗어나는 경우 허용범위 내에 들도록 조정하는 것을 말한다.
16. "제조번호" 또는 "뱃치번호"란 일정한 제조단위분에 대하여 제조관리 및 출하에 관한 모

든 사항을 확인할 수 있도록 표시된 번호로서 숫자 · 문자 · 기호 또는 이들의 특정적인 조합을 말한다.

| 해설 | 제조번호
품질의 균질성을 가진 집단을 일정한 제조단위분에 대하여 제조관리 및 출하에 관한 모든 사항을 확인할 수 있도록 표시된 번호로서 숫자 · 문자 · 기호 또는 이들의 특정적인 조합을 말한다. 이 번호로 추적관리가 가능하도록 해야 한다. 번호를 부여하는 방법에는 일정한 체계가 있어야 하며 그 체계는 사내규정으로 정한다.

17. "반제품" 이란 제조공정 단계에 있는 것으로서 필요한 제조공정을 더 거쳐야 벌크 제품이 되는 것을 말한다.
18. "벌크제품" 이란 충전(1차 포장) 이전의 제조 단계까지 끝낸 제품을 말한다.

| 해설 | 반제품, 벌크제품: "반제품" 이란 제조공정 단계에 있는 것으로서 필요한 제조공정을 더 거쳐야 벌크제품이 되는 것을 말하며, "벌크제품" 이란 충전(1차 포장) 이전의 제조 단계까지 끝낸 제품을 말한다.

19. "제조단위" 또는 "뱃치" 란 하나의 공정이나 일련의 공정으로 제조되어 균질성을 갖는 화장품의 일정한 분량을 말한다.

| 해설 | 제조단위 또는 뱃치: 제품의 경우 어떠한 그룹을 같은 제조단위 또는 뱃치로 하기 위해서는 그 그룹이 균질성을 갖는다는 것을 나타내는 과학적 근거가 있어야 한다. 과학적 근거란 몇 개의 소(小) 제조단위를 합하여 같은 제조단위로 할 경우에는 동일한 원료와 자재를 사용하고 제조조건이 동일하다는 것을 나타내는 근거를 말하며, 또 동일한 제조공정에 사용되는 기계가 복수일 때에는 그 기계의 성능과 조건이 동일하다는 것을 나타내는 것을 말한다.

20. "완제품" 이란 출하를 위해 제품의 포장 및 첨부문서에 표시공정 등을 포함한 모든 제조공정이 완료된 화장품을 말한다.
21. "재작업" 이란 적합 판정기준을 벗어난 완제품, 벌크제품 또는 반제품을 재처리하여 품질이 적합한 범위에 들어오도록 하는 작업을 말한다.
22. "수탁자" 는 직원, 회사 또는 조직을 대신하여 작업을 수행하는 사람, 회사 또는 외부 조직을 말한다.

| 해설 | 수탁자: 제조 및 품질관리 관련하여 공정 또는 시험의 일부를 위탁할 수 있다. 이렇게 직원, 회사 또는 조직을 대신하여 작업을 수행하는 사람, 회사 또는 외부조직을 수탁자라고 한다. 단, 공정의 경우에는 수탁업체의 주기적이고 적절한 평가방안을 마련하여 관리하여야 하며, 시험기관에 대하여는 「화장품법 시행규칙」 제6조제2항제2호에 해당하는 기관이어야 한다.

23. "공정관리" 란 제조공정 중 적합판정기준의 충족을 보증하기 위하여 공정을 모니터링하거나 조정하는 모든 작업을 말한다.
24. "감사" 란 제조 및 품질과 관련한 결과가 계획된 사항과 일치하는지의 여부와 제조 및 품질관리가 효과적으로 실행되고 목적달성에 적합한지 여부를 결정하기 위한 체계적이고 독립적인 조사를 말한다.

25. "변경관리" 란 모든 제조, 관리 및 보관된 제품이 규정된 적합판정 기준에 일치하도록 보장하기 위하여 우수화장품 제조 및 품질관리기준이 적용되는 모든 활동을 내부 조직의 책임하에 계획하여 변경하는 것을 말한다.
26. "내부감사" 란 제조 및 품질과 관련한 결과가 계획된 사항과 일치하는지의 여부와 제조 및 품질관리가 효과적으로 실행되고 목적 달성에 적합한지 여부를 결정하기 위한 회사 내 자격이 있는 직원에 의해 행해지는 체계적이고 독립적인 조사를 말한다.
27. "포장재" 란 화장품의 포장에 사용되는 모든 재료를 말하며 운송을 위해 사용되는 외부 포장재는 제외한 것이다. 제품과 직접적으로 접촉하는지 여부에 따라 1차 또는 2차 포장재 라고 말한다.

| 해설 | 포장재: 화장품법 제2조(정의) 제6호, 제7호에 따른 정의에 의하면, "1차 포장"이란 화장품 제조시 내용물과 직접 접촉하는 포장용기를 말한다.
"2차 포장" 이란 1차 포장을 수용하는 1개 또는 그 이상의 포장과 보호재 및 표시의 목적으로 한 포장(첨부문서 등을 포함한다)을 말한다.

28. "적합 판정 기준" 이란 시험결과의 적합 판정을 위한 수적인 제한, 범위 또는 기타 적절한 측정법을 말한다.
29. "소모품" 이란 청소, 위생처리 또는 유지 작업 동안에 사용되는 물품(세척제, 윤활제 등)을 말한다.
30. "관리" 란 적합판정 기준을 충족시키는 검증을 말한다.
31. "제조소" 란 화장품을 제조하기 위한 장소를 말한다.

| 해설 | 제조소: 화장품을 제조하기 위한 장소를 말하는 것으로 시험실, 보관소 등을 포함한다.

32. "건물" 이란 제품, 원료 및 포장재의 수령, 보관, 제조, 관리 및 출하를 위해 사용되는 물리적 장소, 건축물 및 보조 건축물을 말한다.
33. "위생관리" 란 대상물의 표면에 있는 바람직하지 못한 미생물 등 오염물을 감소시키기 위해 시행되는 작업을 말한다.
34. "출하" 란 주문 준비와 관련된 일련의 작업과 운송수단에 적재하는 활동으로 제조소 외로 제품을 운반하는 것을 말한다.

제2장 인적자원

제3조(조직의 구성) ① 제조소별로 독립된 제조부서와 품질보증부서를 두어야 한다.

② 조직구조는 조직과 직원의 업무가 원활히 이해될 수 있도록 규정되어야 하며, 회사의 규모와 제품의 다양성에 맞추어 적절하여야 한다.

③ 제조소에는 제조 및 품질관리 업무를 적절히 수행할 수 있는 충분한 인원을 배치하여야 한다.

제4조(직원의 책임) ① 모든 작업원은 다음 각 호를 이행해야 할 책임이 있다.

1. 조직 내에서 맡은 지위 및 역할을 인지해야 할 의무
2. 문서접근 제한 및 개인위생 규정을 준수해야 할 의무
3. 자신의 업무범위 내에서 기준을 벗어난 행위나 부적합 발생 등에 대해 보고해야 할 의무
4. 정해진 책임과 활동을 위한 교육훈련을 이수할 의무

② 품질보증 책임자는 화장품의 품질보증을 담당하는 부서의 책임자로서 다음 각 호의 사항을 이행하여야 한다.

1. 품질에 관련된 모든 문서와 절차의 검토 및 승인
2. 품질 검사가 규정된 절차에 따라 진행되는지 확인
3. 일탈이 있는 경우 이의 조사 및 기록
4. 적합 판정한 원자재 및 제품의 출고 여부 결정
5. 부적합품이 규정된 절차대로 처리되고 있는지의 확인
6. 불만처리와 제품회수에 관한 사항의 주관

제5조(교육훈련) ① 제조 및 품질관리 업무와 관련 있는 모든 직원들에게 각자의 직무와 책임에 적합한 교육훈련이 제공될 수 있도록 연간계획을 수립하고 정기적으로 교육을 실시하여야 한다.

② 교육담당자를 지정하고 교육훈련의 내용 및 평과가 포함된 교육훈련 규정을 작성하여야 하되, 필요한 경우에는 외부 전문기관에 교육을 의뢰할 수 있다.

③ 교육 종료 후에는 교육결과를 평가하고, 일정한 수준에 미달할 경우에는 재교육을 받아야 한다.

④ 새로 채용된 직원은 업무를 적절히 수행할 수 있도록 기본 교육훈련 외에 추가 교육훈련을 받아야 하며 이와 관련한 문서화된 절차를 마련하여야 한다.

제6조(직원의 위생) ① 적절한 위생관리 기준 및 절차를 마련하고 제조소 내의 모든 직원은 이를 준수해야 한다.

② 작업소 및 보관소 내의 모든 직원은 화장품의 오염을 방지하기 위해 규정된 작업복을 착용해야 하고 음식물 등을 반입해서는 아니 된다.

③ 피부에 외상이 있거나 질병에 걸린 직원은 건강이 양호해지거나 화장품의 품질에 영향을 주지 않는다는 의사의 소견이 있기 전까지는 화장품과 직접적으로 접촉되지 않도록 격리되

어야 한다.

④ 제조구역별 접근권한이 없는 작업원 및 방문객은 가급적 제조, 관리 및 보관구역 내에 들어가지 않도록 하고, 불가피한 경우 사전에 직원 위생에 대한 교육 및 복장 규정에 따르도록 하고 감독하여야 한다.

제3장 제조

제1절 시설기준

제7조(건물) ① 건물은 다음과 같이 위치, 설계, 건축 및 이용되어야 한다.

1. 제품이 보호되도록 할 것
2. 청소가 용이하도록 하고 필요한 경우 위생관리 및 유지관리가 가능하도록 할 것
3. 제품, 원료 및 포장재 등의 혼동이 없도록 할 것

② 건물은 제품의 제형, 현재 상황 및 청소 등을 고려하여 설계하여야 한다.

제8조(시설) ① 작업소는 다음 각 호에 적합하여야 한다.

1. 제조하는 화장품의 종류·제형에 따라 적절히 구획·구분되어 있어 교차오염 우려가 없을 것
2. 바닥, 벽, 천장은 가능한 청소하기 쉽게 매끄러운 표면을 지니고 소독제 등의 부식성에 저항력이 있을 것
3. 환기가 잘 되고 청결할 것
4. 외부와 연결된 창문은 가능한 열리지 않도록 할 것
5. 작업소 내의 외관 표면은 가능한 매끄럽게 설계하고, 청소, 소독제의 부식성에 저항력이 있을 것
6. 수세실과 화장실은 접근이 쉬워야 하나 생산구역과 분리되어 있을 것
7. 작업소 전체에 적절한 조명을 설치하고, 조명이 파손될 경우를 대비한 제품을 보호할 수 있는 처리절차를 마련할 것
8. 제품의 오염을 방지하고 적절한 온도 및 습도를 유지할 수 있는 공기조화시설 등 적절한 환기시설을 갖출 것
9. 각 제조구역별 청소 및 위생관리 절차에 따라 효능이 입증된 세척제 및 소독제를 사용할 것
10. 제품의 품질에 영향을 주지 않는 소모품을 사용할 것

② 제조 및 품질관리에 필요한 설비 등은 다음 각 호에 적합하여야 한다.

1. 사용목적에 적합하고, 청소가 가능하며, 필요한 경우 위생·유지관리가 가능하여야 한다. 자동화시스템을 도입한 경우도 또한 같다.

2. 사용하지 않는 연결 호스와 부속품은 청소 등 위생관리를 하며, 건조한 상태로 유지하고 먼지, 얼룩 또는 다른 오염으로부터 보호할 것
3. 설비 등은 제품의 오염을 방지하고 배수가 용이하도록 설계, 설치하며, 제품 및 청소 소독제와 화학반응을 일으키지 않을 것
4. 설비 등의 위치는 원자재나 직원의 이동으로 인하여 제품의 품질에 영향을 주지 않도록 할 것
5. 용기는 먼지나 수분으로부터 내용물을 보호할 수 있을 것
6. 제품과 설비가 오염되지 않도록 배관 및 배수관을 설치하며, 배수관은 역류되지 않아야 하고, 청결을 유지할 것
7. 천정 주위의 대들보, 파이프, 덕트 등은 가급적 노출되지 않도록 설계하고, 파이프는 받침대 등으로 고정하고 벽에 닿지 않게 하여 청소가 용이하도록 설계할 것
8. 시설 및 기구에 사용되는 소모품은 제품의 품질에 영향을 주지 않도록 할 것

제9조(작업소의 위생) ① 곤충, 해충이나 쥐를 막을 수 있는 대책을 마련하고 정기적으로 점검 · 확인하여야 한다.

② 제조, 관리 및 보관 구역 내의 바닥, 벽, 천장 및 창문은 항상 청결하게 유지되어야 한다.

③ 제조시설이나 설비의 세척에 사용되는 세제 또는 소독제는 효능이 입증된 것을 사용하고 잔류하거나 적용하는 표면에 이상을 초래하지 아니하여야 한다.

④ 제조시설이나 설비는 적절한 방법으로 청소하여야 하며, 필요한 경우 위생관리 프로그램을 운영하여야 한다.

제10조(유지관리) ① 건물, 시설 및 주요 설비는 정기적으로 점검하여 화장품의 제조 및 품질관리에 지장이 없도록 유지 · 관리 · 기록하여야 한다.

② 결함 발생 및 정비 중인 설비는 적절한 방법으로 표시하고, 고장 등 사용이 불가할 경우 표시하여야 한다.

③ 세척한 설비는 다음 사용 시까지 오염되지 아니하도록 관리하여야 한다.

④ 모든 제조 관련 설비는 승인된 자만이 접근 · 사용하여야 한다.

⑤ 제품의 품질에 영향을 줄 수 있는 검사 · 측정 · 시험장비 및 자동화장치는 계획을 수립하여 정기적으로 교정 및 성능점검을 하고 기록해야 한다.

⑥ 유지관리 작업이 제품의 품질에 영향을 주어서는 안 된다.

제2절 원자재의 관리

제11조(입고관리) ① 화장품제조업자는 원자재 공급자에 대한 관리감독을 적절히 수행하여 입고 관리가 철저히 이루어지도록 하여야 한다.

② 원자재의 입고시 구매 요구서, 원자재 공급업체 성적서 및 현품이 서로 일치하여야 한다. 필요한 경우 운송관련 자료를 추가적으로 확인할 수 있다.

③ 원자재 용기에 제조번호가 없는 경우에는 관리번호를 부여하여 보관하여야 한다.

④ 원자재 입고절차 중 육안확인 시 물품에 결함이 있을 경우 입고를 보류하고 격리보관 및 폐기하거나 원자재 공급업자에게 반송하여야 한다.

⑤ 입고된 원자재는 "적합", "부적합", "검사 중" 등으로 상태를 표시하여야 한다. 다만, 동일 수준의 보증이 가능한 다른 시스템이 있다면 대체할 수 있다.

⑥ 원자재 용기 및 시험기록서의 필수적인 기재사항은 다음 각 호와 같다.

1. 원자재 공급자가 정한 제품명
2. 원자재 공급자명
3. 수령일자
4. 공급자가 부여한 제조번호 또는 관리번호

제12조(출고관리) 원자재는 시험결과 적합판정된 것만을 선입선출방식으로 출고해야 하고 이를 확인할 수 있는 체계가 확립되어 있어야 한다.

제13조(보관관리) ① 원자재, 반제품 및 벌크 제품은 품질에 나쁜 영향을 미치지 아니하는 조건에서 보관하여야 하며 보관기한을 설정하여야 한다.

② 원자재, 반제품 및 벌크 제품은 바닥과 벽에 닿지 아니하도록 보관하고, 선입선출에 의하여 출고할 수 있도록 보관하여야 한다.

③ 원자재, 시험 중인 제품 및 부적합품은 각각 구획된 장소에서 보관하여야 한다. 다만, 서로 혼동을 일으킬 우려가 없는 시스템에 의하여 보관되는 경우에는 그러하지 아니한다.

④ 설정된 보관기한이 지나면 사용의 적절성을 결정하기 위해 재평가시스템을 확립하여야 하며, 동 시스템을 통해 보관기한이 경과한 경우 사용하지 않도록 규정하여야 한다.

제14조(물의 품질) ① 물의 품질 적합기준은 사용 목적에 맞게 규정하여야 한다.

② 물의 품질은 정기적으로 검사해야 하고 필요시 미생물학적 검사를 실시하여야 한다.

③ 물 공급 설비는 다음 각 호의 기준을 충족해야 한다.

1. 물의 정체와 오염을 피할 수 있도록 설치될 것

2. 물의 품질에 영향이 없을 것
3. 살균처리가 가능할 것

제3절 제조관리

제15조(기준서 등) ① 제조 및 품질관리의 적합성을 보장하는 기본 요건들을 충족하고 있음을 보증하기 위하여 다음 각 항에 따른 제품표준서, 제조관리기준서, 품질관리기준서 및 제조위생관리기준서를 작성하고 보관하여야 한다.

② 제품표준서는 품목별로 다음 각 호의 사항이 포함되어야 한다.

1. 제품명
2. 작성연월일
3. 효능 · 효과(기능성 화장품의 경우) 및 사용상의 주의사항
4. 원료명, 분량 및 제조단위당 기준량
5. 공정별 상세 작업내용 및 제조공정흐름도
6. 공정별 이론 생산량 및 수율관리기준
7. 작업 중 주의사항
8. 원자재 · 반제품 · 완제품의 기준 및 시험방법
9. 제조 및 품질관리에 필요한 시설 및 기기
10. 보관조건
11. 사용기한 또는 개봉 후 사용기간
12. 변경이력
13. 다음 사항이 포함된 제조지시서
    가. 제품표준서의 번호
    나. 제품명
    다. 제조번호, 제조연월일 또는 사용기한(또는 개봉 후 사용기간)
    라. 제조단위
    마. 사용된 원료명, 분량, 시험번호 및 제조단위당 실 사용량
    바. 제조 설비명
    사. 공정별 상세 작업내용 및 주의사항
    아. 제조 지시자 및 지시연월일
14. 그 밖에 필요한 사항

③ 제조관리기준서는 다음 각 호의 사항이 포함되어야 한다.

1. 제조공정관리에 관한 사항

가. 작업소의 출입제한
나. 공정검사의 방법
다. 사용하려는 원자재의 적합판정 여부를 확인하는 방법
라. 재작업방법

2. 시설 및 기구 관리에 관한 사항
가. 시설 및 주요설비의 정기적인 점검방법
나. 작업 중인 시설 및 기기의 표시방법
다. 장비의 교정 및 성능점검 방법

3. 원자재 관리에 관한 사항
가. 입고시 품명, 규격, 수량 및 포장의 훼손 여부에 대한 확인방법과 훼손되었을 경우 그 처리방법
나. 보관 장소 및 보관방법
다. 시험결과 부적합품에 대한 처리방법
라. 취급 시의 혼동 및 오염 방지대책
마. 출고시 선입선출 및 칭량된 용기의 표시사항
바. 재고관리

4. 완제품 관리에 관한 사항
가. 입·출하시 승인판정의 확인방법
나. 보관 장소 및 보관방법
다. 출하 시의 선입선출방법

5. 위탁제조에 관한 사항
가. 원자재의 공급, 반제품, 벌크제품 또는 완제품의 운송 및 보관 방법
나. 수탁자 제조기록의 평가방법

④ 품질관리기준서는 다음 각 호의 사항이 포함되어야 한다.

1. 다음 사항이 포함된 시험지시서
가. 제품명, 제조번호 또는 관리번호, 제조연월일
나. 시험지시번호, 지시자 및 지시연월일
다. 시험항목 및 시험기준

2. 시험검체 채취방법 및 채취 시의 주의사항과 채취 시의 오염방지대책
3. 시험시설 및 시험기구의 점검(장비의 교정 및 성능점검 방법)
4. 안정성시험
5. 완제품 등 보관용 검체의 관리

6. 표준품 및 시약의 관리
7. 위탁시험 또는 위탁 제조하는 경우 검체의 송부방법 및 시험결과의 판정방법
8. 그 밖에 필요한 사항

⑤ 제조위생관리기준서는 다음 각 호의 사항이 포함되어야 한다.

1. 작업원의 건강관리 및 건강상태의 파악 · 조치방법
2. 작업원의 수세, 소독방법 등 위생에 관한 사항
3. 작업복장의 규격, 세탁방법 및 착용규정
4. 작업실 등의 청소(필요한 경우 소독을 포함한다. 이하 같다) 방법 및 청소주기
5. 청소상태의 평가방법
6. 제조시설의 세척 및 평가
   가. 책임자 지정
   나. 세척 및 소독 계획
   다. 세척방법과 세척에 사용되는 약품 및 기구
   라. 제조시설의 분해 및 조립 방법
   마. 이전 작업 표시 제거방법
   바. 청소상태 유지방법
   사. 작업 전 청소상태 확인방법
7. 곤충, 해충이나 쥐를 막는 방법 및 점검주기
8. 그 밖에 필요한 사항

제16조(칭량) ① 원료는 품질에 영향을 미치지 않는 용기나 설비에 정확하게 칭량 되어야 한다.

② 원료가 칭량되는 도중 교차오염을 피하기 위한 조치가 있어야 한다.

제17조(공정관리) ① 제조공정 단계별로 적절한 관리기준이 규정되어야 하며 그에 미치지 못한 모든 결과는 보고되고 조치가 이루어져야 한다.

② 반제품은 품질이 변하지 아니하도록 적당한 용기에 넣어 지정된 장소에서 보관해야 하며 용기에 다음 사항을 표시해야 한다.

1. 명칭 또는 확인코드
2. 제조번호
3. 완료된 공정명
4. 필요한 경우에는 보관조건

③ 반제품의 최대 보관기한은 설정하여야 하며, 최대 보관기한이 가까워진 반제품은 완제품 제조하기 전에 품질이상, 변질 여부 등을 확인하여야 한다.

제18조(포장작업) ① 포장작업에 관한 문서화된 절차를 수립하고 유지하여야 한다.

② 포장작업은 다음 각 호의 사항을 포함하고 있는 포장지시서에 의해 수행되어야 한다.

1. 제품명
2. 포장 설비명
3. 포장재 리스트
4. 상세한 포장공정
5. 포장생산수량

③ 포장작업을 시작하기 전에 포장작업 관련 문서의 완비여부, 포장설비의 청결 및 작동여부 등을 점검하여야 한다.

제19조(보관 및 출고) ① 완제품은 적절한 조건하의 정해진 장소에서 보관하여야 하며, 주기적으로 재고 점검을 수행해야 한다.

② 완제품은 시험결과 적합으로 판정되고 품질보증부서 책임자가 출고 승인한 것만을 출고하여야 한다.

③ 출고는 선입선출방식으로 하되, 타당한 사유가 있는 경우에는 그러지 아니할 수 있다.

④ 출고할 제품은 원자재, 부적합품 및 반품된 제품과 구획된 장소에서 보관하여야 한다. 다만 서로 혼동을 일으킬 우려가 없는 시스템에 의하여 보관되는 경우에는 그러하지 아니할 수 있다.

제4장 품질관리

제20조(시험관리) ① 품질관리를 위한 시험업무에 대해 문서화된 절차를 수립하고 유지하여야 한다.

② 원자재, 반제품 및 완제품에 대한 적합기준을 마련하고 제조번호별로 시험기록을 작성 · 유지하여야 한다.

③ 시험결과 적합 또는 부적합인지 분명히 기록하여야 한다.

④ 원자재, 반제품 및 완제품은 적합판정이 된 것만을 사용하거나 출고하여야 한다.

⑤ 정해진 보관 기간이 경과된 원자재 및 반제품은 재평가하여 품질기준에 적합한 경우 제조에 사용할 수 있다.

⑥ 모든 시험이 적절하게 이루어졌는지 시험기록을 검토한 후 적합, 부적합, 보류를 판정하여야 한다.

⑦ 기준일탈이 된 경우는 규정에 따라 책임자에게 보고한 후 조사하여야 한다. 조사결과는 책임자에 의해 일탈, 부적합, 보류를 명확히 판정하여야 한다.

⑧ 표준품과 주요시약의 용기에는 다음 사항을 기재하여야 한다.
1. 명칭
2. 개봉일
3. 보관조건
4. 사용기한
5. 역가, 제조자의 성명 또는 서명(직접 제조한 경우에 한함)

제21조(검체의 채취 및 보관) ① 시험용 검체는 오염되거나 변질되지 아니하도록 채취하고, 채취한 후에는 원상태에 준하는 포장을 해야 하며, 검체가 채취되었음을 표시하여야 한다.
② 시험용 검체의 용기에는 다음 사항을 기재하여야 한다.
1. 명칭 또는 확인코드
2. 제조번호
3. 검체채취 일자
③ 완제품의 보관용 검체는 적절한 보관조건 하에 지정된 구역 내에서 제조단위별로 사용기한 경과 후 1년간 보관하여야 한다. 다만, 개봉 후 사용기간을 기재하는 경우에는 제조일로부터 3년간 보관하여야 한다.

제22조(폐기처리 등) ① 품질에 문제가 있거나 회수 · 반품된 제품의 폐기 또는 재작업 여부는 품질보증 책임자에 의해 승인되어야 한다.
② 재작업은 그 대상이 다음 각 호를 모두 만족한 경우에 할 수 있다.
1. 변질 · 변패 또는 병원미생물에 오염되지 아니한 경우
2. 제조일로부터 1년이 경과하지 않았거나 사용기한이 1년 이상 남아있는 경우
③ 재입고 할 수 없는 제품의 폐기처리규정을 작성하여야 하며 폐기대상은 따로 보관하고 규정에 따라 신속하게 폐기하여야 한다.

제23조(위탁계약) ① 화장품 제조 및 품질관리에 있어 공정 또는 시험의 일부를 위탁하고자 할 때에는 문서화된 절차를 수립 · 유지하여야 한다.
② 제조업무를 위탁하고자 하는 자는 제30조에 따라 식품의약품안전처장으로부터 우수화장품 제조 및 품질관리기준 적합판정을 받은 업소에 위탁제조하는 것을 권장한다.
③ 위탁업체는 수탁업체의 계약 수행능력을 평가하고 그 업체가 계약을 수행하는데 필요한 시설 등을 갖추고 있는지 확인해야 한다.
④ 위탁업체는 수탁업체와 문서로 계약을 체결해야 하며 정확한 작업이 이루어질 수 있도록 수탁업체에 관련 정보를 전달해야 한다.

⑤ 위탁업체는 수탁업체에 대해 계약에서 규정한 감사를 실시해야 하며 수탁업체는 이를 수용하여야 한다.

⑥ 수탁업체에서 생성한 위 · 수탁 관련 자료는 유지되어 위탁업체에서 이용 가능해야 한다.

제24조(일탈관리) 제조과정 중의 일탈에 대해 조사를 한 후 필요한 조치를 마련해야 한다.

제25조(불만처리) ① 불만처리담당자는 제품에 대한 모든 불만을 취합하고, 제기된 불만에 대해 신속하게 조사하고 그에 대한 적절한 조치를 취하여야 하며, 다음 각 호의 사항을 기록 · 유지하여야 한다.

1. 불만 접수연월일
2. 불만 제기자의 이름과 연락처
3. 제품명, 제조번호 등을 포함한 불만내용
4. 불만조사 및 추적조사 내용, 처리결과 및 향후 대책
5. 다른 제조번호의 제품에도 영향이 없는지 점검

② 불만은 제품 결함의 경향을 파악하기 위해 주기적으로 검토하여야 한다.

제26조(제품회수) ① 화장품제조업자는 제조한 화장품에서 「화장품법」 제9조, 제15조, 또는 제16조제1항을 위반하여 위해 우려가 있다는 사실을 알게 되면 지체 없이 회수에 필요한 조치를 하여야 한다.

② 다음 사항을 이행하는 회수 책임자를 두어야 한다.

1. 전체 회수과정에 대한 화장품책임판매업자와의 조정역할
2. 결함 제품의 회수 및 관련 기록 보존
3. 소비자 안전에 영향을 주는 회수의 경우 회수가 원활히 진행될 수 있도록 필요한 조치 수행
4. 회수된 제품은 확인 후 제조소 내 격리보관 조치(필요시에 한함)
5. 회수과정의 주기적인 평가(필요시에 한함)

제27조(변경관리) 제품의 품질에 영향을 미치는 원자재, 제조공정 등을 변경할 경우에는 이를 문서화하고 품질보증책임자에 의해 승인된 후 수행하여야 한다.

제28조(내부감사) ① 품질보증체계가 계획된 사항에 부합하는지를 주기적으로 검증하기 위하여 내부감사를 실시하여야 하고 내부감사 계획 및 실행에 관한 문서화된 절차를 수립하고 유

지하여야 한다.

② 감사자는 감사대상과는 독립적이어야 하며, 자신의 업무에 대하여 감사를 실시하여서는 아니 된다.

③ 감사 결과는 기록되어 경영책임자 및 피감사 부서의 책임자에게 공유되어야 하고 감사 중에 발견된 결함에 대하여 시정조치 하여야 한다.

④ 감사자는 시정조치에 대한 후속 감사활동을 행하고 이를 기록하여야 한다.

제29조(문서관리) ① 화장품제조업자는 우수화장품 제조 및 품질보증에 대한 목표와 의지를 포함한 관리방침을 문서화하며 전 작업원들이 실행하여야 한다.

② 모든 문서의 작성 및 개정 · 승인 · 배포 · 회수 또는 폐기 등 관리에 관한 사항이 포함된 문서관리규정을 작성하고 유지하여야 한다.

③ 문서는 작업자가 알아보기 쉽도록 작성하여야 하며 작성된 문서에는 권한을 가진 사람의 서명과 승인연월일이 있어야 한다.

④ 문서의 작성자 · 검토자 및 승인 자는 서명을 등록한 후 사용하여야 한다.

⑤ 문서를 개정할 때는 개정사유 및 개정연월일 등을 기재하고 권한을 가진 사람의 승인을 받아야 하며 개정 번호를 지정해야 한다.

⑥ 원본 문서는 품질보증부서에서 보관하여야 하며, 사본은 작업자가 접근하기 쉬운 장소에 비치 · 사용하여야 한다.

⑦ 문서의 인쇄본 또는 전자매체를 이용하여 안전하게 보관해야 한다.

⑧ 작업자는 작업과 동시에 문서에 기록하여야 하며 지울 수 없는 잉크로 작성하여야 한다.

⑨ 기록문서를 수정하는 경우에는 수정하려는 글자 또는 문장 위에 선을 그어 수정 전 내용을 알아볼 수 있도록 하고 수정된 문서에는 수정사유, 수정연월일 및 수정자의 서명이 있어야 한다.

⑩ 모든 기록문서는 적절한 보존기간이 규정되어야 한다.

⑪ 기록의 훼손 또는 소실에 대비하기 위해 백업파일 등 자료를 유지하여야 한다.

제5장 판정 및 감독

제30조(평가 및 판정) ① 우수화장품 제조 및 품질관리기준 적합판정을 받고자 하는 업소는 별지 제1호 서식에 따른 신청서(전자문서를 포함한다)에 다음 각 호의 서류를 첨부하여 식품의약품안전처장에게 제출하여야 한다. 다만, 일부 공정만을 행하는 업소는 별표 1에 따른 해당 공정을 별지 제1호 서식에 기재하여야 한다.

1. 삭제〈2012. 10. 16.〉
2. 우수화장품 제조 및 품질관리기준에 따라 3회 이상 적용 · 운영한 자체평가표
3. 화장품 제조 및 품질관리기준 운영조직
4. 제조소의 시설내역
5. 제조관리현황
6. 품질관리현황

② 삭제〈2012. 10. 16.〉

③ 삭제〈2012. 10. 16.〉

④ 식품의약품안전처장은 제출된 자료를 평가하고 별표 2에 따른 실태조사를 실시하여 우수화장품 제조 및 품질관리기준 적합 판정한 경우에는 별지 제3호 서식에 따른 우수화장품 제조 및 품질관리기준 적합업소 증명서를 발급하여야 한다. 다만, 일부 공정만을 행하는 업소는 해당 공정을 증명서내에 기재하여야 한다.

제31조(우대조치) ① 삭제〈2012. 10. 16.〉

② 국제규격인증업체(CGMP, ISO9000) 또는 품질보증 능력이 있다고 인정되는 업체에서 제공된 원료 · 자재는 제공된 적합성에 대한 기록의 증거를 고려하여 검사의 방법과 시험항목을 조정할 수 있다.

③ 식품의약품안전처장은 제30조에 따라 우수화장품 제조 및 품질관리기준 적합판정을 받은 업소는 정기 수거검정 및 정기 감시대상에서 제외할 수 있다.

④ 제30조에 따라 우수화장품 제조 및 품질관리기준 적합판정을 받은 업소는 별표 3에 따른 로고를 해당 제조업소와 그 업소에서 제조한 화장품에 표시하거나 그 사실을 광고할 수 있다.

제32조(사후관리) ① 식품의약품안전처장은 제30조에 따라 우수화장품 제조 및 품질관리기준 적합판정을 받은 업소에 대해 별표 2의 우수화장품 제조 및 품질관리기준 실시상황평가표에 따라 3년에 1회 이상 실태조사를 실시하여야 한다.

② 식품의약품안전처장은 사후관리 결과 부적합 업소에 대하여 일정한 기간을 정하여 시정하도록 지시하거나, 우수화장품 제조 및 품질관리기준 적합업소 판정을 취소할 수 있다.

③ 식품의약품안전처장은 제1항에도 불구하고 제조 및 품질관리에 문제가 있다고 판단되는 업소에 대하여 수시로 우수화장품 제조 및 품질관리기준 운영 실태조사를 할 수 있다.

제33조(재검토기한) 식품의약품안전처장은 「훈령 · 예규 등의 발령 및 관리에 관한 규정」에 따라 이 고시에 대하여 2016년 1월 1일 기준으로 매 3년이 되는 시점(매 3년째의 12월 31까지를 말한다)마다 그 타당성을 검토하여 개선 등의 조치를 하여야 한다.

부칙 〈제2020 - 12호, 2020. 2. 25.〉

이 고시는 고시한 날부터 시행한다.

3.1 작업장의 위생관리

1) 작업장의 위생기준

(1) 곤충, 해충이나 쥐를 막을 수 있는 대책을 마련하고 정기적으로 점검 · 확인하여야 한다.
(2) 제조, 관리 및 보관 구역 내의 바닥, 벽, 천장 및 창문은 항상 청결하게 유지되어야 한다.
(3) 제조시설이나 설비의 세척에 사용되는 세제 또는 소독제는 효능이 입증된 것을 사용하고 잔류하거나 적용하는 표면에 이상을 초래하지 아니하여야 한다.
(4) 제조시설이나 설비는 적절한 방법으로 청소하여야 하며, 필요한 경우 위생관리 프로그램을 운영하여야 한다.

2) 작업장의 위생상태

(1) 작업소의 오염요소

오염요소	방지
전작업 잔류물, 공기, 분진, 작업소 발생쓰레기, 생물체(곤충, 쥐등),미생물	• 청정도관리 • 청소, 소독 • 방충방서

(2) 청소 방법과 위생 처리사항

① 공조시스템에 사용된 필터는 규정에 의해 청소되거나 교체되어야 한다.
② 물질 또는 제품필터들은 규정에 의해 청소되거나 교체되어야 한다.
③ 물 또는 제품의 모든 유출과 고인 곳 그리고 파손된 용기는 지체 없이 청소 또는 제거되어야 한다.
④ 제조 공정 또는 포장과 관련되는 지역에서의 청소와 관련된 활동이 기류에 의한 오염을 유발해 제품품질에 위해를 끼칠 것 같은 경우에는 작업 동안에 해서는 안 된다.
⑤ 청소에 사용되는 용구(진공청소기 등)은 정돈된 방법으로 깨끗하고, 건조된 지정된 장소에 보관 되어야 한다.
⑥ 오물이 묻은 걸레는 사용 후에 버리거나 세탁해야 한다.
⑦ 오물이 묻은 유니폼은 세탁될 때까지 적당한 컨테이너에 보관되어야 한다.
⑧ 제조 공정과 포장에 사용한 설비 그리고 도구들은 세척해야 한다. 적절한 때에 도구들은 계획과 절차에 따라 위생 처리되어야하고 기록되어야 한다. 적절한 방법으로 보관되어야 하

고, 청결을 보증하기 위해 사용 전 검사되어야 한다. (청소완료 표시서)

⑨ 제조공정과 포장 지역에서 재료의 운송을 위해 사용된 기구는 필요할 때 청소되고 위생 처리되어야 하며, 작업은 적절하게 기록되어야 한다.

⑩ 제조공장을 깨끗하고 정돈된 상태로 유지하기 위해 필요할 때 청소가 수행되어야 한다. 그러한 직무를 수행하는 모든 사람은 적절하게 교육되어야 한다. 천장, 머리 위의 파이프, 기타 작업지역은 필요할 때 모니터링 하여 청소되어야 한다.

⑪ 제품 또는 원료가 노출되는 제조 공정, 포장 또는 보관 구역에서의 공사 또는 유지관리 보수 활동은 제품오염을 방지하기 위해 적합하게 처리되어야 한다.

⑫ 제조 공장의 한 부분에서 다른 부분으로 먼지, 이물 등을 묻혀가는 것을 방지하기 위해 주의하여야 한다.

3) 작업장의 위생 유지관리 활동

(1) 작업소의 청정도 관리

① 각 작업소에 필요한 청정등급에 따라 육안검사, 부유입자, 낙하균, 표면 균을 측정하는 방법, 주기 등 필요한 평가방법을 정한다.

② 청정구역별로 정해진 청정등급에 적합하게 청소방법, 청소도주기 및 확인방법을 설정한다.

[청정도 등급]

청정도 등급	대상시설	해당 작업실	청정공기 순환	구조 조건	관리 기준	작업 복장
1	청정도 엄격관리	Clean bench	20회/hr 이상 또는 차압 관리	Pre-filter, Med-filter, HEPA-filter, Clean bench/booth, 온도 조절	낙하균: 10개/hr 또는 부유균: 20개/㎥	작업복, 작업모, 작업화
2	화장품 내용물이 노출되는 작업실	제조실, 성형실, 충전실, 내용물보관소, 원료 칭량실, 미생물시험실	10회/hr 이상 또는 차압 관리	Pre-filter, Med-filter, (필요시 HEPA-filter) 분진 발생실 주변 양압, 제진 시설	낙하균: 30개/hr 또는 부유균: 200개/㎥	작업복, 작업모, 작업화

청정도 등급	대상시설	해당 작업실	청정공기 순환	구조 조건	관리 기준	작업 복장
3	화장품 내용물이 노출 안 되는 곳	포장실	차압 관리	Pre-filter 온도조절	갱의, 포장재의 외부 청소 후 반입	작업복, 작업모, 작업화
4	일반 작업실 (내용물 완전폐색)	포장재보관소, 완제품보관소, 관리품보관소, 원료보관소 갱의실, 일반시험실	환기장치	환기 (온도조절)	-	-

③ 공기 조화 장치: 공기 조화 장치는 청정 등급 유지에 필수적이고 중요하므로 그 성능이 유지되고 있는지 주기적으로 점검 · 기록한다.

[공기 조절의 4대 요소]

번호	4대요소	대응설비
1	청정도	공기정화기
2	실내온도	열교환기
3	습 도	가습기
4	기 류	송풍기

(2) 정리정돈, 폐기물처리

① 오염과 혼돈을 방지하기 위하여 작업소 내의 물품 및 원자재 등을 잘 정리, 정돈하여야 한다.

② 작업 소에서 발생하는 각종 폐기물 등을 지정된 장소에 보관하여야 한다.

③ 작업장 내의 폐기물 보관소(쓰레기통 등), 청소도구는 그 자체로서 오염원이 될 수 있으므로 적절히 관리한다.

(3) 청소 및 소독

① 전용이 아닌 시설의 청소 후에는 이전 작업의 성분이나 잔류물이 남아있지 않아야 한다.
② 각 작업실별 청소주기, 청소방법, 확인방법 등의 내용이 포함된 규정을 만들고 이 규정에 따라 청소를 실시하여야 한다.
③ 주요시설의 사용, 청소, 소독 또는 멸균작업에 대한 기록 및 날짜, 시간, 이전에 작업한 제품명, 제조번호, 청소자, 확인자, 유지, 관리한 사람의 성명 등을 기입한다.
④ 작업실의 청소나 소독에 약품을 사용할 경우 그 세정제와 소독제의 상품명, 화학적 특성과 사용상의 주의사항, 조제(사용농도), 사용방법을 구체적으로 기재하고 사용하는 장치나 보조기구도 기재한다.

(4) 방충, 방서

① 벌레나 쥐의 침입은 제조환경 및 제품의 오염, 제품의 신뢰성에 영향을 미치는 외에 작업자에게도 피해를 줄 수 있기 때문에 이에 대한 대책이 필요하다.

[곤충, 해충이나 쥐를 막을 수 있는 대책]

원칙	방충 대책의 구체적인 예
• 벌레가 좋아하는 것을 제거한다. • 빛이 밖으로 새어나가지 않게 한다. • 조사한다. • 구제한다.	• 벽, 천장, 창문, 파이프 구멍에 틈이 없도록 한다. • 개방할 수 있는 창문을 만들지 않는다. • 창문은 차광하고 야간에 빛이 밖으로 새어나가지 않게 한다. • 배기구, 흡기 구에 필터를 단다. • 폐수 구에 트랩을 단다. • 문하부에는 스커트를 설치한다. •골판지, 나무 부스러기를 방치하지 않는다.(벌레의 집이 된다) • 실내 압을 외부(실외)보다 높게 한다.(공기조화장치) • 청소와 정리정돈 • 해충, 곤충의 조사와 구제를 실시한다.

② 방충 및 방서 장치

방충장치	곤충 유인등, 에어커튼, 포충등, 전격 살충기등
방서장치	쥐덫, 끈끈이, 초음파퇴서기, 살서제, 쥐먹이 상자등

③ 방충방서 조사 절차

현상파악 → 제조시설의 방충제제 확립 → 방충제제 유지 → 모니터링 → 현상파악

4) 작업장 위생 유지를 위한 세제의 종류와 사용법

시설기구	청소주기	세제	청소방법	점검방법
원료창고	수시	상수	• 작업하고 종료 후 진공청소기로 청소하고 물걸레로 닦는다.	육안
	1회/월	상수	• 진공청소기 등으로 바닥, 벽, 창, 원료통 주위의 먼지를 청소하고 물걸레로 닦는다.	육안
칭량실	작업 후	상수. 70% 에탄올	• 원료통, 작업대, 저울 등을 70% 에탄올을 묻힌 걸레 등으로 닦는다. • 바닥은 진공청소기로 청소하고 물걸레로 닦는다.	육안
	1회/월	중성세제	• 바닥, 벽, 문, 원료통, 저울, 작업대 등을 진공청소기, 걸레 등으로 청소하고, 걸레에 전용세제 또는 70% 에탄올을 묻혀 찌든 때를 제거한 후 깨끗한 걸레로 닦는다.	육안
제조실, 충전실, 반제품 보관실 및 미생물 실험실	수시 (최소1회 /일)	중성세제, 70% 에탄올	• 작업 종료 후 바닥 작업대와 테이블 등을 진공청소기로 청소하고 물걸레로 깨끗이 닦는다. • 작업 전 작업대와 테이블, 저울을 70% 에탄올로 소독한다. • 클린벤치는 작업 전 작업 후 70% 에탄올로 소독한다.	육안
	1회/월	중성세제, 70% 에탄올	• 바닥, 벽, 문, 작업대와 테이블 등을 진공청소기로 청소하고, 상수에 중성 세제를 섞어 바닥에 뿌린 후 걸레로 세척한다. • 작업대와 테이블을 70% 에탄올로 소독 한다.	육안

5) 작업장 소독을 위한 소독제의 종류와 사용

세척제/소독제	소독방법	
• 중성세제(세척제) • 70% 에탄올-가연성 • 크레졸수(3%)-특이취 • 차아염소산나트륨액-금속부식성 • 페놀수(3%)-특이취 • 벤잘코늄클로라이이드10% • 클루콘산클로르헥시딘5%	• 실내: 분무 • 고정비품, 천정, 벽면 등: 거즈에 묻혀서 닦기	• 소독액 교체사용 • 1주~6개월을 권장 (내성균 출현)

3.2 작업자의 위생관리

1) 작업장 내 직원의 위생 기준 설정

(1) 적절한 위생관리 기준 및 절차를 마련하고 제조소 내의 모든 직원은 이를 준수해야 한다.
(2) 작업소 및 보관소 내의 모든 직원은 화장품의 오염을 방지하기 위해 규정된 작업복을 착용해야 하고 음식물 등을 반입해서는 아니 된다.
(3) 피부에 외상이 있거나 질병에 걸린 직원은 건강이 양호해지거나 화장품의 품질에 영향을 주지 않는다는 의사의 소견이 있기 전까지는 화장품과 직접적으로 접촉되지 않도록 격리되어야 한다.
(4) 제조구역별 접근권한이 있는 작업원 및 방문객은 가급적 제조, 관리 및 보관구역 내에 들어가지 않도록 하고, 불가피한 경우 사전에 직원 위생에 대한 교육 및 복장 규정에 따르도록 하고 감독하여야 한다.

- 모든 직원이 위생관리 기준 및 절차를 준수할 수 있도록 교육훈련 해야 함
- 신규 직원에 대하여 위생교육을 실시하며, 기존 직원에 대해서도 정기적으로 교육을 실시
- 직원의 작업시 복장, 직원 건강상태 확인, 직원에 의한 제품의 오염방지에 관한 사항, 직원의 손 씻는 방법, 직원의 작업 중 주의사항, 방문객 및 교육훈련을 받지 않은 직원의 위생관리 등이 포함

2) 작업장 내 직원의 위생상태 판정

(1) 건강관리

① 정기적인 건강검진에 관하여 사내규정을 정하여 특정 질환의 사람이 특정 작업을 할 수 없는 경우를 명시한다.
② 작업원은 자신의 질환을 스스로 알려야 한다, 그에 따라 업무 전환, 격리 등 적절한 조치를 취하는 절차를 사내규정으로 정한다.

(2) 수세, 소독 방법

① 수세할 시점을 정하고 사용하는 세제 또는 소독제의 종류, 사용농도, 교체주기를 정한다.
② 작업 장소에 들어가기 전에 반드시 손을 씻는다.

(3) 작업 복장

① 각 작업장에 따라 그에 알맞은 작업복을 규격을 정하고 갱의 절차, 세탁 방법, 세탁 횟수, 착용규정 등을 정한다.
② 장갑, 보안경, 마스크, 머리카락 덮게, 신발 등도 작업복에 준하여 관리한다.

(4) 작업 중 주의사항

① 개인 소지품(개인용 의약품, 휴대폰 포함)이나 해당 작업에 적절치 못한 장신구(반지, 목걸이, 귀걸이, 시계 등)는 작업실에 반입하지 않는다.
② 해당 작업에 적절치 못한 작업 이외의 행위(음식물 섭취, 흡연, 개인적인 목적의 세탁 등)를 금한다.
③ 머리카락이 밖으로 나오지 않게 주의한다.

3) 혼합 · 소분 시 위생관리 규정

① 혼합 · 소분 전에는 손을 소독 또는 세정하거나 일회용장갑을 착용할 것
② 혼합 · 소분에 사용되는 장비 또는 기기 등은 사용 전 · 후 세척할 것
③ 혼합 · 소분된 제품을 담을 용기의 오염여부를 사전에 확인할 것

4) 작업자 위생 유지를 위한 세제의 종류와 사용법

(1) 작업복 세탁

세척제, 소독제			사용방법
세탁용 합성제세	약알칼리성	물30L + 세제30g	• 세제를 물에 충분히 녹임
섬유유연제		물60L+ 세제40ml	• 마지막 행굼 시, 섬유유연제를 넣고 2회 이상 충분히 헹군 후 탈수
주방용 합성세제		물1L + 세제2g	• 물에 1분 이상 세탁물을 담가두었다가 2회 이상 행굼
락스(차아염소산나트륨액)		물5L + 락스25ml	• 세탁 후, 락스액에 10~20분 담가두었다가 헹굼

5) 작업자 소독을 위한 소독제 종류와 사용법

작업 전 70% 에탄올을 이용하여 손 소독을 한다.

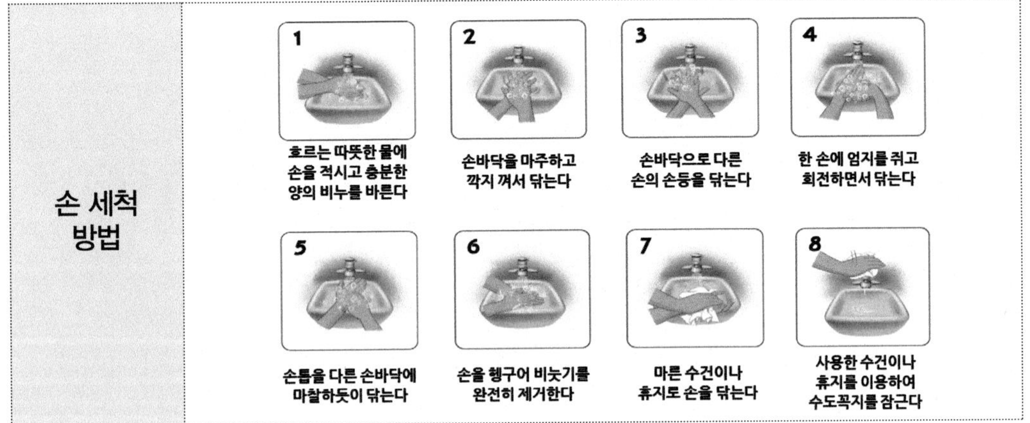

6) 작업자 위생관리를 위한 복장 청결상태 판단

직원은 작업 중 위생관리상 문제가 되지 않도록 청정도에 맞는 적절한 작업복, 모자와 신발을 착용하고 필요한 경우는 마스크, 장갑을 착용한다.

① 작업복 등은 목적과 오염도에 따라 세탁을 하지 않고 필요에 따라 소독한다.

② 작업 전에 복장점검을 하고 적절하지 않을 경우는 시정한다.

③ 직원은 별도의 지역에 의약품을 포함한 개인적인 물품을 보관해야 하며, 음식, 음료수 및 흡연구역 등은 제조 및 보관 지역과 분리된 지역에서만 섭취하거나 흡연해야 한다.

3.3 설비 및 기구 관리

1) 설비, 기구의 위생 기준 설정

(1) 작업소

① 제조하는 화장품의 종류 · 제형에 따라 적절히 구획 · 구분되어 있어 교차오염 우려가 없을 것
② 바닥, 벽, 천장은 가능한 청소하기 쉽게 매끄러운 표면을 지니고 소독제 등의 부식성에 저항력이 있을 것
③ 환기가 잘 되고 청결 할 것
④ 외부와 연결된 창문은 가능한 열리지 않도록 할 것
⑤ 작업소 내의 외관 표면은 가능한 매끄럽게 설계하고, 청소, 소독제의 부식성에 저항력이 있을 것
⑥ 수세실과 화장실은 접근이 쉬워야 하나 생산구역과 분리되어 있을 것
⑦ 작업소 전체에 적절한 조명을 설치하고, 조명이 파손될 경우를 대비한 제품을 보호할 수 있는 처리절차를 마련할 것

(2) 제조 및 품질관리에 필요한 설비

① 사용목적에 적합하고, 청소가 가능하며, 필요한 경우 위생 · 유지 관리가 가능하여야 한다. 자동화시스템을 도입한 경우도 또한 같다.
② 사용하지 않는 연결 호스와 부속품은 청소 등 위생관리를 하며, 건조한 상태로 유지하고 먼지, 얼룩 또는 다른 오염으로 부터 보호할 것
③ 설비 등은 제품의 오염을 방지하고 배수가 용이하도록 설계, 설치하며, 제품 및 청소 소독제와 화학반응을 일으키지 않을 것
④ 설비 등의 위치는 원자재나 직원의 이동으로 인하여 제품의 품질에 영향을 주지 않도록 할 것
⑤ 용기는 먼지나 수분으로부터 내용물을 보호할 수 있을 것
⑥ 제품과 설비가 오염되지 않도록 배관 및 배수관을 설치하며, 배수관은 역류되지 않아야 하고, 청결을 유지할 것
⑦ 천정 주위의 대들보, 파이프, 덕트 등은 가급적 노출되지 않도록 설계하고, 파이프는 받침대 등으로 고정하고 벽에 닿지 않게 하여 청소가 용이하도록 설계할 것
⑧ 시설 및 기구에 사용되는 소모품은 제품의 품질에 영향을 주지 않도록 할 것

2) 설비 · 기구의 위생 상태 판정

(1) 설비 세척의 원칙

- 위험성이 없는 용제(물이 최적)로 세척한다.
- 가능한 한 세제를 사용하지 않는다.
- 증기 세척은 좋은 방법이다.
- 브러시 등으로 문질러 지우는 것을 고려한다.
- 분해할 수 있는 설비는 분해해서 세척한다.
- 세척 후는 반드시 "판정"한다.
- 판정 후의 설비는 건조 · 밀폐해서 보존한다.
- 세척의 유효기간을 설정한다.

① 화장품을 제조, 설비하는데 사용하는 기계(기구포함)를 청소하고 청결을 유지하는 방법에 관한 지침서를 마련하고 이를 지켜야한다.

② 중요기계는 청소 정비 및 사용에 관한 내용을 날짜와 시간, 사용제품, 로트번호와 함께 기계별 사용기록부에 기록하여야 한다.

3) 오염물질 제거 및 소독방법

(1) 세척대상 및 확인방법

세척대상 물질	세척대상 설비	세척확인 방법
• 화학물질(원료, 혼합물), 미립자, 미생물 • 동일제품, 이종제품 • 쉽게 분해되는 물질, 안정된 물질 • 세척이 쉬운 물질, 세척이 곤란한 물질 • 불용물질, 가용물질 • 검출이 곤란한 물질, 쉽게 검출할 수 있는 물질	• 설비, 배관, 용기, 호스, 부속품 • 단단한 표면(용기내부), 부드러운 표면(호스) • 큰 설비, 작은 설비 • 세척이 곤란한 설비, 용이한 설비	• 육안방법 • 천(무진포)으로 문질러 부착물로 확인 • 린스 액의 화학분석

☞물 또는 증기만으로 세척할 수 있으면 가장 좋다.

브러시 등의 세척 기구를 적절히 사용해서 세척하는 것도 좋다.

세제(계면활성제)를 사용한 설비세척은 권장하지 않는 이유

① 세제는 설비 내벽에 남기 쉽다.

② 잔존한 세척제는 제품에 악영향을 미친다.

③ 세제가 잔존하고 있지 않는 것을 설명하기에는 고도의 화학분석이 필요하다.

(2) 청소 및 세척

① 절차서를 작성한다.

- "책임"을 명확하게 한다.
- 사용 기구를 정해 놓는다.
- 구체적인 절차를 정해 놓는다.(먼저 쓰레기를 제거한다, 동쪽에서 서쪽으로, 위에서 아래로, 천으로 닦는 일은 3번 닦으면 교환 등)
- 심한 오염에 대한 대처 방법을 기재해 놓는다.

② 판정기준: 구체적인 육안판정기준을 제시한다.

③ 세제를 사용한다면

- 사용하는 세제 명을 정해 놓는다.
- 사용하는 세제 명을 기록한다.

④ 기록을 남긴다.

- 사용한 기구, 세제, 날짜, 시간, 담당자명 등

⑤ "청소결과"를 표시한다.

※ 청소: 주위의 청소와 정리정돈을 포함한 시설 · 설비의 청정화 작업(세척: 설비의 내부 세척화작업)

(3) 소독방법

원료칭량통	• 사용된 원료칭량 통을 세탁실로 이송 ⇒ 온수(60℃)로 칭량통 내부 잔류물 세척 ⇒ 세척 솔을 이용하여 세제로 세척 ⇒ 다시 온수(60℃)를 사용하여 세제를 깨끗하게 제거 ⇒ 정제수를 이용하여 칭량통 내부 세척 ⇒ UV로 멸균시킨 마른수건으로 물기 제거 ⇒ UV등이 켜진 장소로 보관
제조설비	• 설비 내 잔류 량이 없음을 확인 후 세척공정 수행 ⇒ 믹서에 세척수 투입 후 70℃~80℃ 까지 가온하여 교반(세제는 클렌징 폼, 중성세제 등) ⇒ 배출 호수로 세척수를 하수구로 배출 ⇒ 믹서에 정제수 투입 후, 교반하여 세척 ⇒ 세척수 배출 후, 정제수로 잔류물 세척(배출되는 세척 수에서 이물질 및 색상 등을 통해 세척상태 확인), 세척 상태 불량 시 정제수를 투입하여 추가로 세척
내용물 저장통	• 사용된 저장통 등을 세척실로 이동 ⇒ 내용물 저장통 등을 온수(60℃)로 세척 ⇒ 세척 솔을 이용하여 세제로 세척한 후 온수(60℃)를 사용하여 세제를 제거(W/O제형의 경우 세제 세척하고,O/W제형은 세제 세척을 생략해도 됨, 이때 사용하는 세제는 클렌징 폼, 중성세제등 사용) ⇒ 정제수를 이용하여 내용물을 저장통등 세척 ⇒ UV로 멸균시킨 마른수건으로 물기를 완전히 제거 ⇒ 70% 에탄올을 기벽에 분사하고 마른수건으로 닦음 ⇒ 세척 및 건조 상태를 확인하고, 저장통과 덮개를 조립 ⇒ 세척 소독한 저장 통을 UV등이 켜진 보관실로 이동
포장설비 (충전기, 펌프, 호스)	• 포상설비(펌프/충전기)등을 세척실로 이동 ⇒ 설비 분해하고 펌프와 함께 온수(60℃)로 세척 ⇒ 세척 솔을 이용하여 세제로 세척한 온수(60℃)를 사용하여 세제제거(W/O제형의 경우 세제 세척하고,O/W제형은 세제 세척을 생략해도 됨, 이때 사용하는 세제는 클렌징 폼, 중성세제등 사용) ⇒ UV로 멸균시킨 마른수건으로 물기를 완전히 제거 ⇒ 70% 에탄올을 기벽에 분사하고 마른수건으로 닦기 ⇒ UV등이 켜진 보관실로 이동 보관
필터, 여과기 등	• 사용된 필터, 여과기 등을 세척실로 이동 ⇒ 온수(60℃)로 세척 ⇒ 세척 솔을 이용하여 세제로 세척한 후 온수(60℃)를 사용하여 세제제거(W/O제형의 경우 세제 세척하고,O/W제형은 세제 세척을 생략해도 됨, 이때 사용하는 세제는 클렌징 폼, 중성세제등 사용) ⇒ 정제수를 이용하여 다시세척 ⇒ UV로 멸균시킨 마른수건으로 물기를 완전히 제거 ⇒ 70% 에탄올을 분사하고 마른수건으로 닦기 ⇒ 세척 소독한 기구를 UV등이 켜진 보관실로 이동 보관

(4) 설비의 유지관리 주요사항

① 예방적 실시가(Preventive Maintenance) 원칙
② 설비마다 절차서를 작성한다.
③ 계획을 가지고 실행한다. (연간계획이 일반적)
④ 책임 내용을 명확하게 한다.
⑤ 유지하는 "기준"은 절차서에 포함
⑥ 점검체크시트를 사용하면 편리
⑦ 점검항목 : 외관검사(더러움, 녹, 이상소음, 이취 등), 작동점검(스위치, 연동성 등), 기능측정(회전수, 전압, 투과율, 감도 등), 청소(외부표면, 내부), 부품교환, 개선(제품 품질에 영향을 미치지 않는 일이 확인되면 적극적으로 개선한다.)

4) 설비, 기구의 구성 재질 구분

(1) 탱크(TANKS)

탱크는 공정 단계 및 완성된 포뮬레이션 과정에서 공정 중인 또는 보관용 원료를 저장하기를 위해 사용되는 용기이다.

① 구성 재질(Materials of Construction)

- 온도/압력 범위가 조작 전반과 모든 공정 단계의 제품에 적합해야 한다.
- 제품에 해로운 영향을 미쳐서는 안 된다.
- 제품(포뮬레이션 또는 원료 또는 생산 공정 중간생산물)과의 반응으로 부식되거나 분해를 초래 하는 반응이 있어서는 안 된다.
- 제품, 또는 제품제조과정, 설비 세척, 또는 유지관리에 사용되는 다른 물질이 스며들어서는 안 된다.
- 세제 및 소독제와 반응해서는 안 된다.

  용접, 나사, 나사못, 용구 등을 포함하는 설비 부품들 사이에 전기화학 반응을 최소화하도록 고안되어야 한다.

  현재 대부분 원료와 포뮬레이션에 대해 스테인리스스틸은 탱크의 제품에 접촉하는 표면물질로 일반적으로 선호된다. 구체적인 등급으로는 유형번호 304와 더 부식에 강한 번호 316 스테인리스스틸이 가장 광범위하게 사용된다. 어떤 경우에, 미생물학적으로 민감하지 않은 물질 또는 제품에는 유리로 안을 댄 강화유리섬유 폴리에스터와 플라스틱으로 안을 댄 탱크를 사용할 수 있다. 퍼옥사이드 같은 어떠한 민감한 물질/제품은 탱크 제작전문가들 또는 물질

공급자와 함께 탱크의 구성 물질과 생산하고자 하는 내용물이 서로 적용 가능한 지에 대해 상의하여야 한다.
기계로 만들고 광을 낸 표면이 바람직하다. 주형 물질(Cast material) 또는 거친 표면은 제품이 뭉치게 되어 깨끗하게 청소하기가 어려워 미생물 또는 교차오염문제를 일으킬 수 있다. 주형 물질(Cast material)은 화장품에 추천되지 않는다. 모든 용접, 결합은 가능한 한 매끄럽고 평면이어야 한다. 외부표면의 코팅은 제품에 대해 저항력(Product-resistant)이 있어야 한다. 원료 공급업체는 그들이 판매한 화학제품들의 구성성분에 대한 정보를 제공해야 한다.

(2) 펌프(PUMPS)

펌프는 다양한 점도의 액체를 한 지점에서 다른 지점으로 이동하기 위해 사용된다. 종종 펌프는 제품을 혼합(재순환 및 또는 균질화)하기 위해 사용된다.

① 구성재질(Materials of Construction)

펌프는 많이 움직이는 젖은 부품들로 구성되고 종종 하우징(Housing)과 날개차(impeller)는 닳는 특성 때문에 다른 재질로 만들어져야 한다. 추가적으로, 거기에는 보통 펌핑된 제품으로 젖게 되는 개스킷(gasket), 패킹(packing) 그리고 윤활제가 있다. 젖은 부품들은 모든 온도 범위에서 제품과의 적합성에 대해 평가되어야 한다.

(3) 혼합과 교반 장치(MIXING AND AGITATION EQUIPMENT)

혼합 또는 교반 장치는 제품의 균일성을 얻기 위해 또 희망하는 물리적 성상을 얻기 위해 사용된다. 장치설계는 기계적으로 회전된 날의 간단한 형태로부터 정교한 제분기(mill)와 균질화기(Homogenizer)까지 있다. 혼합기는 제품에 영향을 미치며 많은 경우에 제품의 안정성에 영향을 미친다. 그러므로 안정적으로 의도된 결과를 생산하는 믹서를 고르는 것이 매우 중요하다. 믹서를 고르는 방법 중 일반적인 접근은 실제 생산 크기의 뱃치 생산 전에 시험적인 정률증가(scale-up) 기준을 사용하는, 뱃치들을 제조하는 것이다. 그렇게 생산된 제품의 안정성과 품질에 따라 믹서의 적합성을 판단한다.
배플(baffles)과 호모게나이저로 이루어진 조합믹서(combination mixer)는 희망하는 최종 제품 및 공정의 효율성을 제공하기 위해 다양한 속도의 모터와 함께 사용될 수 있다.

① 구성 재질(Materials of Construction)

전기화학적인 반응을 피하기 위해서 믹서의 재질이 믹서를 설치할 모든 젖은 부분 및 탱크와의

공존이 가능한지를 확인해야 한다. 대부분의 믹서는 봉인(seal)과 개스킷에 의해서 제품과의 접촉으로부터 분리되어 있는 내부 패킹과 윤활제를 사용한다. 봉인(seal)과 개스킷과 제품과의 공존시의 적용 가능성은 확인되어야 하고, 또 과도한 악화를 야기하지 않기 위해서 온도, pH 그리고 압력과 같은 작동 조건의 영향에 대해서도 확인해야 한다. 정기적으로 계획된 유지관리와 점검은 봉함(씰링), 개스킷 그리고 패킹이 유지되는지 그리고 윤활제가 유출되어서 제품을 오염시키지 않는지 확인하기 위해 수행되어야 한다.

(4) 호스(HOSES)

호스는 화장품 생산작업에 훌륭한 유연성을 제공하기 때문에 한 위치에서 또 다른 위치로 제품의 전달을 위해 화장품 산업에서 광범위하게 사용된다. 유형과 구성 제재는 대단히 다양하다. 이들은 조심해서 선택되고 사용되어야만 하는 중요한 설비의 하나이다.

① 구성 재질(Materials of Construction)

호스의 일반 건조 제재는 :

- 강화된 식품등급의 고무 또는 네오프렌
- TYGON 또는 강화된 TYGON
- 폴리에칠렌 또는 폴리프로필렌
- 나일론

호스 부속품과 호스는 작동의 전반적인 범위의 온도와 압력에 적합하여야 하고 제품에 적합한 제재로 건조되어야 한다. 호스구조는 위생적인 측면이 고려되어야 한다.

(5) 필터, 여과기 그리고 체(FILTERS, STRAINERS AND SIEVES)

필터, 스트레이너 그리고 체는 화장품원료와 완제품에서 원하는 입자크기, 덩어리 모양을 깨뜨리기 위해, 불순물을 제거하기 위해 그리고 현탁액에서 초과물질을 제거하기 위해 사용될 수 있다.

① 구성 재질(Materials of Construction)

화장품 산업에서 선호되는 재질은 스테인리스스틸과 비반응성 섬유이다. 현재, 대부분 원료와 처방에 대해 스테인리스 316L은 제품의 제조를 위해 선호된다. 여과 매체(예. 체, 가방(백(bag)), 카트리지 그리고 필터 보조물)는 효율성, 청소의 용이성, 처분의 용이성 그리고 제품의 적합성에 전체 시스템의 성능에 의해 선택하여 평가하여야 한다.

(6) 이송 파이프(TRANSPORT PIPING)

파이프 시스템은 제품을 한 위치에서 다른 위치로 운반한다. 파이프 시스템에서 밸브와 부속품은 흐름을 전환, 조작, 조절과 정지하기 위해 사용된다.

파이프 시스템의 기본 부분들은, 펌프, 필터, 파이프, 부속품(엘보우, T's, 리듀서), 밸브, 이덕터 또는 배출기등이 있다.

파이프 시스템은 제품 점도, 유속 등을 고려해야 한다. 그들은 교차오염의 가능성을 최소화하고 역류를 방지하도록 설계되어야 한다. 파이프 시스템에는 플랜지(이음새)를 붙이거나 용접된 유형의 위생처리 파이프시스템이 있다.

① 구성 재질(Materials of Construction)

구성재질은 유리, 스테인리스 스틸 #304 또는 #316, 구리, 알루미늄 등으로 구성되어 있다. 전기화학반응이 일어날 수 있기 때문에 다른 제재의 사용을 최소화하기 위해 파이프 시스템을 설치할 때 주의해야 한다. 어떤 것들은 개스킷, 파이프 도료, 용접봉 등을 사용한다. 이것들은 물질의 적용 가능성을 위해 평가 되어야 한다. 유형 #304 와 #316 스테인리스스틸에 추가해서, 유리, 플라스틱, 표면이 코팅된 폴리머가 제품에 접촉하는 표면에 사용된다.

(7) 칭량 장치 (WEIGHING DEVICE)

칭량장치들은 원료, 제조과정 재료 그리고 완제품을 요구되는 성분표 양과 기준을 만족하는지를 보증하기 위해 중량 적으로 측정하기 위해 사용된다. 추가적으로 칭량장치들은 재고관리 같은 다른 작업에 사용된다. 선택된 칭량장치의 유형은 작업의 조건과 요구되는 성과에 달려있다.

① 구성 재질(Materials of Construction)

계량적 눈금의 노출된 부분들은 칭량 작업에 간섭하지 않는다면 보호적인 피복제로 칠해질 수 있다. 계량적 눈금 레버시스템은 동봉 물을 깨끗한 공기와 동봉하고 제거함으로써 부식과 먼지로부터 효과적으로 보호될 수 있다.

(8) 게이지와 미터(GAUGES AND METERS)

게이지와 미터는 온도, 압력, 흐름, pH, 점도, 속도, 부피 그리고 다른 화장품의 특성을 측정 및 또는 기록하기 위해 사용되는 기구이다. 이들 기구들은 화장품제조업자들 사이에 다양하게 보유할 수 있는데 약간은 정교하고 자세한 전자적 설비가 있을 수 있고 , 표준 pH 미터와 비수은 온도계 같은 전통적인 장치나 설비를 갖고 있을 수 있다.

① 구성 재질(Materials of Construction)

제품과 직접 접하는 게이지와 미터의 적절한 기능에 영향을 주지 않아야 한다. 대부분의 제조자들은 기구들과 제품과 원료가 직접 접하지 않도록 분리 장치를 제공한다.

5) 설비 · 기기의 폐기기준

① 유지관리란 설비의 기능을 유지하기 위하여 실시하는 정기점검이다.

예방적 활동	• 주요설비(제조탱크, 충전 설비, 타정기 등) 및 시험장비에 대하여 실시 • 정기적으로 교체하여야 하는 부속품들에 대하여 연간 계획을 세워서 시정 실시(망가지고 나서 수리하는 일를 하지 않는 것이 원칙)
유지보수	• 고장 발생 시의 긴급점검이나 수리를 말하며, 작업을 실시할 때, 설비의 갱신, 변경으로 기능이 변화해도 좋으나, 기능의 변화와 점검 작업 그 자체가 제품품질에 영향을 미쳐서는 안 됨 • 설비가 불량해져서 사용할 수 없을 때는 그 설비를 제거하거나 확실하게 사용불능 표시를 해야 함
정기검교정	• 제품의 품질에 영향을 줄 수 있는 계측기(생산설비 및 시험설비)에 대하여 정기적으로 계획을 수립하여 실시 • 사용 전 검교정(Calibration)여부를 확인하여 제조 및 시험의 정확성을 확보

3.4 내용물 원료관리

1) 내용물 및 원료의 입고 기준

(1) 제조업자는 원자재 공급자에 대한 관리감독을 적절히 수행하여 입고관리가 철저히 이루어지도록 하여야 한다.
(2) 원자재의 입고시 구매 요구서, 원자재 공급업체 성적서 및 현품이 서로 일치하여야 한다. 필요한 경우 운송관련 자료를 추가적으로 확인할 수 있다.
(3) 원자재 용기에 제조번호가 없는 경우에는 관리번호를 부여하여 보관하여야 한다.
(4) 원자재 입고절차 중 육안확인시 물품에 결함이 있을 경우 입고를 보류하고 격리보관 및 폐기하거나 원자재 공급업자에게 반송하여야 한다.
(5) 입고된 원자재는 "적합", "부적합", "검사 중" 등으로 상태를 표시하여야 한다. 다만, 동일 수준의 보증이 가능한 다른 시스템이 있다면 대체할 수 있다.
(6) 원자재 용기 및 시험기록서의 필수적인 기재사항은 다음 각 호와 같다.
① 원자재 공급자가 정한 제품명
② 원자재 공급자명
③ 수령일자
④ 공급자가 부여한 제조번호 또는 관리번호

2) 유통화장품의 안전관리 기준

(1) 화장품을 제조하면서 물질을 인위적으로 첨가하지 않았으나, 제조 또는 보관 과정 중 포장재로부터 이행되는 등 비의도적으로 유래된 사실이 객관적인 자료로 확인되고 기술적으로 완전한 제거가 불가능한 경우 해당 물질의 검출 허용 한도는 다음과 같다.

1. 납: 점토를 원료로 사용한 분말제품은 50㎍/g이하, 그 밖의 제품은 20㎍/g이하
2. 니켈: 눈 화장용 제품은 35㎍/g 이하, 색조 화장용 제품은 30㎍/g이하, 그 밖의 제품은 10㎍/g 이하
3. 비소: 10㎍/g이하
4. 수은: 1㎍/g이하
5. 안티몬: 10㎍/g이하
6. 카드뮴: 5㎍/g이하
7. 디옥산: 100㎍/g이하
8. 메탄올: 0.2(v/v)%이하, 물휴지는 0.002%(v/v)이하
9. 포름알데하이드: 2000㎍/g이하, 물휴지는 20㎍/g이하
10. 프탈레이트류(디부틸프탈레이트, 부틸벤질프탈레이트 및 디에칠헥실프탈레이트에 한함): 총 합으로서 100㎍/g이하

(2) 미생물한도

1. 총호기성생균수는 영 · 유아용 제품류 및 눈 화장용 제품류의 경우 500개/g(mL)이하
2. 물휴지의 경우 세균 및 진균 수는 각각 100개/g(mL)이하
3. 기타 화장품의 경우 1,000개/g(mL)이하
4. 대장균(Escherichia Coli), 녹농균(Pseudomonas aeruginosa), 황색포도상구균(Staphylococcus aureus)은 불검출

(3) 내용 량의 기준

1. 제품 3개를 가지고 시험할 때 그 평균 내용 량이 표기량에 대하여 97% 이상(다만, 화장비누의 경우 건조중량을 내용량 으로 한다)
2. 제1호의 기준치를 벗어날 경우: 6개를 더 취하여 시험할 때 9개의 평균 내용 량이 제1호의 기준치 이상
3. 그 밖의 특수한 제품: 「대한민국약전」(식품의약품안전처 고시)을 따를 것

(4) 영 · 유아용 제품류(영 · 유아용 샴푸, 영 · 유아용 린스, 영 · 유아 인체 세정용 제품, 영 · 유아 목욕용 제품 제외), 눈 화장용 제품류, 색조 화장용 제품류, 두발용 제품류(샴푸, 린스 제외)면도용 제품류(셰이빙 크림, 셰이빙 폼 제외)기초화장용 제품류(클렌징 워터, 클렌징 오일, 클렌징 로션, 클렌징크림 등 메이크업 리무버 제품 제외)중 액, 로션, 크림 및 이와 유사한 제형의 액상제품은 pH 기준이 3.0~9.0 이어야 한다. 다만, 물을 포함하지 않는 제품과 사용한 후 곧바로 물로 씻어 내는 제품은 제외한다.
기능성화장품은 기능성을 나타나게 하는 주원료의 함량이 「화장품법」제4조 및 같은 법 시행규칙 제9조 또는 제10조에 따라 심사 또는 보고한 기준에 적합하여야 한다.

(5) 유리알칼리 0.1% 이하(화장비누에 한함)

3) 입고된 원료 및 내용물 관리기준

(1) 공정관리

① 제조공정 단계별로 적절한 관리기준이 규정되어야 하며 그에 미치지 못한 모든 결과는 보고되고 조치가 이루어져야 한다.

② 반제품은 품질이 변하지 아니하도록 적당한 용기에 넣어 지정된 장소에서 보관해야 하며 용기에 다음 사항을 표시해야 한다.

1. 명칭 또는 확인코드 2. 제조번호
3. 완료된 공정명 4. 필요한 경우에는 보관조건

③ 반제품의 최대 보관기한은 설정하여야 하며, 최대 보관기한이 가까워진 반제품은 완제품 제조하기 전에 품질이상, 변질 여부 등을 확인하여야 한다.

(2) 벌크의 보관

① 제조된 벌크제품은 보관되고 관리절차에 따라 재 보관(re-stock)되어야 한다.
② 모든 벌크를 보관 시에는 적합한 용기를 사용해야 한다.
③ 용기는 내용물을 분명히 확인할 수 있도록 표시되어야 한다. 모든 벌크의 허용 가능한 보관기한(Shelf life)을 확인할 수 있어야 한다.
④ 보관기한의 만료일이 가까운 원료부터 사용하도록 문서화된 절차가 있어야 한다.
⑤ 벌크는 선입선출 되어야 한다.
⑥ 충전 공정 후 벌크가 사용하지 않은 상태로 남아 있고 차후 다시 사용할 것이라면, 적절한 용기에 밀봉하여 식별 정보를 표시해야 한다.

(3) 벌크의 재보관

① 남은 벌크를 재보관하고 재사용 할 수 있다.
② 절차
- 밀폐한다.
- 원래 보관 환경에서 보관한다.
- 다음 제조시에는 우선적으로 사용한다.

③ 변질 및 오염의 우려가 있으므로 재보관은 신중하게 한다.
- 변질되기 쉬운 벌크는 재사용하지 않는다.
- 여러번 재보관하는 벌크는 조금씩 나누어서 보관한다.

☞ 남은 벌크를 재보관하고 재사용할 수 있다. 밀폐할 수 있는 용기에 들어 있는 벌크는 절차서에 따라 재 보관 할 수 있으며, 재 보관 시에는 내용을 명기하고 재 보관임을 표시한 라벨 부착이 필수다. 그러나 일반적으로 말해서 재보관은 권장할 수 없다. 개봉마다 변질 및 오염이 발생할 가능성이 있기 때문이다. 여러번 재보관과 재사용을 반복하는 것은 피한다. 뱃치마다의 사용이 소량이며 여러번 사용하는 벌크는 구입 시에 소량씩 나누어서 보관하고 재보관의 횟수를 줄인다.

4) 보관중인 원료 및 내용물 출고 기준

원자재는 시험결과 적합판정된 것만을 선입선출방식으로 출고해야 하고 이를 확인할 수 있는 체계가 확립되어 있어야 한다.

(1) 불출된 원료와 포장재만이 사용되고 있음을 확인하기 위한 적절한 시스템(물리적 시스템 또는 그외 대체시스템 즉 전자시스템 등)이 확립되어야 한다. (오직 승인된 자만이 원료 및 포장재의 불출 절차를 수행할 수 있다.)

(2) 뱃치에서 취한 검체가 모든 합격기준에 부합할 때 뱃치가 불출될 수 있다.

(3) 원료와 포장재는 불출되기 전까지 사용을 금지하는 격리를 위해 특별한 절차가 이행되어야 한다.

(4) 모든 보관소에서는 선입선출의 절차가 사용되어야 한다.

(특별한 환경을 제외하고, 재고품 순환은 오래된 것이 먼저 사용되도록 보증해야 한다. 모든 물품은 원칙적으로 선입선출 방법으로 출고 한다. 다만, 나중에 입고된 물품이 사용(유효)기한이 짧은 경우 먼저 입고된 물품보다 먼저 출고할 수 있다. 선입선출을 하지 못하는 특별한 사유가 있을 경우, 적절하게 문서화된 절차에 따라 나중에 입고된 물품을 먼저 출고할 수 있다.)

5) 내용물 및 원료의 폐기 기준

(1) 품질에 문제가 있거나 회수·반품된 제품의 폐기 또는 재작업 여부는 품질보증 책임자에 의해 승인되어야 한다.

(2) 재작업은 그 대상이 다음 각 호를 모두 만족한 경우에 할 수 있다.

① 변질·변패 또는 병원미생물에 오염되지 아니한 경우

② 제조일로부터 1년이 경과하지 않았거나 사용기한이 1년 이상 남아있는 경우

(3) 재입고 할 수 없는 제품의 폐기처리규정을 작성하여야 하며 폐기대상은 따로 보관하고 규정에 따라 신속하게 폐기하여야 한다.

6) 내용물 및 원료의 사용기한 확인·판정

원료의 허용 가능한 보관기한을 결정하기 위한 문서화된 시스템을 확립해야 한다. 보관기한이 규정되어 있지 않은 원료는 품질부문에서 적절한 보관기한을 정할 수 있다. 이러한 시스템은 물질의 정해진 보관기한이 지나면, 해당 물질을 재평가하여 사용 적합성을 결정하는 단계들을 포함해야 한다.

그러나 원칙적으로 원료공급처의 사용기한을 준수하여 보관기한을 설정하여야 하며, 사용기한

내에서 자체적인 재시험 기간과 최대 보관기한을 설정 · 준수해야 한다.

원료의 사용기한은 사용시 확인이 가능하도록 라벨에 표시되어야 한다.

원료와 포장재, 반제품 및 벌크 제품, 완제품, 부적합품 및 반품 등에 도난, 분실, 변질 등의 문제가 발생하지 않도록 작업자 외에 보관소의 출입을 제한하고, 관리하여야 한다.

7) 내용물 및 원료의 개봉 후 사용기한 확인 • 판정

(1) 사용기한 또는 개봉 후 사용기간

① 사용기한은 "사용기한" 또는 "까지" 등의 문자와 "연월일"을 소비자가 알기 쉽도록 기재 · 표시해야 한다. 다만, "연월"로 표시하는 경우 사용기한을 넘지 않는 범위에서 기재 · 표시해야 한다.

② 개봉 후 사용기간은 "개봉 후 사용기간"이라는 문자와 "ㅇㅇ월" 또는 "ㅇㅇ개월"을 조합하여 기재 · 표시하거나, 개봉 후 사용기간을 나타내는 심벌과 기간을 기재 · 표시 할 수 있다.

8) 내용물 및 원료의 변질 상태(변색, 변취등) 확인

내용물 및 원료의 품질규격서를 근거로 정산제품과 비교확인한다.

(1) 후각적인 방법

① 변질된 화장품에서 나는 이상한 냄새가 변질 가능성이 높다. 변질된 화장품은 보통 신맛, 매콤한 맛, 달콤한 맛, 암모니아 향기가 난다.

(2) 내용물의 컬러

① 변질된 화장품의 색이 어둡고 혼탁하며, 깊음과 옅음이 다르다.

② 종종 이색 반점이 있거나 노랗게 혹은 검게 변한다.

③ 잔잔한 실이나 솜털모양의 거미줄이 생길 정도로 미생물에 오염돼 있다.

④ 특수 효능이 가지는 화장품은 여드름 크림, 주름 방지 크림 등 변색 문제가 생기기 쉽다.

(3) 내용물의 텍스처

① 변질된 크림은 텍스처가 연하고 크림에서 수분이 흘러넘치는 것을 눈으로 볼 수 있다. 이는 많은 화장품에 일반적으로 전분, 단백질 및 지방류 물질이 함유되어 있는데, 과도하게 번식하는 미생물이 이들 단백질과 지방을 분해하고 화장품 원래의 유화 상태를 파괴하고 원래 유화구조에 포함되었던 수분을 석출하기 때문이다.

(4) 무균 상태에서도 장시간 수냉 상태에 있거나 열을 받으면 화장품은 오일과 수분 분리현상이 생길 수 있다.

(5) 변질된 크림도 팽창할 수 있는데, 이는 미생물이 제품의 어떤 성분을 분해해 발생하는 기체 때문에 생기는데, 심할 경우 이 기체는 화장품 병뚜껑까지 튀어나와 화장품을 밖으로 넘쳐

나게 할 수 있다는 것이다.

(6) 사용감도 따져야 한다. 정상적인 화장품은 피부에 바르면 끈적임 없이 매끄럽고 편안하게 느껴진다. 변질된 화장품은 피부에 바르면 끈적끈적하고 까칠까칠하다. 때로는 피부가 빽빽하거나 따가워지거나 아플 수도 있고 가려움도 느껴진다.

9) 내용물 및 원료의 폐기절차

(1) 재 입고 할 수 없는 제품의 폐기처리규정을 작성하여야 하며 폐기대상은 따로 보관하고 규정에 따라 신속하게 폐기하여야 한다.

① 원료와 포장재, 벌크제품과 완제품이 적합판정기준을 만족시키지 못 할 경우 "기준일탈 제품"으로 지칭한다.

② 기준일탈이 된 완제품 또는 벌크제품은 재작업 할 수 있다.

③ 재작업이란 뱃치 전체 또는 일부에 추가 처리(한 공정 이상의 작업을 추가하는 일)를 하여 부적합 품을 적합 품으로 다시 가공하는 일이다.

④ 기준일탈 제품은 폐기하는 것이 가장 바람직하다. 그러나 폐기하면 큰 손해가 되므로 재작업을 고려하게 된다. 그러나 일단 부적합 제품의 재작업을 쉽게 허락할 수는 없다.

⑤ 먼저 권한 소유자에 의한 원인 조사가 필요하다. 권한 소유자는 부적합 제품의 제조 책임자라고 할 수 있다. 그 다음 재작업을 해도 제품품질에 악영향을 미치지 않는 것을 예측해야 한다.

⑥ 재작업 처리의 실시는 품질보증 책임자가 결정한다. 재작업 실시의 제안을 하는 것은 제조 책임자일 것이나, 실시 결정은 품질보증 책임자가 한다. 그리고 품질보증 책임자가 재작업의 결과에 책임을 진다.

⑦ 재작업은 해당 재작업의 절차를 상세하게 작성한 절차 서를 준비해서 실시한다. 재작업 실시 시에는 발생한 모든 일들을 재작업 제조기록 서에 기록한다. 그리고 통상적인 제품 시험 시보다 많은 시험을 실시한다. 제품 분석뿐만 아니라, 제품 안정성 시험을 실시하는 것이 바람직하다.

⑧ 제품품질에 대한 좋지 않은 경시 안정성에 대한 악영향으로서 나타날 일이 많기 때문이다.

[기준일탈 제품의 처리]

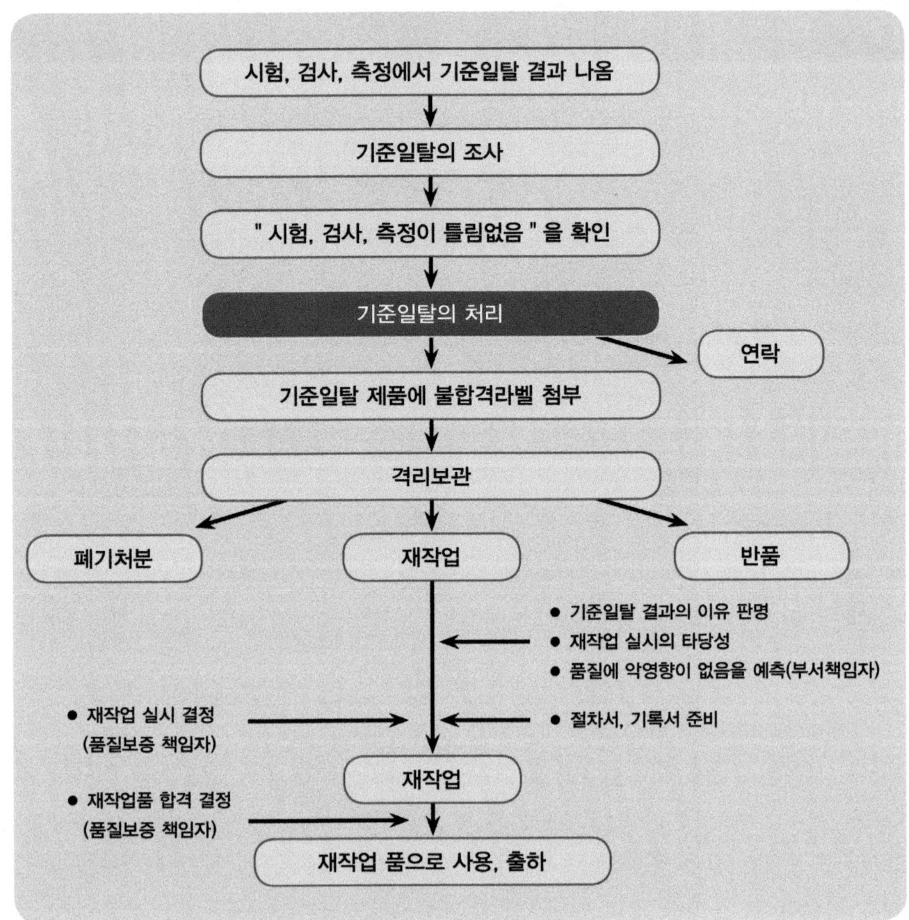
시험, 검사, 측정에서 기준일탈 결과 나옴
기준일탈의 조사
" 시험, 검사, 측정이 틀림없음 " 을 확인
기준일탈의 처리
연락
기준일탈 제품에 불합격라벨 첨부
격리보관
폐기처분
재작업
반품
● 기준일탈 결과의 이유 판명
● 재작업 실시의 타당성
● 품질에 악영향이 없음을 예측(부서책임자)
● 재작업 실시 결정
(품질보증 책임자)
● 절차서, 기록서 준비
재작업
● 재작업품 합격 결정
(품질보증 책임자)
재작업 품으로 사용, 출하

3.5 포장재의 관리

포장재

- 1차 포장재, 2차 포장재, 각종라벨, 봉함 라벨까지 포장재에 포함된다. 라벨에는 제품번호 및 기타 관리번호를 기입하므로 실수방지가 중요하여 라벨은 포장재에 포함하여 관리하는 것을 권장한다.
- 화장품의 1차 포장에는 다음의 사항이 기재 · 표시되어 있어야한다.
  ① 화장품의 명칭
  ② 영업자의 상호
  ③ 제조번호
  ④ 사용기한 또는 개봉 후 사용기간

1) 포장재의 입고기준

(1) 모든 원료와 포장재는 화장품 제조(판매)업자가 정한 기준에 따라서 품질을 입증할 수 있는 검증자료를 공급자로부터 공급받아야 한다.
이러한 보증의 검증은 주기적으로 관리되어야 하며, 모든 포장재는 사용 전에 관리되어야 한다.

(2) 입고된 포장재는 검사 중, 적합, 부적합에 따라 각각의 구분된 공간에 별도로 보관되어야 한다. 필요한 경우 부적합된 포장재를 보관하는 공간은 잠금장치를 추가하여야 한다.

2) 입고된 포장재 관리기준

(1) 제품을 정확히 식별하고 혼동의 위험을 없애기 위해 라벨링을 해야 한다.

(2) 원료 및 포장재의 용기는 물질과 뱃치 정보를 확인할 수 있는 표시를 부착해야한다.

(3) 제품의 품질에 영향을 줄 수 있는 결함을 보이는 원료는 결정이 완료될 때까지 보류상태로 있어야 한다.

(4) 원료 및 표장재의 확인은 처음 정보를 포함해야한다.
  - 인도문서와 포장에 표시된 품목, 제품명
  - 만약 공급자가 명명한 제품명과 다르다면, 제조 절차에 따른 품목, 제품명, 또는 해당 코드번호
  - CAS번호(적용 가능한 경우)

- 적절한 경우, 수령 일자와 수령확인번호
- 공급자명
- 공급자가 부여한 뱃치 정보, 만약 다르다면 수령시 주어진 뱃치정보
- 기록된 양

(5) 원료와 포장재의 관리에 필요한 사항

- 중요도 분류
- 공급자 결정
- 발주, 입고, 식별 · 표시, 합격 · 불합격, 판정, 보관, 불출
- 보관 환경 설정
- 사용기한 설정
- 정기적 재고관리
- 재평가
- 재보관

(6) 보관방법

- 보관 조건은 각각의 포장재에 적합하여야 하고, 과도한 열기, 추위, 햇빛 또는 습기에 노출되어 변질되는 것을 방지할 수 있어야 한다.
- 물질의 특징 및 특성에 맞도록 보관, 취급되어야 한다.
- 특수한 보관 조건은 적절하게 준수, 모니터링 되어야 한다.
- 원료와 포장재의 용기는 밀폐되어, 청소와 검사가 용이하도록 충분한 간격으로, 바닥과 떨어진 곳에 보관되어야 한다.
- 포장재가 재포장될 경우, 원래의 용기와 동일하게 표시되어야 한다.
- 포장재의 관리는 허가되지 않거나, 불합격 판정을 받거나, 아니면 의심스러운 물질의 허가되지 않은 사용을 방지할 수 있어야 한다.(물리적 격리(quarantine)나 수동 컴퓨터 위치 제어 등의 방법)

3) 보관중인 포장재 출고기준

- 모든 보관소에서는 선입선출의 절차가 사용되어야한다
- 특별한 환경을 제외하고, 재고품 순환은 오래된 것이 먼저 사용되도록 보증해야한다
- 나중에 입고된 물품이 사용(유효)기한이 짧은 경우 먼저 입고된 물품 포다 먼저 출고할 수 있다.
- 선입선출을 하지 못하는 특별한 사유가 있을 경우, 적절하게 문서화된 절차에 따라 나중에 입고된 물품을 먼저 출고 할 수 있다.

4) 포장재의 폐기기준

(1) 품질에 문제가 있거나 회수 · 반품된 제품의 폐기 또는 재작업 여부는 품질보증 책임자에 의해 승인되어야 한다.

(2) 재작업은 그 대상이 다음 각 호를 모두 만족한 경우에 할 수 있다.
- 변질 · 변패 또는 병원미생물에 오염되지 아니한 경우
- 제조일로부터 1년이 경과하지 않았거나 사용기한이 1년 이상 남아있는 경우

(3) 재 입고 할 수 없는 제품의 폐기처리규정을 작성하여야 하며 폐기 대상은 따로 보관하고 규정에 따라 신속하게 폐기하여야 한다.

5) 포장재의 사용기한 확인 · 판정

(1) 화장품 포장공정은 벌크제품을 용기에 충전하고 포장하는 공정이다. 화장품 포장공정은 제조번호 지정부터 시작하는 많은 작업으로 구성되어 있다.
- 제조지시서 발행 → 포장지시서 발행
- 제조기록서 발행 → 포장기록서 발행
- 원료 갖추기 → 벌크제품, 포장재 준비
- 벌크제품 보관 → 완제품 보관
- 제품기록서 완결 → 포장기록서 완결
- 원료 재 보관 → 포장재 재 보관

  으로 바뀌어 있을 뿐이고 새로운 종류의 작업이 추가된 것은 아니다.

  포장의 경우, 원칙은 제조와 동일하다. 완제품이 기존의 정의된 특성에 부합하는지를 보증하기 위한 조치가 이루어져야 한다.
- 포장을 시작하기 전에, 포장 지시가 이용가능하고 공간이 청소되었는지 확인하는 것이 필요하다. 이러한 포장 라인의 청소는 세심한 주의가 필요한 작업이다. 누락의 위험이 상당히 많이 존재한다. 예를 들면 병, 튜브, 캡이나 인쇄물 등을 빠뜨리기 쉽다. 결과적으로, 청소는 혼란과 오염을 피하기 위해 적절한 기술을 사용하여, 규칙적으로 실시되어야 한다.

(2) 포장 문서

공정이 적절히 관리되는 것을 보장하기 위해, 관련 문서들은 포장작업의 모든 단계에서 이용할 수 있어야 한다. 포장작업은 문서화된 공정에 따라 수행되어야 한다. 문서화된 공정은 보통 절차서, 작업지시서 또는 규격서로 존재한다. 이를 통해, 주어진 제품의 각 뱃치가 규정된 방식으로 제조되어 각 포장작업마다 균일성을 확보하게 된다. 일반적인 포장 작업

문서는 보통 다음사항을 포함한다.

- 제품명 그리고/또는 확인 코드
- 검증되고 사용되는 설비
- 완제품 포장에 필요한 모든 포장재 및 벌크제품을 확인할 수 있는 개요나 체크리스트
- 라인 속도, 충전, 표시, 코딩, 상자주입(Cartoning), 케이스 패킹 및 팔레타이징(palletizing) 등의 작업들을 확인할 수 있는 상세 기술된 포장 생산 공정
- 벌크제품 및 완제품 규격서, 시험 방법 및 검체 채취 지시서
- 포장 공정에 적용 가능한 모든 특별 주의사항 및 예방조치(즉, 건강 및 안전 정보, 보관 조건)
- 완제품이 제조되는 각 단계 및 포장 라인의 날짜 및 생산단위
- 포장작업 완료 후, 제조부서 책임자가 서명 및 날짜를 기입해야 한다.

6) 포장재의 개봉 후 사용기한 확인 · 판정

(1) 시험용 검체는 오염되거나 변질되지 아니하도록 채취하고, 채취한 후에는 원상태에 준하는 포장을 해야 하며, 검체가 채취되었음을 표시하여야 한다.

(2) 시험용 검체의 용기에는 다음 사항을 기재하여야 한다.

- 명칭 또는 확인코드
- 제조번호
- 검체채취 일자

(3) 완제품의 보관용 검체는 적절한 보관조건 하에 지정된 구역 내에서 제조단위별로 사용기한 경과 후 1년간 보관하여야 한다. 다만, 개봉 후 사용기간을 기재하는 경우에는 제조일로부터 3년간 보관하여야 한다.

7) 포장재의 변질 상태 확인

(1) 포장재의 재평가

- 재평가방법을 확립해 두면 사용기한이 지난 포장재를 재평가해서 사용할 수 있다.
- 재평가방법에는 화장품 제조의 장기 안정성 데이터의 뒷받침이 필요하다.
  검체채취 절차서는 다음의 요소들은 포함해야 한다.
- 오염과 변질을 방지하기 위해 필요한 예방조치를 포함한 검체채취 방법
- 검체채취를 위해 사용될 설비 · 기구
- 채취량

- 검체확인 정보
- 검체채취 시기 또는 빈도

시험용 검체의 용기에는 다음 사항을 기재하여야 한다.

- 명칭 또는 확인 코드
- 제조번호 또는 제조단위
- 검체채취 날짜 또는 기타 적당한 날짜
- 가능한 경우, 검체채취 지점(point)

8) 포장재의 폐기절차

기준일탈 제품은 폐기하는 것이 가장 바람직하나. 그러나 폐기하면 큰 손해가 되므로 재작업을 고려하게 된다. 먼저 권한 소유자에 의한 원인 조사가 필요하다. 권한 소유자는 부적합 제품의 제조 책임자라고 할 수 있다.

재작업 처리의 실시는 품질보증 책임자가 결정한다. 그리고 품질보증 책임자가 재작업의 결과에 책임을 진다.

재작업은 해당 재작업의 절차를 상세하게 작성한 절차 서를 준비해서 실시한다. 재작업 실시 시에는 발생한 모든 일들을 재작업 제조기록 서에 기록한다. 통상적인 제품 시험시보다 많은 시험을 실시한다. 제품 분석뿐만 아니라, 제품 안정성 시험을 실시하는 것이 바람직하다.

적중예상문제

1 작업장의 위생관리에 대한 내용으로 바르지 않는 것은?

① 곤충, 해충, 쥐를 막을 수 있는 대책을 마련하고 정기적으로 점검 · 확인한다.
② 제조, 관리 및 보관 구역 내의 벽, 천장 및 창문을 항상 청결하게 유지한다.
③ 세척에 사용되는 세제 또는 소독제는 효능이 입증된 것을 사용한다.
④ 제조시설이나 설비는 적절한 방법으로 청소하여야 하며, 필요한 경우 위생관리 프로그램을 운영하여야 한다.
⑤ 소독제는 효능이 입증된 것을 사용하고 잔류하거나 적용하는 표면에 이상을 초래할 수도 있다.

해설 잔류하거나 적용하는 표면에 이상을 초래하지 아니하여야 한다.

답: ⑤

2 작업장 내 직원의 위생기준에 관련된 내용으로 바르지 않는 것은?

① 위생관리 기준 및 절차를 마련하고 제조소 내의 모든 직원은 이를 준수한다.
② 규정된 작업복을 착용해야 하고 음식물 등을 반입해서는 안 된다.
③ 피부에 외상이 있거나 질병이 걸린 직원은 화장품과 직접적으로 접촉되지 않도록 격리 되어야 한다.
④ 방문객은 가급적 제조, 관리 구역에 들어가지 않도록 하고 불가피한 경우 직원 위생에 대한 교육 및 복장 규정에 따르도록 하고 감독 한다.
⑤ 직원의 건강이 양호해지면 작업장에 출입 할 수 있다.

해설 화장품의 품질에 영향을 주지 않는다는 의사의 소견이 필요

답: ⑤

3 작업소의 시설에 관한 내용으로 적합 하지 않은 것은?

① 제품의 품질에 영향을 주지 않는 소모품을 사용할 것
② 외부와 연결된 창문으로 환기가 잘 되도록 한다.
③ 작업소 내의 외관 표면은 가능한 매끄럽게 설계한다.
④ 수세실과 화장실은 접근이 쉬워야 하나 생산구역과 분리되어 있을 것
⑤ 바닥, 벽, 천장은 가능한 매끄럽게 설계하고, 청소, 소독제의 부식성에 저항력이 있을 것

해설 외부와의 연결된 창문은 가능한 열리지 않도록 한다.

답: ②

4 다음은 작업장의 유지관리에 관한 내용으로 바르지 않은 것은?

① 결함 발생, 정비 중인 설비는 고장 등 사용이 불가할 경우 표시하여야 한다.
② 유지관리 작업이 제품의 품질에 영향을 줄 수 있다.
③ 모든 제조 관련 설비는 승인된 자만이 접근, 사용하여야 한다.

④ 세척한 설비는 다음 사용 시까지 오염되지 않도록 관리 한다.
⑤ 건물, 시설 및 주요 설비는 정기적으로 점검하여 제조 및 품질관리에 지장이 없도록 유지 · 관리 · 기록 한다.

해설 유지관리 작업이 제품의 품질에 영향을 주어서는 안된다.

답: ②

5 작업자의 개인위생 점검 사항이 아닌 것은?

① 감기나 외상 등의 질병 유무
② 신체용모상태(수염, 손톱, 화장 상태 등)
③ 피로 또는 정신적인 고민(과음, 생리 등)
④ 작업실 입실 전 지정된 방법에 의한 충분한 수세, 소독
⑤ 작업복과 작업화는 착용상태로 외부출입 가능

해설 각 청정도별 작업복과 작업화는 착용상태로 외부 출입금지

답: ⑤

6 다음은 식품의약품안전처장이 우수화장품 제조관리기준을 준수하는 제조업자에게 지원할 수 있는 사항으로 옳은 것은?

① 우수화장품 제조관리기준 적용에 관한 전문적 기술과 교육
② 우수화장품 안전관리기준 적용을 위한 자문
③ 우수화장품 품질관리를 위한 자문
④ 우수화장품 제조관리기준 적용을 위한 품질유지 관리 감독
⑤ 우수화장품 유통관리를 위한 자문

해설 우수화장품 제조관리기준 적용에 관한 전문적 기술과 교육, 우수화장품 제조관리기준 적용을 위한 자문, 우수화장품 제조관리기준 적용을 위한 시설 · 설비, 개수 · 보수 등

답: ①

7 다음 〈보기〉는 우수화장품 제조 및 품질관리기준에서 사용하는 용어의 뜻이다. 괄호 안에 들어갈 단어를 고르시오.

1. (　　　)란 원료 물질의 칭량부터 혼합 · 충전(1차 포장), 2차 포장 및 표시 등의 일련의 작업을 말한다. 2. (　　　)란 충전(1차 포장) 이전의 제조 단계까지 끝낸 제품을 말한다.

① 원자재, 품질보증
② 제조, 벌크제품
③ 공정관리, 변경관리
④ 제조소, 출하
⑤ 적합 판정 기준, 위생관리

해설 원자재–화장품원료 및 자재를 말한다.

- 품질보증–제품이 적합 판정 기준에 충족될 것이라는 신뢰를 제공하는데 필수적인 모든 계획되고 체계적인 활동을 말한다.

- 공정관리–제조공정 중 적합판정기준의 충족을 보증하기 위하여 공정을 모니터링하거나 조정하는 모든 작업을 말한다.
- 변경관리–모든 제조, 관리 및 보관된 제품이 규정된 적합판정기준에 일치하도록 보장하기 위하여 우수화장품 제조 및 품질관리기준이 적용되는 모든 활동을 내부 조직의 책임하에 계획하여 변경하는 것을 말한다.
- 제조소–화장품을 제조하기 위한 장소를 말한다.
- 출하–주문 준비와 관련된 일련의 작업과 운송수단에 적재하는 활동으로 제조소 외에 제품을 운반하는 것을 말한다.
- 적합 판정 기준–시험결과의 적합 판정을 위한 수적인 제한, 범위 또는 기타 적절한 측정법을 말한다.
- 위생관리–대상물의 표면에 있는 바람직하지 못한 미생물 등 오염물을 감소시키기 위해 시행되는 작업을 말한다.

답: ②

8 작업자 작업복 관리방법으로 바르지 않는 것은?

① 사용한 작업복의 회수를 위해 회수함 비치 ② 작업복은 완전 탈수, 건조시킬 것
③ 세탁된 복장은 커버를 씌워 보관 ④ 세탁 주기는 오염이 심할 경우 세탁
⑤ 세탁 전, 훼손된 작업복을 확인하여 선별 폐기

해설 세탁 주기:1회/주(오염이 심할 경우는 즉시 세탁)

답: ④

9 다음의 괄호 안에 들어갈 내용으로 옳은 것은?

품질보증 책임자는 화장품의 품질보증을 담당하는 부서의 책임자로서 다음 각 호의 사항을 이행하여야 한다. 1. 품질에 관련된 모든 문서와 절차의 검토 및 승인 2. 품질 검사가 규정된 절차에 따라 진행되는지 확인 3. ( ) 4. 적합 판정한 원자재 및 제품의 출고 여부 결정 5. 부적합 품이 규정된 절차대로 처리되고 있는지 확인 6. 불만처리와 제품회수에 관한 사항의 주관

① 일탈이 있는 경우 이의 조사 및 기록
② 제품이 보호 되도록 할 것
③ 유지관리가 가능하도록 할 것
④ 일탈이 있는 경우 출하를 중지 할 것
⑤ 품질과 관련한 결과가 계획된 사항과 일치하는지의 여부

답: ①

10 작업소의 시설 기준에 대한 내용이다. 적합한 것으로 내용이 옳은 것은?

① 제조하는 화장품의 종류 · 제형에 따라 적절히 구획 · 구분되어 있어 교차오염 우려가 없을 것
② 외부와 연결된 창문은 가능한 환기가 잘 되어 있어야 한다.
③ 각 제조구역별 청소 및 위생관리 절차에 따라 적절하게 소독제를 사용할 것
④ 제품의 오염을 방지하고 적절한 온도 및 습도를 유지할 수 있도록 환기를 자주 시킨다.
⑤ 수세실과 화장실은 오염을 방지하기 위해 접근이 어렵게 하고 생산구역과 분리되어 있을 것

해설 1. 외부와 연결된 창문은 가능한 열리지 않도록 할 것
2. 각 제조구역별 청소 및 위생관리 절차에 따라 효능이 입증된 세척제 및 소독제를 사용할 것
3. 제품의 오염을 방지하고 적절한 온도 및 습도를 유지할 수 있는 공기조화시설 등 적절한 환기시설을 갖출 것
4. 수세실과 화장실은 접근이 쉬워야 하나 생산구역과 분리되어 있을 것

답: ①

11 작업장 내 직원의 위생기준에 대한 내용으로 바르지 않는 것은?

① 정기적인 건강검진에 관하여 사내규정을 정하고 특정 질환의 사람이 특정 작업을 할 수 없는 경우를 명시
② 수세할 시점을 정하고 사용하는 세제 또는 소독제의 종류, 사용농도 교체주기를 정한다.
③ 작업 장소에 들어가기 전에 반드시 손을 씻는다.
④ 장갑, 보안경, 마스크, 머리카락, 덮개, 신발 등도 작업복에 준하여 관리 한다
⑤ 작업 복장은 작업자가 원하는 복장으로 착용한다.

해설 각 작업장에 따라 그에 맞는 작업복의 규격을 정하고 갱의 절차, 세탁방법, 세탁횟수, 착용규정을 정한다.

답: ⑤

12 작업자가 작업 중 주의사항으로 바르지 않은 것은?

① 개인 소지품이나 해당 작업에 적절치 못한 장신구는 작업실에 반입하지 않는다.
② 해당 작업에 적절치 못한 작업 이외의 행위를 금한다.
③ 머리카락 덮개를 쓰고 머리카락이 밖으로 나오는 것은 상관이 없다.
④ 분진이 떨어질 수 있는 기초메이크업은 금한다.
⑤ 맨손으로 화장품을 만지지 않는다.

해설 덮개 밖으로 머리카락이 나오지 않도록 주의한다.

답: ③

13 화장품의 원자재 입고관리에 대한 내용으로 옳은 것은?

① 원자재 공급자에 대한 유지관리를 적절히 수행하여 입고 관리가 철저히 이루어져야 한다.
② 원자재 입고시 구매요구서, 성적서 및 현품이 서로 일치하는지 확인하는 등 절차가 있어야 한다.
③ 원자재 입고시 물품에 결함이 있는 경우 바로 반송 조치한다.

④ 원자재 용기에 출고날짜 또는 생산번호를 부여하여 보관한다.
⑤ 입고된 원자재는 적합 판정을 받은 것만 표시한다.

해설 ① 감독관리를 적절히 수행
③ 물품에 결함이 있는 경우 격리보관 또는 반송등 조치방법이 있어야 한다.
④ 제조번호 또는 관리번호를 부여하여 보관한다.
⑤ 원자재는 상태(적합, 부적합, 검사 중) 표시를 한다.

답: ②

14 원자재 입고 관리 시 원자재 용기 및 시험 기록 서에 필수적인 기재 사항으로 옳은 것은?

① 원자재 공급자가 정한 가격
② 원자재 원료개발자명
③ 제조일자
④ 공급자가 부여한 제조번호 또는 관리번호
⑤ 제조업자가 부여한 제조번호 또는 등록번호

해설 1. 원자재 공급자가 정한 제품명 2. 원자재 공급자명
3. 수령일자 ④번 내용

답: ④

15 화장품 원자재 출고관리에 대한 내용으로 옳은 것은?

① 원자재 시험결과 적합판정된 것만을 선입선출방식으로 출고하고 이를 확인할 수 있는 체계가 확립되어야 한다.
② 원자재 및 반제품은 품질에 나쁜 영향을 미치지 아니하는 조건에서 선입선출에 의하여 출고할 수 있도록 보관하고 있다.
③ 원자재 및 반제품은 바닥과 벽에 닿지 않도록 보관하고 선입선출에 의하여 출고할 수 있도록 보관한다.
④ 원자재, 시험 중인 제품 및 부적합품은 각각 구획된 장소에서 보관하고 있어야 한다.
⑤ 원자재 및 반제품의 보관 기간이 지나면 사용여부에 대한 재평가하는 시스템이 확립되어 있고, 해당 기간 경과 후 사용하지 않도록 규정하고 있어야 한다.

해설 ②, ③, ④, ⑤번은 보관관리에 내용

답: ①

16 작업소 위생관리의 방충 시설에 관한 설명으로 바르지 않는 것은?

① 설치위치는 1.5~2.0미터 권장
② 전기살충기(UV램프) 작업장 내부에 설치
③ 출입문에서 떨어진 곳에 설치
④ 고무판을 이용한 틈새 보완
⑤ 에어커튼의 바람의 방향은 외곽을 향하도록 설정함

해설 전기살충기(UV램프)–곤충파편이 떨어 질 수 있어 설치불가

답: ②

17 제조위생관리 기준서에 포함되어야 하는 사항으로 옳은 것은?

① 작업원의 건강관리 및 건강상태의 파악 · 조치방법
② 작업원의 수세, 근무 상태에 관한 사항
③ 작업복장의 청결 상태
④ 작업실 등의 소독 방법
⑤ 작업장 안전관리

해설 1. 작업원의 수세, 소독방법 등 위생에 관한 사항 2. 작업복장의 규격, 세탁방법 및 착용규정
3. 작업실 등의 청소(필요한 경우 소독을 포함한다. 이하 같다) 방법 및 청소주기
4. 청소상태의 평가방법
5. 제조시설의 세척 및 평가
가. 책임자 지정 나. 세척 및 소독 계획 다. 세척방법과 세척에 사용되는 약품 및 기구
라. 제조시설의 분해 및 조립 방법 마. 이전 작업 표시 제거방법
바. 청소상태 유지방법 사. 작업 전 청소상태 확인방법
6. 곤충, 해충이나 쥐를 막는 방법 및 점검주기 ①번을 포함한 내용

답: ①

18 화장품의 기재사항으로 1차 포장 2차 포장에 기재 · 표시하여야 하는 것으로 옳은 것은?

① 화장품의 효능 · 효과
② 사용 시의 부작용
③ 해당 화장품 제조에 사용된 주요 성분
④ 화장품제조업자의 주소
⑤ 사용할 때의 주의사항

해설 1. 화장품의 명칭
2. 영업자의 상호 및 주소
3. 해당 화장품 제조에 사용된 모든 성분(인체에 무해한 소량 함유 성분 등 총리령의로 정하는 성분은 제외한다)
4. 내용물의 용량 또는 중량
5. 제조번호
6. 사용기한 또는 개봉 후 사용기간
7. 가격
8. 기능성화장품의 경우 "기능성화장품"이라는 글자 또는 기능성화장품을 나타내는 도안으로서 식품의약품안전처장이 정하는 도안
9. 그 밖에 총리령으로 정하는 사항

답: ⑤

19 원료의 칭량에 대한 설명으로 옳은 것은?

① 원료의 안전성과 유효성에 영향을 미치지 않는 용기나 설비에 정확하게 칭량되어야 한다.
② 원료가 칭량되는 도중 교차오염을 피하기 위한 조치가 있어야 한다.
③ 반제품은 품질이 변하지 아니하도록 적당한 용기에 넣어 지정된 장소에서 보관한다.
④ 칭량을 시작하기 전에 포장작업 관련 문서의 완비여부, 포장설비의 청결 및 작동여부를 점검하여야 한다.
⑤ 칭량관리를 위한 시험업무에 대해 문서화된 절차를 수립하고 유지하여야 한다.

해설 ②를 포함한 내용과 원료는 품질에 영향을 미치지 않는 용기나 설비에 정확하게 칭량되어야 한다.

답: ②

20 "제조번호" 또는 "뱃치번호"란?

① 제조 및 품질 관련 문서에 명기된 설비로 제품의 품질에 영향을 미치는 필수적인 설비를 말한다.
② 제조공정 단계에 있는 것으로서 필요한 제조공정을 더 거쳐야 벌크 제품이 되는 것을 말한다.
③ 일정한 제조단위분에 대하여 제조관리 및 출하에 관한 모든 사항을 확인할 수 있도록 표시된 번호로서 숫자 · 문자 · 기호 또는 이들의 특정적인 조합을 말한다.
④ 충전(1차 포장) 이전의 제조 단계까지 끝낸 제품을 말한다.
⑤ 하나의 공정이나 일련의 공정으로 제조되어 균질성을 갖는 화장품의 일정한 분량을 말한다.

해설 숫자 · 문자 · 기호 또는 이들의 특정적인 조합

답: ③

21 제조화장품의 검체의 채취 및 보관에 관한 내용으로 시험용 검체의 용기에 기재사항으로 옳은 것은?

① 유효기간
② 보관조건
③ 명칭 또는 확인코드
④ 제조자의 성명 또는 서명
⑤ 제품명

해설 ③번을 포함 내용과 제조 번호, 검체채취 일자

답: ③

22 다음 괄호 안에 들어갈 내용으로 옳은 것은?

표준품과 주요시약의 용기에는 다음 사항이 기재되어 있는가?	
1) 명칭	2) 개봉일
3) 보관조건	4) ( )
5) 역사, 제조자의 성명 또는 서명(직접 제조한 경우에 한함)	

① 기준일탈
② 유효기간
③ 시험용 검체
④ 반제품의 재평가
⑤ 완제품 적합판정

해설 유효기간 표기

답: ②

23 화장품 제조 및 품질관리기준 실시상황 평가표(폐기처리 포함)에 재작업 대상이 포함하고 있어야 하는 관리 내용으로 옳은 것은?

① 변질 · 변패 또는 병원미생물에 오염되지 아니한 경우
② 제조일로부터 3년간 보관하고 1년 이상 남아있는 경우
③ 재입고할 수 없는 제품은 폐기처리규정에 따라 신속히 폐기
④ 제조일로부터 1년간 보관하고 3년 이상 남아있는 경우
⑤ 품질에 문제가 있거나 회수 · 반품된 제품의 폐기 또는 재작업

해설 ①번을 포함한 내용과 제조일로부터 1년이 경과하지 않았거나 사용기한이 1년 이상 남아있는 경우

답: ①

24 화장품 안전성 확보 등에 관한 교육의 대상, 내용, 실시기관의 내용으로 옳은 것은?

① 교육의 실시기관은 지방식품의약품안전처장이 관할 구청으로 지정하여 고시한다.
② 교육실시기관은 매년 교육의 대상, 내용 및 시간을 포함한 교육계획을 수립하여 교육을 시행할 해의 12월까지 식품의약품안전처장에게 제출하여야 한다.
③ 교육시간은 4시간 이상, 8시간 이하로 한다.
④ 교육 내용은 화장품 관련 법령 및 제도에 관한 사항과 화장품의 안전성 확보에 대한 교육만실시
⑤ 교육 실시기간, 교육대상자 명부, 교육 내용 등 교육에 관한 기록을 작성하여 이를 증명 할 수 있는 자료와 함께 12개월간 보관하여야 한다.

해설 1. 교육의 실시기관은 화장품과 관련된 기관 · 단체 및 설립된 단체 중에서 식품의약품 안전처장이 지정하여 고시한다.
2. 교육실시기관은 매년 교육의 대상, 내용 및 시간을 포함한 교육계획을 수립하여 교육을 시행할 해의 전년도 11월 30일까지 식품의약품안전처장에게 제출하여야 한다.
3. 교육 내용은 화장품 관련 법령 및 제도에 관한 사항, 화장품의 안전성 확보 및 품질 관리에 관한 사항 등으로 하며, 교육 내용에 관한 세부 사항은 식품의약품안전처장의 승인을 받아야 한다.
4. 교육실시기관은 교육을 수료한 사람에게 수료증을 발급하고 매년 1월 31일까지 전년도 교육 실적을 식품의약품안전처장에게 보고하며, 교육 실시기간, 교육대상자 명부, 교육 내용 등 교육에 관한 기록을 작성하여 이를 증명할 수 있는 자료와 함께 2년간 보관하여야 한다.
5. 교육실시기관은 교재비 · 실습비 및 강사 수당 등 교육에 필요한 실비를 교육대상자로부터 징수할 수 있다.

답: ③

25 다음은 화장품의 생산실적 등 보고절차에 대한 내용으로 옳은 것은?

① 화장품책임판매업자는 화장품의 생산실적 또는 수입실적, 화장품의 제조과정에 사용된 원료의 목록 등을 단체장에게 보고하여야 한다.
② 원료의 목록에 관한 보고는 화장품의 유통 · 판매 후에 하여야 한다.
③ 화장품책임판매업자는 지난해의 생산실적 또는 수입실적과 화장품의 제조과정에 사용된 원료의 목록 등을 대한화장품 협회가 정하는 바에 따라 매년 2월 말까지 보고한다.
④ 식품의약품안전처장이 정하여 고시하는 바에 따라 대한화장품협회의 단체장에게 보고하여야 한다.
⑤ 전자무역문서로 표준통관예정보고를 하고 수입하는 화장품책임판매업자는 수입실적 및 원료의 목록을 보고하지 아니할 수 있다.

해설 1. 화장품책임판매업자는 지난해의 생산실적 또는 수입실적과 화장품의 제조과정에 사용된 원료의 목록 등을 식품의약품안전처장이 정하는 바에 따라 매년 2월 말까지 식품의약품안전처장이 정하여 고시하는 바에 따라 대한화장품협회 등 화장품업 단체를 통하여 식품의약품안전처장에게 보고하여야 한다.

2. 화장품책임판매업자는 화장품의 제조과정에 사용된 원료의 목록을 화장품의 유통 · 판매 전까지 보고해야 한다. 보고한 목록이 변경된 경우에도 또한 같다.
3. 전자무역문서로 표준통관예정보고를 하고 수입하는 화장품책임판매업자는 수입실적 및 원료의 목록을 보고하지 아니할 수 있다.

답: ⑤

26 포장작업 항목 및 평가내용 중 포장지시서에 들어가야 할 내용으로 옳은 것은?

① 생산자 명
② 작업지시서
③ 상세한 포장공정
④ 포장설비 상태
⑤ 포장평가 항목

해설 ③번을 포함한 제품명, 포장 설비명, 포장재 리스트, 포장 생산수량

답: ③

27 제품 회수시 회수 책임자가 이행해야 할 사항으로 옳은 것은?

① 전체 회수과정에 대한 화장품책임판매업자와 조정역할
② 결함 제품의 회수 및 관련기록 폐기
③ 소비자 안전에 영향을 주는 회수의 경우 화장품책임판매업자를 통하여 즉시 지방관할 공무원에게 즉시 보고
④ 회수된 제품은 확인 후 제조소 내에서 폐기
⑤ 회수과정의 정기적인 평가는 필수사항

해설 1. 결함 제품의 회수 및 관련기록 보존
2. 소비자 안전에 영향을 주는 회수의 경우 화장품책임판매업자를 통하여 즉시 식품의약품안전처장에게 보고
3. 회수된 제품은 확인 후 제조소 내에서 격리보관 조치(필요시에 한함)
4. 회수과정의 주기적인 평가(필요시에 한함) ①번 내용 포함

답: ①

28 제조관리 기준서 등의 내용으로 기능성 화장품에만 제품표준서의 작성 · 구비해야하는 내용으로 옳은 것은?

① 작성연월일
② 효능 · 효과 및 사용상의 주의사항
③ 공정별 상세 작업내용 및 제조공정흐름도
④ 작업 중 주의사항
⑤ 사용기한 또는 개봉 후 사용기간

해설 효능 · 효과에 대한 내용은 기능성화장품에만 포함

답: ②

29 새로운 건물의 설계시와 구 건물의 증, 개축시 제조 작업의 합리화를 도모하기 위해 사람과 물건의 움직임과 혼동 방지 및 오염 방지를 목적으로 설계할 때 주요 고려사항이 아닌 것은?

① 인동선과 물동선의 흐름경로를 교차 오염의 우려가 없도록 적절히 설정한다.

② 교차가 불가피 할 경우 작업에 "시간차"를 만든다.
③ 사람과 대차가 교차하는 경우 "유효폭"을 충분히 확보한다.
④ 공기의 흐름을 고려한다.
⑤ 개인은 직무를 수행하기 위해 알맞은 복장을 갖춰야 한다.

해설 규정에 맞는 복장을 착용

답: ⑤

30 화장품 생산 설비 중 공기조절 장치가 필요한 목적으로 옳은 것은?

① 환기 및 습도관리를 할 필요는 없다.
② 공기조절은 먼지, 미립자, 미생물을 공중에 날아 올라가게 만들어서 제품에 부착시킬 가능성이 없다.
③ CGMP 지정을 받기 위해서는 청정도 기준에 제시된 청정도 등급 이상으로 설정하여야 하며 청정등급을 설정한 구역은 설정 등급의 유지여부를 정기적으로 모니터링 하여 설정 등급을 벗어나지 않도록 관리한다.
④ 공기조절 시설을 설치한다면 일정한 수준 이하로 해야 한다.
⑤ 청정등급을 설정한 구역은 설정 등급의 유지여부를 단기적으로 모니터링 하여 관리한다.

해설 환기 및 습도관리가 필요하고, 제품과 직원에 대한 오염방지나 오염의 원인을 제거

답: ③

31 우수화장품 제조 및 품질관리기준 적합판정을 받고자 할 때 필요한 구비서류가 아닌 것은?

① 우수화장품 제조 및 품질관리기준에 따른 3회 이상 적용 · 운영한 자체평가표
② 화장품 제조 및 품질관리기준 운영조직
③ 제조소의 시설내역
④ 제품관리현황
⑤ 품질관리현황

답: ④

32 공기조화 장치에 들어가는 에어필터 중 M/F의 특징이 아닌 것은?

① 0.5㎛입자들 95%이상 제거
② Clean Room 정밀기계공업 등에 Hapa Filter 전 처리용으로 사용
③ 공기정화, 산업공장 등 최종Filer로 사용
④ Frame은 P/Board or G/Steel등으로 제작되어 견고하다
⑤ Bag Type은 먼지 보유량이 적고 수명이 짧다

해설 Bag Type은 먼지 보유량이 크고 수명이 길다.

답: ⑤

33 원료 및 포장재의 구매시 고려해야 할 사항으로 옳은 것은?

① 요구사항을 만족하는 품목과 서비스를 지속적으로 수급할 수 있는 능력평가를 근거로 한 수급자의 체계적 선정과 승인

② 합격판정기준에 결함이나 일탈 발생 시의 승인
③ 협력이나 감사와 같은 회사와 수급자간의 관계 및 상호 작용의 정립
④ 운송조건에 대한 기술조항 발생시 조치
⑤ 요구사항을 만족하는 품목과 서비스를 지속적으로 공급할 수 있는 능력평가를 근거로 한 공급자의 체계적 선정과 승인

해설 능력평가를 근거로 한 공급자의체계적 선정과 승인

답: ⑤

34 청소 방법과 위생처리에 대한 사항으로 바르지 않은 것은?

① 청소에 사용되는 용구(진공청소기 등)는 찾기 쉬운 장소에 보관되어야 한다.
② 공조시스템에 사용된 필터는 규정에 의해 청소되거나 교체되어야 한다.
③ 제조 공정과 포장 지역에서 재료의 운송을 위해 사용된 기구는 필요할 때 청소되고 위생처리 되어야 하며, 작업은 적절하게 기록되어야 한다.
④ 물질 또는 제품 필터들은 규정에 의해 청소되거나 교체되어야 한다.
⑤ 제조 공정과 포장에 사용한 설비 그리고 도구들은 계획과 절차에 따라 위생처리 되어야 하고 기록되어야 한다. (청소완료 표시서)

해설 청소 도구는 보관 장소에 지정

답: ①

35 제조 작업을 위한 문서관리 순서로 맞는 것은?

① 제조지시서 발행→제조기록서 완결→제조→제조기록서 발행→뱃치기록서 완결→문서보관
② 제조지시서 발행→문서보관→제조기록서 발행→제조→제조기록서 완결→뱃치기록서 완결
③ 제조지시서 발행→제조기록서 발행→제조→제조기록서 완결→뱃치기록서 완결→문서보관
④ 제조지시서 발행→제조기록서 발행→제조기록서 완결→제조→뱃치기록서 완결→문서보관
⑤ 제조지시서 발행→뱃치기록서 완결→제조기록서 발행→제조→제조기록서 완결→문서보관

답: ③

36 원료, 포장재의 적절한 보관을 위해 고려해야 할 사항이 아닌 것은?

① 원료와 포장재의 용기는 밀폐되어, 청소와 검사가 용이하도록 충분한 간격으로, 바닥과 떨어진 곳에 보관되어야 한다.
② 보관조건은 각각의 원료와 포장재에 적합하여야 하고, 과도한 열기, 추위, 햇빛 또는 습기에 두어야 한다.
③ 원료와 포장재가 재포장될 경우, 원래의 용기와 동일하게 표시되어야 한다.
④ 물질의 특징 및 특성에 맞도록 보관, 취급되어야 한다.
⑤ 특수한 보관 조건은 적절하게 준수, 모니터링 되어야 한다.

해설 과도한 열기, 추위, 햇빛 또는 습기에 두어서는 안 된다.

답: ②

37 원료, 포장재의 보관 환경의 중요성이 아닌 것은?

① 재고품은 선입선출이 원칙이다.
② 원료 및 포장재 보관소의 출입을 제한한다.
③ 오염방지를 위해서 시설대응, 동선관리가 필요하다
④ 방충방서의 대책이 필요하다
⑤ 필요시 온도, 습도를 설정한다.

해설 재고관리에 대한 내용

답: ①

38 원료, 포장재의 사용기한 설명이다. 바르지 않은 것은?

① 원칙적으로 원료공급처의 사용기한을 준수하여 보관기한을 설정하여야 한다.
② 사용기한내에서 자체적인 재시험 기간과 최대 보관기한을 설정 · 준수해야 한다.
③ 보관기한이 규정되어 있지 않은 원료는 품질부문에서 적합하지 않으므로 보관기한을 정할 수 없다.
④ 물질의 정해진 보관 기한이 지나면, 해당 물질을 재평가하여 사용 적합성을 결정하는 단계들을 포함해야 한다.
⑤ 원료의 허용 가능한 보관 기한을 결정하기 위한 문서화된 시스템을 확립해야 한다.

답: ③

39 제조된 벌크제품의 보관방법이다. 바르지 않은 것은?

① 변질되기 쉬운 벌크는 재사용하지 않는다.
② 여러번 재보관하는 벌크는 조금씩 나누어서 보관한다.
③ 남은 벌크를 재보관하고 재사용 할 수 없다.
④ 원래 보관 환경에서 보관한다.
⑤ 다음 제조시에는 우선적으로 사용한다.

해설 남은 벌크는 재보관과 재사용이 가능하다.

답: ③

40 화장품 제조에 사용되는 물(탈이온화(deionization), 증류 또는 역삼투압 처리 유무에 상관없이)에 대한 절차서는 다음과 같은 사항들을 보장해야 한다. 이중 바르지 않은 것은?

① 규정된 품질의 물을 공급해야 하고, 물 처리 설비에 사용된 물질들은 물의 품질에 영향을 미쳐서는 안 된다.
② 화학적, 물리적, 미생물학적 규격서에 대한 적합성 검증을 위한 적절한 모니터링과 시험이 필요하다.
③ 오염의 위험과 물의 정체(stagnation)를 예방할 수 있어야 한다.
④ 미생물의 오염을 방지하기 위해 고안되고 적절한 주기와 방법에 따라 청결과 위생관리가 이루어지는 시스템을 통해 물을 공급해야 한다.
⑤ 수돗물을 이용하여 화장품을 제조할 수 있다.

해설 수돗물 사용 불가

답: ⑤

41 다음 괄호 안에 들어갈 내용으로 옳은 것은?

( )란 제조공정 중 적합판정기준의 충족을 보증하기 위하여 공정을 모니터링하거나 조정하는 모든 작업을 말한다. 모든 계획되고 체계적인 활동을 말한다.

① 제조단위
② 유지보수
③ 벌크제품
④ 품질보증
⑤ 유지관리

해설 공정관리에 대한 내용으로 품질보증에 대한 내용

답: ④

42 기준일탈 제품의 처리에서 재작업(Reprocessing)의 정의로 옳은 것은?

① 재작업 처리의 실시는 품질보증 책임자가 결정하는 것이다.
② 재작업을 해도 제품 품질에 악영향을 미치지는 않을 것을 예측해야 한다.
③ 적합판정기준을 벗어난 완제품 또는 벌크제품을 재처리하여 품질이 적합한 범위에 들어오도록 하는 작업을 말한다.
④ 기준일탈 제품은 폐기하는 것이 가장 바람직하다.
⑤ 먼저 권한 소유자에 의한 원인 조사가 필요하다.

해설 벌크제품을 재처리하여 품질이 적합한 범위에 들어오도록 하는 작업

답: ③

43 기준일탈 제품의 처리에서 재작업의 절차로 바르지 않은 것은?

① 품질이 확인되고 품질보증 책임자의 승인을 얻지 않아도 재작업품은 다음 공정에서 사용할 수 있다.
② 승인이 끝난 재작업 절차서 및 기록 서에 따라 실시한다.
③ 재작업 전의 품질이나 재작업 공정의 적절함 등을 고려하여 제품 품질에 악영향을 미치지 않는 것을 재작업 실시 전에 예측한다.
④ 재작업 한 최종 제품 또는 벌크제품의 제조기록, 시험기록을 충분히 남긴다.
⑤ 재작업 처리 실시의 결정은 품질보증 책임자가 실시한다.

답: ①

44 완제품의 적절한 보관 및 출고에 대한 내용으로 옳은 것은?

① 재고 회전은 선입선출 방식으로 사용 및 유통되어야 한다.
② 완제품은 시험결과 적합으로 판정되면 바로 출고하여야한다.
③ 재질 및 제품의 관리와 보관은 어렵게 확인할 수 있는 방식으로 수행된다.
④ 완제품은 적절한 조건하의 정해진 장소에서 보관하여야 하며 주기적으로 재고 점검을 수행해야한다.
⑤ 출고할 제품의 원자재, 부적합품 및 반품된 제품은 선입선출방식으로 보관하여야한다.

해설 답④번 내용을 포함한

1. 완제품은 시험결과 적합으로 판정되고 품질보증서 책임자가 출고 승인한 것만을 출고하여야한다.

2. 출고는 선입선출방식으로 하되, 타당한 사유가 있는 경우에는 그러지 아니할 수 있다.
3. 출고할 제품은 원자재. 부적합품 및 반품된 제품과 구획된 장소에서 보관하여야한다. 다만 서로 혼동을 일으킬 우려가 없는 시스템에 의하여 보관되는 경우에는 그러하지 아니할 수 있다.

답: ④

45 원료, 포장재의 재평가의 내용으로 옳은 것은?

① 재평가방법을 확립해 두면 사용 기한이 지난 원료 및 포장재를 폐기할 수 있다.
② 재평가방법을 확립해 두면 사용 기한이 지난 원료 및 포장재를 재평가해서 사용할 수 있다.
③ 재평가방법에는 원료 등 및 화장품 제조의 단기 안정성 데이터의 뒷받침이 필요 있다.
④ 재평가방법을 확립해 두면 사용 기한이 지난 원료 및 포장재를 재평가해서 사용할 수 없다.
⑤ 재평가방법에는 원료 등 및 화장품 제조의 장기 안정성 데이터의 뒷받침이 필요 없다.

해설 사용기한이 지난 원류 및 푸장재는 재평가해서 사용할 수 있다.

답: ②

46 입고된 원료 및 내용물 입고관리에 대한 내용으로 옳은 것은?

① 원자재, 반제품 및 벌크 제품은 품질에 나쁜 영향을 미치지 아니하는 조건에서 보관하여야 하며 보관기한은 따로 없음
② 원자재의 입고시 구매 요구서, 원자재 공급업체 성적서 및 현품이 서로 일치하여야 하며 필요한 경우 운송 관련 자료를 추가적으로 확인할 수 있다
③ 원자재, 시험 중인 제품 및 부적합품은 각각 선입선출 보관하여야 한다.
④ 설정된 보관기한이 지나면 재평가시스템은 없다.
⑤ 품질 적합기준은 사용 목적에 맞게 규정하여야 한다.

해설 1. 화장품제조업자는 원자재 공급자에 대한 관리감독을 적절히 수행하여 입고관리가 철저히 이루어지도록 하여야 한다.
2. 원자재 용기에 제조번호가 없는 경우에는 관리번호를 부여하여 보관하여야 한다.
3. 원자재 입고절차 중 육안확인시 물품에 결함이 있을 경우 입고를 보류하고 격리 보관 및 폐기하거나 원자재 공급업자에게 반송하여야 한다.
4. 입고된 원자재는 "적합", "부적합", "검사 중" 등으로 상태를 표시하여야 한다. 다만, 동일 수준의 보증이 가능한 다른 시스템이 있다면 대체할 수 있다.
②번의 내용

답: ②

47 보관중인 원료 및 내용물의 출고관리에 대한 설명으로 옳은 것은?

① 원자재는 시험결과 적합판정된 것만을 선입선출방식으로 출고해야 하고 이를 확인할 수 있는 체계가 확립되어 있어야 한다.
② 원자재, 반제품 및 벌크 제품은 품질에 나쁜 영향을 미치지 아니하는 조건에서 보관하여야 하며 보관기한을 설정하여야 한다.
③ 원자재는 시험결과 적합판정 된 것은 출고해야 하고 이를 확인할 수 있는 체계가 확립 되어 있어야 한다.

④ 공급자가 부여한 제조번호 또는 관리번호를 기재 한다.
⑤ 품질 적합기준은 사용 목적에 맞게 규정하여야 한다.

해설 선입선출방식으로 출고해야 하고 이를 확인할 수 있는 체계가 확립

답: ①

48 화장품원료의 폐기 기준에 관한 내용으로 옳은 것은?

① 변질 · 변패 또는 병원미생물에 오염된 경우
② 제조일로부터 3년이 경과하지 않았거나 사용기한이 1년 이상 남아있는 경우
③ 품질에 문제가 있거나 회수 · 반품된 제품의 폐기 또는 재작업 여부는 품질보증 책임자에 의해 승인되어야 한다.
④ 재 입고 할 수 없는 제품의 폐기처리규정은 작성하지 않아도 된다.
⑤ 폐기 대상은 따로 보관하고 규정에 따라 모든 것을 보관 할 수 있다.

해설 1. 변질 · 변패 또는 병원미생물에 오염되지 아니한 경우
2. 제조일로부터 1년이 경과하지 않았거나 사용기한이 1년 이상 남아있는 경우
3. 재 입고 할 수 없는 제품의 폐기처리규정을 작성하여야 하며 폐기 대상은 따로 보관하고 규정에 따라 신속하게 폐기하여야 한다.
③번의 내용

답: ③

49 원료의 폐기절차에 대한 설명으로 옳지 않는 것은?

① 폐기물은 생활폐기물과 지정폐기물로 구분하여 처리한다.
② 폐기물 보관소는 항상 청결히 유지하며 누수로 인한 2차 환경오염을 방지한다.
③ 폐기물 보관소로 지정된 장소에는 지정폐기물 표지판을 부착한다.
④ 폐기물은 외부 이해관계자가 지정한 배출 일에 배출하여 처리될 수 있도록 한다.
⑤ 폐기물은 생활폐기물만 구분한다.

해설 생활폐기물과는 관계없음

답: ⑤

50 내용물 및 원료의 변질 상태(변색, 변취 등)확인에 대한 내용으로 옳은 것은?

① 원료 및 내용물은 바닥 및 벽면으로부터 공간을 두어서 통풍과 방습이 되도록 바닥 및 내벽과는 10cm이상, 건물외벽과는 30cm이상 공간을 두어 보관
② 온도, 습도, 자외선 등 보관조건에 의해 변질이 예상되는 원료는 통풍이 잘 되는 곳에 보관
③ 원료 및 내용물 규격에서 별도로 저장방법이 지정되지는 않는다.
④ 보관 중 용기는 훼손, 장기보관 등으로 인하여 변질이 발생했다고 판단 될 때는 즉시 폐기처리
⑤ 원료 및 내용물은 바닥 및 벽면으로부터 공간을 두어서 통풍과 방습이 되도록 바닥 및 내벽과는 30cm이상, 건물외벽과는 10cm이상 공간을 두어 보관

답: ①

51 다음은 유통화장품 안전관리 시험방법이다. 특정세균 시험법 중 해당되는 시험법은?

검액의 조제 및 조작: 검체 1g또는 1mL을 유당액체배지를 사용하여 10mL로 하여 30~35℃에서 24~72시간 배양한다.

① 대장균 시험
② 녹농균시험
③ 미생물 시험
④ 세균수 시험
⑤ 세균 및 진균 시험

해설 대장균 시험에 해당

답: ①

52 다음 <보기>에서 작업 중 작업자의 위생관리로 적절한 것을 모두 고르시오?

ㄱ. 작업자는 청정도에 맞는 적절한 작업복, 모자와 신발을 착용한다. ㄴ. 작업 중 복장 점검을 하고 적절하지 않을 경우에도 해당 작업을 계속 진행한다. ㄷ. 의약품을 포함한 개인적인 물품은 별도의 지역에서 보관한다. ㄹ. 이미 포장된 제품을 업체의 필요에 따라 세트포장 하기 위해 작업자는 마스크와 장갑을 필수로 착용한다. ㅁ. 작업원은 연 1회 이상 정기진단 외에 필요 시 수시로 건강진단을 받는다.

① ㄱ, ㄴ, ㄷ
② ㄱ, ㄷ, ㅁ
③ ㄴ, ㄷ, ㄹ
④ ㄱ, ㄹ, ㅁ
⑤ ㄷ, ㄹ, ㅁ

해설 작업자는 작업 전 복장점검을 하고 적절하지 않을 경우에는 시정한다. 완제품 보관소에서 마스크, 장갑 착용은 의무 사항이 아니다.

답: ②

53 다음 <보기>에서 맞춤형화장품 조제에 필요한 원료 및 내용물 관리로 적절한 것을 모두 고르시오.

ㄱ. 내용물 및 원료의 제조번호를 확인하다. ㄴ. 내용물 및 원료의 입고시 품질관리 여부를 확인하다. ㄷ. 내용물 및 원료의 사용기한 또는 개봉 후 사용기한을 확인한다. ㄹ. 내용물 및 원료정보는 기밀이므로 소비자에게 설명하지 않을 수 있다. ㅁ. 책임판매업자와 계약한 사항과 별도로 내용물 및 원료의 비율을 다르게 할 수 있다.

① ㄱ, ㄴ, ㄷ
② ㄴ, ㄷ, ㄹ
③ ㄷ, ㄹ, ㅁ
④ ㄹ, ㅁ, ㄴ
⑤ ㄱ, ㄹ, ㅁ

해설 원료의 제조번호를 확인하고, 입고시 품질관리 여부를 확인, 사용기한 또는 개봉 후 사용기한을 확인하다.

답: ①

54 다음 〈보기〉의 우수화장품 품질관리기준에서 기준일탈 제품의 폐기처리 순서를 나열한 것으로 옳은 것은?

ㄱ. 격리 보관
ㄴ. 기준 일탈 조사
ㄷ. 기준일탈의 처리
ㄹ. 폐기처분 또는 재작업 또는 반품
ㅁ. 기준일탈 제품에 불합격라벨 첨부
ㅂ. 시험, 검사, 측정이 틀림없음 확인
ㅅ. 시험, 검사, 측정에서 기준 일탈 결과 나옴

① ㄱ→ㄴ→ㄷ→ㄹ→ㅂ→ㅁ→ㅅ
② ㅁ→ㄴ→ㅂ→ㄹ→ㅁ→ㅅ→ㄱ
③ ㅅ→ㄴ→ㅂ→ㄹ→ㅁ→ㄷ→ㄱ
④ ㅅ→ㄴ→ㅂ→ㄷ→ㅁ→ㄹ→ㄱ
⑤ ㅅ→ㄴ→ㅂ→ㄷ→ㅁ→ㄱ→ㄹ

해설 시험, 검사, 측정에서 기준 일탈 결과 나옴 → 기준 일탈 조사→시험, 검사, 측정이 틀림없음 확인 → 기준일탈의 처리 → 기준일탈 제품에 불합격라벨 첨부 → 격리 보관 → 폐기처분 또는 재작업 또는 반품

답: ⑤

55 맞춤형화장품의 원료로 사용할 수 있는 경우로 적합한 것은?

① 보존제를 직접 첨가한 제품
② 자외선 차단제를 직접 첨가한 제품
③ 화장품에 사용할 수 없는 원료를 첨가한 제품
④ 식품의약품안전처장이 고시하는 기능성화장품의 효능 · 효과를 나타내는 원료를 첨가한 제품
⑤ 해당 화장품책임판매업자가 식품의약품안전처장이 고시하는 기능성화장품의 효능 · 효과를 나타내는 원료를 포함하여 식약처로부터 심사를 받거나 보고서를 제출한 경우에 해당하는 제품

해설 화장품책임판매업자가 식약처로부터 심사를 받거나 보고서를 제출한 경우

답: ⑤

56 다음 〈보기〉의 우수 화장품 품질관리기준에서 기준일탈 제품의 재작업 절차의 순서로 옳은 것은?

ㄱ. 재작업 실시의 타당성	ㄴ. 재작업 실시 결정(품질보증 책임자)
ㄷ. 품질에 악영향이 없음을 예측(부서책임자)	ㄹ. 기준일탈 결과의 이유 판명
ㅁ. 재작업 품 합격 결정(품질보증 책임자)	ㅂ. 재작업
ㅅ. 절차서, 기록서 준비	ㅇ. 재작업 품으로 사용, 출하

① ㄹ→ ㄱ→ ㄷ→ ㅅ→ ㄴ→ ㅂ→ ㅁ→ㅇ
② ㄹ→ ㄷ→ ㄱ→ ㅅ→ ㄴ→ ㅂ→ ㅁ→ㅇ
③ ㄹ→ ㄱ→ ㄷ→ ㅅ→ ㅂ→ ㄴ→ ㅁ→ㅇ
④ ㅁ→ ㅇ→ ㄷ→ ㅅ→ ㄴ→ ㅂ→ ㄹ→ㄱ
⑤ ㅁ→ ㅂ→ ㄷ→ ㅅ→ ㄴ→ ㅂ→ ㅁ→ㄱ

해설 재작업이란 부적합 품을 적합 품으로 다시 가공하는 일로 기준일탈이 된 완제품 또는 벌크 제품을 재작업 할 수 있다.

답: ①

57 물의 공급 설비의 기준으로 옳은 것은?

① 물의 정체와 오염을 피할 수 있도록 설치될 것
② 물의 품질에 영향을 미칠 수도 있다.
③ 살균처리를 할 수도 있다.
④ 물의 품질 적합기준을 정한다.
⑤ 물의 품질은 정기적으로 검사를 하되 미생물학적 검사를 실시할 필요는 없다.

해설 ①번의 내용을 포함한 물의 품질에 영향이 없을 것과 살균처리가 가능할 것

답: ①

58 제조관리 시설 및 기구관리에 관한 사항으로 옳은 것은?

① 시설 및 주요설비는 필요에 따른 점검방법
② 작업 중인 시설 및 기기의 표시방법
③ 제조지시자의 지시연월일
④ 사용된 원료명의 표시방법
⑤ 공정별 상세 작업내용 점검방법

해설 ②를 포함한 내용과 시설 및 주요설비의 정기적인 점검방법과 장비의 교정 및 성능점검 방법

답: ②

59 다음 괄호 안에 들어갈 내용으로 옳은 것은?

수입화장품 품질검사에 대한 내용으로 평가인정서 발급받은 화장품책임판매업자는 품질검사를 면제받고 제조국 화장품제조업자의 품질검사 시험성적서로 (　　　)를 갈음한다.

① 품질관리현황서
② 제조관리기준서
③ 품질관리기준서
④ 품질관리기록서
⑤ 사후관리기록서

해설 수입화장품 제조업자에 대한 현지실사 결과 수입화장품 제조업자의 품질관리기준이 「우수화장품 제조 및 품질관리기준」(식품의약품안전처고시)보다 동등이상이라고 평가받은 화장품책임판매업자에게 평가 인정 서를 발급한다.

답: ④

60 수입화장품 품질검사 면제를 받고자하는 화장품책임판매업자가 수입화장품 제조업자 현지실사 신청서를 식품의약품안전처장에게 제출하여야한다. 제출할 서류 중 품질관리 현황에 해당하는 서류로 옳은 것은?

① 품질관리기준서 및 각종 규정목록
② 위 · 수탁제조시 위 · 수탁 제조계약서 및 관리현황
③ 미생물시험 규정 및 시험실시 사례
④ 제조관리기기 및 기구에 대한 점검규정 및 기기대장
⑤ 방충 · 방서관리 규정 및 실시현황

해설 1. 품질관리 시설 및 기구에 대한 교정 등 관리규정과 실시현황
2. 제조용수관리 규정 및 시험실시 사례
3. 품질관리기기 및 기구에 대한 점검규정 및 기기대장 ②번의 내용

답: ②

61 화장품 및 품질관리기준 운영 조직의 제출서류에 해당하는 것은?

① 화장품 제조 및 품질관리기준 조직 및 운영현황
② 품질관리부서 책임자의 경력서
③ 화장품 제조 및 안전관리기준 교육규정과 실시 현황
④ 제조관리기준서 및 각종 규정목록
⑤ 품질관리 현황

해설 ①번을 포함한 품질관리부서 책임자의 이력서와 화장품 제조 및 품질관리기준 교육규정과 실시 현황

답: ①

맞춤형화장품의 이해

4.1 맞춤형화장품 개요

최근 화장품산업은 한류의 흐름으로 국내뿐만 아니라 동남아를 비롯한 세계시장에서 눈부신 성장을 보이고 있다. 인간의 아름다워지고 싶은 욕구를 충족시켜 주는 이미지 산업으로서 기초 과학과 응용기술이 실용적으로 적용되는 종합 집약적인 산업이라고 할 수 있다.

과학과 산업의 발전으로 환경오염, 스트레스 등의 원인으로 아토피, 피부질환 등 여러 질환과 질병이 발생하게 되면서 화장품을 소비자가 직접 만들어 사용하는 DIY 천연화장품과 DIY 천연비누 강좌가 개설되고 인기를 끌면서 현재 맞춤형화장품으로 자리 잡게 되었다.

화장품은 몸을 청결하게 하고 아름답게 하며, 더욱 매력적으로 변화시켜 주는데 사용하는 물품, 또는 피부와 모발을 건강하게 유지하기 위해 신체에 바르거나 뿌리거나 그 밖에 이와 유사한 방법으로 사용하는 물품으로서 인체에 대한 작용이 경미한 것을 말한다. 즉, 화장품은 각종 성분들을 적절하게 배합하여 신체에 바르거나 뿌려서 신체 및 모발을 청결하게 하고 건강하게 하여 아름다움을 유지하기 위해 사용하는 것으로 화장품법 제2조 1항에는 다음과 같이 정의하고 있다.

"화장품"이라 함은 인체를 청결, 미화하여 매력을 더하고 용모를 밝게 변화시키거나 피부 · 모발의 건강을 유지 또는 증진하기 위하여 인체에 사용되는 물품으로서 인체에 대한 작용이 경미한 것을 말한다.

식품의약품안전처고시 제2019-93호, 2019년 10월 17일 일부 개정된 화장품법 제2조제3호의 2에 따라 맞춤형화장품에 사용할 수 있는 원료를 지정하는 한편, 같은 법 제8조에 따라 화장품에 사용할 수 없는 원료 및 사용상의 제한이 필요한 원료에 대하여 그 사용기준을 지정하고 유통화장품 안전기준 등에 관한규정 [제4장제6조6항,시행 2020.04.18] 영 · 유아용 제품류와 관련한 사항을 정함으로써 화장품의 제조 또는 수입 및 안전관리에 적정을 기하고 있다. 이 규정은 국내에서 제조 수입 또는 유통되는 모든 화장품에 대하여 적용한다. 라고 명시되어 있다.

맞춤형화장품은 고객의 개인별 피부특성(피부의 유수분량, 선호하는 향, 피부색, 피부결점 유무 등)에 따라 피부분석기기, 어플리케이션, 문진(설문), 육안평가, 촉진(touch diagnosis), 전문가 상담 등 다양한 수단을 통해 피부상태를 분석하여 고객 요구를 반영한 맞춤형화장품을 설계하고 판매업소에서 맞춤형화장품을 소분하거나 혼합하여 용기에 담아 포장하고 라벨링 후 판매하는 것이다.

1. 맞춤형화장품 정의

맞춤형화장품이란 맞춤형화장품 판매업소에서 고객 개인별 피부 특성이나 색 · 향 등의 기호 · 요구등 고객의 취향을 반영하여 맞춤형화장품조제관리사 자격증을 가진 자가 화장품의 내용물을 소분하거나 화장품의 내용물에 다른 화장품의 내용물 또는 식품의약품안전처장이 정하는 원료를 혼합한 화장품을 말한다.

1) 맞춤형화장품

- 맞춤형화장품판매업소에서 맞춤형화장품조제관리사 자격증을 가진 자가 고객 개인별 피부 특성 및 색 · 향등 취향에 따라,
  ① 제조 또는 수입된 화장품의 내용물에 다른 화장품의 내용물이나 색소, 향료등 식약처장이 정하는 원료를 추가하여 혼합한 화장품
  ② 제조 또는 수입된 화장품의 내용물을 소분(小分)한 화장품
  단, 화장비누(고체형태의 세안용 비누)를 단순 소분한 화장품은 제외

혼합	내용물 (벌크제품)	+	내용물 (벌크제품)
	내용물 (벌크제품)	+	특정 성분 (단일 원료 또는 혼합 원료)
소분	내용물 (벌크제품)	÷	소분

> **※참고사항**
> ☞ 원료와 원료를 혼합하는 것은 맞춤형화장품의 혼합이 아닌 '화장품 제조'에 해당

(1) 맞춤형화장품 혼합 · 소분에 사용되는 내용물의 범위

- 맞춤형화장품의 혼합 · 소분에 사용할 목적으로 화장품책임판매업자로부터 제공받은 것으로 다음 항목에 해당하지 않는 것이어야 한다.

① 화장품책임판매업자가 소비자에게 그대로 유통 · 판매할 목적으로 제조 또는 수입한 화장품
② 판매의 목적이 아닌 제품의 홍보 · 판매촉진 등을 위하여 미리 소비자가 시험 · 사용하도록 제조 또는 수입한 화장품

(2) 맞춤형화장품 혼합에 사용되는 원료의 범위

- 맞춤형화장품의 혼합에 사용할 수 없는 원료를 다음과 같이 정하고 있으며 그 외의 원료는 혼합에 사용 가능
  ① 「화장품 안전기준 등에 관한 규정(식약처 고시)」 [별표 1]의 '화장품에 사용할 수 없는 원료'
  ② 「화장품 안전기준 등에 관한 규정(식약처 고시)」 [별표 2]의 '화장품에 사용상의 제한이 필요한 원료'
  ③ 식약처장이 고시(「기능성화장품 기준 및 시험방법」)한 '기능성화장품의 효능 · 효과를 나타내는 원료'. 다만, 「화장품법」 제4조에 따라 해당 원료를 포함하여 기능성화장품에 대한 심사를 받거나 보고서를 제출한 경우 사용 가능

☞ 원료의 품질유지를 위해 원료에 보존제가 포함된 경우에는 예외적으로 허용
☞ 원료의 경우 개인 맞춤형으로 추가되는 색소, 향, 기능성 원료 등이 해당되며 이를 위한 원료의 조합(혼합 원료)도 허용
☞ 기능성화장품의 효능 · 효과를 나타내는 원료는 내용물과 원료의 최종 혼합 제품을 기능성화장품으로 기 심사(또는 보고) 받은 경우에 한하여, 기 심사(또는 보고) 받은 조합 · 함량 범위 내에서만 사용 가능

2) 맞춤형화장품 조제관리사

맞춤형화장품 조제관리사란 식품의약품안전처장이 정하는 자격시험에 합격하여 맞춤형화장품 판매장에서 맞춤형화장품을 혼합 · 소분하는 업무에 종사하는 자를 "맞춤형화장품 조제관리사"라고 한다.
맞춤형화장품판매장의 조제관리사로 지방식품의약품안전청에 신고한 맞춤형화장품조제관리사는 매년 4시간 이상, 8시간 이하의 집합교육 또는 온라인 교육을 식약처에서 정한 교육실시기관에서 이수 하여야 한다.

- 식품의약품안전처에서 지정한 교육실시기관

(사)대한화장품협회, (사)한국의약품수출입협회, (재)대한화장품산업연구원

맞춤형화장품판매업자는 판매장마다 맞춤형화장품조제관리사를 두어 관리하여야 하며, 맞춤형화장품의 혼합 ·소분의 업무는 맞춤형화장품판매장에서 자격증을 가진 맞춤형화장품조제관리사만이 할 수 있다.

맞춤형화장품판매업의 영업 종류는 화장품제조업, 화장품책임판매업, 맞춤형화장품판매업이 있으며 영업의 범위는 아래와 같다.

3) 화장품제조업

화장품제조업이란 화장품을 직접 제조하는 영업과 화장품 제조를 위탁받아 제조하는 영업 그리고 화장품의 포장(1차 포장만 해당한다)을 하는 영업을 영업의 범위로 정하고 있다.

4) 화장품책임판매업

화장품책임판매업이란 화장품제조업자가 화장품을 직접 제조하여 유통 · 판매하는 영업과 화장품제조업자에게 위탁하여 제조된 화장품을 유통 · 판매하는 영업 그리고 수입된 화장품을 유통 · 판매하는 영업 및 수입대행형 거래를 목적으로 화장품을 알선 · 수여하는 영업을 영업의 범위로 정하고 있다.

5) 맞춤형화장품판매업

- 맞춤형화장품판매업은 맞춤형화장품을 판매하는 영업으로써 다음의 두 가지 중 하나 이상에 해당하는 영업을 할 수 있다.

① 제조 또는 수입된 화장품의 내용물에 다른 화장품의 내용물이나 식약처장이 정하여 고시하는원료를 추가하여 혼합한 화장품을 판매하는 영업

② 제조 또는 수입된 화장품의 내용물을 소분한 화장품을 판매하는 영업

6) 화장품, 의약외품, 의약품의 구분

화장품에 대한 법적인 정의는 국가별로 조금씩 차이는 있으나 기본적인 것은 인체를 청결히 하고 아름답게 가꾸며 건강하게 유지해 주기 위한 것이다. 즉, 법적으로 화장품은 의약품이나 의약외품과 달라서 "인체에 대한 약리적인 효과가 비교적 적은 것"을 가리키며 화장품을 발라서 질병이 치료된다는 것과는 다른 것이다.

의약품은 사용대상이 정상인이 아닌 질병을 가진 환자에게 사용하는 것이며, 의약외품과 화장품은 정상인을 상대로 사용하는 물품이다. 정상인이 사용하는 물품 중에서 어느 정도의 약리학적으로 효능 및 효과를 나타내는 물품을 의약외품이라 한다. 그 예를 들면 비타민, 구강청정제, 구취방지제, 스프레이파스, 외용 소독제, 치약 등이 있다. 의약외품의 경우 화장품과 마찬가지로 부작용이 없어야 한다.

표 1-1. 화장품, 의약외품, 의약품의 구분

구분	화장품	의약외품	의약품
사용대상	정상인	정상인	환자
사용목적	청결, 미화	위생, 미화	질병치료 및 진단
사용기간	장기간, 지속적	장기간 또는 단기간	일정기간
사용범위	전신	특정 부위	특정 부위
부작용	없어야 함	없어야 함	어느 정도는 무방

注) 약사법개정(1999.12.)에 의해 2000년 7월1일부터 종래의 의약부외품과 위생용품이 통합되어 "의약외품"으로 분류됨.

2. 맞춤형화장품 주요 규정

식약처에서는 화장품 안전기준 등에 관한 규정으로 맞춤형화장품에 사용 가능한 원료를 지정하고 있다. 「화장품법」 제2조에 따라 맞춤형화장품에 사용할 수 있는 원료를 지정하는 한편, 같은 법 제8조에 따라 화장품에 사용할 수 없는 원료 및 사용상의 제한이 필요한 원료에 대하여 그 사용기준을 지정하고, 유통화장품 안전관리 기준에 관한 사항을 정함으로써 화장품의 제조 또는 수입 및 안전관리에 적정을 기함을 목적으로 하고 있으며, 이 규정은 국내에서 제조, 수입 또는 유통되는 모든 화장품에 대하여 적용한다.

다음 ①②③원료 외에는 모두 맞춤형화장품에 사용할 수 있다.(*19.10.17 개정, 20.03.14 시행.)

표 1-2. 맞춤형화장품의 주요 규정

맞춤형화장품의 주요 규정
① 화장품에 사용할 수 없는 원료
② 사용상의 제한이 필요한 원료
③ 사전심사를 받거나 보고서를 제출하지 않은 기능성화장품 고시 원료
④ 맞춤형화장품 판매업자 준수사항

1) 화장품에 사용할 수 없는 원료

화장품에 사용할 수 없는 원료는 갈라민트리에치오다이드, 칼란타민, 중추신경계에 작용하는 교감신경흥분성아민, 구차네티딘 및 그 염류, 구아이페네신, 글루코코르티코이드, 글루테티미드 및 그 염류 등 또한 소·양·염소 등 반추동물의 18개 부위, 화학물질의 등록 및 평가 등에 관한 법률」제2조제9호 및 제27조에 따라 지정하고 있는 금지물질 등과 같이 많은 원료들에 대해 화장품에 사용할 수 없는 원료로 지정하고 있다. *화장품법 개정(19.10.17 개정, 2003.3.14.시행)

2) 사용상의 제한이 필요한 원료

사용상의 제한이 필요한 원료는 자외선 차단성분으로 티타늄디옥사이드, 징크옥사이드등은 사용한도를 두어 제한하고 있으며, 염모제 성분으로 2-메칠-5-히드록시에칠아미노페놀, 5-아미노-6-클로로-o-크레솔 등은 사용할 때 농도상한을 두고 있다. 보존제 성분으로 데하이드로아세틱애씨드, 글루타랄(펜탄-1,5-디알) 등은 에어로졸 제품에 사용을 금하고 있으며, 메칠이소치아졸리넨등은 사용 후 씻어내는 제품에만 사용 가능하는 등 원료에 따른 사용한도를 제한하거나 사용을 금지 또는 일부 제품에만 사용할 수 있도록 하고 있다. 다만, 자외선 차단 성분 제품의 변색방지를 목적으로 하는 사용농도가 0.5% 미만인 것은 자외선 차단 제품으로 인정하지 아니한다.

3) 사전심사를 받거나 보고서를 제출하지 않은 기능성화장품 고시 원료

기능성화장품의 경우 종전에는 '주름완화' 기능성화장품, '미백'기능성화장품, '태닝'화장품, '썬스크린' 기능성화장품에서 '모발색상 변화' 기능성 화장품 그리고 '여드름성 피부 완화' 기능성 화장품, '체모제거' 기능성 화장품과 '탈모증상 완화', '기능성 화장품' 피부장벽의 기능을 회복하여 가려움 등의 개선에 도움을 주는 화장품, '튼살로 인한 붉은 선 완화' 기능성 화장품등이 신설 또는 의약외품에서 전환되어 기능성화장품이 더 다양해지므로서 앞으로 더욱 많은 제품들이 연구되고 출시될 것으로 보여 진다.

4) 맞춤형화장품 판매업자의 준수사항

- 맞춤형화장품 판매장 시설 · 기구를 정기적으로 점검하여 보건위생상 위해가 없도록 관리할 것
- 혼합 · 소분시 오염방지를 위하여 다음의 안전관리기준을 준수할 것.

① 맞춤형화장품 조제에 사용하는 내용물 및 원료의 혼합 · 소분 범위에 대해 사전에 품질 및 안전성을 확보할 것

- 내용물 및 원료를 공급하는 화장품책임판매업자가 혼합 또는 소분의 범위를 검토하여 정하고 있는 경우 그 범위 내에서 혼합 또는 소분 할 것

* 최종 혼합된 맞춤형화장품이 유통화장품 안전관리 기준에 적합한지를 사전에 확인하고, 적합한 범위 안에서 내용물 간(또는 내용물과 원료) 혼합이 가능함

② 혼합 · 소분에 사용되는 내용물 및 원료는 「화장품법」 제8조의 화장품 안전기준 등에 적합한 것을 확인하여 사용할 것

* 혼합 · 소분 전 사용되는 내용물 또는 원료의 품질관리가 선행되어야 함(다만, 책임판매업자에게서 내용물과 원료를 모두 제공받는 경우 책임판매업자의 품질검사 성적서로 대체 가능)

③ 혼합 · 소분 전에는 손을 소독 또는 세정하거나 일회용 장갑을 착용할 것.

④ 혼합 · 소분에 사용되는 장비 또는 기구 등은 사용 전에 그 위생 상태를 점검하고, 사용 후에는 오염이 없도록 세척할 것.

⑤ 혼합 · 소분전에 혼합 · 소분된 제품을 담을 용기의 오염 여부를 확인할 것.

⑥ 혼합 · 소분 전에 내용물 및 원료의 사용기한 또는 개봉 후 사용기간을 확인하고, 사용기한 또는 개봉 후 사용기간이 지난 것은 사용하지 아니할 것.

⑦ 혼합 · 소분에 사용되는 내용물의 사용기한 또는 개봉 후 사용기간을 초과하여 맞춤형화장품의 사용기한 또는 개봉 후 사용기간을 정하지 말 것.

⑧ 맞춤형화장품 조제에 사용하고 남은 내용물 및 원료는 밀폐를 위한 마개를 사용하는 등 비의도적인 오염을 방지 할 것.

⑨ 소비자의 피부상태나 선호도 등을 확인하지 아니하고 맞춤형화장품을 미리 혼합 · 소분하여 보관하거나 판매하지 말 것.

- 최종 혼합 · 소분된 맞춤형화장품은 「화장품법」 제8조 및 「화장품 안전기준 등에 관한 규정(식약처 고시)」 제6조에 따른 유통화장품의 안전관리 기준을 준수할 것.
  - 특히, 판매장에서 제공되는 맞춤형화장품에 대한 미생물 오염관리를 철저히 할 것(예 : 주기적 미생물샘플링 검사).

* 혼합 · 소분을 통해 조제된 맞춤형화장품은 소비자에게 제공되는 제품으로 "유통 화장품"에 해당

- 맞춤형화장품 판매내역서(전자문서 형식을 포함한다)를 작성 · 보관할 것.
  ① 제조번호(맞춤형화장품의 경우 식별번호를 제조번호로 한다)

  * 맞춤형화장품 식별번호는 맞춤형화장품의 혼합 또는 소분에 사용되는 내용물 또는 원료의 제조번호와 혼합 · 소분기록을 추적할 수 있도록 맞춤형화장품판매업자가 숫자 · 문자 · 기호 또는 이들의 특징적인 조합으로 부여한 번호이다.

  ② 사용기한 또는 개봉 후 사용기간
  ③ 판매일자 · 판매량

표 1-3. 판매내역서

제품명	식별번호	사용기한	내용물 제조번호	내용물 사용기한	원료(1) 제조번호	원료(2) 제조번호	혼합소분 기록	판매량	판매일
Hisstory skin lotion	1908001-A1004-B1009-001	2022.07.30	1908001	2022.07.31	A1004	B1009	001	50mL*2	2019.10.04

*출처: 식품의약품안전처

- 원료 및 내용물의 입고, 사용, 폐기 내역 등에 대하여 기록 관리 할 것.
- 맞춤형화장품 판매 시 다음 각 목의 사항을 소비자에게 설명할 것.
  ① 혼합 · 소분에 사용되는 내용물 또는 원료의 특성
  ② 맞춤형화장품 사용 시의 주의사항
- 맞춤형화장품 사용과 관련된 부작용 발생사례에 대해서는 지체 없이 식품의약품안전처장에게 보고할 것.

맞춤형화장품의 부작용 사례 보고(「화장품 안전성 정보관리 규정」에 따른 절차 준용)
- 맞춤형화장품 사용과 관련된 중대한 유해사례 등 부작용 발생 시 그 정보를 알게 된 날로부터 15일 이내 식품의약품안전처 홈페이지를 통해 보고하거나 우편 · 팩스 · 정보통신망 등의 방법으로 보고해야 한다.

① 중대한 유해사례 또는 이와 관련하여 식품의약품안전처장이 보고를 지시한 경우 : 「화장품 안전성 정보관리 규정(식약처 고시)」 별지 제1호 서식
② 판매중지나 회수에 준하는 외국정부의 조치 또는 이와 관련하여 식품의약품안전처장이 보고를 지시한 경우 : 「화장품 안전성 정보관리 규정(식약처 고시)」 별지 제2호 서식

- 맞춤형화장품 판매업소마다 맞춤형화장품 조제관리사를 둘 것.

- 맞춤형화장품의 원료목록 및 생산실적 등을 기록 · 보관하여 관리 할 것
- 고객 개인 정보의 보호
  ① 맞춤형화장품판매장에서 수집된 고객의 개인정보는 개인정보보호법령에 따라 적법하게 관리할 것.
  ② 맞춤형화장품판매장에서 판매내역서 작성 등 판매관리 등의 목적으로 고객 개인의 정보를 수집할 경우 개인정보보호법에 따라 개인 정보 수집 및 이용목적, 수집 항목 등에 관한 사항을 안내하고 동의를 받아야 한다.
  소비자 피부진단 데이터 등을 활용하여 연구 · 개발 등 목적으로 사용하고자 하는 경우, 소비자에게 별도의 사전 안내 및 동의를 받아야 한다.
  ③ 수집된 고객의 개인정보는 개인정보보호법에 따라 분실, 도난, 유출, 위조, 변조 또는 훼손되지 않도록 취급하여야한다. 아울러 이를 당해 정보주체의 동의 없이 타 기관 또는 제3자에게 정보를 공개하여서는 아니 된다.
- 둘 이상의 책임판매업자와 계약하는 경우 사전에 각각의 책임판매업자에게 고지한 후 계약을 체결하여야 하며 맞춤형화장품 혼합 · 소분시 책임판매업자와 계약한 사항을 준수할 것.
- 판매 중인 맞춤형화장품이 화장품법 시행규칙 제14조의 2(회수대상화장품의 기준 및 위해성 등급 등) 각 호의 어느 하나에 해당함을 알게 된 경우 신속히 책임판매업자에게 보고하고, 회수대상 맞춤형화장품을 구입한 소비자에게 적극적으로 회수 조치를 취할 것.
- 맞춤형화장품과 관련하여 안전성 정보(부작용 발생 사례를 포함한다)에 대하여 신속히 책임판매업자에게 보고할 것.
- 맞춤형화장품의 내용물 및 원료의 입고 시 품질관리 여부를 확인하고 책임판매업자가 제공하는 품질성적서를 구비할 것(다만, 책임판매업자와 맞춤형화장품 판매업자가 동일한 경우에는 제외한다).

5) 맞춤형화장품 판매업의 신고

(1) 맞춤형화장품판매업의 신고

- 맞춤형화장품판매업을 하려는 자는 맞춤형화장품판매업소 소재지를 관할하는 지방식품의약품안전청에 영업을 신고하여야 한다.
- 신청방법 : 의약품안전나라 시스템(nedrug.mfds.go.kr) 전자민원, 방문 또는 우편
- 처리기한 : 10일
- 수 수 료 : 전자민원 27,000원, 방문 · 우편민원 30,000원
- 제출 서류

표 1-4. 맞춤형화장품의 신고시 제출 서류

구분	제출 서류
기본	① 맞춤형화장품판매업 신고서 ② 맞춤형화장품조제관리사 자격증 사본(2인 이상 신고 가능)
기타 구비서류	① 사업자등록증 및 법인등기부등본(법인에 포함) ② 건축물관리대장 ③ 임대차계약서(임대의 경우에 한함) ④ 혼합 · 소분의 장소 · 시설 등을 확인할 수 있는 세부 평면도 및 상세 사진

(2) 맞춤형화장품판매업의 변경신고

- 맞춤형화장품판매업의 변경신고가 필요한 사항
  - 맞춤형화장품판매업자의 변경(판매업자의 상호, 소재지 변경은 대상 아님)
  - 맞춤형화장품판매업소의 상호 또는 소재지 변경
  - 맞춤형화장품조제관리사의 변경
- 신청방법 : 의약품안전나라 시스템(nedrug.mfds.go.kr) 전자민원, 방문 또는 우편
- 처리기한 : 10일(단, 조제관리사 변경신고는 7일)
- 수 수 료 : 전자민원 9,000원, 방문 · 우편민원 10,000원
  * 조제관리사 변경의 경우 수수료 없음
- 제출 서류

표 1-5. 맞춤형화장품판매업의 변경신고시 제출서류

구분	제출 서류
공통	① 맞춤형화장품판매업 변경신고서 ② 맞춤형화장품판매업 신고필증(기 신고한 신고필증)
판매업자 변경	① 사업자등록증 및 법인등기부등본(법인에 한함) ② 양도 · 양수 또는 합병의 경우에는 이를 증빙할 수 있는 서류 ③ 상속의 경우에는 「가족관계의 등록 등에 관한 법률」 제15조 제1항 제1호의 가족관계증명서
판매업소 상호 변경	① 사업자등록증 및 법인등기부등본(법인에 한함)
판매업소 소재지 변경	① 사업자등록증 및 법인등기부등본(법인에 한함) ② 건축물관리대장 ③ 임대차계약서(임대의 경우에 한함) ④ 혼합 · 소분 장소 · 시설 등을 확인할 수 있는 세부 평면도 및 상세 사진
조제관리사 변경	① 변경할 맞춤형화장품조제관리사 자격증 사본

(3) 맞춤형화장품판매업의 폐업 등의 신고

- 신고대상 : 폐업 또는 휴업, 휴업 후 영업을 재개하려는 경우
- 신청방법 : 의약품안전나라 시스템(nedrug.mfds.go.kr) 전자민원, 방문 또는 우편
- 처리기한 : 7일
- 수 수 료 : 해당없음
- 제출서류

표 1-6. 맞춤형화장품판매업의 폐업 등의 신고시 제출 서류

구분	제출 서류
공통	① 맞춤형화장품판매업 폐업 · 휴업 · 재개 신고서 ② 맞춤형화장품판매업 신고필증(기 신고한 신고필증)

- 맞춤형화장품 판매업자의 변경 또는 상호변경, 판매업소의 소재지 변경, 조제관리사 변경, 맞춤형화장품 사용계약을 체결한 책임판매업자의 변경 등의 사유가 발생하면 발생한 날부터 30일 이내(다만, 행정구역 개편에 따른 소재지 변경의 경우에는 90일 이내)에 맞춤형화장품 판매업 변경신고서(전자문서로된 신고서를 포함)에 맞춤형화장품 판매업 신고필증과 해당서류(전자문서를 포함)를 첨부하여 지방 식품의약품안전청장에게 제출하여야 한다. 신고 관청을 달리하는 맞춤형화장품 판매업소의 소재지 변경의 경우에는 새로운 소재지를 관할하는 지방식품의약품안전청장에게 제출하여야 한다.

3. 화장품의 품질과 특성

일반적으로 소비자의 만족도에 의해 결정되는 화장품의 품질은 기업의 경우 품질을 고려하여 '기획 설계의 품질, 제조상의 품질, 판매상의 품질'로 나눌 수 있으며 어떤 경우에도 품질특성을 만족시키는 것이 필요조건이라고 할 수 있다.

맞춤화장품의 품질 특성이란 화장품을 만들어 판매하는 경우 기본적으로 소홀히 해서는 안되는 중요한 특성으로 일반적으로 안전성, 안정성, 사용성(사용감 및 사용 편리성), 유효성을 들 수 있다.

맞춤형화장품은 유통화장품과 같이 의약품과 다르게 일정기간 특정한 부위에 사용하지 않으며 장기간 지속적으로 인체 전체 부위에 사용되는 물품이므로 인체에 대한 부작용이 없도록 철저히 안전성이 확보되어야 한다.

첫째, 안전성이 좋다는 것은 피부에 대한 자극, 알레르기, 독성 등이 없거나 적은 것을 의미한다.

둘째, 안정성이 좋다는 것은 제품이 일정기간 동안 변취 또는 변질되거나 분리되지 않는다는 것을 의미한다.

셋째, 유효성이 좋다는 것은 사용 목적에 적합한 기능을 충분히 나타내어 피부에 적절한 보습, 노화억제, 자외선 차단, 미백, 세정, 색체 효과 등의 목적에 맞는 효과를 나타내는 것을 의미한다.

넷째, 사용성이 좋다는 것은 피부에 바를 때 손놀림이 쉽고 잘 펴 발라진다는 것을 의미하는 것으로 소비자가 제품을 선택 시 가장 쉽게 할 수 있는 테스트 방법 중의 하나이기도 하다.

표 1-7. 화장품의 4대요건

구 분	내 용
안전성	피부에 대한 자극, 알레르기, 독성이 없을 것
안정성	보관에 따른 변질, 변색, 변취, 미생물의 오염이 없을 것
유효성	적절한 보습, 노화억제, 자외선 차단, 미백, 세정, 색체효과 등을 부여할 것
사용성	피부에 사용했을 때 손놀림이 쉽고, 피부에 매끄럽게 잘 스며들 것

4. 맞춤화장품 품질의 안정성

맞춤화장품의 내용물이 변색, 변취, 미생물의 오염, 또는 결정 석출 등의 화학적 변화 그리고 내용물의 분리, 침전, 응집, 부러짐, 굳음과 같은 물리적 변화로 인하여 사용성이나 미관이 손상되지 않도록 광안정성시험, 온도안정시험, 산패에 대한 안정성시험, 미생물 오염에 대한 안정성 등 다양한 안정성시험을 통하여 검증하고 있다.

맞춤화장품의 안정성은 제조 직 후부터 고객이 제품을 다 사용할 때까지 목적에 따른 충분한 기능을 갖추어야 하며, 고객의 기호성(색, 향, 디자인등)과 사용성(사용 감촉등)등이 복합적으로 화장품의 품질을 유지하는 것이다.

표 1-8. 화장품의 화학적, 물리적 변화

화장품의 화학적, 물리적 변화	
화학적 변화	변색, 변취, 퇴색, 오염, 결정 석출 등
물리적 변화	분리, 응집, 침전, 발분, 발한, 겔화, 휘발, 고화, 연화, 균열 등

4.2 피부 및 모발 생리구조

1. 피부의 생리 구조

신체기관 중에서 가장 큰 기관인 피부의 총 면적은 성인기준으로 1.5~2.0m² 정도이며, 표피와 진피를 합친 부피는 2.4~3.6L이고, 무게는 4Kg 이상의 큰 기관이다. 평균 온도는 36.5℃(27.6~45℃)이며, 물 70%, 단백질 25~27%, 지질 2%, 탄수화물 1%, 소량의 비타민, 효소, 호르몬, 미네랄로 구성되어 있다. 피부는 다양한 세포들과 독특한 구조로 이루어져 있으며 물리적 · 화학적으로 외부 환경으로부터 체내 기관을 보호하고 체온을 유지시켜주며 비타민D를 합성하는 등의 기능을 한다.

피부를 현미경으로 확대해서 관찰하면 그물모양의 구조를 이루고 있는데 언덕 모양으로 올라와 있는 부분을 피부소릉(hill)이라하며, 낮은 부분을 피부소구(furrow)라고 한다. 피부결은 피부의 소릉과 피부소구의 높낮이를 통해 결정되며 대체로 젊은 피부일수록 남성보다는 여성의 피부가 높낮이의 차이가 적다.

피부소릉의 중심부에는 땀을 분비하는 한공이 존재하며, 피부소구와 피부소릉이 교차하는 곳에 모공이 있다. 이 모공을 통해 모발이 피부 밖으로 나와 있으며, 피지가 나오는 통로이기도 하다. 피부의 pH는 피부표면에서 땀과 피지가 만나 pH 4.5~6.5의 약산성인 피지 막을 만들어 피부를 윤기가 흐르게 하고 피부를 외부의 여러 오염 물질과 미생물로부터 피부를 보호하는 역할을 한다.

피부는 조직학적으로 바깥쪽으로부터 표피(epidermis), 진피(dermis), 피하조직(subcutaneous tissue)의 3가지 구조로 이루어져 있다. 피부의 두께는 부위와 연령 및 성별에 따라 다르며, 피하지방층의 두께도 부위에 따라 차이가 있다. 대체로 표피는 0.1~0.3mm이고 표피와 진피를 합쳐서 0.6~2.35mm이며, 일반적으로 눈꺼풀이 가장 얇고, 손과 발바닥이 가장 두껍다. 그 외의 피부부속기관으로 한선(sweat gland), 피지선(sebaceous gland), 모발(hair), 손 · 발톱(nail)등으로 구성되어 있다.

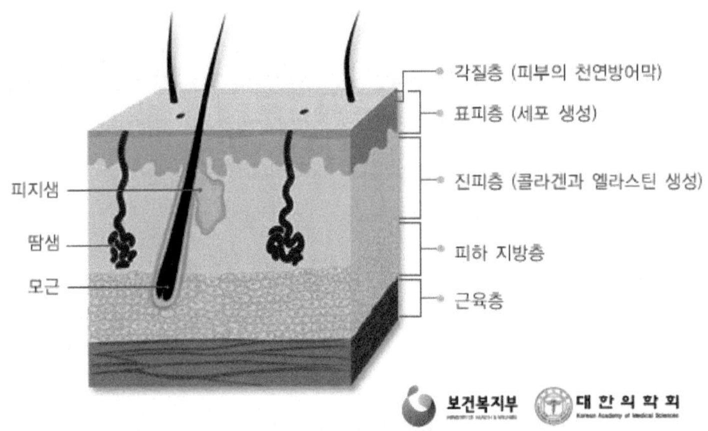

[피부의 구조]

1) 표피(Epidermis)의 구조

표피는 피부의 가장 바깥쪽에 위치한 얇은 층으로 평균 두께는 0.1~0.3mm 이다. 표피의 각질형성세포(keratinocyte)는 각질화 되는 과정에 따라 5개 층으로 나뉜다. 표피의 가장 아래쪽부터 기저층, 유극층, 과립층, 투명층, 각질층의 순서로 이루어져 있으며 피부표면에는 최종 분화된 죽은 세포가 여러 겹으로 쌓여 보호막 기능을 함으로서 외부로부터 우리 몸과 바로 아래에 위치한 진피 층을 보호한다.

(1) 기저층(Basal cell layer)

표피의 가장 아래쪽에 있는 바닥 층이라는 의미로 기저층 이라고 불리며 진피와 접하고 있는 단일층으로 원추상 형태의 유핵세포로 구성되어 있다. 진피의 유두 층과 물결모양으로 접하고 있으며, 진피에서 혈액을 통해 영양을 공급받고 세포 분열을 촉진하여 새로운 세포를 생성한다. 물결모양의 굴곡은 젊은 피부 일수록 굴곡이 심하고 피부가 노화되면서 편평해져서 영양공급과 노폐물 배출 기능이 저하된다.

기저층은 각질이라고 불리는 케라틴(keratin)을 생성하는 각질형성세포(keratinocyte)와 멜라닌(melanin)을 생성하는 색소형성세포(melanocyte)로 구성된다.
각질형성세포는 피부를 물리적 충격으로부터 보호해주는 각질을 만들어 주고, 색소형성세포는 자외선으로부터 보호 작용을 하는 멜라닌 유기색소를 생성한다.

(2) 유극층(Spinous layer)

표피의 가장 두꺼운 층이며 표피의 대부분을 차지한다. 5~10층의 유핵세포로 데스모좀(desmosome)이라고 하는 세포의 가시모양의 돌기가 주변 세포와 연결되어 있어 '가시층'이라고도 한다. 유핵 세포로서 세포분열이 가능하기 때문에 피부에 상처가 생겼을 때 세포 재생에 관여한다. 면역세포인 랑게르한스 세포가 존재하여 인체면역에 관여하고 세포 사이사이에 림프액이 흐르고 있어 림프순환을 통해 물질교환이 이루어지는 층이다.

(3) 과립층(Granular layer)

2~5개 층으로 이루어진 편평형 세포층으로 외부로부터 수분이 침투하거나 내부로부터 수분이 나가는 것을 막아주는 역할을 한다. 케라토힐알린(keratohyalin)이라는 과립형 물질을 포함하고 있어서 각질화가 시작되는 곳이며, 빛을 산란시켜 자외선을 흡수하고 외부 물질에 대해 방어기능과 수분유출을 막아주는 기능을 한다.

또한 과립 층에는 피부 장벽 중의 하나인 수분 저지막이 존재한다. 수분 저지막은 전기적인 막으로 피부 단면에서는 눈에 보이지 않는 막이다. 값비싼 화장품을 발라도 쉽게 흡수되지 못하도록 막는 피부장벽 중의 하나이다.

(4) 투명층(Stratum lucidum)

2~3층의 세포로 구성되어 있으며, 주로 손바닥과 발바닥에서 관찰된다. 투명 층에는 엘라이딘(elaidin)이라는 반유동성 물질을 포함하고 있어 수분이 침투하는 것을 방지하며, 세포가 투명하게 보인다. 그리고 자외선을 반사하는 성질이 있기 때문에 피부의 멜라닌 색소가 올라오지 않는다. 그 예로 흑인들의 경우 손바닥과 발바닥이 하얀 것은 바로 투명층 때문이다.

(5) 각질층(Stratum corneum)

피부의 가장 바깥쪽에 위치하며 무핵의 세포층으로 16~24층으로 겹겹이 쌓여있다. 이러한 각질세포 사이에는 연속적인 지질층(lipid layer)이 있어서 각질층을 서로 벽돌과 진흙의 형태로 연결하고 있으며 이러한 각질층은 외부의 물리적인 충격과 화학적 자극으로부터 인체를 보호하는 역할을 하기 때문에 피부가 장벽기능을 수행하는데 가장 중요한 부분이라고 할 수 있다.

기저 층에서 생성된 각질세포가 14일에 걸쳐 각질층에 도달한 후, 14일 동안 각질층에 머물다가 피부로부터 자연적으로 탈락하게 되는 기간은 28일이 걸리는데 이 주기를 턴오버(turn over)라 하며, 각질형성주기라고도 한다.

정상피부의 각질층의 수분함량은 10~20% 이고, 10% 이하가 되면 피부는 건조해지고 거칠어지며 예민하게 된다. 각질층은 케라틴(keratin, 58%), 천연보습인자(natural moisturizing factor, 31%), 각질세포간 지질(lipid, 11%), 등으로 구성되어 있다. 또한 각질층은 세포와 세포를 단단히 결합시켜 수분증발을 억제시키는 층상의 라멜라구조(lamella structure)의 형태로 되어있다.

각질세포 내의 케라틴 단백질을 배열시키고 접합제 역할을 하는 필라그린(filaggrin)이라는 단백질이 분해되면서 요산, 피롤리돈카르복시산(PCA) 과 여러 아미노산을 생성시킨다. 이때 생성된 수용성 물질들을 총칭하여 천연보습인자(NMF)라고 한다.

표 2-1. 천연보습인자(NMF, natural moisturizing factor)의 구성 성분

성 분	함 량
유리아미노산	40.0%
피롤리돈카르복시산	12.0%
젖산염	12.0%
요소	7.0%
염소	6.0%
나트륨	5.0%
칼륨	4.0%
칼슘	1.5%
암모니아	1.5%
마그네슘	1.0%
인산염	0.5%
시트르산염, 포름산염	0.5%
기타	9.0%

2) 표피의 구성세포

(1) 각질형성세포(Keratinocyte)

표피의 기저 층에 존재하는 세포로 세포분열을 통해 새로운 세포를 만들어내고 생성된 세포는 시간이 지나감에 따라 형태가 변화되면서 각질층에 도달하면 각질세포가 되어 떨어져 나가게 된다. 이러한 과정을 각화과정이라 하며, 세포의 교체주기는 대개 4주이다. 피부가 노화되는 과정에서 각화과정이 지연되면 각질층이 두꺼워져 있는 과각화증(hyperkeratosis)이 나타나는데 이때는 피부가 두껍고 거칠며 칙칙하게 보인다.

각질층에 축적된 각질은 정상피부의 경우 28일 주기로 탈락되나 피부가 노화될수록 또는 여드름이 진행된 피부일수록 탈락이 지연되어 피부가 거칠어지거나 안색이 칙칙한 경우가 많다. 따라서 이러한 비후된 각질층을 제거하기 위한 각질 제거용 화장품이 설계되고 있다.

(2) 멜라닌형성세포(Melanocyte)

표피세포의 약 5%를 차지하고 있는 멜라닌형성세포는 기저 층에 위치하는 세포로 수상돌기를 가지고 있다. 멜라닌세포에서 만들어진 유기색소인 멜라닌은 멜라닌 세포돌기를 통해 각질형성세포에 전달되어 각질층까지 도달한 후 각질의 탈락과 함께 멜라닌도 함께 탈락되는 과정을 반복하고 있다. 피부에서 멜라닌의 역할은 피부색을 결정하며, 외부의 자외선이 피부 깊숙이 동과하시 못하도록 자외선의 일부를 흡수하여 자외선으로부터 인체를 보호하는 역할을 한다.

① 멜라노좀

사람의 피부색은 피부 세포 속에 들어 있는 멜라닌을 함유하는 멜라노좀(melanosome)의 숫자, 크기, 종류, 및 분포도에 따라 다르게 나타난다. 멜라노좀은 멜라닌세포에 의해 생성되고 표피에서 생성되는 멜라닌은 멜라닌형성세포에서 만들어진다.

멜라닌형성세포의 수는 인종과 피부색에 관계없이 일정하다. 피부색을 결정짓는 것은 멜라닌의 농도, 즉 양에 의해 결정되어진다. 피부가 자외선에 노출되면 멜라노사이트는 활발하게 멜라노좀을 생성시키고 이 멜라노좀을 케라티노사이트(각질형성세포)가 왕성하게 거두어들여 대량의 멜라노좀이 각질형성세포에 존재하게 되는데 그 결과로 피부가 검어지게 된다.

② 멜라닌의 종류

멜라닌은 흑갈색을 띠는 유멜라닌(eumelanin), 붉은색이나 황색을 띠는 페오멜라닌(pheomelanin)으로 나누어진다. 멜라닌의 합성에 가장 영향을 주는 것은 자외선이지만 여러 가지 호르몬에 영향을 받는데 대표적으로 뇌하수체로부터 분비되는 멜라닌세포자극호르몬(MSH)이다.

③ 멜라닌 생성과정

자연계에 널리 분포하는 페놀류의 고분자 물질인 멜라닌은 검은 색소와 단백질의 복합체이다. 멜라닌생성과정(melangenesis)은 멜라닌형성세포 내의 소기관인 멜라노좀에서 합성되며, 멜라닌의 합성은 멜라닌형성세포 내에서 티로신(tyrosin)이라는 아미노산으로부터 출발하여 도파(DOPA)로 다시 산화하여 도파퀴논(DOPA-quinone)이 생성되는 단계에서 티로시나아제(tyrosinase)라는 산화효소의 영향을 받는다. 생성된 멜라닌은 멜라닌형성세포의 수지상돌기(dendrite)에 의해 멜라노좀이라는 소포체 형태로 주변의 각질형성세포로 전달이 되어 표피에 퍼지게 된다.

멜라닌은 자외선, 호르몬의 변화, 스트레스 등에 의해 촉진되어 만들어진다. 최근에는 자외선에 의한 색소 증가와 광노화를 억제하기 위한 노력으로 자외선차단제 등의 사용이 늘어나고 있다.

(3) 랑게르한스세포(Langerhans cell)

표피세포의 2~8%를 차지하고 있으며 유극층에 존재하는 별모양의 세포질 돌기를 가진 수지상세포이다. 이 세포는 외부에서 들어온 이물질인 항원을 면역담당세포인 T-림프구에 전달하는 역할을 하는 세포로 피부면역에 관여한다. 특히 알레르기 접촉피부염에서의 랑게르한스 세포의 역할은 잘 알려져 있기 도하다.

(4) 머켈세포(Merkel cell)

주로 촉각이 예민한 부위에 존재하는 세포로, 기저 층 부근에 위치한다. 손바닥, 발바닥 등에서도 발견되며, 촉각수용체로서 피부의 촉각을 감지하는 역할과 인접한 각화세포와 부착관(desmosome)에 의해 부착되어 있다. 그리고 신경의 말단과 연결되어 촉각을 감지하는 세포로 작용하기 때문에 촉각인지세포라고도 한다.

3) 진피(Demis)

표피와 피하지방층 사이에 위치하는 유연성 있는 결합조직인 진피는 피부에서 가장 두꺼운 부분이다. 표피의 약 10~40배에 달하며 유두 층과 망상 층으로 나눌 수 있고 교원섬유(collagen fiber)와 탄력섬유(elastin fiber) 등의 섬유성 단백질과 기질로 이루어져 있다.

(1) 유두층(Papillary layer, stratum papillare)

표피의 기저 층과 접하고 있는 진피의 윗부분으로 유두모양을 하고 있다. 여기에는 모세혈관과 신경말단이 풍부하게 분포되어 있어서 각질형성세포에 영양소와 산소를 공급한다. 교원섬유가 드물고 불규칙하게 배열되어 있으며 수분을 많이 함유하고 있다. 표피의 각화를 원활하게 해서 피부 표면을 매끄럽게 하여 피부에 긴장감과 탄력을 준다.

(2) 망상층(Reticular layer, stratum reticulare)

유두층 아래에 단단하고 불규칙한 그물모양의 결합조직으로 진피의 대부분을 차지한다. 모세혈관이 거의 없고, 혈관, 림프관, 피지선, 한선, 신경 등의 피부 부속기관이 존재한다. 그리고 일정한 방향을 가진 교원섬유가 90% 이상을 차지하고 있으며 탄력섬유가 매우 치밀하게 구성되어 있다. 교원섬유질과 탄력섬유질 사이에는 기질 물질인 무코 다당류가 겔(Gel)상태로 분포되어 있는데 피부가 탄력을 갖는 것은 바로 이 망상 층의 탄력성과 팽창성 때문이다. 노화가 되면 망상 층의 콜라겐이나 엘라스틴 및 무코 다당류 등이 감소하여 주름이 형성되는 것이다.

(3) 교원섬유 (콜라겐 섬유, Collagen fiber)

교원섬유는 콜라겐이라고도 하며 진피 섬유 성분의 90%를 차지하며 진피에서 물을 제외한 무게 (건조중량)의 70~80%를 차지하는 매우 중요한 구성 물질로서 피부를 팽팽하게 해주는 장력을 제공하는 역할을 한다.
일반적으로 콜라겐은 피부의 진피 층에만 있다고 생각할 수도 있으나, 콜라겐은 힘줄, 인대, 연골, 뼈 등 인체 결합조직의 주된 단백질로서 포유동물의 경우 전체 단백질의 3분의 1이 콜라겐이다.
교원섬유의 피부에서의 대표적인 작용은 진피의 수분저장 기능이다. 교원섬유는 많은 수분을 함유할 수 있어서 '피부의 저수지'라는 비유를 하기도 한다. 교원섬유의 분자량은 약 30만이며, 사슬모양으로 결합된 아미노산 1000여개가 세 가닥의 나선구조로 되어 있으며, 젊은 피부일수록 수분 보유력이 좋은 용해성 교원질이 존재하고, 노화 될수록 수분 보유력이 좋지 못한 불용해성 교원질로 변질된다. 이러한 교원질의 변화는 진피의 수분함량을 감소시켜 피부 탄력과 주름의 원인이 되기도 한다. 콜라겐은 피부 보습을 위한 화장품 성분으로 사용하기도 하며, 피부의 주름을 펴거나 탄력을 주는 주사제로도 사용되고 있다.

(4) 탄력섬유(Elastin fiber)

진피의 2~3%를 차지하는 탄력섬유는 교원섬유에 비해 짧고 가늘며 원래 길이의 150%까지 늘어날 수 있다. 또한 신축성이 있어 다시 원래 길이로 되돌아 올 수 있는 특징이 있다. 그러나 고무질이 아니기 때문에 자신의 길이보다 1.5배 이상 늘어나게 되면 끊어지게 되는데 이런 현상을 '튼살'이라고 한다. 튼살은 주로 피하지방의 급격한 증가와 함께 나타난다. 노화가 진행될수록 탄력섬유 역시 파괴되어 피부가 이완되고 주름이 생기게 된다.

(5) 기질(Ground substance)

세포 사이에 있는 무정형의 젤 상태 물질로서 구성 성분으로 히아루론산(Hyaluronic acid), 콘드로이틴황산(Condroitin sulfate), 헤파린 황산(Heparin sulfate)등이다. 친수성의 다당류로서 자신의 무게의 약 1000배까지 수분을 흡수할 수 있다. 진피의 보습인자로서 수분유지, 노화방지 등에 중요한 역할을 한다.

(6) 피부의 부속기관

① 피지선(기름샘, Sebaceous gland)

피지선은 진피 층의 모낭에 부속되어 얼굴부위(T존부위)와 두피 및 가슴 부분에 집중되어 있으며, 손바닥과 발바닥을 제외한 전신의 피부에 존재한다. 나이, 성별, 계절, 피부온도 등에 따라 피지량이 변화하지만 일반적으로 피지선은 여성보다 남성이 크고 피지 량도 많은데, 그 이유는 사춘기 때부터 분비되기 시작하는 남성 호르몬인 테스토스테론이 피지선을 자극하여 피지분비가 시작되는데 남성과 여성의 테스토스테론 분비 비율이 10:1로 남성들이 테스토스테론의 영향을 더욱 많이 받기 때문이다. 따라서 평균적으로 남성들의 피지분비량이 더 많기 때문에 지성 피부와 여드름 피부의 확률도 더 높다고 할 수 있다.

피지는 피부표면에 분비되어 땀과 혼합되면서 피지 막을 형성하게 되는데 이를 천연피부보호막이라고 한다.

천연피부보호막이 세안에 의해 제거되었을 때 화장품을 피부에 도포하여 인공 피지 막을 형성시켜주어 피부를 보호하게 된다. 천연피부보호막(피지막)은 피부와 모발에 촉촉함과 윤기를 부여해 주고, 미생물이나 이물질 등이 피부 내부로 침투하는 것을 막아 줄 뿐만 아니라 체온의 저하도 막아준다. 이처럼 적당한 피지는 피부를 보호하지만 너무 과다하게 분비되면 모공을 막고 여드름 균에 의해 피지가 분해되어 여드름 발생의 원인이 되기도 한다.

표 2-2. 피지의 조성

성분	함량 평균(%)	범위(%)
트리글리세라이드(triglyceride)	41.0	19.5 ~ 49.4
왁스에스테르(wax ester)	25.0	22.6 ~ 29.5
지방산(fatty acid)	16.4	7.9 ~ 39.0
스쿠알렌(squalene)	12.0	10.1 ~ 13.9
디글리세라이드(diglyceride)	2.2	2.3 ~ 4.3
콜레스테롤 에스테르(cholesterol ester)	2.1	1.5 ~ 2.6
콜레스테롤(cholesterol)	1.4	1.2 ~ 2.3

② 한선(땀샘, Sweat gland)

한선은 땀을 만들어 피부 표면에 분비하면서 노폐물을 함께 배출하고 피부의 각질층에 보습을 주어 마찰을 감소시킴으로서 피부를 보호한다. 땀의 구성 성분은 물, 소금(salt), 요소(urea), 암모니아(ammonium), 아미노산(aminoacid), 단백질(proteins), 젖산(lactic acid), 크레아틴(creatine) 등이다. 우리는 땀을 액체라고만 생각하지만 평상시에 땀은 분비되면서 증발하게 되는데 액체로서 인식하지 않고 증발하는 땀을 불감지성 발한이라고 하며, 액체로서 인식되는 땀을 감지성 발한이라고 한다. 평균적으로 하루 발한 량이 0.5L정도 되며, 운동할 때는 1~2L 또는 그 이상이 되기도 한다.

- 에크린선(소한선, Eccrine sweat gland)

  일반적으로 우리가 흘리는 땀을 분비하는 땀샘을 말하는 것으로 대한선보다 작아 소한선이라고 한다. 소한 선은 진피의 하부나 피하지방 경계부위에 위치하고 2~3백만 개의 땀샘이 존재하며 전신에 분포한다. 특히, 머리, 이마, 겨드랑이, 손바닥, 발바닥에 많이 분포하고 있으며 pH3.8~5.6 정도의 약산성인 무색, 무취의 땀이 분비된다. 또한 독립된 땀구멍으로 분비되고 체온을 유지하는 기능을 한다.

- 아포크린선(대한선, Apocrine sweat gland)

  아포크린선은 독특한 향을 내는 물질을 함유하여 피지선과 함께 개인의 체취를 만들어내어 체취선이라고도 한다. 에크린선보다 크며, 진피 아랫부분에 위치하고 있어 모낭과 연결하여 분비되어 피부 표면으로 통하게 되어 있다. 고통과 공포와 같은 감정에 의해서도 분비된다. 아포크린선은 서혜부, 겨드랑이, 대음순, 음낭, 항문주위, 유두주변, 배꼽주변 등의 특정부위에 주로 분포되어 있으며, 아포크린 선에서 분비되는 땀은 단백질 등의 다양한 성분을 함유하고 있어 특유의 향을 갖게 된다. 피부에 존재하는 균에 의해 부패되어 유기성분이 반응하게 되면서 악취가 발생하게 되는데 이때 땀 냄새를 일으키는 물질은 2-메틸페놀(2-methylphenol), 4-메틸페놀(4-methylphenol, cresol)등으로 알려져 있다.

표 2-3. 소한선과 대한선의 비교

	소한선	대한선
분포	전신	특정부위(겨드랑이, 사타구니, 유두, 수염)
분비물	수분, 수용성이온, 요소, 요산, 암모니아, 아모니산, 포도당, 젖산	지질, 단백질 등을 포함한 소한선 물질
기능	체온조절, 노폐물 배설	감정, 유혹, 자극
위치	대부분 진피/독립적	소한선 보다 깊은 곳/모낭부속

4) 피하조직(Subcutaneous tissue)

진피와 근육, 뼈 사이에 있는 부분으로 지방을 다량 함유하고 있으며 피부의 가장 아래쪽에 위치하고 있기 때문에 피하조직이라고 한다.

피하지방의 두께는 신체부위, 나이, 영양상태에 따라 달라지며 이에 따라 피하조직의 두께도 달라지나 일반적으로 피하조직은 여성호르몬의 영향을 받아 여성이 남성보다 피하지방층이 두껍고 곡선미를 나타낸다. 또한 피하지방은 영양을 저장하는 에너지원으로 쓰이거나 외부 압력으로부터 신체를 보호하는 역할과 열의 전도를 막아 체온을 유지시켜준다.

5) 피부의 기능

피부는 우리 몸의 신진대사에 영향을 미치는 다양한 기능들을 수행하며, 신체의 항상성을 무너뜨리는 외적 요인들로부터 내부기관을 보호하고 생명을 유지시키는 역할을 한다.

표 2-4. 피부의 기능

피부의 기능	내 용
보호기능	물리적, 화학적자극과 미생물과 자외선으로부터 신체기관을 보호 및 수분 손실방지
각화기능(keratinization)	28일을 주기로 각질이 떨어져 나감(skin turnover)
분비기능	땀 분비를 통해 신체의 온도조절 및 노폐물을 배출함
해독기능(detoxification)	지속적인 박리(desquamation)을 통해 독소물질의 배출
면역기능	랑거한스셀은 바이러스, 박테리아 등을 포획하여 림프로 보내 외부로 배출함.
감각전달기능 (sensory transfer)	신경말단 조직과 머켈세포(Merkel cell)는 감각을 전달함.
비타민D 합성	자외선을 통해 피지성분인 스쿠알렌(squalene)을 통해 합성된다.
체온조절기능	땀 분비를 통해 체온을 조절한다.
호흡기능	폐를 통한 호흡 이외에 작지만 피부로도 호흡이 이루어지고 있다.
흡수기능	부속기관인 모낭, 한선, 피지선을 통한 진피 또는 표피를 경유하는 경피 흡수가 이루어진다.
저장기능	피하조직의 피하지방은 잉여의 영양물질을 저장. 소아기 때의 수분 량은 피부의 80%를 차지. 노화가 진행될수록 감소되어 60%가 됨.

6) 여드름

여드름은 심상성 좌창으로 사춘기(10대~20대)에 주로 발생하는 모낭 피지선의 만성 염증성 질환으로 면포, 구진, 농포의 형성을 특징으로 하는 피부질환이다. 여드름의 발생부위는 코, 양쪽 볼, 이마, 등, 가슴 등이다.

① 여드름의 원인

- 유전적 요인으로 남성호르몬인 테스토스테론이 혈류 속에 들어가 피부 모낭의 피지선을 자극하여 과다한 피지가 분비되어 발생한다.
- Propionibacterium acnes(P. acnes, 여드름균)은 피부 상재 균의 90%를 차지하는 모낭에 상주하는 혐기성박테리아이다. 안로드겐(androgen)에 의해 피지선이 비대해지고 피지분비가 왕성해지면 번식하여 효소(lipases)를 분비하는데 이 효소가 피지를 분해하여 유리지방산을 형성한다. 유리지방산은 모낭 벽을 직접 자극하고 진피내로 들어가 염증을 일으킨다. 그리고 여드름 환자의 모낭에는 정상인에 비하여 P. acnes의 균주수가 많으며 테스토스테론을 보다 강력한 디하이드로 테스토스테론으로 전환시키는 5-리턱타아제(reductase)의 활성

도가 높다.

- 기타요인: 정서적 요인(스트레스, 불면증, 생리불순등)도 안드로겐의 분비를 증가시켜 여드름을 악화시키기도 한다. 그 외에 스테로이드 등의 각종 약제, 화장품, 위장장해, 과산화지질, 간기능 이상, 할로겐화합물 등도 여드름의 원인으로 알려져 있다.

② 여드름의 종류

여드름의 종류는 염증의 유무에 따라 비염증성과 염증성으로 분류되며, 비염증성 여드름은 면포(comedo, blackhead, whitehead)라고 하며 염증성 여드름은 구진(papule), 뾰루지(pimple), 농포(pustule), 결절(nodule)이 있다.

③ 여드름 유발성 물질

여드름을 유발하는 화장품원료는 폐색 막을 형성하여 피부의 보습과 분비기능을 방해하는 미네랄 오일(mineral oil, 유동파라핀), 페트롤라튬((petrolatum, 바셀린)과 라놀린(lanolin), 올레익에씨드(oleicacid), 라우릴알코올(lauryl alcohol), 코코아 버터 등이 알려져 있다.

④ 여드름 치료성분

여드름의 치료에 사용되는 성분으로 벤조일퍼옥사이드(benzoyl peroxide), 황(sulfur, 3~10%), 레조르시놀(resorcinol, 1,3-디옥시벤젠, 2%), 살리실릭애씨드(일반화장품 배합한도 0.5%), 피지억제작용 추출물(인삼 추출물, 우엉 추출물, 로즈마리 추출물), 비타민 B6(피지분비정상화)등이 사용된다.

7) 피부와 광선

빛을 프리즘으로 스펙트럼 분석을 했을 때 가시광선의 보라색 옆에 있는 선으로 사람의 눈에 보이지 않는다. 자외선 옆에는 파장이 더 짧은 x선이 붙어 있다. 화학작용이 많아 화학선이라고도 불린다.

자외선은 살균과 소독 작용이 있지만 피부에 닿으면 피부암, 화상 등을 일으키므로 강렬한 태양빛에 피부를 장시간 노출하면 안 된다. 유해한 자외선을 흡수하는 오존층이 최근 환경오염으로 파괴되면서 유해 자외선의 위험성이 증가하고 있다.

태양 광선은 에너지의 근원으로 가시광선, 적외선, 자외선을 방사하고 있으며 자외선은 6.1%, 가시광선은 51.8%, 적외선 42.1%를 차지한다.

(1) 자외선의 종류와 특징

자외선은 파장이 긴 순서대로 UV-A, UV-B, UV-C 등으로 구분된다. 태양에서 올 때 유해한 UV-C 자외선은 대부분 대기권에서 오존층에 흡수된다. 대기권을 통과한 6.1%의 자외선인 UV-A와 UV-B는 피부 건조와 기미, 노화 등을 일으킨다.

표 2-5. 자외선의 종류와 특징

종류	파장	특징
단파장(자외선C: UV C)	200~290nm	① 표피의 각질층까지 도달한다. ② 대기 중 오존층에 의해 흡수된다. ③ 살균, 소독작용, 피부암 유발
중파장(자외선B: UV B)	290~320nm	① 표피의 기저 층, 진피의 상부까지 도달한다. ② 홍반, 일광화상(썬번)을 유발한다. ③ 비타민D 를 합성한다.
장파장(자외선A: UV A)	320~400nm	① 피부의 진피 층까지 침투한다. ② 피부탄력이 감소되고 잔주름과 색소침착을 유발한다. ③ 선탠 반응, 생활자외선, 광노화의 주범

(2) 자외선차단제

자외선 차단 제는 일명 '썬크림(sun cream)' 이라고 부르며, 유해한 자외선으로부터 피부에 직접적인 접촉을 피하도록 자외선을 산란 또는 흡수시키는 성분을 함유한 크림이다. 자외선 차단 지수로는 SPF(자외선B 차단)와 PA(자외선A 차단)로 구분할 수 있다.

자외선차단지수 측정방법은 10명 이상의 피험자를 선정하여, 깨끗하고 마른 상태의 피부를 조사부위로 정한다. 자외선차단제품을 바르지 않고 측정할 부위를 UVB에 노출시킨 다음 16~24시간 사이에 피부의 홍반을 판정한다. 홍반이 나타난 부위에 노출된 UVB 광량(光量) 중 최소량을 최소 홍반량으로 한다. 그리고 자외선차단제품을 바른 후, 같은 과정을 거쳐 다시 최소 홍반량을 측정한다. 그 다음 자외선차단제품을 바르지 않은 상태의 최소홍반량으로 자외선차단제품을 사용하여 얻은 최소 홍반량을 나눈다. 그 결과로 나타난 수의 소수점 이하는 버리고, 정수(定數)로 'SPF 00'와 같은 형태로 표시한다. 평상시에는 SPF 15 정도면 적당하지만, 여름철 야외에 나가거나 겨울철 스키장에 갈 때엔 SPF 30 이상 되는 제품을 바른 후 수시로 덧발라주는 것이 좋다.

표 2-6. 자외선차단제 기능과 성분

분류	기능	종류
자외선 산란제	분말상태의 안료에 의해 물리적인 방법으로 자외선을 산란시켜 피부 속 침투를 막는 물질	산화아연, 이산화티탄, 규산염, 탈크 등
자외선 흡수제	자외선을 흡수하여 화학적 방법에 의해 피부를 보호하는 물질	파라아미노벤조산 유도체, 벤조사졸 유도체, 벤조페논 유도체, 벤즈이미다졸 유도체, 캄파 유도체, 디벤조일 메탄 유도체, 갈릭산 유도체, 신남산 유도체, 파라메톡시신남산 유도체.
경구 투여제	먹어서 자외선을 부분적으로 방어할 수 있는 물질	베타카로틴(비타민A 전구체로 손, 발바닥에 축적되며 비타민A 차단)

① SPF(Sun Protection Factor)

일광화상(Sun Burn)을 일으키는 자외선B 를 차단하는 지수를 말하며, 그 공식은 다음과 같다.

$$\text{SPF} = \frac{\text{자외선 차단제품을 사용했을 때의 최소홍반량(MED)}}{\text{자외선 차단제품을 사용하지 않았을 때의 최소홍반량(MED)}}$$

㉠ 개개인의 피부민감도나 광선에 대한 피부노출시간, 계절 등에 따라 선택을 달리해야 하는데, 이러한 정도를 수치화하여 표시한 것이 SPF이다.

㉡ 최소홍반량(MED: Minimal Erythema Dose)이란 피부에 최소 홍반을 나타내는 자외선의 최소량을 뜻하며, 태양의 고도와 인종, 개개인의 피부민감도, 피부노출시간, 계절, 연령 등에 따라 달라진다.

㉢ 보통 SPF지수 1은 제조회사별로 차이가 있지만, 피부보호 측면에서 10~15분 정도로 보는 것이 적당하다.

㉣ 자외선 차단제 도포의 두께와 SPF는 바르는 두께가 늘면 SPF가 증가한다.

② PA(Protect A)

㉠ 장파장의 자외선A 를 차단시키는 정도를 나타내며, 최소지속형 즉시흑화량(MMPD : Minial Persistent Pigment Darkening Dose)을 측정하여 수치가 아닌 +를 이용해 등급을 표시한다.

㉡ 차단등급은 PA+(2~4시간미만), PA++(4~8시간미만), PA+++(8시간 이상) 등으로 표기한다.

8) 피부노화(Aging Skin)

노화란 나이가 듦에 따라 나타나는 퇴행적 변화 현상으로 인체가 지니고 있는 능력을 소진해 가는 과정으로 피부는 주름, 피부 처짐, 탄력감소, 건조, 피지분비 감소, 색소침착 등의 현상이 나타나게 된다.

(1) 자연노화와 광노화

피부의 노화는 나이가 들어감에 따라 자연적으로 발생하는 자연노화(내인성 노화)와 태양광선 등으로 누적된 외부환경에 대한 노출에 기인하는 광노화로 나타난다.

① 자연노화

- 외부의 환경변화와 무관한 현상
- 사람에 따라 진행 속도의 개인차가 있다(유전적 요인: 피부 타입, 외모 등)
- 피부의 구조와 생리적 기능 쇠퇴
- 콜라겐과 기질의 감소, 수분저하, 건조함
- 내인성 노화, 활성산소설

② 광노화

- 진피의 콜라겐이 활성산소에 의해 급속히 파괴되어 굵은 주름이 발생
- 자연노화에 비해 엘라스틴 단백질 사슬간의 가교 결합을 많이 형성하여 구조가 변형
- 표피가 두꺼워지며 가죽같이 뻣뻣해진다.
- 어부나 농부의 피부, 고산지역에 사는 사람

표 2-7. 자연노화와 광노화의 비교

구분	항목	자연노화	광노화
표피	두께	얇아짐	두꺼워짐
진피	두께	얇아짐	두꺼워짐
	엘라스틴	감소	증가, 변성
	콜라겐	감소	급격히 감소
	섬유아세포	감소, 불활성	증가, 활성증가
	무코다당류	감소	증가
	랑게르한스 세포	감소	감소
	모세혈관	소실	확장

2. 모발의 생리 구조

1) 모발의 구조

모발은 외부 환경으로부터 두부를 보호해주는 역할을 하며, 신체의 노폐물 배출 및 장식의 기능으로 아름다움을 표현할 수 있다. 피부를 경계로 하여 피부 밖은 모간부(hair shaft), 피부 안에 있는 모근부(hair root)로 나뉜다. 모간 부는 피부 밖에 위치하는 부분으로 모표피(cuticle), 모피질(cortex), 모수질(medulla)의 3개 층으로 되어 있으며 이것은 모근까지 연결되어 있다. 모근 부는 피부 안에 위치하는 부분으로 모낭(hair follicle), 모구(hair bulb), 모유두(hair papilla), 피지선(sebaceous gland), 입모근(arrector pili muscle)등이 있다.

모발은 케라틴 80%, 수분 12~15%, 지질(liped) 1~9%, 멜라닌 3%, 미네랄 0.5~0.9% 의 성분들로 구성되어 있다.

케라틴을 구성하고 있는 아미노산인 시스틴(cystine, 황이 있는 아미노산)에 있는 S-S(disulfide)결합에 의해 모발형태와 웨이브(wave)가 결정되며, 환원제(reducing agent)를 사용하여 결합을 절단 한 후 산화제(osidizing agent)를 이용하여 디설파이드(disulfide)결합을 재구성하여 모발의 모양이나 웨이브(wave) 정도를 결정하게 된다.

모발의 등전점은 pH 4.5~5.5 사이의 모발로 모발 내 아미노산들의 결합력이 가장 안정적이고 강한 즉, 건강한 모발 상태를 말한다.

모발은 케라틴 80%, 수분 12~15%, 지질(liped) 1~9%, 멜라닌 3%, 미네랄 0.5~0.9% 의 성

분들로 구성되어 있다.
케라틴을 구성하고 있는 아미노산인 시스틴(cystine, 황이 있는 아미노산)에 있는 S-S(disulfide)결합에 의해 모발형태와 웨이브(wave)가 결정되며, 환원제(reducing agent)를 사용하여 결합을 절단 한 후 산화제(osidizing agent)를 이용하여 디설파이드(disulfide)결합을 재구성하여 모발의 모양이나 웨이브(wave) 정도를 결정하게 된다. 모발의 등전점은 pH 4.5~5.5 사이의 모발로 모발 내 아미노산들의 결합력이 가장 안정적이고 강한 즉, 건강한 모발 상태를 말한다. 모발은 외부형태에 따라 직모, 파상모, 측모로 나뉜다.

(1) 모소피, 모표피(Cuticle)

모발의 가장 바깥층을 둘러싸고 있는 얇은 층으로 판상형(square)이며 모피질을 보호한다. 모표피 또는 큐티클이라 부른다. 개인에 따라 주요성분인 케라틴(경단백질)이 5~15층으로 마치 생선 비늘모양으로 겹쳐 있다.
모소피는 멜라닌을 함유하지 않고 무색투명하며, 경질의 케라틴 단백질로 만들어져 있어서 딱딱하지만 부서지기 쉬우며 마찰에 약하기 때문에 무리한 빗질이나 거친 샴푸에 의해 손상되거나 박리되기 쉽다.
오일에는 친화성이 좋으나 물이나 용액제의 침투나 작용에는 저항성이 크기 때문에 염모제 도포시 모소피를 팽윤, 연화시키는 시간을 필요로 한다. 물리적 자극에 쉽게 손상되고 한 번 손상되면 스스로 재생하지 못하기 때문에 모소피가 손상을 받으면 두발 전체에 악영향을 미친다.

(2) 모피질(Cortex)

모피질은 모발에서 85~90% 차지하는 두꺼운 부분으로 과립상의 멜라닌을 함유하고 있으며 그 양에 따라 모발의 색이 결정된다. 케라틴으로 이루어진 긴축 방향에 가늘고 긴 섬유세포가 다발형태로 되어있으며 세포간 결합물질인 간충 물질로 채워져 있다. 펌과 염색시 물에 녹아 유출되어 피질 세포끼리의 결합이 약해져 모발이 손상되는 것이다. 그리고 이구조가 모발의 강도, 탄력성 약품 저항성, 흡수성등 모발의 특성을 나타내며, 퍼머넌트 웨이브제와 염모제가 작용하는 부분이기도 하다.

(3) 모수질(Medulla)

모발의 중심부위로 구멍이 많은 벌집상태의 다각형의 세포로 이루어져 있으며, 멜라닌 색소를 함유하고 있다. 시스틴 함량은 모피질보다 적으며 0.09mm 이상의 굵은 모발은 모수질이 있고 0.07mm 정도의 가는 모발은 모수질이 없다. 아기들의 배냇머리와 연모(솜털)에는 존재하지 않고 눈썹이나 코털 등의 단모나 헤어등의 장모에서도 연속하여 있는 것은 아니다.

2) 모발의 성장주기(Hair cycle)

사람의 머리카락은 동물의 털과는 달리 한 가닥, 한 가닥이 모두 독립된 수명이 있어서 성장과 퇴행, 신생을 반복한다. 이것을 모발의 성장주기 또는 모주기 라고 한다. 모발의 성장주기는 초기성장기, 성장기, 퇴행기, 휴지기로 구성된다.

(1) 성장기(Anagen)

모유 두의 발달과 모모세포의 활동이 활발하여 모발이 성장하는 시기로 모발의 80~90% 가 이 시기에 속한다. 모발의 성장은 섭취하는 음식이나 비타민, 연령, 질병, 호르몬 분비 등에 따라 차이가 날 수 있다. 한 달에 1~1.5cm 정도 자라는데 남성의 경우는 3~5년, 여성의 경우는 4~6년 정도이고 여자가 남자보다 모발의 성장률이 높다.

(2) 퇴행기(Datagen)

모발의 대사과정이 늦어지는 시기로 2~3주 정도이며 모유두가 위축하기 시작하여 모모세포의 분열이 감소되면서 성장이 멈추게 된다. 전체모발의 1%가 이 시기에 속한다.

(3) 휴지기(Telogen)

모낭과 모유두가 완전히 분리되어 성장이 멈추고 동시에 모근이 위로 밀려 올라가게 됨으로서 탈모가 시작되는 시기이며, 기간은 3~4개월 정도 걸린다. 전체 모발의 10% 내외를 차지한다.

3) 탈모(hair loss)

탈모는 성장기가 3~4개월로 감소하고 휴지기가 증가되어 있어 전체 모발 중에서 휴지기에 있는 모발의 수가 많다. 일반적으로 성인에서 탈모되는 양은 1일에 약 40~70개이며 탈모는 1일 100개 정도이다.

남성형 탈모는 탈모의 가장 흔한 형태로 테스토스테론(남성호르몬인 안드로겐 호르몬의 하나)이 5알파-환원효소에 의해 디하이드로 테스토스테론(DHT)으로 바뀌고 이 물질이 모낭을 위축시켜 모발의 두께를 가늘게 하고 모발이 자라는 기간을 단축시킨다.

탈모의 유전적 요인 외에 스트레스에 의한 탈모도 발생하고 있으며, 탈모치료제로 미녹시딜(minoxidil, 외용제), 피나스테이드(finasteride, 경구용 제제), 두나스테리드(dutasteride, 경구용 제제)가 사용되고 있다. 미녹시딜은 두피의 말초혈관을 확장시켜 모발이 성장하는데 필요한 영양분이 원활히 공급되도록 도와준다. 화장품에서는 덱스판테놀, 비오틴, 엘-멘톨, 징크피리치온이 탈모방지제로 사용된다.

비듬이 심해지면 탈모의 원인이 되며 비듬 원인균은 말라세시아(Malassezia restricta와 Malassezia globosa)라는 진균이다. 이 진균들은 두피에 상재하면서 모낭에서 분비되는 피지를 먹고 배설물을 분비하는데 배설물 중의 지방산이 두피의 피부재생 주기를 비정상적으로 촉진시켜서 피부재생 주기가 7~21일로 단축되어 세포들이 미성숙된 상태로 표피 바깥에 도달하여 덩어리 형태로 두피에서 떨어져 나가게 되는 것이다. 비듬치료에 도움이 되는 성분은 징크피리치온, 피록톤올아민, 살리실릭애씨드 등이 있다.

표 2-8. 탈모방지 및 비듬 치료 성분

탈모방지 화장품 성분	비듬 치료 성분
덱스판테놀	징크피리치온
비오틴	피록톤올아민
엘-멘톨	살리실릭애씨드
징크피리치온	

3. 피부 · 모발 상태 분석

화장품은 아름다워지고 싶은 여성의 마음을 만족시키고 자외선을 차단하여 피부의 노화를 예방하고 피부에 탄력과 생기를 유지시켜준다는 점에서 여성에게 빼놓을 수 없는 필수품이 되고 있다. 아무리 좋은 화장품이라고 할지라도 자신의 피부타입에 맞지 않는다면 오히려 나쁜 영향을 줄 수 있기 때문에 화장품의 올바른 선택은 자신의 피부타입을 정확히 아는 것부터 시작해야 한다.

맞춤형화장품을 조제 또는 제조하여 판매하기 위해서는 고객 개개인의 피부 및 모발의 유형과 상태를 관찰하여 그 특징에 적합한 제품의 조제와 제조 계획을 수립하고 홈케어 관리를 조언하고 제품의 사용법과 주의할 점 등을 미리 알려주어 사용 과정에서 발생될 수 있는 문제를 최소화해야 할 것이다. 고객의 피부 및 두피, 모발을 정확하게 파악하기 위하여 아래와 같이 문진, 견진, 촉진, 상담을 한 후 현재 상태를 토대로 맞춤형화장품을 조제 또는 제조, 혼합 및 소분하여 판매하여야 한다.

1) 피부분석 방법

(1) 문진

① 고객과의 질문을 통하여 피부상태를 판별하는 방법이다.
② 고객의 가족력, 고객의 나이, 과거의 병력, 과거의 피부관리 유무, 직업, 라이프스타일, 식습관 및 사용 중인 화장품, 스트레스정도 등을 판독할 수 있다.

(2) 견진/ 시진

① 육안이나 피부분석용 피부미용기기를 이용하여 피부상태를 판별하는 방법이다
② 얼굴색과 부분적인 색소 침착, 각질 상태, 건조함, 피부결, 모공크기 상태, 피지분비상태, 번들거림 정도, 주름 부위 및 상태, 모세혈관의 상태유무, 트러블 상태 등을 파악 할 수 있다.

(3) 촉진

① 고객의 피부를 만져보거나 눌러봄으로서 피부상태를 판별하는 방법이다.
② 손으로 쓰다듬어 피부 결 상태, 피부의 거침 정도, 피지분비량, 피부두께, 예민도 등을 알 수 있다.
③ 엄지와 검지로 눈 밑, 볼 근육을 살짝 위로 올리거나 잡아당겨 피부의 두께와 탄력 상태를 파악한다.
④ 예민도 측정은 스파출라로 앞가슴 부위 또는 이마나 턱 부위에 십자를 그어서 민감도를 파악하며, 이때 불편함을 느끼지 않도록 주의한다.

(4) 피부분석용 피부미용기기를 이용한 분석

① 확대경: 피부나 모발을 3.5~5.0 배율로 확대하여 모공크기, 면포, 잔주름, 색소침착, 모발상태 등을 관찰하는데 사용되는 기기이다.
② 우드램프: 자외선을 이용한 피부측정기로 피부상태에 따라 청백색, 암갈색, 오렌지색, 흰색, 암적색 등으로 색상이 다르게 나타난다.

- 사용방법
  - · 고객의 눈을 보호하기 위해서 눈을 감게 하고 우드램프를 켠다.
  - · 피부표면에 이물질이 남아 있지 않도록 화장솜으로 닦아준다.
  - · 시술시 5~6cm 떨어진 위치에서 실내를 어둡게 하고 측정한다.

표 2-9. 피부상태에 따른 우드램프의 색상

피부상태	피부의 반응 색상
정상(중성)피부	청백색
건성 수분부족 피부	밝은(옅은) 보라색
민감성 또는 모세혈관 확장피부	진한 보라색
피지, 면포, 지루성 피부	주황색(오렌지색)
노화된 각질	흰색
색소침착 부위	짙은 암갈색
비립종	노란색
먼지 등 이물질	흰색이나 형광색

③ pH측정기: 피부 표면의 pH(수소이온농도: 산성도와 알칼리도)를 지수로 나타내는 기기이다. 피부의 정상pH는 약산성 4.5~6.5를 기준으로 산성 또는 알칼리성 인가를 파악하는데 사용된다.

④ 수분측정기: 표면에 접촉하는 프로브를 통해 전달되는 미미한 전류의 정전부하 용량을 계측하여 피부표면의 수분량의 상대적 크기를 수치로 표시하는 기기이다.

⑤ 유분측정기: 피부표면에 반투명 지질 흡수 테이프를 부착시켜서 묻어나오는 피지를 광학기기로 반사시켜 나타나는 값을 측정하는 기기이다.

⑥ 피부, 두피진단기: 피부와 두피의 상태를 20~800배로 확대하여 현미학적으로 관찰하고 피부 질감(결), 모공크기, 색소침착 등을 객관적인 수치로 파악하는 기기이다. 육안적 관찰보다는 더 정확하게 피부와 두피를 분석 할 수 있다.

⑦ 얼굴피부 진단기: 고해상도의 카메라와 멀티센서를 이용하여 얼굴피부를 진단하는데 사용하는 기기이다. 일반광, 자외선광, 평광을 이용하여 사진 촬영 후 얼굴에서 모공의 크기와 개수, 색소침착, 주름의 면적 등을 분석할 수 있다.

2) 모발의 분석 방법

(1) 문진

① 고객과 사전 질문지를 놓고 면담하며 고객관리 차트에 기록한다.

② 생활습관과 샴푸방법, 식생활, 스트레스 정도, 가족력, 복용약, 파마와 염색의 시술 주기, 기타 자각증상 등을 미리 파악하여 진단 전에 참고할 수 있다.

③ 고객의 사후 관리나 홈케어 방법을 조언할 때 활용한다.

(2) 시진

① 고객관리 차트를 바탕으로 관찰한다.
② 두상의 섹션을 나눈 다음 피지와 땀의 분비량, 각질 및 비듬상태, 두피 톤, 탈모 부위, 염증 유무 등을 확인한다.
③ 모발의 광택, 모발 끝의 갈라짐, 모발의 굵기와 양, 모류의 방향, 모발에 물을 분무했을 때 흡수되는 정도 등을 확인한다.

(3) 촉진

① 두피를 손가락으로 눌러서 두피의 탄력과 두께, 뭉쳐진 부분, 발열상태 등을 확인하고, 모발을 손으로 만져서 유분정도와 모표피의 매끄러운 정도를 판단한다.
② 손가락으로 20여 가닥을 당겼을 때 빠지는 양을 확인하는 견인 검사(수지 검사)에서 5가닥 이상 뽑히면 탈모를 의심할 수 있다.

(4) 검진

① 두피 · 모발진단기를 사용하여 두피의 각질 상태, 두피의 색상, 모발의 밀도, 모발의 굵기와 손상 상태 등을 좀 더 정밀하게 파악하여 관리의 필요성을 인식하도록 한다.
② 모니터를 통해 고객이 직접 자신의 두피모발을 확인하여 관리의 필요성을 인식하도록 한다.
③ 모발을 잡아당겼을 때 버틸 수 있는 힘을 알아보기 위한 인장 강도기, 피지 분비량을 확인할 수 있는 피지측정기, 모발의 다공성 여부를 알아보기 위한 원심분리기 등의 전문기기 등으로 측정할 수 있다.

4.3 관능평가 방법과 절차

1. 품질관리 측면의 관능평가 방법

1) 관능평가

관능평가란 여러 가지 품질을 인간의 오감(시각, 후각, 미각, 촉각, 청각)에 의하여 평가하는 제품 검사를 말하는 것으로 화장품의 관능검사는 화장품의 적합한 관능품질을 확보하기 위하여 외관, 색상, 향취, 사용감 등을 검사하고 평가하는 방법을 말한다. 사용감(skin feeling)은 원자재나 제품을 사용할 때 피부에서 느끼는 감각으로 매끄럽게 발리거나 바른 후 가볍거나 무거운 느낌, 밀착감, 청량감 등을 말한다.

2) 관능평가 방법

① 기호형: 좋고 싫음을 주관적으로 판단하는 것.

② 분석형: 표준품(기준품) 및 한도품 등 기준과 비교하여 합격품, 불량품을 객관적 으로 평가하고 선별하거나, 사람의 식별력 등을 조사하는 방법

2. 육안을 통한 관능평가에 사용되는 표준

① 제품 표준견본: 완제품의 개별 포장에 관한 표준

② 벌크제품 표준견본: 성상, 냄새, 사용감에 관한 표준

③ 레벨 부착 위치견본: 완제품의 레벨부착 위치에 관한 표준

④ 충진 위치견본: 내용물을 제품용기에 충진 할 때의 액면 위치에 관한 표준

⑤ 색소원료 표준견본: 색소의 색조에 관한 표준

⑥ 원료 표준견본: 원료의 색상, 성상 등에 관한 표준

⑦ 향료 표준견본: 향취, 색상, 성상 등에 관한 표준

⑧ 용기 · 포장재 표준견본: 용기 · 포장재의 검사에 관한 표준

⑨ 용기 · 포장재 한도견본: 용기 · 포장재 외관 검사에 사용하는 합격품의 한도를 나타내는 표준

3. 제품평가 측면의 관능평가 방법

- 관능시험(sensorial test): 패널(품평단) 또는 전문가의 감각을 통한 제품성능에 대한 평가이다.
- 소비자(일반 패널)에 의한 평가

표 3-1. 제품평가 측면의 관능평가

소비자에 의한 사용시험	소비자들이 관찰하거나 느낄 수 있는 변수들에 기초하여 제품 효능과 화장품 특성에 대한 소비자의 인식을 평가하는 것으로 맹검과 비맹검 사용시험으로 분류된다.
맹검 사용시험 (blind use test)	소비자의 판단에 영향을 미칠 수 있고 제품의 효능에 대한 인식을 바꿀 수 있는 상품명, 디자인, 표시사항 등의 정보를 제공하지 않는 제품 사용시험
비맹검 사용시험 (concept use test)	제품의 상품명, 표기사항 등을 알려주고 제품에 대한 인식 및 효능 등이 일치하는지를 조사하는 시험

4. 관능평가 절차

1) 관능평가 절차: 성상 · 색상

- 유화제품(크림, 유액, 영양액 등)은 표준견본과 대조하여 내용물 표면의 매끄러움과 내용물의 흐름성. 내용물의 색이 유백색인지를 육안으로 확인한다.
- 색조제품(립스틱, 아이섀도, 파운데이션 등)은 표준견본과 내용물을 슬라이드 글라스(slide glass)에 각각 소량씩 묻힌 후 슬라이드 글라스로 눌러서 대조되는 색상을 육안으로 확인한다. 또는 손등 혹은 실제 사용부위(입술, 얼굴)에 발라서 색상을 확인할 수도 있다.

〈관능평가순서〉

① 제품의 외관 · 색상을 검사하기 위한 표준 품을 선정한 후 보관 · 관리한다.

② 원자재 시험검체와 제품의 공정 단계별 시험검체를 채취한 후 각각의 기준과 평가척도에 따라 시험한다.

③ 외관 · 색상을 시험결과에 따라 적합 유무를 판정하여 기록하고 관리한다.

2) 관능평가 절차: 향취

- 비이커에 일정량의 내용물을 담고 코를 비이커에 가까이 대고 향취를 맡는다. 또는 피부(손등)에 내용물을 바르고 향취를 맡는다.

〈관능평가순서〉

① 제품의 외관 · 색상을 검사하기 위한 표준 품을 선정한 후 보관 · 관리한다.
② 원자재 시험검체와 제품의 공정 단계별 시험검체를 채취한 후 각각의 기준과 평가척도에 따라 시험한다.
③ 외관 · 색상을 시험결과에 따라 적합 유무를 판정하여 기록하고 관리한다.

3) 관능평가 절차: 사용감

- 내용물을 손등에 문질러서 느껴지는 사용감(예, 무거움, 가벼움, 촉촉함, 산뜻함)을 촉각을 통해서 확인한다.

〈관능평가순서〉

① 사용 감을 검사하기 위한 표준 품을 선정한 후 보관 · 관리한다.
② 원자재 및 제품의 시험검체를 채취한 후 사용감 시험방법 및 평가척도에 따라 시험한다.
③ 사용감 시험결과에 따라 적합 유무를 판정하고 기록하고 관리한다.

표 3-2. 제품별 품질평가요소

제품	품질평가요소
스킨류	탁도, 변취
로션류	변취, 분리(입도), 점도변화, 경도변화
에센스류	변취, 분리(입도), 점도변화, 경도변화
크림류	변취, 분리(입도), 점도변화, 경도변화, 증발, 표면 굳음
파운데이션류	변취, 점도변화, 경도변화, 증발, 표면 굳음
메이크업 베이스류	변취, 점도변화, 경도변화, 증발, 표면 굳음
립스틱류	변취, 분리(입도), 경도변화

표 3-3. 제품평가 항목과 평가방법

평가항목	평가방법
침전, 탁도	탁도 측정용 10mL 바이알에 액상 제품을 담은 후 탁도계(turbidity meter)를 이용하여 현 탁도를 측정한다.
변취	적당량을 손등에 펴 바른 다음 냄새를 맡으며, 원료의 베이스 냄새를 중점으로 하고 표준품(제조 직후)과 비교하여 변취 여부를 확인한다.
분리(입도)	육안과 현미경을 사용하여 유화상태(기포, 빙결 여부, 응고, 분리현상, 겔화, 유화입자 크기 등)를 관찰한다.
점/경도 변화	시료를 실온이 되도록 방치한 후 점도 측정 용기에 시료를 넣고 시료의 점도 범위에 적합한 spindle을 사용하여 점도를 측정한다. 점도가 높을 경우 경도를 측정한다.
증발/표면 굳음	• 건조감량: 시험품 표면을 일정량 취하여 장원기일반시험법에 따라 시험한다(1g, 105℃, 항량). • 무게측정: 시료를 실온으로 식힌 후 시료 보관 전 · 후의 무게 차이를 측정한다.

표 3-4. 관능용어와 물리화학적 평가법

물리적 관능요소의 관능용어	물리화학적 평가법	광학적 관능요소의 관능용어	물리화학적 평가법
• 부드러움 ↔ 딱딱함 • 빠르게스며듦 ↔ 느리게 스며듦 • 가볍게 발림 ↔ 뻑뻑하게 발림		• 화장 지속력이 좋다 ↔ 화장이 지워진다 • 균일하게 도포 ↔ 뭉침, 번짐	• 색채 측정(분광측색계를 통한 명도 측정) • 확대 비디오 관찰
• 매끄럽다 ↔ 뽀드득하다 • 촉촉하다 ↔ 보송보송하다 • 부들부들하다	• 마찰감 테스트 • 점탄성측정(Rheometer)	• 투명감이 있다 ↔ 불투명하다 • 윤기가 있다 ↔ 윤기가 없다	• 변색분광측정계 • 광택계(Glossmeter)
• 피부가 탄력이 있다. • 피부가 부드러워 졌다.	• 유연성측정(Cutometer)	• 번들거린다 ↔ 번들거리지 않는다	• 광택계(Glossmeter)
• 끈적임이 있다 ↔ 끈적임이 없다	• 핸디압축시험법		

4.4 제품 상담

맞춤형화장품의 주된 목적은 개인의 가치가 강조되는 사회문화적 환경 변화에 따라 개인 맞춤형 상품 서비스를 통해 다양한 소비요구를 충족시키기 위함이다. 개인의 소비요구를 충족시키기 위해서는 개인의 기호에 따른 제품의 기능과 피부타입에 맞게 원료와 내용물이 구성되어야 한다.

맞춤형화장품을 조제 및 제조해서 고객에게 판매하기 까지는 유통화장품 판매와는 약간의 차이가 있다. 한 사람을 위한 특별한 화장품일수도 있기 때문이며, 이는 개인별 피부의 유 · 수분량, 선호하는 향, 피부색, 피부의 결점유무, 고객의 요구 등을 반영하여 화장품의 내용물이나 원료를 소분하거나 혼합하기 때문이다. 그래서 고객과의 상담은 무엇보다 더욱 중요하고 특별한 과정이라고 할 수 있다.

1. 맞춤형화장품의 효과

화장품의 4대 요건인 안전성, 안정성, 사용성, 유효성을 들 수 있는데 1980년대 말에 안전성과 함께 1990년대부터는 유효성이 강조되고 있다. 이는 화장품의 효능 · 효과를 더 중요하게 생각하게 되었다는 것을 의미한다. 화장품의 유효성에 대한 연구는 특히 기초 화장품 분야에서 집중적으로 다루어지고 있으며 세부적으로 미백, 노화억제, 자외선차단, 선탠에 관련된 기능성 화장품에서 개발의 초점이 맞춰져 있었으나 최근에는 여드름 완화제품, 아토피제품, 염모제, 비누 등에도 관심이 커지고 있는 실정이다. 제형에 따른 화장품은 보습효과, 유연효과, 영양공급을 통해 피부노화의 진행을 느리게 할 수 있다.

2. 맞춤형화장품의 부작용의 종류와 현상

① 홍반(erythema): 붉은 반점
② 가려움(itching): 소양감
③ 부종(edema): 부어오름
④ 인설생성(scaling): 건선(psoriasis)과 같은 심한 피부건조에 의해 각질이 은백색의 비늘처럼 피부 표면에 발생하는 것.
⑤ 자통(stinging): 찌르는 듯한 느낌
⑥ 따끔거림(pricking): 쏘는 듯한 느낌

⑦ 작열감(burning): 타는 듯한 느낌 또는 화끈거림
⑧ 뻣뻣함(tightness): 굳는 느낌

3. 배합 금지사항 확인 · 배합

우리나라 화장품에 사용하는 성분규제 체계는 화장품원료지정에 관한 규정(식약처 고시 제 2006-12호)에서 사용가능원료, 배합금지, 배합한도지정원료(살균보존제, 자외선차단제 등)를 지정하여 원료의 사용에 제한을 두고 있고 의약품, 의약외품 및 화장품용 타르색소 지정과 기준 및 시험방식에 의해서 타르색소의 사용을 제한하고 있다. 맞춤형화장품조제관리사는 배합 금지 사항의 내용을 확인하고 소분 또는 배합을 해야 한다.

① 화장품 안전기준 등에 관한 규정 별표1의 화장품에 사용할 수 없는 원료
② 화장품 안전기준 등에 관한 규정 별표2의 사용상의 제한이 필요한 원료에 대한 사용 기준 (보존제와 자외선 차단제 성분)
③ 식품의약품안전처장이 고시한 기능성화장품의 효능 · 효과를 나타내는 원료로서 사전 심사를 받거나 보고서를 제출하지 않은 기능성화장품 고시 원료
④ 타르색소: 제1호의 색소 중 콜타르, 그 중간생성물에서 유래되었거나, 유기합성 하여 얻은 색소 및 그 레이크, 염, 희석제와의 혼합물을 말한다. 석탄의 콜타르에 함유된 방향족 물질을 원료로 하여 합성한 색소로 색상이 선명하고 미려해서 색조제품에 널리 사용된다. 하지만, 안전성에 대한 이유가 항상 있어 지속적으로 모니터링이 필요하다.

4. 내용물 및 원료의 사용제한 사항

맞춤형화장품 조제시 가능한 원료는 화장품 안전기준에 관한 규정 제3장 맞춤형화장품에 사용할 수 있는 원료 제5조(맞춤형화장품에 사용가능한 원료) 이외의 별표1. 화장품에 사용할 수 없는 원료, 별표2의 화장품의 사용상 제한이 필요한 원료, 식약처장이 고시한 기능성화장품의 효능 · 효과를 나타내는 원료(다만, 맞춤형화장품판매업자에게 원료를 공급하는 화장품책임판매업자가 화장품법 제4조에 따라 해당 원료를 포함하여 기능성화장품에 대한 심사를 받거나 보고서를 제출한 경우는 제외한다) 의 내용에 따라 기능성 원료는 제조시 사용할 수 없다. 기능성화장품 심사에 관한 규정에서 별표4의 피부의 주름개선과 미백에 도움을 주는 제품의 성분 및 함량을 제한하고 있다. 제형은 로션제, 액제, 크림제 및 침적 마스크에 한하며, 효능 · 효과는 "피부의 주름개선, 미백에 도움을 준다"로 용법, 용량은 본 품을 적당량을 취해 피부에 골고루 펴 바른다. 또는 "본 품을 피부에 붙이고 10~20분 후 지지체를 제거한 다음 남은 제품

을 골고루 펴 바른다(침적 마스크에 한함)"로 제한하고 있으며 또한, 피부를 곱게 태워주거나 자외선으로부터 피부를 보호하는데 도움을 주는 제품의 성분 및 함량도 제한하고 있다.

식품의약품안전처는 기능성화장품의 심사규정(제6조제3항)에 의해 별표4 자료제출이 생략되는 기능성화장품의 종류와 성분의 최대함량을 표시하여 원료의 사용에 제한을 두고 있다. 미백과 주름개선에 도움을 주는 성분의 최대함량, 자외선차단제 성분의 최대함량 그리고 체모를 제거하는 기능을 가진 제품의 성분 및 함량, 여드름성 피부를 완화하는데 도움을 주는 제품의 성분 및 함량을 명시해 놓고 있다.

5. 맞춤형화장품의 판매 절차

고객의 개인별 피부특성 즉, 피부의 유 · 수분량, 선호하는 향, 피부색, 피부결점유무, 기호 등에 따라 조제되는 맞춤형화장품의 판매절차는 다음과 같다.

① 다양한 수단, 예를 들어 피부분석기, 어플리케이션, 문진(설문), 육안평가, 전문가 상담, 촉진을 통한 피부상태를 분석한다.

② 고객의 요구를 반영한 맞춤형화장품을 설계(formulation)한다.

③ 판매업소에서 맞춤형화장품을 소분 또는 혼합한다.

④ 포장 및 라벨링 후 판매한다.

⑤ 맞춤형화장품 판매시 해당 맞춤형 화장품의 혼합 또는 소분에 사용되는 내용물 및 원료, 사용 시의 주의사항에 대하여 소비자에게 설명한다.

4.5 제품 안내

맞춤형화장품의 종류는 분류방식에 따라, 효능과 사용목적 등에 따라 다양하며, 맞춤형화장품의 성분은 수상재료, 유상재료, 계면활성제, 첨가물, 색소, 향 등으로 구성된다.

1. 기초화장품의 종류

기초화장품은 피부를 청결하게 하고 각질층의 보습을 위해 필요한 것이다. 각질층에는 아미노산을 주성분으로 하는 NMF(Natural Moisturizing Factor, 천연보습인자)와 세라마이드 등의 세포간 지질이 존재하고, 진피에는 히아루론산 등의 고분자 점액질이 기질로 존재하고 있다. 연령이 증가할수록 각질층의 천연보습인자와 진피 층의 히아루론산 등의 고분자 점액질이 감소하게 되고 또한, 피지 분비량도 감소하게 된다. 이로 인해 피부는 점점 건조하고 거칠어지게 되는데 기초화장품을 사용함으로서 감소된 천연보습인자, 피지 및 히아루론산을 피부에 공급함으로서 피부의 모이스춰 밸런스(moistur balance)를 유지하고 피부상태를 개선할 수 있다. 기초 화장품의 목적은 피부청결을 위한 피부 세안과 세안 후 피부정돈 그리고 피부의 영양공급을 통하여 피부를 보호하는 3가지로 나눌 수 있다.

(1) 세안화장품

표 5-1. 세안화장품의 종류 및 특징

제 형	종 류	특 징
씻어내는 타입 (계면활성제형)	폼 클렌저	• 피부자극이 없어서 민감하고 약한 피부에 효과적이다. • 보습제와 에몰리언트제가 다량 배합되어 세안 후 건조해지거나 당김을 방지해 준다.
	페이셜 스크럽	• 미세한 알갱이의 스크럽제가 연마제 역할을 한다. • 모공 깊숙이 있는 노폐물과 각질 제거에 효과적이다.
녹여내는 타입 (용제형)	클렌징크림	• 피지나 메이크업 잔여물을 제거해 주며, 진한 메이크업 제거 시에 효과적이다.
	클렌징로션	• 클렌징크림에 비해 사용감이 산뜻하고 거의 모든 피부에 사용이 가능하다.
	클렌징 워터	• 화장수 타입으로 세정력이 비교적 낮으며, 주로 옅은 메

제 형	종 류	특 징
		이크업 제거 시에 사용한다.
	클렌징 젤	• 수성과 유성의 두 가지 타입이 있다.
	클렌징 오일	• 짙은 화장을 지울 때 적합하며 화장을 지운 후 물 세안이 가능하다.
	아이메이크업 리무버	• 아이라이너, 마스카라 등을 지우기 위한 것으로 눈 점막에 자극을 주지 않는다.

(2) 화장수

화장수는 대부분 70~80%의 정제수에 에탄올과 글리세린 등 보습제를 기본으로 하며 유연화장수는 피부에 유연작용을 주는 성분을 첨가하고 수렴화장수는 알코올의 배합량을 더하여 수렴작용을 주는 성분이 배합되어 있다.

표 5-2. 화장수의 종류

명 칭	원 어	의미
스킨로션	skin lotion	• 화장수의 가장 일반적인 명칭임.
스킨 소프너	skin softner	• 피부를 부드럽게 해준다는 뜻. 유연화장수를 의미.
스킨 토너	skin toner	• 피부를 강하고 탄력 있게 해준다는 뜻이며 수렴화장수를 의미함. 토닉, 토닉로션, 토너라고도 한다.
아스트린젠트 로션	astringent lotion	• 수렴화장수의 일반적인 명칭으로 모공을 조여 주어 피부를 긴장시켜 준다. 보통 아스트리젠트라고 부름.
스킨 프레쉬너	skin freshner	• 피부를 신선하게 해준다는 뜻으로 약산성화장수를 의미한다.
수딩 로션	soothing lotion	• 피부를 진정시키고 가라앉힌다는 뜻으로 민감성 피부의 붉어지는 증상을 완화시켜 준다.
하이드로엑티브 로션	hydroactive lotion	• 피부를 촉촉하게 하는 보습력이 높은 화장수를 의미한다.

(3) 로션(Lotion)

세안 후 화장수로 수분을 공급한 다음 로션으로 수분과 영양분을 한 번 더 공급해 주어야 한다. 로션은 수분이 60~80%인 점성이 낮은 크림으로 피부에 바를 때 오일보다 잘 펴 발라지고 빨리 흡수되므로 가볍게 사용하기에 적당하다. 유분은 30%이하이며 O/W형의 유화이므로 피부에 산뜻하게 퍼지고 스며들기 쉬우며 사용감도 산뜻하다.

표 5-3. 피부 타입별 로션의 처방 특성

구분	처방 특성
건성피부용	유분과 보습 제를 많이 함유하고 있다
중성피부용(정상피부)	유분과 보습 제를 적절하게 함유하고 있다.
지성피부용	유분을 적게 함유하며, 알코올 함량이 비교적 높다.
복합성피부용	중성 피부용과 비슷하나 피지 분비를 조절할 수 있는 피지 컨트롤 파우더와 천연 식물 추출물 등을 함유하고 있다.
민감성피부용	저자극성 성분을 사용한다. 향, 알코올, 색소, 방부제를 적게 함유하고 있다.

(4) 크림(Cream)

세안 후 소실된 천연보호막을 일시적으로 보충해서 피부에 촉촉함을 주고 외부 자극으로부터 피부를 보호하기 위해서 사용하는 것이 크림이다. 크림은 로션에 비해 안정성이 높고 유분과 보습제를 다량 배합할 수 있어 피부의 모이스처 밸런스를 유지시켜줄 뿐만 아니라 피부에 보습과 유연기능을 갖게 한다. 크림의 사용 목적은 피부를 외부환경으로부터 보호하고 피부의 생리기능을 도와주며 유효성분으로 피부의 문제점을 개선하는 것이다.

표 5-4. 크림의 주성분

구성성분	종류	대표성분
유성성분	탄화수소	스쿠알란, 유동파라핀, 고형 파라핀, 바셀린, 세레신 등
	유지	올리브유, 아몬드유, 호호바유, 마카더미아 너트유, 경화유, 팜유, 아보카도유, 카카오유지, 피마자유 등
	왁스	밀납, 라놀린, 카루나우바왁스, 칸텔릴라 왁스 등
	지방산	스테아린산, 올레인산, 미리스틴산, 팔미틴산 등

구성성분	종류	대표성분
	고급알코올	세탄올, 스테아릴알코올, 비헤닐 알코올, 콜레스테롤, 헥사데실알코올, 옥칠도데실알코올 등 합성
수성성분	합성 에스테르유	옥틸도데실 미리스테이트, 세틸옥타노에이트, 이소세틸 미리스테이트, 콜레스테릴에스테로 등
	기타	실리콘유 등
	보습제	글리세린, 프로필렌글리콜, 부틸렌글리콜, 폴리에틸렌글리콜, 솔비톨, 1,3-부틸렌글리콜, 만나톨, 생체고분자 등
계면활성제	점증제	카르복시비닐폴리머, 산탄검, 셀룰로오스유도체, 퀸스시드, 펙틴 등
	알코올	에탄올
	정제수	이온교환 및 역삼투압수
	비이온성	모노스테아린산글리세린, POE 소르비탄지방산에스테르

(5) 에센스

기초 화장품의 하나로 유럽에서는 세럼이란 명칭으로 불러지고 있으며 피부보습 및 노화억제 효과가 있는 미용성분을 고농축으로 함유하여 보습효과가 우수하고 영양물질을 공급하여 피부를 가볍고 매끄러운 상태로 유지시켜준다.

표 5-5. 에센스의 형태와 장단점 비교

구분	장점	제조기술
스킨 타입	• 사용감이 산뜻하며, 다량의 보습제 배합이 가능하다. • 고분자 점증제의 사용으로 점도 조절 가능하다 • 수용성 성분만 배합이 가능하다.	가용화
유화 타입	• 유성 성분의 다량 함유로 보습 및 유연 효과가 우수하다. • 기존 로션 및 크림과 차별성이 적다.	유화
젤 타입	• 투명한 외관을 줄 수 있으며, 캡슐 형태로도 제품화가 가능하다. • 사용상의 변화가 어렵고 유용성 성분을 다량 배합하기 어렵다.	가용화, 혼합

(6) 팩(Pack)

고대 이집트 시대에 팩이란 용어가 나왔으며 이후 고대 로마인들에 의해 점차 보급되기 시작한 팩은 여러 가지 천연재료의 효능과 효과에 의해 사용방법이 다양화 되면서 대중화되었다. 팩은 원래 패키지(Package) 즉 "포장하다" 또는 "둘러싸다"에서 유래되었으며 거칠어진 피부를 개선할 목적으로 사용되었다. 팩은 도포 후 일정시간 방치하여 팩제의 유효성분이 피부에 흡수시킨 후 떼어 내거나 씻어내는 타입의 제품이다.

마스크(mask)는 팩의 일종으로 도포 후 외부 공기를 차단하여 피부의 수분 증발을 막고 유효물질이 피부 깊숙이 침투되도록 돕는 역할을 한다. 팩과 마스크의 효과는 보습작용과 청정작용 그리고 혈액순환을 촉진시켜 주는 기능을 한다.

또한, 팩은 제거하는 방법에 따라 필 오프타입, 워시오프 타입, 티슈 오프타입 으로 나뉘며, 제형에 따라 분말 타입, 크림 타입, 젤 타입 등으로 나뉘기도 한다.

(7) 기능성 화장품

2000년 7월 별도의 화장품법이 제정되었고 2001년 9월 기능성화장품등의 심사에 관한 규정이 제정되었다. 화장품 소비자의 생활수준과 의식수준의 향상에 따른 시장 환경 변화가 기능성화장품의 도입을 촉진시켰으며 이로 인해 기능이 강화된 기능성 화장품의 개발이 가능해짐으로서 화장품의 국제 경쟁력을 향상시킬 수 있는 발판이 마련되었다.

① 멜라닌 색소 침착을 방지하여 기미, 주근깨 등의 생성을 억제함으로서 미백에 도움을 주는 기능을 가진 화장품
② 이미 침착된 멜라닌색소의 색을 엷게 하여 미백에 도움을 주는 기능을 가진 화장품
③ 탄력을 주어 피부의 주름 완화 또는 개선하는 기능을 가진 화장품
④ 강한 햇볕을 방지하여 피부를 곱게 태워주는 기능을 가진 화장품
⑤ 자외선을 차단 또는 산란시켜 자외선으로 부터 피부를 보호하는 기능을 가진 화장품
⑥ 모발의 색상을 변화(탈염, 탈색을 포함)시키는 기능을 가진 화장품.
다만, 일시적으로 모발의 색상을 변화시키는 제품은 제외한다.
⑦ 체모를 제거하는 기능을 가진 화장품.
다만, 물리적으로 체모를 제거하는 제품은 제외한다.
⑧ 탈모 증상의 완화에 도움을 주는 화장품.
다만, 코팅 등 물리적으로 모발을 굵게 보이게 하는 제품은 제외한다.
⑨ 여드름성 피부를 완화하는데 도움을 주는 화장품. 다만, 인체세정용 제품류로 한정한다.
⑩ 피부장벽의 기능을 회복하여 가려움 등의 개선에 도움을 주는 화장품
⑪ 튼살로 인한 붉은 선을 엷게 하는데 도움을 주는 화장품

2. 맞춤형화장품 표시 사항

화장품 성분의 표시방법은 나라마다 다르며 우리나라는 2008년 10월 18일부터 화장품에 전성분표시제를 도입해서 사용하고 있으며, 화장품에 사용된 모든 성분에 대한 표기를 의무화하고 있다.

성분의 표시는 화장품에 사용된 함량 순으로 많은 것부터 표기하고 있으며, 혼합원료는 개개의 성분으로 표시하고 1%이하로 사용된 성분과 착향제 및 착색제에 대해서는 순서에 상관없이 기재할 수 있다.

따라서 맞춤형화장품 표시 · 기재사항도 중요하다. 화장품법 시행규칙 제19조(화장품 포장의 기재 · 표시등에 의하면 맞춤형화장품에는 ①화장품 명칭 ②가격, ③식별번호 ④사용기한 또는 개봉 후 사용기간, ⑤책임판매업자 및 맞춤형화장품판매업자 상호가 기재되어야 한다.

식별번호란 맞춤형화장품의 혼합 또는 소분에 사용되는 내용물 및 원료의 제조번호와 혼합 · 소분 기록을 포함하여 맞춤형화장품판매업자가 부여한 번호를 말한다.

표 5-6. 식별번호의 예

제품명	제품 식별번호	제품 사용기한	내용물 사용기한	내용물 제조번호	원료 제조번호	혼합 · 소분	판매량	판매일자
oo 에센스	2002001-A0208-002	2022.06.29	2022.06.30	2002001	A0208	002	50mL * 1	2020.02.18

맞춤형화장품을 소비자에게 제공할 때는 혼합, 소분할 때 사용되는 내용물과 원료, 사용방법과 사용시 주의사항에 대해 소비자에게 설명해주는 것을 잊지 말아야 한다.

1) 다음에 해당하는 1차 포장 또는 2차 포장에는 화장품의 명칭, 제조 판매업자의 상호 및 가격만을 기재. 표시
   ① 내용량이 10mL이하 또는 10g이하인 화장품의 포장
   ② 판매의 목적이 아닌 제품의 선택 등을 위하여 미리 소비자가 시험 사용하도록 제조 또는 수입된 화장품의 포장(견본품, 비매품)

2) 기재. 표시를 생략할 수 있는 성분
   (1) 제조과정 중에 제거되어 최종 제품에는 남아 있지 않은 성분
      - TEA(트리에탄올아민)+Stearic acid(스테아릭애씨드)의 피부화반응 최종생성물인 TEA -stearate를 표시함(TEA, Stearic acid를 각각 별도표시하지 않음).
   (2) 안정화제, 보존제 등 원료자체에 들어 있는 부수 성분으로 그 효과가 나타나게 하는 양보다 적은 양이 들어 있는 성분

(3) 내용 량이 10mL초과 50mL 이하 또는 중량이 10g초과 50g이하 화장품의 포장인 경우에는 타르색소, 금박, 샴푸와 린스에 들어 있는 인산염의 종류, 과일산(AHA), 기능성 화장품의 경우 그 효능 효과가 나타나게 하는 원료, 식품의약품안전처장이 배합 한도를 고시한 화장품의 원료성분을 제외한 성분

3) 맞춤형화장품 포장에 기재되는 표시 사항

(1) 1차 포장에는 다음 각 호의 사항을 기재 표시 하여야 한다.

① 화장품의 명칭
② 영업자(화장품제조업자, 화장품책임판매업자, 맞춤형화장품판매업자)의 상호
③ 제조번호(식별번호)
④ 사용기한 또는 개봉 후 사용기간(개봉 후 사용기간의 경우 제조연월일 병기)

(2) 1차 포장 또는 2차 포장에는 다음 각 호의 사항을 기재 표시 하여야한다.

① 화장품의 명칭
② 영업자의 상호 및 주소
③ 해당 화장품의 제조에 사용된 모든 성분
(인체에 무해한 소량 함유 성분 등 총리령으로 정하는 성분은 제외한다)
④ 내용물의 용량 또는 중량
⑤ 제조번호(식별번호)
⑥ 사용기한 또는 개봉 후 사용기간(개봉 후 사용기간의 경우 제조연월일 병기)
⑦ 가격(화장품을 직접 판매하는 자가 기재)
⑧ 기능성 화장품의 경우 "기능성 화장품" 이라는 글자 또는 기능성 화장품을 나타내는 도안으로서 식품의약품안전처장이 정하는 도안
⑨ 사용할 때 주의사항(화장품법 시행규칙 별표 3)
⑩ 그 밖의 총리령으로 정하는 사항
- 기능성화장품의 경우 심사받거나 보고한 효능 · 효과, 용법 · 용량
- 성분명을 제품 명칭의 일부로 사용한 경우 그 성분명과 함량(방향용 제품은 제외한다)
- 인체 세포 · 조직 배양액이 들어있는 경우 그 함량
- 화장품에 천연 또는 유기농으로 표시 · 광고하려는 경우에는 원료의 함량
- 제2조제8호부터 제11호까지에 해당하는 기능성화장품의 경우에는 "질병의 예방 및 치료를 위한 의약품이 아님"이라는 문구
- 다음 각 목의 어느 하나에 해당하는 경우 법 제8조제2항에 따라 사용기준이 지정 · 고시된 원료 중 보존제의 함량

가. 별표 3 제1호가목에 따른 만 3세 이하의 영유아용 제품류인 경우

나. 만 4세 이상부터 만 13세 이하까지의 어린이가 사용할 수 있는 제품임을 특정하여 표시 · 광고하려는 경우

(3) 소용량 또는 비매품의 1차 포장 또는 2차 포장의 표시 · 기재사항

① 화장품의 명칭

② 맞춤형화장품판매업자의 상호

③ 가격

④ 제조번호와 사용기한 또는 개봉 후 사용기간(개봉 후 사용기간의 경우 제조연월일 병기)

> * 맞춤형화장품의 가격표시는 개별 제품에 판매가격을 표시하거나, 소비자가 가장 쉽게 알아볼 수 있도록 제품명, 가격이 포함된 정보를 제시하는 방법으로 표시할 수 있다.

4) 제품의 종류별 포장 공간 비율

제품의 포장재질 · 포장방법에 관한 기준 등에 관한 규칙(약칭: 제품포장규칙) 이 환경부령 제846호, 2020. 1. 29., 일부개정되어 2020년 7월 1일부터 시행되고 있으며 제4조 2항에 따른 제품의 종류별 포장방법에 관한 기준은 아래와 같다.

■ 제품의 포장재질 · 포장방법에 관한 기준 등에 관한 규칙 [별표 1] 〈개정 2020. 1. 29.〉

제품의 종류별 포장방법에 관한 기준(제4조2항 관련)

제품의 종류			기준	
			포장공간비율	포장횟수
단위 제품	음식료품류	가공식품	15% 이하	2차 이내
		음료	10% 이하	2차 이내
		주류	10% 이하	2차 이내
		제과류	20% 이하 (데커레이션 케이크는 35% 이하)	2차 이내
		건강기능식품	15% 이하	2차 이내

	화장품류	인체 및 두발 세정용 제품류	15% 이하	2차 이내
		그 밖의 화장품류 (방향제를 포함한다)	10% 이하 (향수 제외)	2차 이내
	세제류	세제류	15% 이하	2차 이내
	잡화류	완구 · 인형류	35% 이하	2차 이내
		문구류	30% 이하	2차 이내
		신변잡화류(지갑 및 허리띠만 해당한다)	30% 이하	2차 이내
	의약외품류	의약외품류	20% 이하	2차 이내
	의류	와이셔츠류 · 내의류	10% 이하	1차 이내
	전자제품류	차량용 충전기, 케이블, 이어폰 · 헤드셋, 마우스, 근거리무선통신(블루투스) 스피커(300그램 이하의 휴대용 제품에 한정한다)	35% 이하	2차 이내
종합제품	1차식품, 가공식품, 음료, 주류, 제과류, 건강기능식품, 화장품류, 세제류, 완구 · 인형류, 문구류, 신변잡화류, 의약외품류, 와이셔츠류, 내의류		25% 이하	2차 이내

비고

1. "단위제품"이란 1회 이상 포장한 최소 판매단위의 제품을 말하고, "종합제품"이란 같은 종류 또는 다른 종류의 최소 판매단위의 제품을 2개 이상 함께 포장한 제품을 말한다. 다만, 주 제품을 위한 전용 계량 도구나 그 구성품, 소량(30g 또는 30ml 이하)의 비매품(증정품) 및 설명서, 규격서, 메모카드와 같은 참조용 물품은 종합제품을 구성하는 제품으로 보지 않는다.
2. 제품의 특성상 1개씩 낱개로 포장한 후 여러 개를 함께 포장하는 단위제품의 경우 낱개의 제품포장은 포장공간비율 및 포장횟수의 적용대상인 포장으로 보지 않는다.
3. 제품의 제조 · 수입 또는 판매 과정에서의 부스러짐 방지 및 자동화를 위하여 받침접시를 사용하는 경우에는 이를 포장횟수에서 제외한다.

3의2. 제품의 제조 · 수입 또는 판매 과정에서의 부스러짐 · 변질 등을 방지하기 위하여 유연성이 높은 플라스틱 필름, 종이 등 1차 연성포장에 공기를 주입한 음식료품류의 포장공간비율은 위 표의 포장공간비율에도 불구하고 35% 이하(캔 포장 제품에 공기를 주입한 경우 20% 이하)로 한다.

4. 종합제품의 경우 종합제품을 구성하는 각각의 단위제품은 제품별 포장공간비율 및 포장횟수기준에 적합하여야 하며, 단위제품의 포장공간비율 및 포장횟수는 종합제품의 포장공간비율 및 포장횟수에 산입(算入)하지 않는다.
5. 종합제품으로서 복합합성수지재질 · 폴리비닐클로라이드재질 또는 합성섬유재질로 제조된 받침접시 또는 포장용 완충재를 사용한 제품의 포장공간비율은 20% 이하로 한다.

6. 홍차 · 녹차 등의 경우와 같이 제품이 포장과 함께 직접 사용되는 경우에는 그 포장을 포장공간비율 및 포장횟수 적용대상인 포장으로 보지 않는다.
7. 단위제품인 화장품의 내용물 보호 및 훼손 방지를 위해 2차 포장 외부에 덧붙인 필름(투명 필름류만 해당한다)은 포장횟수의 적용대상인 포장으로 보지 않는다.
8. 포장공간비율의 측정방법은 「산업표준화법」 제12조에 따른 한국산업표준(KS)인 상업포장(소비자포장)의 포장공간비율 측정방법(KS T 1303) 또는 환경부장관이 고시하는 간이측정방법에 따른다.
9. 「농수산물 품질관리법」 제5조제2항에 따라 표준규격품 표시를 한 농수산물에 대해서는 위 표의 기준 중 포장공간비율을 적용하지 않는다.
10. 전자제품의 진열을 위한 고리와 사용 중인 제품을 보관하는 케이스는 포장공간비율 및 포장횟수의 적용대상인 포장으로 보지 않는다.

3. 화장품 안전기준의 주요사항

맞춤형화장품의 안전기준은 유통화장품의 안전기준에 적합해야 하며 혼합 또는 소분에 사용되는 내용물 및 원료, 화장품 사용시 사용방법 및 주의사항 설명, 화장품의 사용기한과 개봉 후 사용기간, 화장품의 특징과 사용법을 소비자에게 설명하여야 한다.

화장품법 제2조제3호의2에 따라 맞춤형화장품에 사용할 수 있는 원료를 지정하였으며, 제8조에 따라 화장품에 사용할 수 없는 원료 및 사용상의 제한이 필요한 원료에 대하여 그 사용기준을 지정하고 유통화장품의 안전관리 기준에 관한 사항을 정함으로서 화장품의 제조 또는 수입 및 안전관리에 적정을 기하고 있다. 또한, 이규정은 국내에서 제조, 수입, 유통되는 모든 화장품에 대하여 적용되며, 화장품에 사용할 수 없는 원료 및 사용상의 제한이 필요한 원료와 사용할 수 있는 원료에 대한 사용기준을 마련하였다.

화장품 안전기준 등에 관한 규정 제4장에 유통화장품 안전관리기준, 제6조에 의하면 인위적으로 물질을 첨가하지 않았으나 제조 또는 보관 과정 중 포장재로부터 이행되는 비의도적으로 유래된 사실이 객관적 자료로 확인되고 기술적으로 완전한 제거가 불가능한 경우 납, 니켈, 비소, 수은, 안티몬, 카드뮴등 해당 물질의 검출 허용 한도를 정해놓았다.

또한, 제6조6의 영유아용 제품류 관련, 제6조7의 기능성화장품의 주원료 함량 관련, 제6조8의 퍼머넌트웨이브용 및 헤어스트레이트너 제품관련기준, 제6조9의 유리알칼리 0.1%이하(화장비누에 한함), 제3장에 맞춤형화장품에 사용할 수 있는 원료 화장품 제조에 사용되는 성분 중 착향제는 "향료"라는 일반명칭으로 포장에 표시하도록 했으나 화장품법 시행규칙 개정(2020.1.1.)으로 착향제 중 식품의약품안전처장이 별도로 정하는 알레르기 유발성분은 향료가 아닌 착향제의 구성 성분 중 알레르기를 유발하는 세부성분을 지정하고 "화장품 사용 시의 주의사항 및 알레르기 유발성분 표시에 관한 규정"으로 수정하였다.

즉 해당 성분의 명칭을 직접 포장에 기재하여 표시하도록 개선됨에 따라 해당 알레르기 유발

성분의 종류를 알 수 있게 되었다. 이는 소비자의 편익을 위한 일이며 맞춤형 화장품을 조제하거나 소분 및 혼합 할 때 소비자의 선택에 도움을 줄 것으로 생각된다.

착향제의 구성 성분 중 알레르기 유발 성분으로는 아밀신남알, 벤질알코올, 신나밀알코올, 시트랄, 유제놀, 하이드록시시트로넬알, 이소유제놀, 아밀신나밀알코올, 벤질살리실레이트, 신남알, 쿠마린, 제라니올, 아니스에탄올, 벤질신나메이트, 파네솔, 부틸페닐메칠프로피오날, 리날룰, 벤질벤조에이트, 시트로넬롤, 헥실신남알, 리모넨, 메칠2-옥티노에이트, 알파-이소메칠이오논, 참나무이끼추출물, 나무이끼추출물이 있다. (다만, 사용 후 씻어내는 제품에는 0.01% 초과, 사용 후 씻어내지 않는 제품에는 0.001% 초과 함유하는 경우에 한한다)

〈소비자에게 판매시 설명해 주어야 할 사항〉

① 혼합 또는 소분에 사용되는 내용물 및 원료
② 맞춤형 화장품에 대한 사용시 주의사항
③ 맞춤형 화장품의 사용기한 또는 개봉 후 사용기간
④ 맞춤형 화장품의 특징과 사용법(용법, 용량)

4. 조제 제품의 특징

① 개인이 원하는 향과 원료를 이용하여 나만의 제품을 만들 수 있다.
② 내 피부 타입에 맞는 원료를 선택하여 만들 수 있다.
③ 천연재료를 다양하게 구할 수 있다.
④ 비교적 가격이 싸고 경제적이다.
⑤ 가능하면 장기간 사용하지 않는 것이 좋다.

5. 제품의 사용법

맞춤형화장품을 트러블이 없고 스트레스도 받지 않으며, 올바르게 사용하는 방법은 먼저 첩포시험(패치테스트)를 꼭 해보고 이상이 없을 때 사용하는 것이 좋다. 첩포시험(patch test))은 귀 뒤쪽이나 팔 안쪽에 3시간~24시간 정도 한다.

또한, 적응기간도 필요하므로 성급하게 너무 많은 양을 바르지 않도록 주의해야 한다. 천연 보존제를 사용할 경우 실온에 두어 일정 기간이 지나면 향취 변화 또는 물과 기름이 분리되거나, 곰팡이 등으로 인해 변질될 수 있으니 냉장 보관하는 것이 좋으며, 되도록 유효기간 안에 빨리 사용하는 것이 좋다. 사용할 때는 손을 깨끗이 씻고 용기를 통한 오염이 되지 않도록 위생적으로 사용해야 하며, 사용 후에는 뚜껑을 잘 닫아 보관한다.

4.6 혼합 및 소분

1. 원료 및 제형의 물리적 특성

맞춤형화장품은 사용자의 피부상태와 기호 등에 따라 제품의 특성이 정해지고 조제되거나 제조되기 때문에 화장품 제형이 매우 다양하고 사용 목적에 따라 복잡한 기능을 가지게 되기도 한다. 그 특징별로 유화, 가용화, 분산기술을 이용하여 각각의 제품을 만들 수 있다.

1) 계면화학

물질은 기체, 액체, 고체의 세 가지의 상이 존재한다. 이 세 가지 상은 분자들이 서로 끌어당기는 인력의 결과로 존재하는데 일정한 공간 내에 많은 분자들이 존재하면 액체나 고체상태를 유지하고, 일정 공간 내에 적은 수의 분자들이 존재하면 기체가 되는 것이다. 이렇게 같은 물리적 상태라도 화학적 성질이 다른 물질들이나 물리적 상태가 다른 물질들이 서로 접촉하게 되었을 때 그 접촉면을 계면이라고 한다. 보통은 기체 또는 진공과 경계면을 이루는 액체나 고체의 경우는 그 경계면을 표면이라고 하며 넓은 의미로 표면도 계면의 일부라고 생각하면 된다. 표면에 존재하는 분자는 전체적으로 표면의 안쪽방향으로 인력이 작용하는데 이 힘에 의해 발생하는 에너지를 표면자유에너지 또는 표면장력이라고 한다. 이 표면장력 때문에 물방울이나, 수은방울과 같은 유동성 있는 액체가 기체와 접촉하면 구형을 형성하는 것을 볼 수 있다.
계면에서 일어나는 화학 현상으로는 촉매, 흡착, 표면 장력, 계면 활성제의 세정 작용 등을 들 수 있다. 계면활성제의 영향을 받는 계면현상들로 적심(wetting), 유화(emulsification), 분산(dispersing), 발포(發泡, 거품이 나는 현상, foaming),가용화(可溶化, solubilization), 세정(washing) 등을 들 수 있다.

2) 계면활성제

계면활성제는 한 분자 내에 물에 녹기 쉬운 친수성 성분과 기름에 녹기 쉬운 친유성 부분을 함께 가지고 있는 화합물로 물과 기름의 경계면이 계면의 성질을 변화시킬 수 있는 특성을 가지게 된다. 계면활성제는 긴 막대모양의 꼬리부분을 친유성기 또는 소수성기라고도 하며, 둥근 머리모양을 친수성기라고 한다. 계면활성제의 친수성기의 이온성에 따라 양이온성, 음이온성, 비이온성, 양쪽성 계면활성제로 구분되어지고 있으며, 양이온성 계면활성제는 헤어트리트먼트, 헤어린스 등 모발 화장품에서 정전기 방지제, 헤어컨디셔닝제로 사용되며, 음이온성 계면활성제는 비누, 샴푸, 바디클렌져 등 세정력이 우수한 제품에 사용된다. 그리고 양쪽성 계면활성제는 음이온성 계면활성제보다 피부자극이 적은 편이어서 저자극 샴푸, 베이비 샴푸등 유아용품에 주로 사용되고 있으며, 비이온성 계면활성제는 피부자극이 가장 적은 편이어서 주로 기초화장품, 메이크업 화장품등에 사용되고 있다.

일반적인 계면활성제의 피부자극은 양이온성 > 음이온성 > 양쪽성 > 비이온성의 순서로 감소한다고 보면 될 것이다.

계면 활성제를 용도별로 분류하게 되면 유화제(물과 기름이 잘 섞이게 함), 가용화제(소량의 기름을 물에 투명하게 녹임), 세정제(피부의 오염물질을 제거함), 분산제(고체입자를 물에 균일하게 분산시켜 줌), 소포제(거품을 없애줌) 등으로 구분한다.

어떤 계면활성제가 물에 잘 녹는가, 녹지 않는가의 척도를 HLB(Hydrophilic Lipophilic Balance)로 나타내고 있다. HLB가 높을수록 물에 잘 녹는 성질을 나타내고 낮을수록 물에 잘 녹지 않는다. 계면 활성제의 HLB값이 높으면 친수성이 커서 물에 잘 용해되고, HLB값이 낮으면 친유성이 커서 유상에 우선적으로 용해가 된다. 이러한 HLB 값에 의해 계면활성제의 용도가 구분이 되는 것이다.

3) 미셀(micelle)

계면활성제가 물속에서 용해될 때, 그 농도에 따라 계면활성제의 분자의 배열상태가 변화 되는데 그 농도가 낮은 수용액에서는 단 분자(monomer)의 형태로 자유롭게 존재하다가 계면활성제의 농도가 높아지면 계면활성제 분자들이 서로 모이게 되어 미셀을 형성하게 되는데 이런 현상을 미셀화(micellization)라고 한다. 이때 미셀이 막 형성되기 시작 할 때의 계면활성제의 농도를 임계미셀농도(CMC:Critical Micelle Concentration)라고 한다.

임계미셀농도가 되면 미셀이 형성되기 시작하면서 미셀에 의한 가용화 현상으로 물에 용해되지 않은 유성 성분의 용해도가 증가하게 된다. 즉 계면활성제는 임계미셀농도에서부터 계면활성제로서 성질을 가지게 되는 것이다. 그러나 이 농도 이하에서는 계면활성제의 능력이 떨어지게 된다.

4) 가용화(Solubilization)

계면활성제의 미셀 형성 작용을 이용하여 물에 녹지 않는 소량의 유성성분을 계면활성제를 이용하여 투명한 상태로 용해시키는 것을 가용화라고 한다. 이때의 미셀의 크기는 가시광선의 파장(400~800nm)보다도 작아서 빛을 그대로 투과시키게 되고 투명한 상태로 보인다.

가용화는 물에 녹지 않는 유성성분이 미셀에 흡착되거나 미셀 중에 스며들어가는 현상이며, 임계미셀농도 그 이상의 계면활성제의 농도가 필요하게 된다. 즉, 가용화현상은 계면활성제의 농도가 낮은 상태에서는 나타나지 않으며, 임계미셀농도 보다 높은 상태에서 나타나게 된다는 것이다.

이처럼 가용화현상을 이용한 화장품은 스킨 토너, 에센스, 헤어토닉, 향수류 등과 같이 수용액에 유성성분을 용해시키는 경우에 사용되며, 립스틱처럼 유성성분 베이스에 수용성 성분을 첨가하기도 한다.

디스퍼는 간단히 두 물질을 혼합할 때 이용되는 혼합기로 화장품 제조에서는 주로 스킨과 같이 점도가 낮은 가용화 제품을 제조할 때 오일에 고체성분을 용해시켜 혼합할 때와 폴리머를 정제수에 분산시킬 때 많이 사용된다.

5) 유화(Emulsion)

많은 양의 유성성분을 미세한 입자 상태로 균일하게 분산시키는 것을 유화기술이라고 한다. 유화입자의 크기는 가시광선보다 커 빛을 통과시키지 못하고 산란시키기 때문에 유화제품은 우유처럼 뿌옇거나 하얗게 보이는데, 이것을 백탁화현상 이라고 한다. 이렇게 만들어진 분산계를 에멀젼(유제, 유탁액, emulsion)이라고 하고, 이때 사용한 계면활성제를 유화제라고 한다. 유화기술을 이용한 화장품에는 로션이나 크림류의 기초화장품과, 색조화장품등이 있다.

에멀젼의 형태에는 수용액을 연속 상으로 하고 그 안에 오일이 분산되어 있는 수중유적형(oil in water type, O/W형)과 반대로 유용액을 연속 상으로 하고 그 안에 수용액이 분산되어 있는 유중수적형(water in oil type, W/O형)의 두 가지가 있으며, 로션이나 크림류 등의 기초화장품에는 O/W형에 속하고, 색조화장품이나 자외선 차단제 및 특수 영양크림 등은 W/O형에 속한다. 그리고 다중에멀젼이라고 하는 분산상 내부에 다른 에멀젼이 형성되어 있는 것도 있는데 이러한 에멀젼의 형태는 화장품의 사용감이나 외관에 영향을 미치기 때문에 화장품의 사용 목적과 사용 연령층에 따른 첨가물 등을 충분히 고려해서 결정해야 한다.

따라서 화장품 제조시 물과 기름을 유화시켜서 안정한 상태로 유지하기 위해서는 분산상의 크기를 미세하게 해주는 것이 좋은데, 이때 사용하는 장치가 호모믹서(homo mixer)이다.

- **호머믹서(homo mixer): 유화기**

  운동자(rotor, turbin)와 고정자(stator)로 구성되어 있으며, 운동자가 고정자 내벽에서 고속 회전시키는 장치이다. 연속성에 강한 전단력으로 분산상을 입자화 하여 분산시키는 기기이며 수 마이크로미터 까지 입자화가 가능하다. 화장품 제조시 가장 많이 사용하는 기기로써 O/W 및 W/O 제형 모두 제조가 가능하다.

- **호모게나이저(homogenizer) : 균질기**

균질기화는 혼합, 교란, 유화, 분산, 교반 등을 하기 위하여 힘을 가하는 균질화 방법에 따라, 기계식균질기(Mechanical Homogenizer), 초음파 균질기(Ultrasonic Homogenizer), 압력 균질기(Pressure Homogenizer)로 크게 3가지로 분류한다.
기계적 균질기는 회전자-고정자(Rotor-stator),블레이드, 볼밀(Ball mill or Bead mill), 타입의 3가지 타입으로 분류하며, 바이오산업에서 많이 사용하는 기계적 균질기는 회전자-고정자(Rotor-stator) 균질기이다. 회전자-고정자 균질화기 또는 발생기 유형 균질화기는 분산 및 에멀젼을 만들기 위해 처음 개발되었으며, 대부분의 생물학적 조직은 이 장치로 빠르고 철저하게 균질 화된다.

6) 분산(Dispersion)

일반적인 분산계라고 하는 것은 기체, 액체, 고체 등의 하나의 상에 다른 상이 미세한 형태로 분산되어 있는 것을 말한다. 화장품의 경우 거의 모든 것이 분산계의 상태라고 할 수 있다. 고체와 액체 분산계는 안료 등의 고체입자를 액체 속에 균일하게 혼합시키는 것을 말하는데 이를 이용한 화장품으로는 파운데이션, 메이크업 베이스, 크림 마스카라, 아이라이너, 립스틱, 네일 에나멜등과 같이 색조화장품이 대부분을 차지한다.
이처럼 고체상태인 안료를 목적에 따라 분쇄하게 되는데 이때 사용하는 볼 밀, 콜로이드 밀, 롤러 밀, 프로펠러식 교반기 등의 기계적인 힘에 의해 혼합, 분쇄, 분산 등이 실행되고 있다. 제품의 제조 및 상품가치를 좌우하는 것은 얼마나 쉽게 균일한 상태로 분산시키는 가이다.

2. 원료 및 내용물의 유효성

1) 유성원료

화장품에 유성원료를 사용하는 목적은 피부를 유연하고 광택 있게 만들어주고 피부표면의 수분 증발을 억제시켜서 피부건조를 막아주고 표피에 인공 피지 막을 형성시켜서 외부의 자극으로부터 피부를 보호하는데 그 목적이 있다. 유성원료는 크게 유지류, 왁스, 탄화수소류, 지방산, 고급알코올, 에스테르류, 실리콘 등을 구분한다.

(1) 유지류(Oils and Fats)

유지류는 동물과 식물에 넓게 분포하고 있는 원료이다. 대부분 천연에서 얻은 것을 탈색, 탈취하여 사용하며, 수소를 첨가하여 경화유로 사용하기도 한다. 넓은 의미에서는 액체 상태의 유용성 성분 대부분을 유지류라고 할 수 있다.

표 6-1. 오일의 종류와 특징

오일의 분류	오일의 종류	특징
동물성 오일	밍크오일, 터틀오일, 난황오일, 에뮤오일, 스쿠알렌	피부에 친화성이 우수, 피부흡수가 빠름, 산패되기 쉬움, 특이한 냄새가 남. 무거운 사용감이 있음.
식물성 오일	아르간오일, 마카다미아넛오일, 팜오일, 올리브오일, 해바라기씨오일, 호호바오일, 맥아오일, 캐스터오일(피마자오일), 아보카도오일, 월견초오일(달맞이꽃 종자유), 로즈힙오일	피부에 대한 친화성이 우수. 피부 흡수가 느림. 산패되기 쉬움. 특이한 향취, 무거운 사용감.
지방	시어버터, 망고버터, 코코아버터, 마유(horse fat), 우지(beef tallow), 돈지(pork lard),우유지방, 양지방(lamb tallow)	피부에 대한 친화성이 우수. 산패되기 쉬움. 특이한 향취가 있음. 무거운 사용감.
합성 오일	에스테르오일(아이소프로필미리스테이트, 아이소프로필팔미테이트 등) 실리콘오일(디메치콘 등)	합성한 오일. 산패되지 않음, 가벼운 사용감
광물성 오일	미네랄 오일(리퀴드 파라핀 등), 페트롤라툼	무색, 투명하며, 향취가 없음. 산패되지 않음. 유성감이 강하고 패색 막을 형성하여 피부호흡을 방해함.

(2) 왁스

고급지방산과 고급알코올의 에스테르인 왁스(wax)는 대부분이 고체이며, 지방산과 알코올의 종류에 따라 반고체(페이스트상)이기도 하다. 그리고 탄화수소 중 단단한 고체물질을 왁스로 분류하기도 한다.

표 6-2. 왁스의 종류

	왁스의 종류	유래물질
석유	파라핀왁스(paraffin wax)	석유
광물유래	오조케라이트(ozokerite)	지납(soft shale), 광석
	세레신(ceresin)	오조게라이트
	몬타왁스(montan wax)	갈탄(lignite)
화학유래	마이크로크리스탈린왁스(macrocrystalline wax)	석유
동물유래	밀납(bees wax)	벌집(honey comb)
	라놀린(lanolin)	양피지선
	경납(spermaceti)	향유고래(sperm whale)
식물유래	카르나우바왁스(carnauba wax)	야자유
	칸데리라왁스(candellila wax)	칸데리라 나무
	제팬왁스(japan wax)	과피추출
합성	폴리에틸렌(polyethylene)	석유화학

2) 수성원료

① 정제수

화장품의 주원료가 되는 성분으로 화장품 전성분표기에서 가장 앞에 나열되는 원료이며, 화장품을 만드는 기초적인 물질로 사용되고, 제조 공정에서 희석 액이나 세정액 등으로 사용된다. 이온교환수지를 이용하여 정제한 물을 자외선에 멸균한 물을 사용하는데 최근에는 화장품 이용 목적에 따라 천연수(온천수, 해양심층수, 빙하수 등)를 이용하는 경우도 있다.

② 에틸알코올(Ethyl alcohol)

화장품의 원료로 사용되는 알코올은 1가 알코올인 에틸알코올 즉, 에탄올을 말하며, 곡정 또는 주정이라고도 한다. 에탄올은 무색, 무취의 휘발성이 있는 액체이며, 물 또는 유기용매와 잘 섞이기 때문에 화장품원료로 뿐만 아니라 중요한 용매 중에 하나라고 볼 수 있다. 화장품에는 주로 청결, 살균제, 가용화제, 수렴제, 건조 촉진제, 등의 목적으로 사용하고 있다.

3) 보습제

보습제는 피부의 수분 량을 증가시켜 주며, 수분손실을 막아주는 역할을 한다. 분자 내에 수분을 잡아당기는 친수기(하이드록시기, 아민기, 카르복시기)가 주변으로부터 물을 잡아당겨서 수소결합을 형성하게 되고 수분을 유지시켜주는 휴멕턴트(humectant)와 폐색 막을 형성하여 수분 증발을 막는 폐색제가 있다.

① 휴멕턴트에는 폴리올(polyol, 다가폴리올), 트레할로스(trehalose), 우레아(urea, 요소), 베타인(betaine), AHA, 소듐히아루로네이드(sodium hyaluronate), 소듐콘드로이틴설페이트(sodiumchondroitin sulfate), 소듐피씨에이(sodium PCA), 소듐락테이트(sodium lactate), 아미노산 (amino acid)등이 있다.

② 폐색제에는 페트롤라툼, 라놀린, 미네랄오일 등이 폐색제로 분류된다.

③ 폴리올은 어는 점 내림(anti-freezing)을 일으켜 동절기에 제품이 어는 것을 방지하며, 보존능(anti-microbial)이 있다. 폴리올에는 글리세린(glycerin), 프로필렌글라이콜(propylene glycol(1,2-propanediol)), 부틸렌글라이콜(butylene glycol), 폴리에틸렌글라이콜(polyethyleneglycol), 소르비톨(sorbitol), 헥실렌글라이콜(hexyleneglycol(1,2-hexanediol)), 디프로필렌글라이콜(dipropylene glycol), 펜틸렌글라이콜(pentyleneglycol(1,2-pentanediol)), 카프릴릴글라이콜(caprylyl glycol(1,2-octanediol)), 에틸헥실글리세린(ethylhexylglycerin) 등이 있다.

4) 계면활성제

계면활성제는 계면에 흡착하여 계면의 성질을 현저하게 변화시키는 물질로서 계면이 가지고 있는 표면장력을 약하게 만드는 것이다. 계면활성제는 한 분자 내에 친수성기와 친유성기를 동시에 가지고 있는 물질이며, 그 구조에 따라서 유화, 가용화, 분산, 습윤, 세정, 정전기방지 등의 기능을 가지게 된다. 물에 용해되어 이온화 여부에 따라 양이온성, 음이온성, 양쪽성, 비이온성으로 구분한다. 그리고 천연 계면활성제와 실리콘 계면활성제, 고분자 계면활성제도 함께 사용하고 있다.

5) 점증제

점증제는 화장품의 점도를 조절할 목적으로 배합하는 원료로서 점도를 유지하거나 제품의 안정성을 유지하기 위하여 사용되며, 사용 감을 결정하는 중요한 요인 중의 하나이다. 점증제는 제품의 사용감에 미치는 영향이 크므로 목적에 맞게 선별해야 하며, 흔하게 사용되는 원료로는 젠탄검, 카르복시메틸 셀룰로오스 나트륨, 카르복시비닐폴리머 등이 있다.

카보머는 폴리알케닐 폴리에터로 가교 결합된 아크릴릭애씨드의 폴리머로써 분자량이 크고, 비선형이며 합성물질이다. 카보머는 화장품 및 퍼스널케어 제품에서 점도증가제, 분산제, 현탁화제 및 유화제로 사용되며 주로 유화 안정제로 널리 사용하는 원료이다.

◆ 카보머 (Carbomer)의 특징

① 흰색 분말 타입의 투명젤, 유화제품에 사용되는 원료로 아주 부드럽고 촉촉한 발림감을 만들어 주는 성분으로 폭 넓은 PH범위 영역에서도 투명하게 점증이 가능하고 비교적 위험성과 부작용이 적어 피부에 자극이 적다.

② 에센스, 크림, 로션 등에 주로 첨가되어 젤리같이 쫀득한 느낌을 주는 역할로 잔탄검 대신 사용되며 제형의 안정화를 시키는 중요한 성분으로 사용된다.

③ 물을 흡수하고 유지하는 능력이 뛰어난 수용성이다.

④ 미생물에 의한 영향을 적게 받고 화장품에 첨가하면 자유롭게 점도조절이 가능하다.

⑤ 사용감이 좋으나 산도가 높아 사용하기가 매우 까다롭다. 산도가 높아 알칼리 성질의 원료를 넣어줘야 점도가 올라가기 때문이다.

⑥ 불용성 고체를 액체안에서 분산, 부유를 도와주는 특징을 가지고 있어 화장품을 구성하는 수상과 유상 성분이 분리되는 것을 막아주는 유화제로 사용된다.

⑦ EWG 1등급 성분으로 위험성은 낮지만 너무 많은 양의 카보머 사용은 피부모공 끼임을 유발 할 수 있으며 화장품에 점증제로 사용될 때 첨가되는 알칼리제에 의해 부작용이 일어날 수 있다. 특히, 값이 싼 트리에탄올아민이 많이 사용되는데 이는 니트로소아민이라는 발암물질을 방출하여 피부독성, 알레르기를 유발 할 수 있기 때문에 트리에탄올아민 대신 L-아르기닌, 수산화나트륨, 수산화칼륨을 사용할 수 있다.

피막형성제가 들어간 화장품은 고분자화합물을 이용한 것으로 물이나 알코올에 용해되는 것 즉, 수용성과 비수용성으로 나눠진다. 도포 후 시간이 지나면 굳게 되는 성질을 가지며, 주로 팩, 네일 에나멜, 헤어 코팅제, 헤어스프레이, 아이라이너, 마스카라 등이 있다.

표 6-3. 점증제의 종류

천연고분자	식물계(다당류)	구아검, 펙틴, 전분, 퀸스시드, 카라기난, 로카스트빈검 아라비아검,
	미생물계(다당류)	젠타검, 덱스트린, 삭시노글루칸, 히아루론산, 카드란
	동물계(단백류)	카제인, 알부민, 콜라겐, 젤라틴
반합성고분자	셀룰로오스계	메틸셀룰로오스, 에틸셀룰로오스, 하이드록시에틸셀룰로오스, 하이드록시프로필셀룰로오스, 카르복시메틸셀룰로오스,
	전 분계	가용성 전분, 카르복시메틸전분, 메틸전분
	알긴산계	알긴산프로필렌그리콜에스테스, 알긴산염
합성고분자	비닐계	폴리비닐알콜, 폴리비닐필롤리돈, 폴리비닐메틸에테르, 카르복시비닐폴리머, 폴리아크릴산 소다
	기타	폴리에틸렌옥사이드, 에틸렌옥사이드, 프로필렌옥사이드블록공중합체
벤토나이트, 라포나이트, 미분산화규소, 콜로이드알루미나		

6) 색재

화장품에 배합하는 색소는 크게 유기합성 색소, 무기 안료, 천연색소 등으로 분류하며, 최근에는 새로운 진주광택 안료나 고분자 분체가 화장품원료로 개발되어 사용되고 있다. 색재는 화장품에 배합되어 피복력을 갖고, 자외선을 방어하는 기능과 더불어 피부결점을 커버하고 건강하고 아름다운 피부표현을 하는 것이다.

제조방법에 따라 천연색소와 합성색소로 분류하는데 천연색소는 카민(carmine), 진주가루(pearlpowder), 카라멜, 커큐민, 파프리카추출물,캡산틴/캡소루빈, 안토시아닌류, 라이코 펜, 베타카로틴 등이 있으며 합성색소는 타르색소, 합성펄(티타네이티드마이카, titanated mica), 안료(티타늄다이옥사이드, 징크옥사이드 등) 등이 있다.

색소는 구성물질에 따라 마그네슘, 알루미늄, 철, 크롬 등 무기물을 포함하는 무기안료 와 탄소, 수소, 산소, 질소 등 유기물로만 구성된 유기안료로 분류된다.

① 유기합성색소: 염료, 레이크, 유기안료

② 무기안료: 착색 안료, 체질 안료, 진주광택 펄 안료, 고분자 분체, 기능성 안료

③ 천연색소: 토치닐(선인장), 베타카로틴(당근), 안토시아닌(검은색)

(1) 염료는 물이나 기름 알코올 등에 용해되어(dye),기초용 및 방향용화장품(예화장수, 로션, 샴푸, 향수)에서 제형에 색상을 나타내고자 할 때 사용하고 색조화장품에서는 립 틴트 (lip tint)에 주로 사용 된다.

(2) 안료(pigment)는 물과 오일 등에 녹지 않는 불용성 색소로 색상이 화려하지 않으나 빛, 산, 알칼리에 안정한 무기안료(inorganic pigment)와 색상이 화려하고 생생하지만 빛, 산, 알칼리에 불안정한 유기 안료(organic pigment),고분자 안료로 구분할 수 있다.

① 무기안료: 색상은 화려하지 않지만 빛, 산, 알칼리에 강하고 커버력이 우수하며, 주로 마스카라에 사용한다.

- 체질안료: 탈크, 카오린, 마이카
- 피부에 대한 퍼짐성을 좋게 하여 매끄러움을 부여한다.
- 하얀색의 아주 미세한 분말이다.
- 페이스파우더의 가루분이나 파운데이션에 주로 사용한다.
  · 백색안료: 산화아연, 이산화티탄
- 피부의 커버력을 결정한다.
  · 착색안료 : 산화철류
- 백색안료와 함께 색체의 명함을 조절하고 커버력을 높이는데 사용한다.

② 유기안료: 타르색소로 유기합성 색소 종류가 많고 화려하며 대량생산이 가능하다. 빛, 산, 알칼리에 약하나 색상이 선명하고 풍부하여 주로 립스틱이나 색조화장품에 사용된다.

(3) 레이크(lake)는 물에 녹기 쉬운 염료를 알루미늄 등의 염이나 황산알루미늄, 황산지르코늄 등을 가해 물에 녹지 않도록 불용화시킨 유기안료로 색상과 안정성이 안료와 염료의 중간 정도이다.

(4) 타르색소(tar colorant)는 석탄의 콜타르(coal tar)에 함유된 방향족 물질(㉠벤젠, 톨루엔, 나프탈렌, 안트라센)을 원료로 하여 합성한 색소로 색상이 선명하고 미려(美麗)해서 색조제품에 널리 사용된다. 하지만 안전성에 대한 이슈가 항상 있으며, 눈 주위, 영유아용 제품, 어린이용 제품에 사용할 수 없는 타르색소가 정해져 있으며, 색소 안전성이 지속 적으로 모니터링 되고 있다. 또한, 각 나라별로 타르색소 사용에 대한 규제가 조금씩 다르다. 타르색소에 해당되는 색소는 레이크와 염료이다.

(5) 진주광택안료(펄 안료)는 펄이 들어가 진주광택, 홍채색 등의 효과를 주며, 피부에 부착되어 빛을 반사함과 동시에 빛의 간섭을 일으켜 금속의 광택을 준다.

- 색조화장품에 사용되는 안료는 파우더의 사용감과 제형을 구성하는 기능(bulking agent)의 체질안료와 색을 표현하는 백색안료, 착색안료, 펄 안료로 구분할 수 있다.
- 전 성분 표시할 때 색소의 명칭은 화장품의 색소 종류와 기준 및 시험방법(식품의약품안전처고시) 별표1에 기재된 색소 명을 사용하며, 컬러인덱서(CI, color index)명을 함께 사용하고 있다. CI명은 영국염색자학회(the society of dyers and colourists)와 미국섬유화학염색자협회(American association of textile chemists and colorists)가 명명한 색소분류이다(㉠징크옥사이드: CI77947, 적색2호: CI 16185).

표 6-4. 체질안료와 착색안료의 분류

분류	원료	작용
체질안료	탤크, 카올린	벌킹제(bulking agent)
	보론나이트라이드, 실리카, 나일론 6, 폴리메틸메타크릴레이트	부드러운 사용감 (silky feeling)
	마이카, 세리사이트, 칼슘카보네이드, 마그네슘카보네이트	펄효과(pearling) 화사함(blooming)
	마그네슘스테아레이트, 알루미늄스테아레이트	결합제(binder)
	하이드록시아파타이트	피지흡수
착색안료	〈무기계〉 산화철(iron oxide black/red/yellow) 울트라마린 블루(ultramarine blue) 크롬옥사이드(chromium oxide) 망가네즈바이올렛(manganese violet) 〈유기계〉 합성: 레이크 천연: 베타카로틴, 카민, 카라멜, 커큐민	색상
백색안료	티타늄디옥사이드, 징크옥사이드	백색 불투명화제 자외선차단제
펄안료	비스머스옥시클로라이드, 티타네이티드마이카, 구아닌, 하이포산틴, 진주파우더	진주광택

7) 향료

향료는 화장품에서 제품 이미지(esthetic concept)와 원료 특이취 억제(odor masking)를 위해 제형에 따라 0.1~1.0% 사용되고 있으며, 식물의 꽃, 과실, 종자, 가지, 껍질, 뿌리 등에서 추출한 식물성 향료와 동물의 피지선 등에서 채취한 동물성 향료(musk-사향, civet-영묘향, 해리향, 용연향)로 분류된다. 합성향료는 관능기의 종류(알데히드, 케톤, 아세탈 등)에 따라 합성한 향료로 약 4,000개가 있으며 조합향료는 천연향료와 합성향료를 섞은 향료이다. 식물 등에서 향을 추출하는 방법으로 냉각 압착법, 수증기 증류법, 흡착법, 용매추출법이 있다. 향수의 발산 속도에 따라 탑노트(top note), 미들노트(middle note), 베이스노트(base note)로 구분되며, 부향률에 따라 퍼퓸(15~30%), 오데퍼퓸(9~12%), 오데토일렛(6~8%), 오데코롱

(3~5%), 샤워코올(1~3%)으로 분류된다. 향의 사용은 휘발성 물질이 발산될 때 후신경이 자극을 받아 느끼는 감각 중 하나로 오랜 시간동안 인류에 유익하게 이용되고 있는 냄새, 즉 향기를 말한다. 향기로 인해 기분이 좋아지고 마음도 풍요로워질 수 있으며 매력을 발산할 수 있는 목적으로도 사용하므로 화장품 선택에 매우 중요한 요인 중 하나라고 할 수 있다. 일반적으로 화장품에 사용되는 향료는 천연향료, 합성향료, 조합향료로 나눌 수 있다.

① 천연향료: 식물성 향료(레몬, 오렌지, 계피, 장미등), 동물의 향료(사향, 영묘향, 해리향, 용연향)
② 합성향료: 단일향료, 순합성향료
③ 조합향료: 조향사가 필요한 용도에 따라 천연향료와 합성향료를 목적에 맞게 혼합한 향

표 6-5. 에센셜 오일의 추출 방법

냉각 압착법 (Cold Compression)	수증기증류법 (Steam distillation)	흡착법 (Absorption)	용매추출법 (Solvent extraction)
누르는 압착에 의한 추출, 원심분리 실시	수증기를 동반하여 증류, 항료성분의 끓는점(b.p.) 차이를 이용한 방법	열에 약한 꽃의 향을 추출할 때 사용: 냉침법, 온침법	휘발성용제(벤젠, 에테르, 알코올 등)에 불안정한 성분을 추출함
시트러스계열(레몬, 오렌지, 라임, 그레이프후르트, 베르가못, 만다린)	페퍼민트 오일, 라벤더오일(linalool, linalylacetate), 파인 오일 등	우지, 돈지에 꽃을 흡착시켜 생산: 꽃 → 포마드(pomade) → 앱솔루트(absolute)	열에 불안정한 향을 추출할 때 사용함
열에 의해 성분이 파괴되는 경우에는 냉각압착법에 의해 에센셜오일(정유)을 추출함	대부분의 에센셜오일(정유) 생산에 사용함	–	–

8) 방부제

화장품은 각종 유수분 및 활성성분, 기타 첨가물 등으로 인해 시간이 경과함에 따라 산화, 즉 부패를 유발하게 되는데 이때 향, 색상, 점도, 분리, 곰팡이 등이 나타나게 된다. 미생물의 증식은 적절한 온도, 습도, 영양분이 필요한데 거의 모든 물질에서 증식할 수 있다 이러한 미생물의 증식을 막기 위해서 사용되는 것이 방부제이다. 방부제는 안전성 테스트를 거친 후 안전성이 확인된 것을 사용해야 한다.

미생물의 오염 경로는 화장품 공장, 제조사에 의해 오염되는 것을 1차 오염이라고 하며, 소비

자의 제품 사용 시에 오염되는 것을 2차 오염이라고 한다.

미생물의 생육조건(온도, 영양분, pH, 수분)을 제거하거나 조절하여 미생물 성장을 억제 하는 물질인 보존제(preservative)는 화장품 안전기준 등에 관한 규정 별표2에 있는 원료만을 화장품에서 배합 한도 내에서 사용할 수 있다.

화장품에 주요한 미생물 오염원으로 세균(bacteria)에는 대장균, 그람음성균(Escherichia coli), 녹농균, 그람음성균(Pseudomonas aeruginosa), 황색포도상구균, 그람양성균(Staphylococcus aureus)이 있고 진균(fungi & mold)에는 검정곰팡이(Aspergi llusniger), 효모(yeast)에는 칸디다 알비칸스(Candida albicans)가 있다.

벤조익애씨드(안식향산, benzoic acid)가 pH5.1이하에서 해리되어 보존 능을 상실하는 단점을 보완하기 위하여 파라벤(paraben, para-hydroxybenzoate)이 개발되었다. 파라벤은 안식향산에 결합되는 알킬기의 종류에 따라 메틸, 에틸, 프로필, 이소부틸, 부틸, 페닐, 파라 벤으로 분류되며 미생물의 세포벽에 있는 효소의 활성을 봉쇄하는 역할을 한다. 포름알데히드(HCHO) 계열(formaldehyde donor)의 보존제로 디엠디엠하이단토인(DMDM Hydantoin), 엠디엠하이단토인(MDM hydantoin), 이미다 졸리디닐우레아(imidazolidinyl urea), 디아졸리디닐우레아(diazolidinyl urea), 쿼터늄-15 (quaternium-15)등이 있다.

파라벤, 포름알데히드 계열 이외에 페녹시에탄올, 벤질알코올, 소듐벤조에이트, 소르 빈산, 포다슘소르베이트, 디하이드로아세틱애씨드, 소듐디하이드로아세테이드, 클로페네신 등이 널리 사용된다.

최근에는 화장품 보존 제에 대한 소비자의 거부반응으로 화장품 안전기준 등에 관한 규정 별표2에 보존제로 등록되어 있지는 않지만 항균작용이 있는 다가알코올(폴리올, polyol) 인 1,2헥산디올(1,2-hexanediol), 에틸헥실글리세린(ethylhexylglycerin), 1,2펜탄디올(1,2-pentanediol, pentylene glycol), 1,2옥탄디올(1,2-octanediol, caprylyl glycol), 글리세릴카프릴레이트(glycerylcaprylate)가 널리 사용된다.

방부제는 박테리아의 성장을 억제시키고 곰팡이에도 항균력을 갖고 있는 파라벤과 백색 분말의 무색무취인 이미다졸리디닐우레아, 미생물의 세포벽을 파괴하거나 세포막을 변형시켜 번식을 억제하는 페녹시에탄올, 킬레이트 화합물로 색소 안정화에 효과적인 EDTA, 기타 방부제로 디아졸리디닐우레아, 소르빈산 등이 있다.

식품의약품안전처는 2015년 1월 23일부터 시행한 화장품안전기준 등에 관한 규정 일부 개정안에서 화장품 안전관리 강화차원으로 페닐파라벤과 클로로아세타마이드 등 2개 성분을 살균 보존제 성분 표에서 삭제하였다. 이에 따라 이들 성분은 화장품을 만드는데 사용할 수 없으며, 이들 성분이 들어간 화장품을 수입할 수도 없다.

방부제의 이상적인 조건으로는 첫째 다양한 균종에 효과를 낼 수 있어야 하고, 둘째 광범위한 온도와 pH 범위에서도 안전하게 효과를 나타내야 하며, 셋째 처방에 함유되는 원료나 포장재에 의해 항균력이 감소되지 않아야 하며, 넷째 수용성 방부제의 경우 적절한 분배 계수가 이루어져야 하며, 다섯째는 미생물에 빠르게 효과를 나타낼 수 있어야 한다.

9) 기타 첨가제

화장품의 대부분을 차지하는 물과 유지성분은 공기 중에 노출되면 높은 온도나 빛에 산화가 잘 일어나게 된다. 그래서 유지의 산화를 방지하고 제품의 품질을 일정하게 유지시켜 주기 위해서 첨가하는 것이 산화방지제와 금속이온 봉쇄제이다.

분자 내에 하이드록시기(-OH)를 가지고 있어서 이 하이드록시기의 수소(H)를 다른 물질에 주어 다른 물질을 환원시켜 산화를 막는 물질을 산화방지제(antioxidant)라 한다. 널리 사용되는 산화방지제로 BHT(butylated hydroxytoluene), BHA(butylated hydroxy anisole), 토코페롤(tocopherol), 토코페릴아세테이트 (tocop heryl acetate, vitamin E acetate), 프로필갈레이트(propyl gallate), TBHQ(tertiary butyl hydro quinone), 하이드록시데실유비퀴논(hydroxydecyl ubiquinone), 이데베논(idebenoe), 유비퀴논(ubiquinone), 코엔자임(Q10), 에르고티오네인(ergothioneine) 등이 있다.

대표적인 천연 산화방지제로 토코페롤(비타민E), 레시틴, 아스코르빈산(비타민C)등이 있으며, 합성 산화방지제로 페놀계의 화합물인 BHT, BHA, 등이 있다. 또한 산화방지 보조제로 구연산, 주석산, 등이 사용되고 있다.

화장품의 품질을 떨어뜨리는 직, 간접적인 원인이 되는 금속이온은 유성원료의 산화를 촉진하고 변색, 변취의 원인이 되며, 화장수 등에 침전물이 생기게 하는 원인이 되기도 한다. 이 금속이온의 활성을 억제하기 위해서 첨가하는 것을 금속이온봉쇄제 또는 킬레이트제라고도 한다. 대표적으로 에틸렌디아민4초산(EDTA)의 나트륨염, 인산, 구연산, 아스코르빈산, 호박산, 글루곤산, 메타인산나트륨 등이 있다.

10) 활성성분

오랜 사용경험을 통해서 실제적인 실험을 통한 효과를 인정받은 동물 또는 식물 추출물들로 콜라겐, 태반추출물, 프로폴리스, 로열젤리추출물, 뮤신, 감초 추출물, 녹차추출물, 알란토인, 위치하젤, 아줄렌 등이 있으며, 우리 몸 안에서 합성되지 못하고 반드시 음식물을 통해서 체내로 흡수되는 비타민 중 비타민A 와 유도체, 피리독신, 디-판테놀, 비타민C, 비타민E, 비오틴 등 그밖에 AHA, BHA, 클레이, 알긴산등을 화장품에 활성성분으로 배합하여 사용할 수 있다.

비타민은 동물의 정상적인 발육과 영양을 유지하는 데에 미량으로 중요한 작용을 하는 유기화합물이다. 탄수화물, 단백질, 지방과는 달리 체내에서 에너지원으로 사용되지 않으며, 생물체 구성 물질로도 작용하지 않는다. 체내에서는 생성되지 않아 반드시 음식물에서 섭취해야 하는데 부족하면 비타민 결핍 질환에 걸릴 수 있다. 비타민은 많은 식품 중에 함유되어 있으며 지용성 비타민과 수용성 비타민으로 구분한다. 지용성 비타민류가 수용성 비타민류보다 피부 표면에서의 친화력이 강하여 경피 흡수가 쉽다.

지용성 비타민에는 비타민 A, D, E, K가 있으며, 수용성 비타민보다 열에 강하고 지방과 함께 흡수된다. 인체는 수용성 비타민보다 지용성 비타민을 더 많이 저장하고 있다.

수용성 비타민은 장(腸)에서 흡수되어 순환계를 통해 비타민이 사용되는 특정한 세포 조직으로 운반된다. 수용성 비타민을 과다하게 섭취하면 세포에 어느 정도 저장되고 나머지는 오줌으로 배설된다. 수용성 비타민에는 비타민B 복합체(B1, B2, B3, B5, B6, B7, B9, B12), 비타민 C 가 있다.

① 비타민A 팔미테이트(vitamin A palmitate): 레티닐팔미테이트(retinyl palmitate)라고도 하며, 비정상적 각질화피부와 건성피부를 치유하는 작용이 있다. 비타민A 자체는 쉽게 산화되어 분해되므로 에스테르 타입인 비타민A 팔미테이트가 주로 사용된다. 피부에 흡수된 후 에스테르 분해 효소인 에스테라제(esterase)에 의해 비타민A가 생성된다. 레티놀(retinol)은 레틴산(retinoic acid)의 전구물질인 잔주름 개선효과가 있고, 피부에 대한 자극이 레틴산 보다 적다, 쉽게 산화되어 불안정해지므로 잘 밀봉해서 보관해야 한다.

② 비타민B_2 : 리보플라빈(riboflavin)이라고도 하며, 입술 주변의 염증, 지루성 피부염 등을 예방해 준다. 그러나 많이 사용하게 되면 오히려 광과민증을 일으킬 수 있다.

③ 비타민B_3 :니코틴산(nicotinic acid)또는 나이아신(niacin)이라고도 한다. 피부염의 일종인 펠라그라(pellagra)를 예방해주는 효과가 있어 '항펠라그라(pellagra preventive)인자'라고도 하며, 영어명 앞 글자를 각각 따서 '비타민PP' 라고도 부른다. 나이아신은 적은 양으로도 피부에 붉은 홍반을 유발할 수 있기 때문에 이러한 부작용이 적은 나이아신아마이드(niacin amide)가 주로 쓰이고 있다. 나이아신아마이드는 피부에 흡수된 후 아마이드 분해 효소에 의해 나이아신 으로 변한다.

④ 비타민B_6 : 피리독신(pyridoxine)이라고도 하며, 피지분비 억제작용이 있어 지성 피부에 효과가 있다.

⑤ 비타민C 팔미테이트(vitaminC palmitate): 아스코빌 팔미테이트(ascorbyl palmitate)라고도 하며, 콜라겐 합성 촉진, 피부미백 등의 효과가 있다. 비타민C 자체는 쉽게 산화되어 분해되며, 수용성으로 피부흡수가 잘 되지 않는다. 따라서 비타민C 의 안정성을 높이고, 피부 흡수를 촉진하기 위해 에스테르 타입인 비타민C 팔미테이트가 주로 사용된다. 피부에

흡수된 후 에스테라제에 의해 비타민C가 생성된다.

⑥ 비타민E 아세테이트(vitaminEacetate): 토코페릴 아세테이트(tocopheryl acetate) 또는 초산토코페롤이라고도 하며 혈행촉진, 노화억제, 유해산소 제거 등의 효과가 있다. 비타민E 자체는 비타민C 와 마찬가지로 쉽게 산화되어 분해되므로 에스테르 타입인 비타민E 아세테이트를 사용한다. 피부에 흡수된 후 에스테라제에 의해 비타민E가 생성된다.

⑦ 디-판테놀(D-panthenol) : 비타민B_5 로 D-판토텐산(pantothenic acid)의 전구체로 프로 비타민B_5 또는 판토테닐알코올(pantothenyl alcohol)이라고 한다. 세포증식을 도와주며 글리세린과 달리 끈적이지 않고 뽀송뽀송한 느낌의 보습효과를 준다. 피부 진정 효과가 있어 민감성 화장품, 선탠제품에 사용하며, 피부자극이 판토텐산보다 적고 피부흡수가 용이한 장점이 있다.

⑧ 비오틴(biotin): 비타민H 라고도 하며, 동식물계에 널리 분포하는 세포성장인자(cell growth factor)의 일종으로 결핍되면 지루성 피부염이 생기기 쉽다. 손상된 케라틴 단백질을 회복시키므로 손톱 · 모발 등의 치유에 좋다.

⑨ 코엔자임Q10 (coenzyme Q10): 지용성비타민의 일종으로 '비타민 Q'라고도 한다. 미토콘드리아의 세포막에 존재하며 생체에너지(ATP)가 잘 생성되도록 돕고 비타민E와 유사하게 항산화작용을 하며 피부노화를 억제하는 조효소이다. 코엔자임Q10은 황색의 퀴논화합물에 이소프렌(isoprene)단위가 10개 결합된 화학구조이다.

⑩ 비사보롤(bisabolol): 카모마일에서 얻은 물질로 일광화상에 의한 피부염 치유에 효과적이고 홍반을 감소시켜 준다.

⑪ 세라마이드(ceramide): 세포간 지질의 하나로서 피부나 모발세포의 응집력을 강화 시켜준다. 동물과 식물 모두에서 추출되며, 화학적으로 합성한 것을 슈도-세라마이드(pseudo-ceramide)라고 한다.

11) pH

(1) 산과 염기

아레니우스(Trrhenius)의 정리에 따른 산(acid)은 수용액에서 H^+(수소이온)을 나타내는 물질로 염산(HCl), 황산, 질산, 아세트산, 인산 등이 있다. 염기(base)는 수용액에서 OH^-(수산화이온)을 나타내는 물질로 수산화나트륨(NaOH, 가성소다), 수산화칼륨(KOH, 가성가리)등이 있다.

(2) pH(potential of hydrogen)

pH는 수소이온지수로 사용되고 있으며 수소 이온농도를 나타낸다. 덴마크 생화학자인 쇠렌센(SOrensen)에 의해 제안되었으며 25℃의 수용액에서 pH와 pOH의 합은 항상 14이며 pH1~7까지는 산성이며, pH8~14까지는 알칼리성을 나타낸다.

(3) 알파-하이드록시애씨드(AHA, alpha hydrosy acid)

- AHA는 카르복시기(COOH)에서 첫 번째 탄소(alpha위치)에 하이드록시기(OH)가 결합되어 있다.
- 알파 하이드록시애씨드(AHA)는 유리산 또는 염의 형태로 식물계에서 발견되는 유기산으로서 시트릭애씨드(구연산, citric acid, citrus fruit-오렌지, 레몬) 글라이콜릭애씨드(글리콜산, glycolic acid, sugar cane-사탕수수) 락틱애씨드(젖산, lactic acid, sour milk, tomato juice- 우유, 토마토주스) 말릭애씨드(사과산, malic acid, apple-사과), 타르타릭애씨드(주석산, tartaric acid, grape-포도)가 있다. 알파 하이드록시애씨(AHA)는 고농도일 때 묵은 각질을 제거하는 필링제(peeling agent, exfoliant)로 사용되며, 저 농도일 때는 pH조절제, 보습제로 사용되고 있다.

(4) 베타-하이드록시애시드(BHA, beta hydroxy acid)

BHA는 카르복시기에서 두 번째 탄소(beta 위치)에 하이드록시기가 결합되어 있고, 화장품에 사용되는 BHA는 살리실릭애씨드(salicylic acid)이다. 살리실릭애씨드의 배합 한도는 일반화장품에 0.5%가 지정되어있으며 각질제거 효과는 AHA보다는 약하지만 피부에는 더 안전하다.

12) 산화와 환원

산화와 환원은 수소와 산소의 결합으로 이루어지며, 전자의 이동이나 산화수의 변화로 알 수 있다. 산화수는 물질 중의 원자가 어느 정도 산화 또는 환원되었는가를 나타내는 수치로 산화상태는(+)로 나타내고 환원상태는 (-)로 나타낸다.

표 6-6. 산화와 환원 반응

구분	산화 (oxidation)반응	환원 (reduxtion)반응
산소(O)	산소와 결합하는 반응	산소를 잃는 반응
수소(H)	수소를 잃는 반응	수소와 결합하는 반응
전자의 이동	화학반응에서 원자나 이온이 전자를 잃는 반응	화학반응에서 원자나 이온이 전자를 얻는 반응
산화수의 변화	산화수가 증가 (+)	산화수가 감소(-)

3. 원료 및 내용물의 규격

1) 유성재료: 유성재료는 화장품에서는 수분 증발을 억제하고 사용 감을 향상시킨다.

(1) 유지류(oils and fats)

유성재료는 상온에서 액체인 것은 오일, 고체인 것은 지방이다. 유성재료에는 유지류(식물성 오일, 동물성 오일) 왁스, 탄화수소류, 지방산, 고급알코올, 에스테르류, 실리콘오일, 등으로 나눠진다. 유지는 고급지방산과 글리세린의 트리글리세라이드로 동물, 식물에 주로 분포한다.

① 경화유: 불포화지방산의 보관, 유통을 위하여 가열한 후 강제로 수소를 주입하여 만든 것. 예)마가린은 트랜스지방산이라고도 함→심장에 해로운 식품(기름) 뇌 활동을 억제함. 지방산은 포화지방산과 불포화지방산으로 나눔

② 포화지방산: 일반적으로 상온에서는 고체상태로 존재하는 포화지방산은 피부에 흡수도가 느려 지성피부 보다는 건성피부에 적합함.(예. 라우릭산, 미리스틱산, 팔미틱산, 스테아린산 등)

③ 불포화지방산: 지방산으로 구성된 유지로 비누와 화장품을 만들 때 사용함. 단 이중결합이 있기 때문에 햇빛이나 산소에 약함. 그러나 흡수력은 매우 뛰어남. 주로 로션 에 사용함. (예. 올레인산, 리놀산, 팔미톨레산, 리놀렌산 등.)

(2) 동물성 원료

① 에뮤오일: 비타민A, Linoleic acid, Oleic acid가 함유되어 있다. 염증을 방지하고 박테리아의 성장을 억제한다. 근육, 관절 통증을 완화하고 흉터나 튼살, 화상, 상처치료에 효과가 있으며, 모공을 막지 않는다.

② 밍크오일: 밍크는 자기 피부의 약 15%가 손상되었을 때 본래의 피부로 회복되는 능력이 있다. 주름방지, 미백효과, 아토피성 피부염 등 모든 피부 트러블을 완화시킨다. 베이비오일

이나 피부 컨디셔닝제로 사용된다. 가려움증, 땀띠에도 효과가 있다.

③ 스쿠알란: 심해의 상어간유에서 추출되며, 인체의 피지와 거의 유사한 구성으로 피부 친화성이 있어 자극이나 알러지 유발성이 적고 또한 보습제, 유연제 등으로 사용된다.

④ 라놀린(Lanolin): 양에서 정제, 탈수한 지방산으로 담황색, 황갈색의 연한 덩어리로 냄새가 거의 없음. 피부에 얇은 막을 형성해서 피부에 침투 효과와 유연효과가 있다. 주부습진에도 효과적임.

(3) 왁스

왁스는 일반적으로 기초화장품이나 메이크업 화장품에 주로 사용되는 고형의 유성성분으로 고급지방산에 고급알코올의 에스테르결합으로 된 물질을 말한나. 보통 실온에서는 고제가 많으며, 가열하면 녹기 쉽고 타기도 한다. 그리고 왁스는 공기 중에 노출되면 식물성 또는 동물성 오일에 비해 변질이 적고, 산화에도 안정되어 있다.

① 식물성오일

- 카르나우바왁스(Carnauba Wax): 브라질 카르나우바 야자의 잎과 싹에서 추출하며 화장품을 고체화 한다. 피부표면의 보호막을 형성하고 끓는점이 높아 단단한 립스틱 제조에 많이 이용되며, 알레르기 유발 가능성이 낮다.
- 칸데릴라왁스(Candellia Wax): 미국 남부, 멕시코의 칸데릴라 줄기에서 추출하며 유일한 액체왁스이다. 자극이 적고 피부흡수가 용이하여 피부염 치료제로 사용하며, 피부와 유사한 화학구조를 가지고 있어 피부친화성이 있다. 화장품의 베이스기제로 널리 이용된다.

(4) 탄화수소류

광물성 유지는 석유나 광물질에서 얻어지는 광물성기름으로 C15 이상의 포화탄화수소로 구성. 무색, 무취, 무미하며, 화학적으로 불활성으로 변질이나 산패가 없어 피부호흡에 방해를 줄 수 있다. 단점: 피부트러블, 유분감, 이 지나치게 강하고, 흡수가 잘 되지 않아 피부 호흡에 방해를 줄 수 있다.

① 고형 파라핀: 석유의 증류과정에서 마지막에 남은 부분을 정제하여 얻은 백색 또는 투명한 고체, 무색, 무취, 불활성이고 크림이나 립스틱 등에 사용한다.

② 유동 파라핀: 석유로부터 추출하며 미네랄오일이라고도 한다. 피부에 유연감, 또는 수분 증발억제 등에 사용된다.

③ 바셀린: 석유로부터 추출하고 반고체상의 탄화수소이다. 유동파라핀과 파라핀의 콜로이드 물질로 구성된다.

(5) 고급지방산

지방산은 보통 R-COOH로 표시되는 화합물로 화장품에 사용되는 지방산은 대체로 고급지방산으로 C12 이상으로 포화지방산이다. 최근에는 석유로부터 추출하고 있다.

① 라우릭산: 야자유나 팜유에서 추출하며, 거품상태가 좋아 화장비누나 폼클렌징에 주로 이용된다.

② 미리스틱산: 버터, 팜유 및 야자유 등을 비누화하여 얻은 혼합지방산으로 거품성 및 세정력이 좋아 세안크림이나 면도용 크림으로 이용된다.

③ 팔미틱산: 스테아린산과 함께 대표적인 지방산의 일종으로 녹는점이 낮고, 용해성을 필요로 하는데 주로 이용된다.

④ 스테아린산: 대표적인 지방산으로 포화지방산이다. 모든 동식물에 중성지방인 스테아린이 들어있으며, 소포제 윤활제 등에 이용된다.

⑤ 이소스테아린산: 스테아린산의 이성질체이며, 라놀린에 들어있다.

(6) 고급 알코올

주로 천연 유지에서 추출하거나 왁스, 고급지방산 또는 석유, 석탄 등에서 합성하여 추출한다. R-OH의 구조로 1가 알코올을 총칭하며, 고급알코올은 화장품의 점도를 조절하고 유화를 안정시키는 유화보조제로 이용된다.

① 세틸알코올(CH3(CH2)15OH): 백색알갱이로 보통 팜유, 우지의 환원에 의해서 만들어지며, 일명 세탄올 이라고도 한다. 자체로는 유화기능은 없으나 유화 안정 보조제나 점도 조정제로 많이 사용된다.

② 스테아릴 알코올(CH3(CH2)17OH): 우지, 야자유 등에서 세틸알코올과 같은 방법으로 추출한다. 고래나 돌고래 기름에서 얻었던 기름기가 있는 고체 알코올, 화학 명으로 1-옥타데카놀, 오타데실알코올 이라고도 한다.

③ 이소스테아릴 알코올: 탄소가 18개인 스테아릴 알코올의 이성질체로 액체이며 열 안정성과 산화안정성이 우수하며, 유연제 등으로 이용된다.

(7) 에스테르

지방산과 알코올의 탈수반응으로 합성되면, R-COO-R로 표시된다. 화장품에서는 피부에 유연성과 산뜻한 감촉으로 사용감이 우수하고 용해제로도 이용된다.

① 이소프로필 미리스테이트: 고급지방산인 미리스트산에 저급 알코올인 이소프로필알코올이 에스테르결합된 것으로 무색, 투명한 액체로 다른 오일과의 사용성이 좋으며, 용해성이 우

수하고 광물성 오일에 비해 유분감이 낮고 감촉이 가볍다.

② 세틸옥타노에이트: 이소프로필 미리스테이트에 비해 분자량이 크고 피부에 대한 부담이 적다.

③ 세틸 2-에틸 헥사노에이트: 세탄올과 2-에틸헥사노에이트의 에스테르 화합물로 점도가 낮으며, 사용감이 비교적 가볍다.

(8) 실리콘오일

실리콘은 실록산 결합(-Si-O-Si-O-)을 갖는 유기규소 화합물의 총칭이다. 실리콘 오일의 특성은 무색, 무취이며 내수성이 높고 탄화수소류와 같은 끈적임이 없어 사용감이 가벼우며 피부나 모발에 퍼짐성이 우수하다.

① 디메치콘: 분자량에 따라 점도가 액상~페이스트상 까시 다양하며, 가벼운 사용감을 부여하고 유분의 끈적거림을 억제시켜 퍼짐성을 증가시키며 소포기능도 한다.

② 디메틸폴리실록산: 실리콘 중에 가장 많이 사용하는 원료로서 분자량이 클수록 점도가 높아져 왁스형태로 존재하며, 특히 모발제품에 모발의 윤기를 부여하고 소포기능도 한다.

③ 사이클로메치콘: 디메치콘의 메틸기의 일부를 페닐기로 치환한 구조로 에탄올에 용해되며, 가볍고, 매끄러운 사용감을 가진 휘발성 오일로 끈적임이 거의 없어 기초화장품이나 메이크업에 많이 이용된다.

(9) 식물성 원료

① 로즈 힙오일: 주요성분은 리놀레익산(47%),리놀렌산(33%),비타민C 이며, 입가주름, 눈가의 깊은 주름, 얼굴 주름, 상흔치유에 효과적이다. 냉압착법으로 추출한다.

② 세인트존스 워트오일: 주요성분은 하이페리신이며, 민감한 피부, 붉은 피부, 여드름, 상처치료, 근육통과 같은 통증 완화에 사용한다. 인퓨즈로 추출한다.

③ 달맞이꽃 종자유: 주요성분은 GLA(10%), 비타민 E, F 이며, 노화피부, 기미, 주름살제거, 세포재생, 건조한 피부, 아토피 피부에 적용하며 냉압착으로 추출한다.

④ 포도씨오일: 주요성분은 칼륨, 철, 비타민 A, B, C 이며, 노화를 방지하는 산화방지제(토코페롤) 피부진경작용, 피부재생, 여드름피부, 혈관수축작용을 하며, 냉압착으로 추출한다.

2) 보습제

피부를 윤택하게 가꾸기 위해 피부의 건조를 막아 피부를 부드럽고 촉촉하게 해주는 화장품을 말한다. 보습제는 폴리올, 천연보습인자, 고분자 보습제로 나뉘어진다.

(1) 보습제의 조건

- 적정한 흡습 능력이 있고, 흡습력이 지속될 것.
- 흡습력이 환경조건의 변화(습도, 온도, 바람 등)의 영향을 받지 않을 것.
- 가능한 무색, 무취, 무미하고 안전성이 높고, 응고점이 가능한 낮을 것.
- 점도가 적정하고 사용감이 우수하며, 피부와의 친화성이 좋을 것.
- 다른 성분과 혼용성이 좋고, 흡습력이 피부나 제품계의 보습에 기여할 것.
- 가능한 휘발성이 없을 것.

(2) 폴리올(polyol)

① 글리세린: 가장 보편적으로 많이 사용한다. 지방의 가수분해와 당분의 발효로 제조될 수 있다. 무색무취이며, 맛은 달고, 사용시 끈적한 편이다.

② 프로필렌글리콜: 글리세린과 유사한 형태를 가지고 있으며, 무색, 무취의 투명한 액체로 용해력은 글리세린보다 우수하다.

③ 1, 3 부틸렌글리콜: 보습력이나 피부 자극 면에서는 글리세린과 프로필렌글리콜의 중간 정도이며, 항균성을 가지고 있으며, 상대적으로 가격은 비싼 편이다.

④ 솔비톨: 식물계에 폭넓게 존재하며 숙성된 과일, 해조류와 여러 가지 열매에도 존재한다. 공업적으로는 포도당을 환원하여 만든 D-Sorbitol 또는 D-Glucitol로 불리어지는 6가당 알코올이다. 백색의 작은 알갱이로 가루 또는 결정성 덩어리로 냄새는 없고 단맛이 난다. 청량감, 감미료(습윤조정제), 단백질 변성 방지, 보향성 등의 작용을 한다.

(3) 천연보습인자

천연보습인자는 수분증발을 억제하여 피부가 거칠고, 갈라지는 것을 방지한다. 표피의 천연보습인자는 세라마이드, 진피의 천연보습인자는 NMF라고 한다.

① 젖산나트륨: NMF에 존재하는 천연보습성분으로 다가알코올류에 비해 높은 보습력이 있다.

② 2-피롤리돈-5-카르본산나트륨: NMF 중에서 보습성분으로 흡습, 보습 효과가 있으며, 특히 염의형태가 되어야 효과가 있다.

③ 네츄럴베테인: 크림이나 로션, 스킨, 샴푸, 린스 등의 제조에 다양하게 쓰이는 천연식물인 사탕무에서 추출한 보습제이다.

④ 모이스틴: 백년초(제주도 손바닥 선인장 열매)의 식이섬유와 맥아에서 추출한 무코다당체 성분이 다량 함유된 무자극 식물성 천연 보습제이다.

(4) 고분자보습제

① 히아루론산: 피부의 천연 보습 인자를 구성하기 위하여 탄력섬유와 결합섬유 사이에 존재하는 보습 성분(뮤코다당류)이다. 초기에는 닭벼슬이나 동물의 탯줄에서 추출하였으나 최근에는 미생물 발효생산에 의해 대량 생산하고 있다. 나이가 많을수록 히아루론산이 감소하는데 보습제 중에서 수분 유지 능력이 가장 높다.

② 콘드리틴 황산염: 피부, 육아, 탯줄 등 각종 결합조직에도 있는 다당류로 점성이 있는 것이 특징이다. 특히 진피의 기질 속에 있어 피부의 보습력을 갖게 한다.

③ 콜라겐: 진피의 90%이상을 차지하는 성분으로 우수한 보습능력과 물 결합력이 우수하다. 분자량이 커서 피부 깊숙이 침투가 용이하지 않다.

④ 리피듀어: 인공적으로 합성된 단백질의 일종의 보습제이다. 피부의 보호 거칠어짐 방지(수분 증발을 억제), 윤택, 피부염 억제효과 등의 기능을 한다.

3) 계면활성제

① 한 분자 내에 물에 녹기 쉬운 친수성 성분과 기름에 녹기 쉬운 친유성 부분을 동시에 가지고 있는 물질을 총칭해서 말한다. 예)액체/기체의 면이 서로 접하는 부분을 표면이라 하고 액체와 액체 사이의 접하는 면을 계면이라 한다.

② 계면활성제를 사용 용도에 따라 분류하면 크림이나 로션과 같은 유액을 만드는데 사용된 계면활성제를 유화제라고 하며, 향수와 같은 화장수를 만드는데 사용되는 계면활성제를 가용화제 라고 한다. 또 샴푸나 클렌저 같은 세정제를 만드는데 사용되는 계면활성제를 기포형성제라고 하며, 메이크업과 같은 고형화장품을 만드는데 사용되는 계면활성제를 습윤제라고 한다. 이온의 형태에 따라 분류하면 양이온성, 음이 온성, 양쪽성, 비이온성으로 나뉘며 세정력이 높은 순으로 하면 음이 온성 〉 양쪽성 〉 양이온성 〉 비이온성 이다. 피부자극은 높은 순으로 하면 양이온성 〉 음이 온성 〉 양쪽성 〉 비이온성 순이다.

③ 비누화 반응

- 비누화 반응(saponification)은 지방산이 알칼리(예, 수산화나트륨, 가성소다), 수산화칼륨(가성가리)과 반응하여 비누(고급지방산의 알칼리 금속염)를 만드는 반응으로 검화 라고도 한다. 또한 트리글리세라이드(식물성 오일 등)가 알칼리와 반응하는 것도 "비누화 반응 "이라 하며, 식물성 오일의 비누화 반응에서는 보습제인 글리세린이 형성되어 천연비누에는 글리세린이 포함되어 있다. 보통은 비누화 반응을 통해 생성된 글리세린은 묽은 염산 등을 통해 회수하여 화장품원료인 글리세린으로 판매된다.
- 일반 시중에서 유통 판매되는 비누는 비누베이스(soap chip)에 향료, 컬러를 추가하여 제조한 것으로 글리세린이 포함되어 있지는 않다.

표 6-7. HLB값에 따른 계면활성제의 용도 구분

HLB 값의 범위	용도
1~4	소포제
3~6	W/O 유화제
7~9	습윤제, 분산제
8~18	O/W 유화제
13~15	세정제
15~18	가용화제

4. 혼합 · 소분에 필요한 도구 · 기기 리스트 선택

혼합하거나 소분할 때 사용하는 도구와 기기는 모두 알코올 소독을 해두고 도구 및 기기 리스트를 작성하여 정기점검을 통하여 항상 청결함을 유지 · 보관해야 한다. 도구 및 기기 리스트에 기재할 내용은 핫플레이트, 스텐비이커, 온도계, 미니 블랜더, 계량스푼, 스페출러, 실리콘 주걱, 전자저울, 유리 계량컵, 유리비이커, 스포이드, 소독용 알콜 스프레이, 시약용 스푼, pH테스트지, 피펫 등 혼합하거나 소분 시에 필요한 도구 및 기기를 모두 리스트로 작성하여 관리 · 보관해야 한다.

화장품 제조시 물과 기름을 유화시켜서 안정한 상태로 유지하기 위해서는 분산상의 크기를 미세하게 해주는 장치로 호모믹서(homo mixer)와 호모게나이저(homogenizer), 디스퍼 등과 고체상태인 안료를 목적에 따라 분쇄하여 혼합, 분산 등에 사용하는 볼 밀, 콜로이드 밀, 롤러 밀, 프로펠러식 교반기 등도 기기리스트를 작성하여 적정하게 관리하고 보관해야 한다.

5. 혼합 · 소분에 필요한 기구 사용

맞춤형화장품을 혼합하거나 소분할 때는 주변과 조제관리사의 위생상태를 점검하고 청결한 공간에서 소독된 적절한 기구를 사용하여 혼합 또는 소분하여야 한다. 사용할 기구는 모두 알코올로 소독하여 사용하여야 하며 과정이 모두 끝날 때까지 소독과 위생에 따른 절차대로 기구를 사용하여야 한다. 혼합 · 소분에 필요한 기구로는 스파출러, 계량스푼, 전자저울, 비이커, 등이 필요하다.

6. 맞춤형화장품 판매업 준수사항에 맞는 혼합 · 소분 활동

먼저 맞춤형화장품 작업장과 시설 및 기구를 정기적으로 점검해야 위생적으로 관리를 할 수 있으며 위생상태를 유지해야 한다. 또 혼합하거나 소분에 사용되는 시설과 기구 등은 사용 전 · 후로 세척해야 하고, 세제나 세척제는 잔류가 남거나 표면에 이상을 초래하지 않는 제품으로 사용해야 하며 세척한 시설, 기구는 잘 건조시켜 다음 사용 시까지 오염되는 것을 방지해야 한다. 위생은 특별히 신경써야 하는 대단히 중요한 기본적인 부분이다.

작업원에 대한 위생관리도 마찬가지다. 화장품을 혼합하거나 소분하기 전 손을 소독, 세정하거나 일회용 장갑을 착용해야 한다. 또한 혼합 · 소분 시에는 위생복과 마스크를 착용해야 하며 피부에 외상이나 질병이 있는 경우는 회복되기 전까지 혼합과 소분행위를 금지한다.

맞춤형화장품의 원료보관과 기재사항에 대한 사항도 매우 중요하다. 화장품원료와 내용물이 입고되면 품질관리 여부와 사용기한 등을 확인 한 후 품질성적서를 구비해야 한다. 또 원료와 내용물은 품질에 영향을 미치지 않는 장소에 보관해야 하며 사용기한이 경과한 원료와 내용물은 조제에 사용하지 않도록 잘 관리하는 것도 매우 중요하다.

맞춤형화장품원료는 화장품 안전기준에서 사용 금지된 원료, 사용상의 제한이 필요한 원료, 사전심사를 받거나 보고서를 제출하지 않은 기능성화장품 고시 원료를 제외하고는 사용 가능한 원료로 지정되어 있으니 해당사항도 반드시 참고해야 한다. 맞춤형화장품은 사후관리도 매우 중요하다. 먼저 맞춤형화장품에 대해 부작용 발생 사례와 같은 안전성에 대한 정보를 인지한 경우에 판매업체는 신속히 책임판매업자에게 보고해야 한다. 또 해당 제품이 회수 대상임을 파악했다면 책임판매업자에게 보고함과 동시에 회수 대상 맞춤형화장품을 구입한 소비자로부터도 적극적인 회수 조치를 취해야 한다. 고객과의 신뢰감이 쌓이고 나아가서 서비스품질의 만족도를 높이는 결과로 지속적인 거래를 유지하게 될 수 있기 때문이다.

표 6-8. 사용재료에 따른 공정

공정	사용 재료
분산공정	수용성 점증제(천연고분자, 합성고분자, 무기물)
유화공정	고급지방산, 유지, 왁스에스테르, 고급알코올, 탄화수소, 유화제, 계면활성제, 방부제, 합성에스테르, 실리콘오일, 산화방지제, 보습제, 점증제, 중화제, 금속이온봉쇄제, 첨가제, 향료, 색소, 정제수
가용화공정	보습제, 중화제, 점증제, 수렴제, 산화 방지제, 금속이온봉쇄제, 알코올, 가용화제(계면활성제), 보존제, 첨가제, 향료, 색소, 정제수
혼합공정	유기합성색소, 천연색소, 기능성안료, 무기안료, 진주광택안료, 고분자분해
분쇄공정	분체, 결합체, 보존제, 산화방지제, 첨가제, 보습제, 향료

1) 혼합 · 소분에 필요한 도구 및 기기

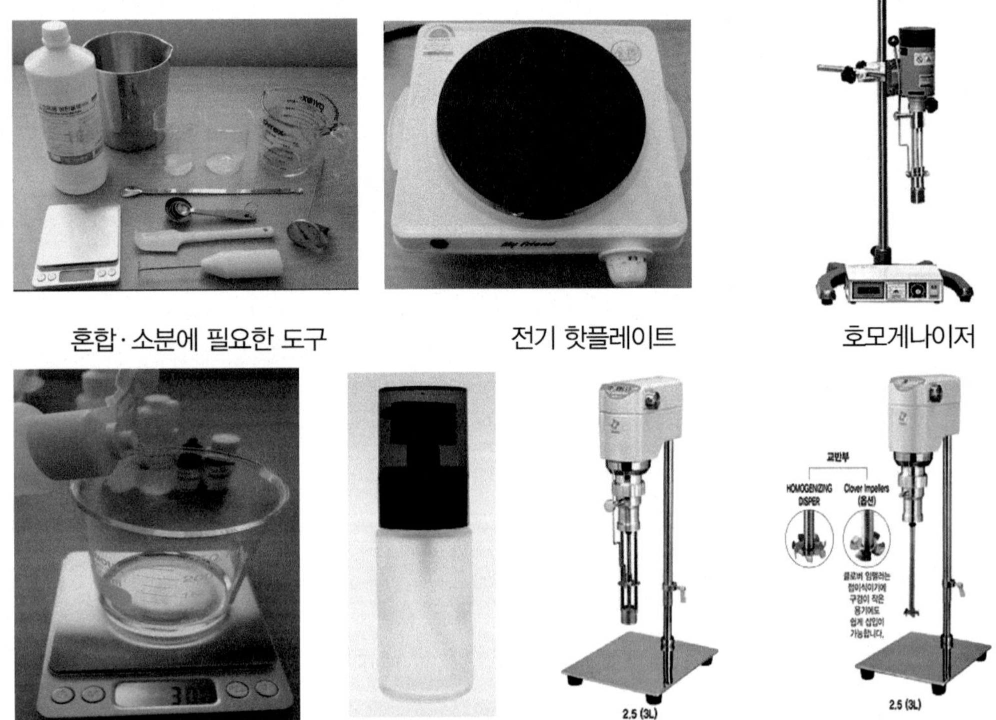

혼합·소분에 필요한 도구 / 전기 핫플레이트 / 호모게나이저

전자저울 / 공병 / 호모믹서 / 디스퍼

2) 맞춤형화장품판매업소 시설기준

(1) 맞춤형화장품의 품질 · 안전확보를 위하여 아래 시설기준을 권장

① 맞춤형화장품의 혼합 · 소분 공간은 다른 공간과 구분 또는 구획할 것

> ▸ 구분 : 선, 그물망, 줄 등으로 충분한 간격을 두어 착오나 혼동이 일어나지 않도록 되어 있는 상태
>
> ▸ 구획 : 동일 건물 내에서 벽, 칸막이, 에어커튼 등으로 교차오염 및 외부오염물질의 혼입이 방지될 수 있도록 되어 있는 상태
>
> ※ 다만, 맞춤형화장품조제관리사가 아닌 기계를 사용하여 맞춤형화장품을 혼합하거나 소분하는 경우에는 구분 · 구획된 것으로 본다.

② 맞춤형화장품 간 혼입이나 미생물오염 등을 방지할 수 있는 시설 또는 설비 등을 확보할 것

③ 맞춤형화장품의 품질유지 등을 위하여 시설 또는 설비 등에 대해 주기적으로 점검 · 관리 할 것

3) 맞춤형화장품판매업소의 위생관리

(1) 작업자 위생관리

① 혼합 · 소분 시 위생복 및 마스크(필요시) 착용

② 피부 외상 및 증상이 있는 직원은 건강 회복 전까지 혼합 · 소분 행위 금지

③ 혼합 전 · 후 손 소독 및 세척

(2) 맞춤형화장품 혼합 · 소분 장소의 위생관리

① 맞춤형화장품 혼합 · 소분 장소와 판매 장소는 구분 · 구획하여 관리

② 적절한 환기시설 구비

③ 작업대, 바닥, 벽, 천장 및 창문 청결 유지

④ 혼합 전 · 후 작업자의 손 세척 및 장비 세척을 위한 세척시설 구비

⑤ 방충 · 방서 대책 마련 및 정기적 점검 · 확인

(3) 맞춤형화장품 혼합 · 소분 장비 및 도구의 위생관리

① 사용 전 · 후 세척 등을 통해 오염 방지

② 작업 장비 및 도구 세척 시에 사용되는 세제 · 세척제는 잔류하거나 표면 이상을 초래하지 않는 것을 사용

③ 세척한 작업 장비 및 도구는 잘 건조하여 다음 사용 시까지 오염 방지

④ 자외선 살균기 이용 시,

▸ 충분한 자외선 노출을 위해 적당한 간격을 두고 장비 및 도구가 서로 겹치지 않게 한 층으로 보관

▸ 살균기 내 자외선램프의 청결 상태를 확인 후 사용

(4) 맞춤형화장품 혼합 · 소분 장소, 장비 · 도구 등 위생 환경 모니터링

▸ 맞춤형화장품 혼합 · 소분 장소가 위생적으로 유지될 수 있도록 맞춤형화장품판매업자는 주기를 정하여 판매장 등의 특성에 맞도록 위생관리 할 것

▸ 맞춤형화장품판매업소에서는 작업자 위생, 작업환경위생, 장비 · 도구 관리 등 맞춤형화장품판매업소에 대한 위생 환경 모니터링 후 그 결과를 기록하고 판매업소의 위생 환경 상태를 관리 할 것

〈맞춤형화장품판매장 위생점검표 예시〉

<table>
<tr><td colspan="3" rowspan="2">맞춤형화장품판매장 위생점검표</td><td colspan="2">점검일 년 월 일</td></tr>
<tr><td colspan="2">업소명</td></tr>
<tr><th rowspan="2">항 목</th><th colspan="2" rowspan="2">점 검 내 용</th><th colspan="2">기 록</th></tr>
<tr><th>예</th><th>아니오</th></tr>
<tr><td rowspan="7">작업자 위생</td><td colspan="2">작업자의 건강상태는 양호한가?</td><td>☐</td><td>☐</td></tr>
<tr><td colspan="2">위생복장과 외출복장이 구분되어 있는가?</td><td>☐</td><td>☐</td></tr>
<tr><td colspan="2">작업자의 복장이 청결한가?</td><td>☐</td><td>☐</td></tr>
<tr><td colspan="2">맞춤형화장품 혼합 · 소분 시 마스크를 착용하였는가?</td><td>☐</td><td>☐</td></tr>
<tr><td colspan="2">맞춤형화장품 혼합 · 소분 전에 손을 씻는가?</td><td>☐</td><td>☐</td></tr>
<tr><td colspan="2">손소독제가 비치되어 있는가?</td><td>☐</td><td>☐</td></tr>
<tr><td colspan="2">맞춤형화장품 혼합 · 소분 시 위생장갑을 착용하는가?</td><td>☐</td><td>☐</td></tr>
<tr><td rowspan="3">작업 환경 위생</td><td rowspan="2">작업장의 위생 상태는 청결한가?</td><td>작업대</td><td>☐</td><td>☐</td></tr>
<tr><td>벽, 바닥</td><td>☐</td><td>☐</td></tr>
<tr><td colspan="2">쓰레기통과 그 주변을 청결하게 관리하는가?</td><td>☐</td><td>☐</td></tr>
<tr><td rowspan="4">장비 · 도구 관리</td><td colspan="2">기기 및 도구의 상태가 청결한가?</td><td>☐</td><td>☐</td></tr>
<tr><td colspan="2">기기 및 도구는 세척 후 오염되지 않도록 잘 관리 하였는가?</td><td>☐</td><td>☐</td></tr>
<tr><td colspan="2">사용하지 않는 기기 및 도구는 먼지, 얼룩 또는 다른 오염으로 부터 보호하도록 되어 있는가?</td><td>☐</td><td>☐</td></tr>
<tr><td colspan="2">장비 및 도구는 주기적으로 점검하고 있는가?</td><td>☐</td><td>☐</td></tr>
<tr><th colspan="2">특이사항</th><th>개선조치 및 결과</th><th>조치자</th><th>확인</th></tr>
<tr><td colspan="2"></td><td></td><td></td><td></td></tr>
</table>

4.7 충진 및 포장

포장작업을 시작하기 전 포장작업에 관한 문서화 절차를 수립하고 유지해야 하며, 포장지시서에는 제품명, 포장 설비명, 포장재 리스트, 상세한 포장공정, 포장 생산수량이 포함되어 있어야 한다. 그리고 포장 작업을 시작하기 전에 포장관련 문서의 완비여부, 포장설비의 청결 및 작동여부 등을 점검하고 포장 작업을 수행해야 한다.

1. 제품에 맞는 충진 방법

화장품의 포장공정은 벌크제품을 일정한 규격의 용기에 내용물을 넣어 충진(충전)하고 포장하는 공정이다. 화장품은 제품마다 고유의 점도(viscosity)를 가지고 있다. 따라서 포장하는 방법 또한 상당한 차이가 있을 수도 있는데 로터리 충진기는 특히 병포장에 사용되는 기계설비로 특징은 병정렬 및 충진, 캡핑, 배출이 자동으로 이루어진다. 그리고 스킨처럼 점도가 낮은 제품에 사용할 수 있으며 이와 유사한 음료의 충진에도 사용할 수 있다. 충진기에는 피스톤 방식 충전기, 파우치 방식 충진기, 파우더 방식 충진기, 카톤(carton) 충진기, 액체 충진기, 튜브 충진기 등이 있다.

그리고 수작업으로 일회용 주사기와 스포이드를 이용한 충진 방법이 있으며, 단지형 크림류를 충진 할 때는 스파출러나 스푼을 이용하기도 한다. 충진 하기 전에 작업장을 위생적으로 청결하게 관리하고 용기와 도구 등을 청결하게 소독을 한 다음 포장 작업을 실시해야 한다.

표 7-1. 제품에 따른 충진기

충진기	제품
피스톤 방식 충진기	용량이 큰 액상 타입: 샴푸, 린스, 컨디셔너 등
파우치(pouch) 충진기	1회용 파우치: 시공품, 견본품 등
파우더 충진기	파우더류: 페이스파우더 등
액체 충진기	액상타입: 스킨로션, 토너, 앰플 등
튜브 충진기	튜브용기: 썬크림, 폼클렌징 등
카톤(carton) 충진기	박스에 테이프를 붙이는 테이핑(tapping)기

2. 제품에 적합한 포장 방법

화장품 포장공정은 제조번호 지정부터 시작하는 많은 작업으로 구성되어 있으며, 포장지시서 발행, 포장기록서 발행, 벌크제품, 포장재 준비, 완제품 보관, 포장기록서 완결, 포장재 재보관 작업으로 이루어진다. 화장품의 포장공정은 벌크제품을 용기에 충전하고 포장하는 공정이다. 포장의 경우, 원칙은 제조와 동일하게 완제품이 기존의 정의된 특성에 부합하는지를 보증하기 위한 조치가 먼저 이루어져야 한다.

포장을 시작하기 전에, 포장 지시가 이용가능하고 공간이 청소되었는지 확인하는 것이 반드시 필요하며, 이러한 포장 라인의 청소는 세심한 주의가 필요한 작업이다. 누락의 위험이 상당히 많이 존재하기 때문이다. 예를 들면 병, 튜브, 캡이나 인쇄물 등을 빠뜨리기 쉽고, 결과적으로 청소는 혼란과 오염을 피하기 위해 적절한 기술을 사용하여, 규칙적으로 실시하여야 한다.

작업 전 청소상태 및 포장재 등의 준비 상태를 점검하는 체크리스트를(line start-up) 작성하여 기록 · 관리해야 하며 제조번호는 각각의 완성된 제품에 지정되어야 하고 용량관리, 기밀도, 인쇄 상태 등 공정 중 관리(In-process control)는 포장하는 동안에도 정기적으로 실시해야 한다. 공정중의 공정검사 기록과 합격기준에 미치지 못한 경우의 처리내용도 관리자에게 보고하고 기록하여 관리한다. 그리고 가능하다면, 시정조치가 시행될 때가지 공정을 중지시켜야 하며, 이는 벌크제품과 포장재의 손실 위험을 방지하기 위함이다. 포장의 마지막 단계에서, 작업장 청소는 혼란과 오염을 피하기 위해 적절한 절차대로 일관되게 실시되어야 한다.

안전용기 · 포장 대상 품목 및 기준은 법 제9조의2제2항에 따라 안전용기 · 포장을 사용하여야 하는 품목을 정해 놓았다. 다만, 1회용 제품, 용기 입구 부분이 펌프 또는 방아쇠로 작동되는 분무용기 제품, 압축 분무용기 제품(에어로졸 제품 등)은 제외한다.

① 아세톤을 함유하는 네일에나멜리무버 및 네일폴리시리무버
② 어린이용 오일 등 개별포장당 탄화수소류를 10퍼센트 이상 함유하고 운동점도가 21센티스톡스(섭씨 40도 기준) 이하인 비에멀젼 타입의 액체상태의 제품
③ 개별포장당 메틸 살리실레이트를 5퍼센트 이상 함유하는 액체상태의 제품
④ 안전용기 · 포장은 성인이 개봉하기는 어렵지 아니하나 만 5세 미만의 어린이가 개봉 하기는 어렵게 된 것이어야 한다. 이 경우 개봉하기 어려운 정도의 구체적인 기준 및 시험방법은 산업통상자원부장관이 정하여 고시하는 바에 따른다.〈개정 2013. 3. 23.〉

1) 화장품 포장재

화장품 포장재에는 1차 포장재, 2차 포장재, 각종 라벨, 봉합 라벨까지 많은 포장재를 포함한다. 화장품 포장재 중 라벨에는 제품 제조번호 및 기타 관리번호를 기입하므로 실수하지 않도록 라벨은 포장재에 포함하여 관리하는 것이 좋다.

(1) 화장품 용기에 필요한 특성

① 품질 유지성 : 광투과성(차광용기), 내용물 · 수분 투과성, 알칼리 용출, 변취, 변질
② 기능성
- 사용상의 기능: 캡 빠짐, 충격강도(캡이 겉돌거나, 콤팩트류의 개폐마모),
- 사용상의 안전성: 사용방법과 사용 장소에 따른 안전성 (예)목욕탕: 플라스틱용기)

③ 적정 포장 : 적정 품질 수준, 적정 용량, 적정 용적
④ 경제성 : 재료비, 물류비용
⑤ 판매 촉진성

(2) 화장품 용기의 종류

① 세구병: 병의 입구의 외경이 몸체에 비해 작은 것
② 광구병: 병의 입구의 외경이 몸체 외경에 가까운 것
③ 튜브 용기
④ 원통상 용기: 마스카라, 아이라이너 등
⑤ 파우더 용기
⑥ 콤팩트 용기

(3) 화장품 용기에 이용되는 재료

① 소재의 종류
- 플라스틱: PE, PP, PS, AS, ABS, PVC, PET, 등
- 유리: 소다석회 유리, 칼리납 유리, 유백 유리
- 금속: 알루미늄, 황동, 철 등

표 7-2. 화장품 용기에 이용되는 재료와 특징

구분	명칭	특성	사용 부위
플라스틱	LDPE(저밀도 폴리에틸렌)	• 반투명, 광택성, 유연성 우수 • 내외부 응력이 걸린 상태에서 알코올, 계면활성제와 접촉하면 균열 발생	튜브, 마개, 패킹
	HDPE(고밀도 폴리에틸렌)	• 유백색, 무광택, 수분 투과 적음	화장수, 샴푸, 린스 용기 및 튜브

구분	명칭	특성	사용 부위
	PP(폴리프로필렌)	• 반투명, 광택성, 내약품성 우수	원터치 캡
	PS(폴리스티렌)	• 투명, 광택성, 딱딱함, 성형가공성 및 치수 안정성 우수	팩트, 스틱 용기
	AS수지	• 투명, 광택성, 내충격성 우수	크림, 팩트, 스틱류 용기, 캡
	ABS수지	• AS수지의 내충격성을 향상시킨 소재 • 향료, 알코올에 취약 • 도금 소재로 이용	팩트 용기
	PVC(폴리염화비닐)	• 투명, 성형 가공성 우수, 저렴	샴푸, 린스 용기
	PET(폴리에틸렌 테레프탈레이트)	• 투명성, 광택성, 내약품성 우수, 딱딱함	화장수, 유액 용기
유리	소다석회 유리	• 대표적인 투명유리 • 산화규소, 산화칼슘, 산화나트륨에 소량의 마그네슘, 알류미늄 등의 산화물 함유	화장수, 유액 용기
	칼리납 유리	• 크리스탈 유리, 굴절률이 매우 높음 • 산화납이 다량 함유됨	고급 향수병
	유백유리	• 백색 유리	크림. 세럼 용기
금속	알루미늄	• 가볍고 가공성이 우수 • 표면 장식이나 산화 방지 목적으로 사용	에어로졸 관, 립스틱, 마스카라 용기
	황동	• 금과 유사한 색상으로 코팅, 도금, 도장 작업을 첨가함.	팩트, 립스틱 용기
	스테인리스 스틸	• 광택 우수, 부식이 잘 되지 않음	에어로졸 관
	철	• 녹슬기 쉬우나 저렴함	스프레이 용기

② 성형, 가공 방법
- 플라스틱 성형 방법: 압축, 사출, 블로우, 압출, 진공성형 등
- 유리의 성형: 블로우, 프레스, 플레스/블로우 성형 등
- 금속의 성형: 프레스, 임팩트 등

(4) 화장품 제형에 따른 충진

① 화장수 유액 타입: 병 충진
② 크림 타입: 입구가 넓은 병 또는 튜브 충진
③ 분체 타입: 종이상자 또는 자루 충진기
④ 에어로졸 타입: 특수 장치 충진

2) 용기(병, 캔 등)의 청결성

화장품의 1차 포장재는 중요한 청결성 확보가 필요하다. 용기(병, 캔 등)의 청결성 확보에는 자사에서 세척할 경우와 용기공급업자에 의존할 경우가 있는데, 자사에서 세척할 경우는 세척방법의 절차적인 확립이 필수적이다. 세척건조방법 및 세척확인방법은 대상으로 하는 용기에 따라 다르므로 용기세척을 개시한 후에도 세척방법의 유효성을 정기적으로 확인해야 한다.

용기의 청결성 확보를 용기공급업자(실제로 제조하고 있는 업자)에게 의존할 경우에는 그 용기 공급업자를 감사하고 용기 제조방법이 신뢰할 수 있다는 것을 확인하는 하는 것이 필수이다. 신뢰할 수 있으면 계약을 체결한다. 용기는 매 뱃치 입고 시에 무작위 추출하여 육안 검사를 실시하여 그 기록을 남긴다. 이처럼 청결한 용기를 제공할 수 있는 공급업자로부터 구입하여야 하며, 기존의 공급업자 중에서 찾거나 현재 구입처에 개선을 요청해서 청결한 용기를 입수할 수 있도록 해야 한다. 일반적으로는 구입 절차에 따라 구입한다.

3) 포장 문서

포장작업은 문서화된 공정에 따라 수행되어야 공정이 적절히 관리되는 것을 보장하기 위해, 관련 문서들을 포장작업의 모든 단계에서 이용할 수 있다. 문서화된 공정은 보통 절차서, 작업지시서 또는 규격서로 존재하는데 이를 통해, 주어진 제품의 각 뱃치가 규정된 방식으로 제조되어 각 포장 작업마다 균일성을 확보하게 된다.

표 7-3. 일반적인 포장 작업 문서에 포함사항

제품명/ 확인 코드
검증되고 사용되는 설비
완제품 포장에 필요한 모든 포장재 및 벌크제품을 확인할 수 있는 개요나 체크리스트
라인 속도, 충전, 표시, 코딩, 상자주입(Cartoning), 케이스 패킹 및 팔레타이징(palletizing) 등의 작업들을 확인할 수 있는 상세 기술된 포장 생산 공정
벌크제품 및 완제품 규격서, 시험 방법 및 검체 채취 지시서
포장 공정에 적용 가능한 모든 특별 주의사항 및 예방조치(즉, 건강 및 안전 정보, 보관 조건)
포장 공정에 적용 가능한 모든 특별 주의사항 및 예방조치(즉, 건강 및 안전 정보, 보관 조건)
포장작업 완료 후, 제조부서책임자가 서명 및 날짜를 기입해야 한다.

포장작업 시작 전에 확인사항('start-up') 점검을 실시하는 것이 일반적인 지침이다. 포장작업에 대한 모든 관련 서류가 이용가능하고, 모든 필수 포장재가 사용 가능하며, 설비가 적절히 위생처리 되어 사용할 준비가 완료되었음을 확인하는데 이러한 점검이 필수적이다.

포장 작업 전, 이전 작업의 재료들이 혼입될 위험을 제거하기 위하여 작업 구역/라인의 정리가 청결하게 이루어져야 한다. 제조된 완제품의 각 단위/뱃치에는 추적이 가능하도록 특정한 제조번호가 부여되어야 하며. 완제품에 부여된 특정 제조번호는 벌크제품의 제조번호와 동일할 필요는 없지만, 완제품에 사용된 벌크 뱃치 및 양을 명확히 확인할 수 있는 문서가 존재해야 한다.

3. 맞춤형화장품의 용기 기재사항

소비자의 선택에 도움을 주는 맞춤형화장품 표시 및 기재사항도 매우 중요하다. 맞춤형화장품에는 화장품 명칭과 가격, 식별번호와 사용기한 또는 개봉 후 사용기간, 책임판매업자 및 맞춤형화장품 판매업자 상호가 반드시 기재되어야 한다. 이는 소비자에게 신뢰감과 호감을 갖게 하는 서비스차원으로도 매우 중요한 사항이라고 할 수 있다.

〈맞춤형화장품 용기 기재사항〉

① 화장품의 명칭

② 화장품의 식별번호와 사용기한

③ 화장품의 개봉 후 사용기간
④ 책임판매업자 및 맞춤형화장품 판매업자의 상호

법 제12조에 따른 화장품 포장의 기재 · 표시 및 화장품의 가격표시상의 준수사항은 다음과 같다.
① 한글로 읽기 쉽도록 기재 · 표시할 것. 다만, 한자 또는 외국어를 함께 적을 수 있고, 수출용 제품 등의 경우에는 그 수출 대상국의 언어를 적을 수 있다.
② 화장품의 성분을 표시하는 경우에는 표준화된 일반명을 사용할 것.
화장품 가격의 표시는 법 제11조제1항에 따라 해당 화장품을 소비자에게 직접 판매하는 자는 그 제품의 포장에 판매하려는 가격을 일반 소비자가 알기 쉽도록 표시하되, 그 세부적인 표시방법은 식품의약품안전처장이 정하여 고시한다.

화장품 제조시 내용물과 직접 접촉하는 포장용기에 충진 하는 공정을 1차 포장이라고 하며, 1차 포장을 마친 화장품을 담는 1개 또는 그 이상의 포장과 화장품 보호제 및 화장품 표시의 목적으로 한 제품외부를 포장하는 재질을 2차 포장(첨부문서포함)이라고 한다.

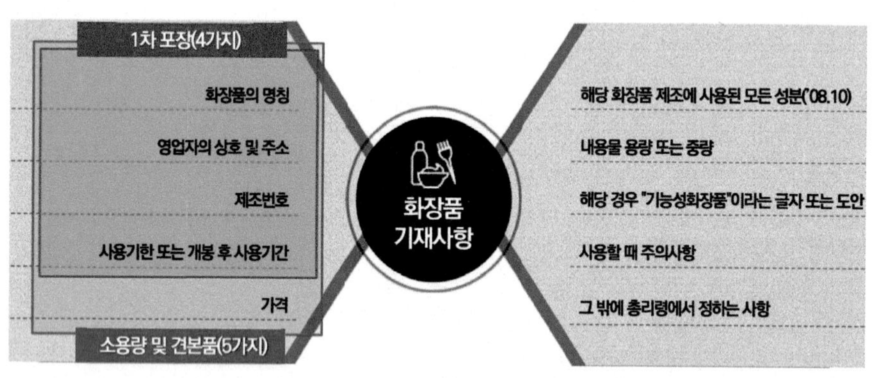

화장품 표시기재 사항(시행규칙 19조)

그 밖에 총리령에서 정하는 기재·표시 사항	기재·표시를 생략할 수 있는 성분
■ 식품의약품안전처장이 정하는 바코드 ■ 기능성화장품의 경우 심사 받거나 보고한 효능·효과, 용법·용량 ■ 성분명을 제품 명칭의 일부로 사용한 경우 그 성분명과 함량(방향용 제품 제외) ■ 인체 세포·조직 배양액이 들어있는 경우 함량 화장품에 천연·유기농으로 표시·광고하려는 경우 그 원료의 함량 ■ 수입화장품인 경우 제조국 명칭 (대외무역법에 따른 원산지를 표시한 경우 생략 가능), 제조회사명 및 소재지 ■ 제2조제8호부터 제11호까지에 해당하는 기능성화장품의 경우 "질병의 예방 및 치료를 위한 의약품이 아님"	■ 제조과정 중에 제거되어 최종 제품에는 남아 있지 않은 성분 ■ 안정화제, 보존제 등 원료 자체에 들어 있는 부수 성분으로서 그 효과가 나타나게 하는 양보다 적은 양이 들어있는 성분 ■ 내용량이 10밀리리터 초과 50밀리리터 이하 또는 중량이 10그램 초과 50그램 이하인 화장품의 성분 (단, 타르색소, 금박, 샴푸와 린스에 들어 있는 인산염의 종류, 과일산(AHA), 기능성화장품의 효능·효과가 나타나게 하는 원료, 배합한도가 정해진 원료는 제외)

＊ 출처. 식품의약품안전처 화장품 안전기준 및 표시 · 광고 개정사항

〈화장비누표시 기재사항〉

① 부직포, 랩, 비닐, 종이(유산지), 수축필름 등으로 감싸서 이를 단상자 등에 포장한 경우.
→ 상자에 화장비누의 기재사항을 표시할 수 있음.

② 서로 다른 종류의 화장비누 각각을 부직포, 랩, 비닐, 종이(유산지), 수축필름 등의 마감재로 감싸서 하나의 단상자등에 포장한 경우

- 화장품의 표시기재 의무사항을 외부박스에 표시할 수 있음. 다만 이 경우 각각 제품별로 제품명과 성분 등을 확인할 수 있도록 구분하여 표시해야 함.

③ 개별 마감재 없이 화장비누를 외부박스 등으로만 포장한 경우

- 외부박스를 최종 포장으로 판단하여 표시사항을 모두 외부박스에 표시할 수 있음.

④ 부직포, 랩, 비닐, 종이(유산지), 수축필름 등으로만 포장한 경우

- 부직포, 랩, 비닐, 종이(유산지) 등에 스티커를 부착하여 기재사항을 표시 할 수 있음.

⑤ 여러 개의 부직포, 랩, 비닐, 종이(유산지), 수축필름 등으로 함께 감싼 후 하나의 외부박스 등에 포장한 경우

- 여러 개의 화장비누를 화장품의 표시기재 의무사항을 외부박스에 표시할 수 있음. 다만, 동일한 제품이 아닌 다른 종류의 화장비누 여러 개를 한 번에 포장한 경우 외부박스에 각각 제품별로 제품명과 성분 등을 확인할 수 있도록 구분하여 표시해야 함.

4.8 재고관리

1. 원료 및 내용물의 재고 파악

보다 효율적으로 재고관리를 해야 유통기한이 있는 원료나 내용물이 변질되는 것을 예방할 수 있으며, 입고시 체크하고 중간에 사용하면 바로 사용량을 체크해서 기록해 놓아 일정하고 투명하게 재고를 파악하고 관리 할 수 있도록 해야 한다. 리스트를 작성하여 꼼꼼하게 날짜를 정하여 정기적으로 재고파악을 실시해야 한다.

1) 제품의 보관

① 완제품은 적절한 조건하의 정해진 장소에서 보관해야 하며, 주기적으로 재고 점검을 수행해야 한다.

② 완제품은 시험결과 적합으로 판정되고 품질보증부서 책임자가 출고 승인한 것만을 출고하여야 한다.

③ 출고는 선입선출방식으로 하되, 타당한 사유가 있는 경우에는 그렇지 않을 수도 있다.

④ 출고할 제품은 원자재, 부적합품 및 반품된 제품과 구획된 장소에서 보관하여야 한다. 다만 서로 혼동을 일으킬 우려가 없는 시스템에 의하여 보관되는 경우에는 그렇게 하지 않을 수도 있다.

모든 완제품은 포장 및 유통을 위해 불출되기 전, 해당 제품이 규격서를 준수하고, 지정된 권한을 가진 자에 의해 승인된 것임을 확인하는 절차서가 수립되어야 한다. 또한 절차서는 보관, 출하, 회수시, 완제품의 품질을 유지할 수 있도록 보장해야 한다. 제품관리를 충분히 실시하기 위해서는 제품에 관한 기초적인 검토 결과를 기재한 CGMP 문서, 작업에 관계되는 절차서, 각종 기록서, 관리 문서가 필요하다. 시장 출하 전에 모든 완제품은 설정된 시험방법에 따라 관리되어야 하고, 합격판정 기준에 부합하여야 한다.

(1) 배지에서 취한 검체가 합격기준에 부합했을 때만 완제품의 배지를 불출 할 수 있다. 완제품의 적절한 보관, 취급 및 유통을 보장하는 절차서를 수립하고 이러한 절차서는 다음 사항을 포함해야 한다.

① 적절한 보관 조건(예: 적당한 조명, 온도, 습도, 정렬된 통로 및 보관 구역 등)

② 불출된 완제품, 검사 중인 완제품, 불합격 판정을 받은 완제품은 각각의 상태에 따라 지정된 물리적인 장소에 보관하거나 미리 정해진 자동 적재위치에 저장되어야 한다.

③ 수동 또는 전산화 시스템은 재질 및 제품의 관리와 보관은 쉽게 확인할 수 있는 방식으로 수행되어야 하며 재질 및 제품의 수령과 철회는 적절하게 허가되어야 한다.

④ 또한 유통되는 제품은 추적이 용이해야 하며, 달리 규정된 경우가 아니라면, 재고 회전은 선입선출 방식으로 사용 및 유통되어야 한다.

⑤ 팔레트에 적재된 모든 재료(또는 기타 용기 형태)는 명칭 또는 확인 코드, 제조번호, 제품의 품질을 유지하기 위해 필요할 경우, 보관 조건, 불출 상태를 표시해 주어야 한다.

(2) 완제품 재고의 정확성을 보증하고, 규정된 합격판정기준이 만족됨을 확인하기 위해 점검 작업이 실시되어야 한다. 제품의 검체채취란 제품 시험용 및 보관용 검체를 채취하는 일이며, 제품 규격에 따라 충분한 수량이어야 한다.

① 보관용 검체를 보관하는 목적은 제품의 사용 중에 발생할지도 모르는 "재검토작업"에 대비하기 위함이며, 재검토작업은 품질 상에 문제가 발생하여 재시험이 필요할 때 또는 발생한 불만에 대처하기 위해서 품질 이외의 사항에 대한 검토가 필요하게 될 때 이루어진다. 보관용 검체는 재시험이나 불만사항의 해결을 위하여 사용하게 된다.

② 제품 검체 채취는 품질관리부서가 실시하는 것이 일반적이라고 할 수 있으며. 제품시험 및 그 결과 판정 또한 품질관리부서의 업무이다. 제품시험을 책임지고 실시하기 위해서도 검체 채취를 품질관리부서의 검체채취 담당자가 실시한다. 단, 원재료 입고 시에 검체채취라면 다른 부서에 검체채취를 위탁하는 것도 가능하다. 검체채취자에게는 검체 채취 절차 및 검체 채취 시의 주의사항을 숙지하도록 교육, 훈련시켜야 한다.

③ 제품의 입고, 보관, 출하의 순서는 다음과 같다.

포장 공정 → 시험 중 라벨 부착 → 임시 보관 → 제품시험 합격 → 합격라벨 부착 → 보관 → 출하

※ 바코드 등 시험 중, 적합, 부적합 상황을 확인할 수 있는 시스템을 구축할 수도 있다.

④ 제품의 보관 환경은 보관 온도, 습도는 제품의 안정성 시험 결과를 참고로 하여 설정하며, 안정성 시험은 화장품의 보관 조건이나 사용기한과 매우 밀접한 관계가 있다.

표 7-4. 제품의 재고관리

제품의 보관 환경	벌크의 재보관
출입제한	남은 벌크를 재보관하고 재사용 할 수 있다.
오염방지: 시설대응, 동선 관리 필요	절차: 밀폐시키고, 원래 보관환경에서 보관하며, 다음 제조시에는 우선적으로 사용한다.
방충, 방서 대책	변질 및 오염의 우려가 있으므로 재보관은 신중하게 한다.
온도, 습도, 차광: 필요한 항목을 설정하고 안정성 시험결과, 제품표준서등을 토대로 제품마다 설정한다.	변질되기 쉬운 벌크는 재사용하지 않는다. 여러번 재보관하는 벌크는 조금씩 나누어보관한다.

2) 내용물 및 원료의 관리

(1) 내용물 또는 원료의 입고 및 보관

① 입고 시 품질관리 여부를 확인하고 품질성적서를 구비

② 원료 등은 품질에 영향을 미치지 않는 장소에서 보관
(예: 직사광선을 피할 수 있는 장소 등)

③ 원료 등의 사용기한을 확인한 후 관련 기록을 보관하고, 사용기한이 지난 내용물 및 원료는 폐기

2. 적정 재고를 유지하기 위한 발주

맞춤화장품의 원료나 내용물은 천연이 많으므로 너무 많은 양을 쌓아두거나 보관하지 말아야 한다. 그러나 원료가 없어서 제품의 조제가 불가능해질 수 있는 것을 감안하여서 빠진 것이 없도록 원료나 내용물을 발주하여 적정한 양을 준비해 두어야 하는데, 적정 재고를 유지하기 위한 발주를 위해서는 생산계획서 및 제조지시서를 보고 원료의 재고량과 신규 구입량을 파악한 후에 각각의 제품에서 각각의 원료 량을 산출하여 적정한 재고 관리를 해야 한다.
또한 재고 리스트를 준비하여 기간별로 체크해 두고 효율적으로 재고관리 후 발주를 해야 한다. 예를 들면 벌크로 사는 것은 많은 양을 구입하게 되므로 가격 면에서 이익이 될 수 있으나 원료나 내용물에 따라 사용되어지는 정도와 기간이 달라 변질되거나 보관이 여의치 않을 수 있으므로 기간별로 체크해 두었던 리스트를 참고하고 현재 필요량을 파악 한 후 발주를 해야 적정 재고를 유지하게 되고 효율적인 발주를 할 수 있다.

1) 적정 재고를 유지하기 위한 발주

(1) 화장품원료 사용량 예측

① 생산 계획서(제조 지시서)를 토대로 하여 제품 각각의 필요한 원료의 사용량을 산출하고 아래 표와 같이 원료 목록 장을 작성하여 재고를 관리한다.

표 7-5. 원료 목록장

제품명(원료명)	거래처	최소판매단위	가격	유통기한	포장방법 및 단위	수급기간

(2) 화장품원료 거래처 관리

① 화장품원료는 상당수가 외국에서 수입되므로 거래처 관리에 신경을 쓰고 원료의 수급기간을 고려하여 최소 발주량을 산정하여 발주해야 한다.

표 7-6. 화장품원료 거래처 관리

회사명	담당자	연락처	주소

② 거래처 발주 시에는 원료 발주공문(구매 요청서)으로 발주한다.

- 원료 발주서 내용에는 발신, 수신, 기안 일시, 납품 처와 필요 원료목록, 단위, 발주량

(3) 화장품원료의 입고 및 출고 관리

① 화장품의 원료 시험결과 적합 판정된 것만을 선입 선출 방식으로 출고하고 이를 확인해야 한다.

② 화장품원료를 거래처로부터 입고시 원료의 구매 요청서와 성적서, 현품이 일치하는지를 확인한 후에 원료 입 · 출고 관리대장에 기록한다.

③ 원료를 출고할 때는 원료의 수불장에 정확하게 기록한다.

표 7-7. 화장품원료 입/출고 관리대장

입고일	출고일	원재료명	제품코드	입고량	출고량	구입처	원료사용합격여부

표 7-8. 화장품원료 수불장

원료명:				
일 자	입고량	사용량	현 재고량	비고(입고예정일)

(4) 화장품원료 발주시의 준수사항

① 원료 규격서에 원료의 성상, 색상, 냄새, pH, 굴절률, 중금속, 비소, 미생물, 보관조건, 유통기한, 포장 단위, INCI 명 등이 기재되어 있는지 기록내용을 확인한다.

② 원료의 물질안전보건자료(MSDS/GHS)를 확인한다.

* MSDS (Material Safety Data Sheet) : 화학물질을 제조, 수입 취급하는 사업주가 해당 물질에 대한 유해성 평가 결과를 근거로 작성한 자료로 화학물질의 이름, 물리화학적 성질, 유해성, 위험성, 폭발성, 화재 발생시 방재요령, 환경에 미치는 영향 등을 기록한 서류이다. 화장품원료 제품취급설명서와 주의사항 등이 기재되어 있다. 즉 화학물질에 대한 제품취급설명서가 물질안전보건자료이다.

* GHS (The Globally Harmonized System of Classification and Labeling of Chemicals) : 화학물질 분류, 표시에 대한 세계 조회시스템으로, 전 세계적으로 통일된 분류 기준에 의거 화학물질의 분류기준에 따라 유해 위험성을 분류하고 통일된 형태의 경고 표지 및 MSDS로 정보를 전달하는 방법을 말한다.

③ 원료의 COA(Certificate of Analysis)를 보고 물리 화학적 물성과 외관, 모양, 중금속, 미생물에 관한 정보를 파악하고 원료규격서 범위에 일치하는가를 판단한다.

* COA (Certificate of Analysis) : 원료규격에 따라 시험한 결과를 기록한 것으로 화장품 원료가 입고될 때 원료의 품질확인을 위한 자료로 첨부된다. COA를 보고 자가 품질기준에 따라 원료의 첫 적합 여부를 판단한다.

④ 생산계획서 및 제조지시서를 보고 원료 재고량과 신규 구입량을 파악하여 원료를 구입한다.

- 생산계획서 및 제조지시서 확인
- 기존 원료와 신규 원료 파악
- 원료구입시 원료 거래처의 수급기간 확인
- 기존 원료의 경우 재고량 확인 후 부족시 거래처에서 원료 구입
- 신규 원료의 경우 원료 거래처 파악 후 원료 구입

⑤ 원료 거래처에 원료 발주서를 작성한다.

- 원료 발주서에는 발신, 수신, 기안일시, 납품처, 필요원료 목록, 단위, 발주량, 비고(입고 예정일) 등을 기록한다.

〈적정 재고를 유지하기 위한 발주〉

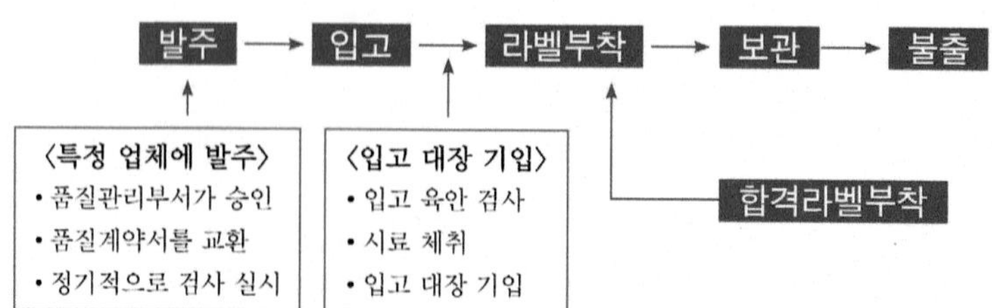

참•고•문•헌

- 고재숙외 피부과학 수문사. 2000
- 이향우외 피부과학 광문각. 2003
- 하병조 화장품학 수문사 2010
- 김경영외 에센스 화장품학 메디시언 2017
- 권혜영외 NEW 피부과학 메디시언 2012
- 김근수외 화장품법규모음 도서출판 열림 2019
- 이정희 화장품법규 구민사 2016
- 하병조외 화장품학 수문사 2002
- 박성호외 화장품성분학 훈민사 2005
- 대한화장품협회 법령
- 식품의약품안전처 법령
- 식품의약품 안전처 맞춤형화장품판매업 가이드라인 2020.
- 국가직무능력표준 NCS피부미용 학습모듈
- 국가직무능력표준 NCS헤어미용 학습모듈
- 김명옥 사랑초의 미백효과에 대한 연구, 숙명여자대학교 석사학위 논문, 2010.
- 김주덕외 맞춤형 화장품 조제관리사 광문각 2020
- Hearing VJ, Jimenez M. Mammalian,
- tyrosinase--the critical regulatory control point in melanocyte pigmentation. int. J. Biochem.,19:1141-1147, 1987.
- https://blog.naver.com/mwoo1004/221354202749
- http://blog.naver.com/PostView.nhn?blogId=mwoo1004&logNo=221725940790

적중예상문제

1 맞춤형화장품판매업의 설명으로 옳은 것은?

① 제조 또는 수입된 화장품의 내용물을 소분(小分)한 화장품을 판매하는 영업
② 화장품의 포장(1차 포장만 해당한다)을 하는 영업
③ 수입된 화장품을 유통 · 판매하는 영업
④ 화장품 제조를 위탁받아 제조하는 영업
⑤ 화장품제조업자에게 위탁하여 제조된 화장품을 유통 · 판매하는 영업

해설 ①번의 내용과 제조 또는 수입된 화장품의 내용물에 다른 화장품의 내용물이나 식품의약품안전처장이 정하여 고시하는 원료를 추가하여 혼합한 화장품을 판매하는 영업

답: ①

2 맞춤형화장품판매업을 영업하기 위한 규정사항으로 옳은 것은?

① 맞춤형화장품판매업을 총리령에 따라 식품의약품안전처장에게 신고하고 맞춤형화장품조제관리사를 두고 영업
② 제3조제1항에 따라 화장품제조업을 등록하고 영업 한다.
③ 화장품제조업으로 등록하고 화장품 제조를 위탁받아 제조하는 영업
④ 화장품제조업으로 등록하고 1차 포장만 하여 영업
⑤ 화장품책임판매업으로 등록하고 화장품을 직접 제조하여 유통 · 판매하는 영업

해설 화장품제조업과 화장품책임판매업은 등록제, 맞춤형화장품 판매업은 신고제

답: ①

3 판매장에서 고객 개인별 피부 특성이나 색, 향 등의 기호 · 요구를 반영하여 제품을 판매 할 수 있는 사람은?

① 화장품 제조업을 하는 자
② 피부미용관리사
③ 화장품 책임 판매업으로 등록 된 자
④ 맞춤형화장품조제관리사 자격증을 가진 자
⑤ 화장품 소매 판매업을 하는 자

해설 맞춤형화장품 제도 도입 취지는 다양한 소비자 요구를 충족시키기 위함

답: ④

4 맞춤형화장품 판매업자의 준수사항에 대한 내용으로 옳은 것은?

① 맞춤형화장품 판매장 시설 · 기구를 정기적으로 점검하여 보건위생상 위해가 없도록 관리 할 것
② 혼합 · 소분 품질관리기준을 준수할 것
③ 작업자의 손 및 조제설비 · 기구 세척시설 사용
④ 포함된 맞춤형화장품 성적서를 작성 · 보관할 것

⑤ 맞춤형화장품 사용과 관련된 부작용 발생사례에 대해서는 지체 없이 지방관할 공무원에게 보고할 것

해설 1. 혼합 · 소분 안전관리기준을 준수할 것
2. 맞춤형화장품 판매내역서(전자문서로 된 판매내역 서를 포함한다)를 작성 · 보관할 것
3. 맞춤형화장품 판매시 소비자에게 설명할 것
4. 맞춤형화장품 사용과 관련된 부작용 발생사례에 대해서는 지체 없이 식품의약품안전처장에게 보고할 것
①의 내용

답: ①

5 혼합 · 소분 안전관리기준의 준수사항으로 옳은 것은?

① 혼합 · 소분 전에 혼합 · 소분에 사용되는 내용물 또는 원료에 대한 품질 성적서를 확인할 것
② 혼합 · 소분 전에 일회용 장갑을 착용
③ 혼합 · 소분 전에 작업실에 오염 여부를 확인할 것
④ 혼합 · 소분 후에 오염이 없도록 세척할 것
⑤ 혼합 · 소분의 품질관리를 위해 식품의약품안전처장이 정하여 고시하는 사항을 준수할 것

해설 1. 혼합 · 소분 전에 손을 소독하거나 세정할 것. 다만, 혼합 · 소분시 일회용 장갑을 착용하는 경우에는 그렇지 않다.
2. 혼합 · 소분 전에 혼합 · 소분된 제품을 담을 포장용기의 오염 여부를 확인할 것
3. 혼합 · 소분에 사용되는 장비 또는 기구 등은 사용 전에 그 위생 상태를 점검하고, 사용 후에는 오염이 없도록 세척할 것
4. 그 밖에 혼합 · 소분의 안전을 위해 식품의약품안전처장이 정하여 고시하는 사항을 준수할 것
①번의 내용

답: ①

6 다음 괄호 안에 들어갈 내용으로 옳은 것은?

> 다음 각 목의 사항이 포함된 맞춤형화장품 판매내역서(전자문서로 된 판매내역서를 포함한다)를 작성 · 보관할 것
> 가. 제조번호
> 나. (   )
> 다. 판매일자 및 판매량

① 원료의 내용 및 특성
② 판매내역서
③ 품질성적서
④ 사용시 주의사항
⑤ 사용기한 또는 개봉 후 사용기간

답: ⑤

7 맞춤형화장품 판매시 소비자에게 설명해야하는 내용으로 옳은 것은?

① 혼합 · 소분에 사용된 내용물 · 원료의 내용 및 특성

② 피부 기능에 대한 설명
③ 맞춤형화장품 사용시 효과
④ 맞춤형화장품 사용시 부작용 발생 사례
⑤ 식품의약품안저처장에게 보고 사항

해설 ①번의 내용과 맞춤형화장품 사용 시의 주의사항

답: ①

8 피부의 기능을 설명한 것으로 바르지 않는 것은?

① 폐를 통한 호흡 이외의 기능으로 피부로도 호흡
② 땀 분비를 통한 체온조절 기능
③ 신경말단 조직과 머켈세포(Merkel cell)의 감각전달 기능
④ 비타민D 의 합성
⑤ 신경전달 기능

해설 피부의 기능으로는 보호기능, 각화기능, 분비기능, 해독기능, 면역기능, 감각전달기능, 비타민D 합성, 체온조절기능, 호흡기능

답: ⑤

9 탄력섬유(elastin)와 교원섬유(collagen)가 존재하는 층은?

① 표피층
② 표피와 진피 사이
③ 진피층
④ 피하지방층
⑤ 진피와 피하지방층 사이

해설 하이알루로닉애씨드(hyaluronic acid), 혈관, 피지선, 섬유 아세포와 함께 진피에 존재

답: ③

10 피부의 재생주기(turn over)에 대한 설명으로 바른 것은?

① 20세를 기준으로 평균 28일이며, 나이가 들어감에 따라 평균 48일로 보고된다.
② 피부의 재생주기는 20세 평균 28일이며, 나이가 들어가면서 점차 빨라진다.
③ 피부의 재생주기는 20세대 40세대의 차이는 없다.
④ 20세를 기준으로 60일로 정한다.
⑤ 재생주기는 40대를 기준으로 한다.

해설 피부의 재생주기 28일(20세 기준) 48일(40~60일, 40세 기준)

답: ①

11 2~5개 층의 편평형 세포층으로 이루어 졌으며, 수분저지막이 있어 외부로부터 피부를 보호해 준다. 빛을 산란시켜 자외선을 흡수하며, 각질화가 시작되는 곳이다. 어느 층의 설명인가?

① 각질층
② 투명층
③ 과립층
④ 유극층
⑤ 기저층

해설 과립 층에 대한 설명

답: ③

12 다음 보기에서 설명하는 것은 무엇인가?

(가) 교원섬유와 탄력섬유가 있다.
(나) 유두 층과 망상 층으로 나누어져 있다.
(다) 피부에서 가장 두꺼운 부분이다.
(라) 림프관, 피지선, 한선, 신경등 피부 부속기관이 존재한다.

① 표피층
② 진피층
③ 피하조직
④ 투명층
⑤ 유극층

해설 진피 층에 대한 설명

답: ②

13 피부의 생리 기능으로 옳은 것은?

① 보호 작용, 체온조절작용, 감각작용, 흡수작용, 재생작용, 저장작용
② 보호 작용, 헤모글로빈생성, 감각작용, 흡수작용, 재생작용, 저장작용
③ 보호 작용, 체온조절작용, 감각작용, 흡수작용, 재생작용, 멜라닌색소 생성
④ 각화현상, 체온조절작용, 감각작용, 흡수작용, 재생작용, 저장작용
⑤ 케라틴단백질 생성, 체온조절작용, 감각작용, 흡수작용, 재생작용, 저장작용

해설 피부는 외부의 환경과 직접적으로 접촉하고 있기 때문에 여러 가지 자극에 노출되어 있어 피부는 이러한 자극으로부터 인체를 보호하고 신체의 움직임을 주위의 변화에 순응 시키는 작용을 가지고 있다.

답: ①

14 다음은 피부 표피층의 순서로 바른 것은?

① 각질층–투명층–과립층–유극층–기저층
② 투명층–과립층–유극층–각질층–기저층
③ 각질층–기저층–투명층–과립층–유극층
④ 과립층–유극층–투명층–기저층–각질층
⑤ 기저층–유극층–과립층–투명층–각질층

해설 표피층 각질층–투명층–과립층–유극층–기저층으로 구분

답: ①

15 다음은 표피의 각 층에 대한 연결이 바르지 않는 것은?

① 각질층–NMF(천연보습인자)가 존재
② 투명층–엘라이딘(elaidin) 때문에 투명하게 보임
③ 유극층–수분을 흡수하고 죽은 세포로 구성

④ 과립층-각화가 시작되는 층
⑤ 기저층-멜라닌형성세포와 각질형성세포 존재함

해설 유극층은 수분을 많이 함유하고 표피에 영양을 공급, 항원전달세포인 랑거한스세포 존재

답: ③

16 다음은 진피에 대한 설명으로 바르지 않은 것은?

① 모세혈관이 분포하여 표피에 영양을 공급
② 기저 층의 세포분열을 도움
③ 열 격리, 충격흡수, 영양저장소의 기능을 함
④ 유두 층과 망상 층으로 나뉜다.
⑤ 진피 망상 층에는 교원섬유, 탄력섬유를 생산하는 섬유아세포 존재

해설 ③ 피하지방의 내용

답: ③

17 땀과 피지에 대한 설명 중 바르지 않은 것은?

① 피부는 땀(수상)과 피지(유상)가 섞여서 형성된 피지 막에 피부를 보호한다.
② 대한선(apocrine gland)은 모낭에 연결하여 분비되며 공포, 고통과 같은 감정에 의해 분비한다.
③ 소한선(eccrine gland)은 표피에 직접 땀을 분비하며, 주로 열에 의해 분비 된다
④ 땀은 물과 소금으로만 구성 되어 있다
⑤ 대한선은 겨드랑이, 유두, 항문주의, 생식기부위, 배꼽주위에 분포한다.

해설 땀의 구성성분 물, 소금, 요소, 암모니아, 아미노산, 단백질, 젖산, 크레아틴

답: ④

18 다음은 무엇을 나타내는 구성 성분표인가?

성분	구성(%)	성분	구성(%)
유리 아미노산	40.0	칼륨(K)	4.0
피롤리돈카복실릭애씨드	12.0	칼슘(Ca)	1.5
젖산염	12.0	요산, 굴루코사민, 암모니아	1.5
당류, 유기산 기타물질	8.5	마그네슘(Mg)	1.5
요소	7.0	인산염	0.5
염산염	6.0	구연산	0.5
나트륨(Na)	5.0	포름산(formic acid)	0.5

① 천연보습인자(Natural Moisturizing Factor)
② 땀
③ 엘라스틴
④ 케라틴단백질
⑤ 멜라닌 색소

해설 각질층의 수분 량을 일정하게(15~20%) 유지하도록 돕는 역할

답: ①

19 모발에서 환원제(reducing agent)와 산화제(oxidizing agent) 역할은?

① 디설파이드(disulfide, S−S) 결합을 재구성하여 모발의 모양이나 웨이브 정도를 결정
② 멜라닌에 의한 색상 결정
③ 산성염료를 정기적으로 모발에 부착시켜 염색을 시킨다.
④ 모발의 성장을 도와준다.
⑤ 모발의 등전점 pH가 낮아진다.

해설 디설파이드(disulfide, S−S) 결합에 의해 모발형태와 웨이브 결정

답: ①

20 모발의 등전점에 대한 설명으로 바른 것은?

① 모발이 가장 안정화되는 상태를 말한다(pH4.5~5.5).
② 알칼리성에 대한 저항력이다.
③ 산성에 대한 저항력을 말한다.
④ 모발이 산성 상태를 말한다.
⑤ 모발이 알칼리성 상태를 말한다.

해설 알칼리성인 화학제품을 사용한 후에는 반드시 pH를 등전점으로 회복시켜 주는 것이 모발건강에 좋다.

답: ①

21 모발과 산성에 대한 설명으로 바르지 않는 것은?

① 산성에 대한 저항력은 알칼리성에 비해 강함
② 모발의 수축을 일으켜 pH4.5~5.5에서 모발이 가장 단단해지고 탄력이 생긴다.
③ 강한 산성(pH1.5~2)에서는 모발이 가수분해 되어 폴리펩티드 결합이 끊어져 아미노산으로 분해한다.
④ 폴리펩티드 결합이 끊어져 아미노산으로 분해되어 모발의 손상을 준다.
⑤ 알칼리성에 대한 저항력은 매우 약하다

해설 모발고 알칼리와의 관계에서는 모발은 알칼리성에 대한 저항력이 약하다.

답: ⑤

22 모발과 알칼리와의 관계에 대한 설명으로 바른 것은?

① 알칼리성에 대한 저항력은 산성에 비해 강함
② 알칼리성에 대한 저항력은 매우 약해 모발의 큐티클을 열어주고 측쇄결합 중 이온결합을 이완

시켜 단백질 구조는 느슨해져 불안정한 상태가 된다.
③ 모발의 수축을 일으켜 pH4.5~5.5에서 모발이 가장 단단해지고 탄력이 생긴다.
④ 폴리펩티드 결합이 끊어져 아미노산으로 분해
⑤ 모발이 가장 안정화되는 상태를 말한다(pH4.5~5.5).

해설 헤어제품에 이용되는 화학제품들의 대부분이 알칼리성을 띄는 이유

답: ②

23 모발의 성장주기 순서로 바른 것은?

① 성장기모발-퇴행기-휴지기-새로운 성장기 ② 성장기모발-휴지기-퇴행기-새로운 성장기
③ 성장기모발-퇴행기-새로운 성장기-휴지기 ④ 새로운 성장기-퇴행기-휴지기-성장기모발
⑤ 성장기모발-퇴행기모발-새로운 성장기

해설 초기성상기, 성장기, 퇴행기, 휴지기로 구성

답: ①

24 모발의 구조에 대하여 바르게 나열 한 것은?

① 각질층 → 투명층 → 과립층 → 유극층 → 기저층
② 유두층 → 망상층 → 피하조직
③ 표피 → 진피 → 피하조직
④ 모표피 → 모피질 → 모수질
⑤ 모수질 → 모표피 → 모피질

해설 모표피 → 모피질 → 모수질의 순서

답: ④

25 맞춤형화장품 매장에서 근무하는 조제관리사에게 고객이 제품에 대해 문의를 해왔다. 조제관리사가 제품에 부착된 〈보기〉의 설명서를 참조하여 고객에게 안내해야 할 적절한 말은?

- 제품명: 천연 머드 스크럽
- 내용량: 150g
- 전성분: 정제수, 스테아릭애씨드, 미리스틱애씨드, 팔미틱애씨드, 글리세린, 포타슘하이드록사이드, 소르비탄올리베이트, 머드가루, 1,2헥산디올, 비즈왁스, 디이에이, 그린티 추출물, 향료 사용시의 주의사항
- 알갱이가 눈에 들어갔을 때에는 물로 씻어내고 이상이 있는 경우에는 전문의와 상의할 것

① 이 제품은 미세한 알갱이가 함유되어 있어 스크러브 세안제로 사용시 주의를 요한다.
② 이 제품은 유기농 화장품으로 알레르기 반응을 유발하지 않는다.
③ 이 제품은 알레르기 유발 성분이 들어 있어 알레르기를 유발할 수도 있다.
④ 이 제품은 사용시 햇볕에 민감 반응을 보일 수 있는 제품으로 주의를 필요하다.
⑤ 이 제품은 반복해서 사용시 면역성에 도움이 되는 제품이다.

해설 제품의 사용 시의 주의사항에 미세한 알갱이가 함유되어 있는 스크러브 세안제류의 개별 주의사항이 기재

답: ①

26 화장품 관능평가의 내용으로 옳지 않는 것은?

① 관능평가는 여러 가지 품질을 인간의 오감(五感)에 의하여 평가하는 제품검사를 말한다.
② 관능평가에는 좋고 싫음을 주관적으로 판단하는 기호형, 표준형(기준품), 한도 품이 있다.
③ 기호형, 표준형, 한도품 기준과 비교하여 합격품, 불량품을 객관적으로 평가, 선별하거나, 사람의 식별력 등을 조사하는 분석형의 종류가 있다.
④ 사용감은 원자재나 제품을 사용할 때 피부에서 느끼는 감각으로 매끄럽게 발리거나 바른 후 가볍거나 무거운 느낌, 밀착감, 청량감등을 말한다.
⑤ 피부분석기기, 어플리케이션, 문진(설문), 육안평가, 전문가 상담을 한다.

해설 피부분석기기, 어플리케이션, 문진(설문), 육안평가, 전문가 상담 (판매절차 수단에 대한 내용)

답: ⑤

27 육안을 통한 관능평가가 아닌 것은?

① 제품 표준견본
② 벌크제품 표준견본
③ 레벨 부착 위치견본
④ 용기 · 포장재 표준견본
⑤ 전문가에 의한 평가

해설 전문가에 의한 평가–의사의 감독 하에서 실시하는 평가

답: ⑤

28 관능평가 절차(성상 · 색상)에 대한 설명으로 옳지 않는 것은?

① 내용물을 손등에 문질러서 느껴지는 사용감
② 유화제품은 표준견본과 대조하여 내용물 표면의 매끄러움 확인
③ 유화제품은 내용물의 흐름성, 색이 유백색인지 육안으로 확인
④ 색조제품은 표준견본과 내용물을 슬라이드 글라스에 각각 소량씩 묻힌 후 눌러서 대조되는 색상을 육안으로 확인
⑤ 내용물을 손등 혹은 실제 사용부위에 발라서 색상을 확인할 수도 있다

해설 관능평가 절차–사용감에 대한 내용

답: ①

29 제품평가 측면의 관능평가에 해당하지 않는 것은?

① 관능시험(sensorisl test)–전문가의 감각을 통한 제품성능 평가
② 소비자(일반 패널)에 의한 평가
③ 전문가 패널에 의한 평가
④ 전문가에 의한 평가
⑤ 내용물을 바르고 향취로 평가

해설 관능평가 절차–향취

답: ⑤

30 육안을 통한 관능평가에 사용되는 표준품으로 바르지 않는 것은?

① 충진 위치견본: 내용물을 제품용기에 충진 할 때의 액면위치에 관한 표준
② 색소원료 표준견본: 색소의 색조에 관한 표준
③ 용기 · 포장재 한도견본: 용기 · 포장재 외관검사에 사용하는 합격품 한도를 나타내는 표준
④ 원료 표준견본: 향취, 색상, 성상 등에 관한표준
⑤ 제품 표준견본: 성상, 냄새, 사용감에 관한 표준

해설 제품 표준견본: 완제품의 개별포장에 관한 표준

답: ⑤

31 다음 〈보기〉 중 맞춤형화장품조제관리사가 올바르게 업무를 진행한 경우를 모두 고르시오?

ㄱ. 조제관리사는 썬크림을 조제하기 위하여 티타늄디옥사이드를 15%로 배합, 조제하여 판매하였다.
ㄴ. 고객으로부터 선택된 맞춤형화장품을 조제관리사가 소분하여 판매하였다.
ㄷ. 맞춤형화장품 구매를 위하여 인터넷 주문을 진행한 고객에게 조제관리사는 조제실에서 직접 조제하여 전자상거래 담당자에게 제품을 배송하도록 지시하였다.
ㄹ. 조제관리사는 맞춤형화장품을 판매전 고객에게 혼합되는 원료에 대한 설명을 하였다.

① ㄱ, ㄴ
② ㄴ, ㄷ
③ ㄴ, ㄹ
④ ㄷ, ㄹ
⑤ ㄴ, ㄷ, ㄹ

해설 티타늄디옥사이드는 식약처 고시 기능성 성분으로 맞춤형화장품에서 사용할 수 없다.
인터넷 주문과 전자상거래 담당자에게 제품을 배송하도록 할 수 없다.

답: ③

32 다음은 맞춤형화장품에 사용할 수 있는 원료는?

① 별표 1의 화장품에 사용할 수 없는 원료
② 별표 2의 화장품에 사용상의 제한이 필요한 원료
③ 식품의약품안전처장이 고시한 기능성화장품의 효능 · 효과를 나타내는 원료
④ 맞춤형화장품판매업자에게 원료를 공급하는 화장품책임판매업자가 원료를 포함하여 기능성화장품에 대한 심사를 받거나 보고서를 제출한 원료
⑤ 인체 세포, 조직 배양액

해설 화장품책임판매업자가 원료를 포함하여 기능성화장품에 대한 심사를 받거나 식품의약품안전처장에게 보고서를 제출한 원료

답: ④

33 맞춤형화장품에 혼합 가능한 원료로 옳은 것은?

① 아데노신
② 라벤더오일
③ 티타늄디옥사이드
④ 페녹시에탄올
⑤ 징크옥시이드

해설 아데노신(주름개선), 티타늄디옥사이드(자외선차단제), 페녹시에탄올(사용상의 제한이 필요한 원료), 징크옥시이드(자외선차단제)

답: ②

34 제형별 종류에 따라 특징이 바르지 않는 것은?

① O/W Emulsion - 가볍고 산뜻한 사용 감을 갖는 제형으로 화장품에서 가장 많이 이용되는 제형
② W/O Emulsion - 보습효과 및 효능이 우수함
③ W/O/W Emulsion - 사용감 및 효능이 우수함
④ S/W Emulsion - 가볍고 산뜻함
⑤ W/S Emulsion - 오일감이 많고 화장의 지속성이 없음

해설 W/S Emulsion–오일감이 적고 사용감 및 화장지속성이 우수함

답: ⑤

35 다음의 〈보기〉는 맞춤형 화장품의 전성분 항목이다. 사용상의 제한이 필요한 기타 성분에 해당하는 성분을 고르시오.

정제수, 부틸렌글라이콜, 글리세린, 우레아, 토코페릴아세테이트, 다이메티콘/비닐, 다이메티콘, 크로스폴리머, C12-14파레스-3, 아스코르빌테트라이소팔미테이트, 향료

① 우레아
② 글리세린
③ 아스코르빌테트라이소팔미테이트
④ 부틸렌글라이콜
⑤ 정제수

해설 사용상의 제한이 필요한 기타 성분(우레아 사용한도 10%)

답: ①

36 맞춤형 조제관리사인 라희는 매장을 방문한 고객과 다음과 같은 〈대화〉를 나누었다. 라희가 고객에게 혼합하여 추천할 제품으로 다음 〈보기〉 중 옳은 것은?

고객: 눈가와 입술 주위에 요즘 들어 주름이 많이 느껴져요. 그리고 야외 활동이 잦아 자외선 차단효과가 있는 제품을 추천 받고 싶어요.
라희: 그러신가요? 그럼 고객님 피부상태를 측정해보도록 할까요?
고객: 그럴까요? 지난번 방문 시와 피부상태를 비교해 주세요.
라희: 네. 이쪽으로 오시면 피부측정 해드리겠습니다.

〈피부측정 후〉
라희: 지난 3달 전 피부측정 때보다 눈가의 주름이 많이 늘었네요.
다행히 보습도는 괜찮은 것 같아요. 자외선 차단 기능이 있는 제품을 원하시는 거죠?
고객: 네. 추천 부탁드려요

ㄱ. 에칠헥실메톡시신나메이트 함유제품
ㄴ. 알파-비사보롤 함유제품
ㄷ. 아데노신 함유제품
ㄹ. 프로폴리스 함유제품
ㅁ. 알란토인 함유제품

① ㄱ, ㄷ
② ㄴ, ㄷ
③ ㄷ, ㄹ
④ ㄹ, ㅁ
⑤ ㄱ, ㄴ, ㄷ

해설 고객에게 추천할 제품은 주름, 자외선 차단효과가 있는 제품이다.
ㄱ. 자외선 차단 ㄴ. 미백 ㄷ. 주름 ㄹ. 항염 ㅁ. 진정(자극완화)

답: ①

37 다음 〈보기〉에서 적정 재고유지를 위한 발주업무를 올바르게 진행한 경우를 모두 고르시오?

ㄱ. 사용목적에 따라 성능, 품질, 가격, 납기시기를 신중히 고려한다.
ㄴ. 제품개발에 따른 납입일정 및 구매단가 등을 결정한다.
ㄷ. 공급업체에 따라 성능, 품질, 가격 납입시기를 신중히 고려한다.
ㄹ. 납기관리를 철저히 하여 조달지연으로 인한 손실을 최대한 예방한다.

① ㄱ, ㄴ
② ㄱ, ㄹ
③ ㄴ, ㄷ
④ ㄷ, ㄹ
⑤ ㄴ, ㄷ, ㄹ

해설 소요량을 산출하고 제품 생산에 따른 납기일정, 구매단가를 결정한다.

답: ②

38 다음 보기의 내용은 무엇을 설명한 것인가?

(가) 화장품에 사용할 수 없는 원료
(나) 사용상의 제한이 필요한 원료
(다) 사전심사를 받거나 보고서를 제출하지 않는 기능성화장품 고시 원료

① 천연 화장품 제조시 사용할 수 없는 원료
② 기능성 화장품 제조시 사용할 수 없는 원료
③ 기능성 화장품 제조시 사용할 수 있는 원료

④ 맞춤형 화장품을 제조시 사용할 수 없는 원료
⑤ 맞춤형 화장품을 제조시 사용할 수 있는 원료

해설 맞춤형화장품은 사용할 수 없는 원료

답: ④

39 다음의 예)에 가장 적합한 화장품은?

예) 50대의 여성이 맞춤형 화장품 판매점에 방문하여 기미와 잡티 때문에 고민을 상담

① 닥나무추출물 함유된 제품 추천
② 레티놀 함유된 제품을 추천
③ 자외선차단제 함유된 제품을 추천
④ 피부의 주름개선에 도움을 주는 제품을 추천
⑤ 알부틴의 10%이상인 제품 추천

해설 닥나무추출물 함유된 제품, 피부의 미백에 도움을 주는 제품을 추천

답: ①

40 다음 〈보기〉의 성분은 어떤 화장품을 만들기 위한 성분인가?

연번	성분명	함량
1	레티놀	2,500IU/g
2	레티닐팔미테이트	10,000IU/g
3	아데노신	0.04%
4	폴리에톡실레이티드레틴아마이드	0.05~02.%

① 피부의 주름개선에 도움을 주는 제품
② 모발의 색상을 변화시키는데 도움을 주는 제품
③ 피부의 미백에 도움을 주는 제품
④ 탈모 증상의 완화에 도움을 주는 제품
⑤ 여드름성 피부를 완화하는데 도움을 주는 제품

해설 피부의 주름개선에 도움을 주는 제품의 성분 및 함량

답: ①

41 다음은 피부를 곱게 태워주거나 자외선으로부터 보호하는데 도움을 주는 제품의 성분 및 함량이다 아닌 것을 고르시오?

① 트로메트리졸, 1%
② 벤조페논-3, 5%
③ 옥토크릴렌, 10%
④ 알파-비사모롤, 0.5%
⑤ 이소아밀p-메톡시신나메이트, 10%

해설 피부의 미백에 도움을 주는 제품의 성분 및 함량

답: ④

42 화장품을 만들기 위한 혼합 · 소분에 필요한 도구가 아닌 것은?

① 분석용 저울, 전자저울
② pH meter
③ 점도계, 경도계, 굴절계
④ 융점 측정기
⑤ 피부측정기

해설 피부측정기는 피부의 상태를 측정할 때 사용

답: ⑤

43 화장품 시설 및 기구명의 용도가 바르지 않는 것은?

① Test Tube Mixer – 미생물 시험
② UV–vis spectrometer – 흡광도 측정
③ Clean bench – 미생물 시험
④ HPLC – 미생물배양
⑤ BOD Incubator – 미생물배양

해설 HPLC : 고성능 액체크로마토그래피(high–performance liquid chromatography)의 약자이다. 액체크로마토그래피의 한 방법으로 컬럼크로마토그래피의 충전제로 균일한 입자 크기의 구형 미립자(직경 약 5μ m)를 사용하여 분리성능을 현저히 향상시킨 것으로 무기이온, 단백질, 펩티드, 아미노산, 지질, 탄수화물 등 여러 가지 무기 · 유기화합물을 분리 · 정제하는데 사용한다.

답: ④

44 화장품을 소분하기 위해 필요한 기구는?

① 호모믹서
② 스텐스파츌라
③ 표준분동세트
④ 오토클레이브
⑤ 히팅맨틀

해설 ① 호모믹서–화장품 제조시 가장 많이 사용하는 유화 기기로써 O/W 및 W/O 제형 모두 제조가 가능하다.
③ 표준분동세트 : 규정한 질량을 계량하는 물질
④ 오토클레이브 : 고압증기 멸균기 ⑤ 히팅맨틀 : 전열기

답: ②

45 화장품 기구 사용에서 디스퍼의 역할이 아닌 것은?

① 간단히 두 물질을 혼합할 때
② 혼합기로 화장품 제조에서는 주로 스킨과 같은 점도가 낮은 가용화 제품을 제조
③ 오일에 고체성분을 용해시켜 혼합할 때
④ 폴리머를 정세 수에 분산시킬 때
⑤ 연속상에 강한 전단력으로 분산상을 입자 화하여 분산시키는 기기

답: ⑤

46 맞춤형화장품 식별번호란?

① 맞춤형화장품의 혼합 또는 소분에 사용되는 내용물 및 원료의 제조번호와 혼합 · 소분 기록을 포함하여 맞춤형화장품판매업자가 부여한 번호

② 수입한 원료를 혼합 또는 소분에 사용되는 내용물 및 원료의 제조번호와 혼합 · 소분 기록을 포함하여 맞춤형화장품판매업자가 부여한 번호
③ 화장품제조업을 하는 사람이 내용물 및 원료의 제조번호와 혼합 · 소분 기록하여 맞춤형화장품판매업자에게 부여한 번호
④ 화장품책임판매업자가 혼합 또는 소분에 사용되는 내용물 및 원료의 제조번호와 혼합 · 소분 기록을 부여한 번호
⑤ 맞춤형화장품의 제조 등록 번호

해설 혼합 또는 소분에 사용되는 내용물 및 원료의 제조번호와 혼합 · 소분 기록을 포함하여 맞춤형화장품판매업자가 부여한 번호

답: ①

47 맞춤형화장품의 사용기한 또는 개봉 후 사용기간에 대한 설명으로 옳은 것은?

① 맞춤형화장품의 사용기한 또한 개봉 후 사용기간은 맞춤형화장품의 혼합 또는 소분에 사용되는 내용물의 사용기한 또는 개봉 후 사용기간을 초과할 수 없다.
② 맞춤형화장품의 사용기한 또한 개봉 후 사용기간은 맞춤형화장품의 혼합 또는 소분에 사용되는 내용물의 사용기한 또는 개봉 후 사용기간을 초과할 수 있다.
③ 맞춤형화장품의 사용기한 또한 개봉 후 사용기간은 맞춤형화장품의 혼합 또는 소분에 사용되는 내용물의 사용기한과 같아야 한다.
④ 맞춤형화장품의 사용기한 또한 개봉 후 사용기간은 맞춤형화장품의 혼합 또는 소분에 사용되는 내용물의 사용기한과는 상관없다.
⑤ 맞춤형화장품의 사용기한 또한 개봉 후 사용기간은 소비자가 정한다.

해설 사용기한 또한 개봉 후 사용기간은 맞춤형화장품의 혼합 또는 소분에 사용 되는 내용물의 사용기한 또는 개봉 후 사용기간을 초과할 수 없다.

답: ①

48 다음 〈보기〉는 맞춤형화장품의 전성분 항목이다. 사용상의 제한이 필요한 자외선 차단제에 해당하는 성분을 고르시오?

정제수, C12-15알킬벤조에이트, 프로판디올, 글리세린, 티타늄디옥사이드, 사이클로메티콘, 1,2헥산디올, 병풀추출물, 솔비탄올리에이트, 폴리아크릴레이트크로스폴리머-6, 폴리하이드록시스테아릭애씨드, 페녹시에탄올, 라벤다오일

① 프로판디올
② 티타늄디옥사이드
③ 병풀추출물
④ 솔비탄올리에이트
⑤ 라벤다오일

해설 사용상의 제한이 필요한 자외선 차단제(티타늄디옥사이드 사용한도 25%)

답: ②

49 맞춤형화장품조제관리사 라희는 매장을 방문한 고객과 다음과 같은 〈대화〉를 나누었다. 고객에게 혼합하여 추천 할 제품으로 다음〈보기〉 중 옳은 것을 모두 고르시오

고객: 최근에 여행을 다녀온 후 피곤해서 그런지 피부색도 칙칙하고 잔주름도 많이 늘어난 느낌이에요?
라희; 네, 그러신가요. 그럼 먼저 피부 측정기로 피부를 측정해 보겠습니다.
고객: 그럴까요.

〈피부측정 후〉
라희: 피부 측정결과 고객님이 느끼시는 것과 같이 색소 침착도가 높고 탄력이 많이 떨어져 있어요.
고객: 음, 걱정이네요. 그럼 어떤 제품을 쓰는 것이 좋은지 추천 부탁드려요

ㄱ. 콜라겐 함유제품
ㄴ. 나이아신아마이드 함유 제품
ㄷ. 징크옥사이드 함유 제품
ㄹ. 알코올 함유 제품
ㅁ. 스쿠알렌 함유 제품

① ㄱ, ㄴ
② ㄴ, ㄷ
③ ㄷ, ㄹ
③ ㄹ, ㅁ
⑤ ㄱ, ㄴ, ㄷ

해설 고객에게 추천할 제품은 미백, 탄력 함유 제품이다.
ㄱ. 탄력 ㄴ. 미백 ㄷ. 자외선 차단 ㄹ. 수렴 ㅁ. 유연

답: ①

50 다음 〈보기〉에서 맞춤형화장품에 혼합 가능한 원료는?

ㄱ. 알부틴
ㄴ. 이소사이클로제라니올
ㄷ. 알란토인
ㄹ. 우레아
ㅁ. 살리실릭애씨드 및 그 염류
ㅂ. 아밀시클로펜테논

① 알부틴
② 알란토인
③ 이소사이클로제라니올
④ 살리실릭애씨드 및 그 염류
⑤ 아밀시클로펜테논

해설 식품의약품안전처 고시 기능성화장품 효능 · 효과를 나타내는 원료(알부틴) 사용상의 제한이 필요한 원료(이소사이클로제라니올, 우레아, 살리실릭애씨드 및 염류, 아밀시클로펜테논)

답: ②

51 다음 〈보기〉에서 착향제의 구성 성분 중 해당 성분의 기재 · 표시하여야 하는 알레르기 유발 성분을 고르시오?

ㄱ. 부틸페닐메칠프로피오날	ㄴ. 디메칠옥사졸리딘
ㄷ. 벤제토늄클로라이드	ㄹ. 디엠디엠하이단토인
ㅁ. 알킬이소퀴놀리늄브로마이드	ㅂ. 벤질신나메이트

① ㄱ, ㄴ
② ㄴ, ㄷ
③ ㄱ, ㅂ
④ ㄷ, ㄹ
⑤ ㄹ, ㅁ

해설 사용상의 필요한 보존제 성분(디메칠옥사졸리딘, 벤제토늄클로라이드, 디엠디엠하이단토인, 알킬이소퀴놀리늄브로마이드)

답: ③

52 다음 〈보기〉에서 맞춤형화장품에 관한 설명으로 적절한 것은 모두 고르시오?

ㄱ. 원료와 원료를 혼합하는 경우도 포함한다.
ㄴ. 소비자의 직 · 간접적 요구에 혼합이 이루어져야 한다.
ㄷ. 맞춤형화장품조제관리사는 혼합시 제형을 변화시킬 수 있다.
ㄹ. 책임판매업자의 혼합 범위 규정을 따라야 한다.
ㅁ. 맞춤형화장품 판매를 위하여 필요한 경우 화장품 포장 및 기재 · 표시 사항을 훼손시킬 수 있다.

① ㄱ, ㄴ, ㄷ
② ㄴ, ㄷ, ㄹ
③ ㄴ, ㄹ, ㅁ
④ ㄱ, ㄷ, ㄹ
⑤ ㄴ, ㄷ, ㅁ

해설 화장품 포장 및 기재 · 표시 사항 훼손(맞춤형화장품 판매를 위하여 필요한 경우는 제외 한다.)

답: ③

53 다음 〈보기〉의 전성분 표시사항 중 식품의약품안전처고시 자료제출이 생략되는 기능성화장품 성분을 모두 고르시오?

정제수, 글리세린, 트레할로스, 사이클로펜타실록산, 스테아릭, 부틸렌글라이콜, 스테아레이트, 유용성감초추출물, 글리세릴스테아레이트, 시어버터, 스테아릭 애씨드, 디메치콘, 1,2헥산디올, 폴리에톡실레이티드레틴아마이드, 피이지-100 스테아레이트, 카보머, 리모넨

① 유용성감초추출물, 폴리에톡실레이티드레틴아마이드
② 트레할로스, 사이클로펜타실록산
③ 스테아릭, 부틸렌글라이콜
④ 피이지-100 스테아레이트, 카보머, 리모넨
⑤ 디메치콘, 1,2헥산디올

해설 유용성감초추출물(미백성분), 폴리에톡실레이티드레틴아마이드(주름개선성분)

답: ①

54 화장품의 품질유지 내용물 보호기능으로 광투과성의 내용으로 바르지 않은 것은?

① 내용물의 색상을 보기 위하여 투명 용기(색조를 사용함) 사용
② 자외선차단 효과가 있는 용기가 필요
③ 투명유리 용기는 파장이 400nm이하인 자외선에 투과되므로 착색병 사용
④ 내용물에 자외선 흡수제를 투입 퇴색을 방지
⑤ 알칼리 함유가 많은 것을 말함

해설 알칼리 함유는 사용 불가

답: ⑤

55 화장품의 적정 포장에 대한 내용으로 바르지 않은 것은?

① 입구가 작은 용기 내용물은 주위 온도에 따라 팽창하여 내부 압력이 상승함을 감안하여 설정
② 유리의 경우는 용기 파손이 발생하므로 감안하여 설정
③ 플라스틱의 경우 용기 변형이 되므로 용량 산정 각각의 체적 팽창을 감안하여 설정
④ 병의 입구의 외경이 몸체에 비해 큰 것
⑤ 입구가 큰 용기는 내용물 팽창에 의한 흘러넘침 캠핑을 방지해야 함

해설 병의 입구의 외경에 비해 몸체가 작아야 한다.

답: ④

56 제품의 제형에 따른 충진 방법으로 옳지 않는 것은?

① 화장수 유액 타입 : 병 충진
② 크림타입 : 입구가 넓은 병 또는 튜브 충진
③ 분체 타입 : 종이상자 또는 자루충진기
④ 에어로졸 타입 : 특수 장치 충진
⑤ 크림 타입 : 특수 장치 충진

답: ⑤

57 맞춤형화장품 용기에 대한 기재사항이 아닌 것은?

① 화장품의 명칭
② 화장품 가격
③ 식별번호
④ 사용기한 또는 개봉 후 사용기간
⑤ 맞춤형화장품판매업자의 거주지 주소

답: ⑤

58 다음 〈보기〉는 맞춤형화장품 전성분 표시사항이다. 맞춤형화장품조제관리사가 사용할 수 없는 식품의약품안전처고시 기능성 화장품의 효능 · 효과를 나타내는 원료를 모두 고르시오?

정제수, 글리세린, 부틸렌글라이콜, 마그네슘아스코빌포스페이트, 트리에칠헥사노인, 호호바오일, 세테아릴올리베이트, 그린티추출물, 카페인추출물, 판테놀, 아데노신, 디소듐이디티에이, 페녹시에탄올, 세테아릴알코올, 진탄검, 베테인, 향료

① 글리세린, 부틸렌글라이콜
② 마그네슘아스코빌포스페이트, 아데노신
③ 트리에칠헥사노인, 호호바오일
④ 세테아릴올리베이트, 그린티추출물
⑤ 페녹시에탄올, 세테아릴알코올, 진탄검

해설 마그네슘아스코빌포스페이트(미백성분), 아데노신(주름개선 성분)

답: ②

59 맞춤형화장품조제관리사인 라희는 매장을 방문한 고객과 다음과 같은 〈대화〉를 나누었다. 라희가 고객에게 혼합하여 추천할 제품으로 〈보기〉 중 고르시오?

> 고객: 요즘 날씨가 건조해서 그런지 피부가 푸석거리고 심하게 당겨요.
> 라희: 그런가요? 그럼 고객님의 피부상태를 측정 한번 해 드려볼까요?
> 고객: 좋아요. 그럼 지난번 상태와 비교해 주시면 좋겠네요.
> 라희: 네. 이쪽으로 오셔서 앉아 주시면 측정해 드리겠습니다.
>
> **〈피부측정 후〉**
> 라희: 고객님 지난번 측정 시보다 피부 보습도가 30% 가량 낮아졌고, 각질은 15% 가량 증가했어요.
> 고객: 음 그런가요. 그럼 어떤 제품을 쓰는 것이 좋을지 추천 부탁드려요.
>
> ㄱ. 티타늄디옥사이드
> ㄴ. 나이아신아마이드 함유제품
> ㄷ. 벤토나이트 함유제품
> ㄹ. 히아루론산 함유제품
> ㅁ. 레티놀 함유제품

① ㄱ, ㄴ
② ㄷ, ㄹ
③ ㄷ, ㄴ
③ ㄹ, ㅁ
⑤ ㄱ, ㅁ

해설 고객에게 추천할 제품은 노폐물흡착, 보습효과가 있는 제품이다.
ㄱ. 자외선차단제 ㄴ. 미백 ㄷ. 피부노폐물흡착 ㄹ. 보습 ㅁ. 주름

답: ②

60 보관에 따른 변질, 변색, 변취, 미생물의 오염이 없어야 한다. 이는 화장품의 4대요건 중 무엇을 설명한 것인가?

① 효율성
② 안전성
③ 안정성
④ 유효성
⑤ 사용성

해설 안정성에 관한 내용

답: ③

61 화장품 판매 모니터링 제도 운영에 대한 내용으로 옳은 것은?

① 식품의약품안전처장 또는 지방식품의약품안전청장은 직접 모니터링을 한다.
② 제조업자의 단체 또는 관련 업무를 수행하는 기관 등은 품질, 품질관리 등에 대하여 모니터링하게 할 수 있도록 함.
③ 식품의약품안전처장은 제조판매업자 또는 제조업자의 단체 또는 관련 업무를 수행하는 기관 등을 지정하여 모니터링하게 할 수 있도록 함.
④ 식품의약품안전청장은 표시 · 광고 중 사실과 다르게 소비자를 속이거나 소비자가 잘못 인식하도록 할 우려가 있는 부분을 모니터링 함
⑤ 식품의약품안전처장은 업무를 수행하는 공무원을 지정하여 화장품의 판매, 표시 · 광고, 품질 등에 대하여 모니터링 함

해설 1. 식품의약품안전처장은 총리령으로 정하는 바에 따라 제품의 판매에 대한 모니터링 제도를 운영할 수 있다.
2. 식품의약품안전처장은 제조판매업자 또는 제조업자의 단체 또는 관련 업무를 수행하는 기관 등을 지정하여 화장품의 판매, 표시 · 광고, 품질 등에 대하여 모니터링하게 할 수 있도록 함.

답: ③

62 기능성화장품에 사용되는 자외선 차단제에 대한 설명으로 틀린 것은?

① PA는 장파장의 자외선A를 차단하는 정도를 나타낸다.
② 자외선 차단제 중 자외선 산란제는 투명하고, 자외선 흡수제는 불투명한 것이 특징이다.
③ 자외선 차단 지수는 제품을 사용했을 때 홍반을 일으키는 자외선의 양을 제품을 사용하지 않았을 때 홍반을 일으키는 자외선의 양으로 나눈 값이다.
④ 최소홍반량(MED)은 개개인의 멜라닌 색소의 양과 자외선에 대한 민감도, 연령과 상관없이 일정하게 나타난다.
⑤ SPF는 일광화상(Sun Burn)을 일으키는 자외선B를 차단하는 지수를 말하며 바르는 두께가 늘면 SPF가 증가한다.

해설 최소홍반량 (MED : Minimal Erythema Dose)이란 피부에 최소 홍반을 나타내는 자외선의 최소량을 뜻하며, 태양의 고도와 인종, 개개인의 피부민감도, 피부노출시간, 계절, 연령 등에 따라 달라진다.

답 ④

63 다음 중 비타민의 연결이 옳지 않은 것은?

① 비타민 A – 레티놀
② 비타민 B_6– 피리독신
③ 비타민 B_3– 나이아신 아마이드
④ 비타민 E – 토코페롤
⑤ 비타민 C – 리보플라빈

해설 리보플라빈은 비타민 B_2로 입술 주변의 염증, 지루성 피부염 등을 예방해 준다.

답 ⑤

64 다음중 화장품의 포장공간 비율에 대한 내용으로 옳지 않은 것은?

① 두발 세정용 제품 - 15%이하
② 크림류 - 10%이하
③ 바디용 샴푸 - 15%이상
④ 방향제 - 10%이하
⑤ 화장품 종합제품 - 25% 이하

해설 화장품의 포장공간 비율은 인체 및 두발 세정용 제품류 15%이하, 방향제를 포함 한 그 밖의 화장품류는 10%이하(향수제외), 종합제품은 25%이하를 기준으로 한다.

답: ③

단답형 문제

※ 다음 괄호 안에 들어갈 내용을 작성 하시오.

1 피부는 (㉠), (㉡) 피하지방으로 구성되어 있다. 다음에 들어갈 내용은?

해설 피부는 표피 진피 피하지방으로 구성

답: ㉠ 표피 ㉡ 진피

2 다음 괄호 안에 들어갈 내용을 작성 하시오.

가. 제조 또는 수입된 화장품의 내용물에 다른 화장품의 내용물이나 식약처장이 정하는 (㉠)를 추가하여 (㉡)한 화장품을 유통 · 판매하려는 경우
나. 제조 또는 수입된 화장품의 내용물을 (㉢)한 화장품을 유통 · 판매하려는 경우

답: ㉠ 원료 ㉡ 혼합 ㉢ 소분

3 원료(Specification) 규격의 설정은 (항목 설정), (시험법의 설정), (　　　　), (설정된 규격시험 확인검증)의 4단계로 이루어지며, 품질관리에 필요한 기준은 해당 원료의 안전성 등을 고려하여 설정한다. (　　　　) 안에 들어갈 내용은?

답: 기준치 설정

4 석유화학 용제의 사용시 반드시 최종적으로 모두 회수되거나 제거되어야 하며, (　), (　), 할로겐화, 니트로젠 또는 황(DMSO예외) 유래 용제는 사용이 불가하다.

답: 방향족, 알콕실레이트화

5 화장품의 1차 포장 또는 2차 포장의 무게가 포함되지 않은 용량 또는 중량을 기재 · 표시해야 한다. 이 경우 화장비누(고체 형태의 세안용 비누를 말한다)의 경우에는 (　　　　)과 건조중량을 함께 기재 · 표시해야 한다.

답: 수분을 포함한 중량

6 다음 내용의 괄호 안에 들어갈 공통의 단어를 기재하시오.

(　　)는 "향료"로 표시할 수 있다. 다만 (　　)의 구성 성분 중 식품의약품안전처장이 정하여 고시한 알레르기 유발성분이 있는 경우에는 향료로 표시할 수 없고, 해당 성분의 명칭을 기재 · 표시해야 한다.

답: 착향제

7 (　　)목적으로 사용되는 성분은 그 성분을 표시 · 기재하는 대신 중화반응에 따른 생성물로 기재 · 표시할 수 있고, 비누화 반응을 거치는 성분은 비누화 반응에 따른 생성물로 기재 · 표시할 수 있다.

답: 산성도(pH)조절

8 (　　　　)란 인체적용제품에 존재하는 위해요소가 다양한 매체와 경로를 통하여 인체에 미치는 영향을 종합적으로 평가하는 것을 말한다.

답: 통합위해성평가

9 다음이 설명하는 성분명과 함량을 기재하시오.

> "여드름성 피부를 완화하는데 도움을 준다"로, 용법 · 용량은 "본 품 적당량을 취해 피부에 사용한 후 물로 바로 깨끗이 씻어낸다"로 제한함.

해설 여드름성 피부를 완화하는데 도움을 주는 제품의 성분 및 함량

답: 살리실릭애씨드, 0.5%

10 다음 보기는 무엇에 관한 설명인지 쓰시오.

> (가) 먼저 팔의 안쪽 또는 귀 뒤쪽머리카락이 난 주변의 피부를 비눗물로 잘 씻고 탈지면으로 가볍게 닦는다.
> (나) 다음에 제품 소량을 취해, 정해진 용법대로 혼합하여 실험 액을 준비한다.
> (다) 실험 액을 앞서 세척한 부위에 동전 크기로 바르고 자연 건조시킨 후 그대로 48시간 방치
> (라) 테스트 부위의 관찰은 테스트액을 바른 후 30분 그리고 48시간 후 총 2회를 행하고, 도포부위에 발진, 발적, 가려움, 수포 자극 등의 피부 이상이 있는 경우에는 손으로 만지지 말고 바로 씻어낸다.
> (마) 48시간 이내에 이상이 발생하지 않는다면 바로 염모하여 준다.

답: 패취테스트(patch test)

11 다음 괄호 안에 들어갈 내용을 기재하시오.

> 화장품 제조시 내용물과 직접 접촉하는 포장용기를(㉠)이라고 하며, (㉠)을 수용하는 한개 또는 그 이상의 포장과 보호재 및 표시의 목적으로 하는 것을 (㉡)이라고 한다. ㉠, ㉡에 들어갈 내용은?

해설 [화장품법 2조6, 7] 1차 포장 2차 포장내용

답: ㉠ 1차 포장 ㉡ 2차 포장

12 다음 괄호 안에 들어갈 단어는?

> 가. 화장품의 전부 또는 일부를 제조하는 영업을 (㉠)(이)라고 한다.
> 나. 취급하는 화장품의 품질 및 안전 등을 관리하면서 이를 유통 · 판매하거나 수입대행형 거래를 목적으로 알선 · 수여(授與)하는 영업을 (㉡)(이)라고 한다.

답: ㉠ 화장품제조업 ㉡ 화장품책임판매업

13 화장품제조업 또는 화장품책임판매업을 등록하려는 자는 총리령이 정하는 시설기준을 갖추어야 하며, 화장품의 ( ) 및 책임판매 후 안전관리에 관한 기준을 갖추어야 하며, 이를 관리할 수 있는 책임판매관리자를 두어야 한다.

답: 품질관리

14 ( )(이)가 되려는 사람은 화장품과 원료 등에 대하여 식품의약품안전처장이 실시하는 자격시험에 합격하여야 하며, 식품의약품안전처장은 거짓이나 그 밖의 부정한 방법으로 시험에 합격한 경우에는 자격을 취소하여야 하며, 자격이 취소된 날부터 3년간 자격시험에 응시할 수 없다.

답: 맞춤형화장품조제관리사

15 화장품책임판매업자는 영유아 또는 어린이가 사용할 수 있는 화장품임을 표시 · 광고하려는 경우에는 제품별 ( )를 작성 및 보관하여야 한다.

답: 안전성 자료

16 ( )(이)란 화장품의 사용 중 발생한 바람직하지 않고 의도하지 아니한 징후, 증상 또는 질병을 말하며, 해당 화장품과 반드시 인과관계를 가져야 하는 것은 아니다.

답: 유해사례

17 화장품의 1차 포장 또는 2차 포장에 기재 · 표시하여야 할 사항으로 내용량이 소량인 화장품의 포장 등 총리령으로 정하는 포장에는 화장품의 명칭, 화장품책임판매업자 및 맞춤형화장품판매업자의 상호, 가격, 제조번호와 ( )만을 기재 · 표시 할 수 있다.

답: 사용기한 또는 개봉 후 사용기간

18 화장품 책임판매소에서 취급하는 화장품의 품질관리 및 책임판매 후 안전을 관리할 수 있는 업무에 종사하는 자를 ( )(이)라고 한다.

답: 책임판매관리자

19 다음 괄호 안에 들어갈 단어를 쓰시오.

> 계면활성제의 종류 중 세정효과, 기포형성능력이 우수하고, 샴푸, 클렌징품 등에 사용되는 것은 ( ) 계면활성제이다.

답: 음이온

20 (   )(이)란 화장품을 정상적으로 사용할 경우 발생하는 모든 의도되지 않은 효과 또는 결과를 말하며 의도되지 않은 바람직한 효과 또는 결과를 포함한다.

답: 부작용

21 (   )(이)란 식품과 물질의 특성이 시각, 후각, 미각, 촉각 및 청각으로 감지되는 반응을 측정, 분석 내지 해석하는 과학의 한분야로 통계학의 이론을 기초로 하여 미리 충분히 계획된 조건에서 복수의 인간이 감각을 계기로 해서 물건의 질을 판단하여 보편 타당한 신뢰성 있는 결론을 내리려고 하는 하나의 수단이라 할 수 있다.

답: 관능검사(sensory evaluation)

22 아이오도프로피닐부틸카바메이트는 보존제로 사용 후 씻어내지 않는 제품에 한하여 (   ) 또는 만 13세 이하 어린이가 사용할 수 있음을 특정하여 표시하는 제품에는 사용을 금지한다.

답: 영 · 유아용 제품류

23 화장품책임판매업을 등록한 자가 수입화장품에 대한 품질검사를 하지 아니하려는 경우에는 식품의약품안전처장이 정하는 바에 따라 식품의약품안전처장에게 수입화장품의 제조업자에 대한 (   )(을)를 신청하여야 한다.

답: 현장실사

24 화장품제조업자가 제품을 설계 · 개발 · 생산하는 방식으로 제조하는 경우로서 품질 · 안전관리에 영향이 없는 범위에서 화장품제조업자와 화장품책임판매업자 상호계약에 따라(   )에 해당하는 경우 품질관리를 위하여 필요한 사항을 화장품책임판매업자에게 제출하지 아니할 수 있다.

답: 영업비밀

25 화장품 성분의 (㉠)은(는) 노출조건에 따라 달라질 수 있고 노출조건은 화장품의 유형, 농도, 접촉빈도 및 기간, 관련 체표면적, 햇빛의 영향 등에 따라 달라질 수 있다. (㉡)은(는) 예측 가능한 다양한 노출조건이 고려되어야 하며 고농도, 고용량의 최악의 노출조건까지 포함하여야 한다.

답: ㉠ 안전성 ㉡ 위해평가

26 (   )(이)란 유해사례와 화장품 간의 인과관계 가능성이 있다고 보고된 정보로서 그 인과관계가 알려지지 아니하거나 입증자료가 불충분한 것을 말한다.

답: 실마리 정보(signal)

27 계면활성제의 종류 중 세정, 살균작용, 피부자극이 적으며 살균제, 소독제, 저자극성 세정제 등에 사용되는 것은 (   )계면활성제이다.

답: 양쪽성

28 착향제는 (㉠)(이)라고 표시할 수 있다. 다만, 착향제의 구성 성분 중 식품의약품안전처장이 정하여 고시한 알레르기 유발 성분이 있는 경우에는 (㉠)로 표시 할 수 없고, 해당 (㉡)의 명칭을 기재 · 표시해야 한다.

답: ㉠ 향료 ㉡ 성분

29 화장품책임판매업자는 동물실험을 실시한 화장품 또는 동물실험을 실시한 ( )를 사용하여 제조 또는 수입한 화장품을 유통 · 판매하여서는 아니 된다.

답: 화장품원료

30 식품의약품안전처장은 판매 · 보관 · 진열 · 제조 또는 수입한 화장품이나 그 원료 · 재료 등이 ( )에 위해를 끼칠 우려가 있는 경우에는 해당 영업자 · 판매자 등에게 해당 물품의 회수 · 폐기 등의 조치를 명할 수 있다.

답: 국민보건

31 원료중에 혼입되어 있는 이온을 제거할 목적으로 사용되는 것은(㉠)이고 산화되기쉬운 성분을 함유한 물질에 첨가하여 산패를 막을 목적으로 사용되는 것은 (㉡)이다.

답: ㉠ 금속이온봉쇄제 ㉡ 산화방지제

32 땀샘은 피지와 함께 피지의 건조를 막고 체온을 조절하는 역할을 한다. 자율신경에 의해 지배를 받는 ( )(은)는 입술의 경계, 귀두부, 소음순, 손발톱을 제외한 몸 전체에 존재하면서 노폐물을 배출하고 체온을 일정하게 유지해 주는 역할을 한다.

답: 에크린땀샘

33 정상적인 각질층에는 약 10~20%의 수분이 존재하여 수분량이 10% 이하로 감소하면 건조한 피부로 되기 쉽다. 수분유지의 주요 요인은 ( )로 건조하고 유연성이 떨어진 피부는 탄력을 잃고 주름발생 등의 원인이 되며 여러 형태의 피부트러블이 생기게 된다.

답: 천연보습인자(MNF)

34 콜라겐 섬유를 활발하게 생산하는 세포는 ( )이며 콜라겐은 피부에 강도와 인장력을 부여하고 대부분 결합조직으로 이루어진 진피의 주성분이다.

답: 케라티노사이트(각질세포)

35 모발 표면을 덮고 있으며 외부자극에 대한 보호 작용을 하고 화학시술 등의 외부환경에 대한 강한 저항력을 가지고 있다. ( )는 모발 손상의 척도로 단단하고 광택이 나며 강도가 높을 때 모발은 건강하다.

답: 모표피(cuticle)

36 모발의 형태 및 모경지수를 대소(곱슬 거리는 정도)에 따라 세 가지로 나누면 (㉠), (㉡), 축모가 된다.

답: ㉠ 직모 ㉡ 파상모

37 피부는 조직학적으로 바깥쪽으로부터 ( ), 진피(dermis), 피하조직(subcutaneous tissue)의 3가지 구조로 이루어져 있으며, 피부의 두께는 부위와 연령 및 성별에 따라 다르며, 피하지방층의 두께도 부위에 따라 차이가 있다.

답: 표피(epidermis)

38 ( )은 진피층에 있는 탄성 섬유 단백질로서 피하지방과 더불어 외부의 기계적 충격으로부터 인체를 보호한다.

답: 엘라스틴

39 피부에 조사된 경우, 즉각적으로 피부를 갈색으로 그을리게 하는 광선은 ( )(으)로 선탠을 중지하면 다시 피부가 원래의 상태로 되돌아온다.

답: UV–A

40 기저층에서 형성된 각질세포가 14일 걸쳐 각질층에 도달한 후, 피부로부터 자연적으로 탈락하게 되는 기간은 (㉠)이 걸리는데 이 주기를 (㉡)이라고 한다. ㉠, ㉡ 안에 들어갈 내용은 무엇인가?

답: ㉠ 28일, ㉡ 각질형성주기

41 모발 성분의 70~80%가 케라틴이고 나머지는 멜라닌 색소(3%), 지질(1~8%), 수분(13%), 미량의 원소(0.6~1%)로 구성되어 있으며, 케라틴 분자는 나선형(측쇄결합)이며, 모발이 탄력성이 생기고 모발은 물에 충분히 적시면 늘어나고 약품 및 세균에 강하게 견딘다. 케라틴 단백질이 강한 강도를 가지는 것은 시스테인이 ( )(을)를 많이 함유하고 있기 때문이다.

답: 아미노산

부록

- 사용할 수 없는 원료
- 사용상의 제한이 필요한 원료
- 화장품의 색소
- 자료제출이 생략되는 기능성화장품의 종류
- 천연화장품 및 유기농화장품 원료
- 우수화장품 제조 및 품질관리기준
- 화장품법 시행규칙
- 화장품 포장의 표시기준 및 표시방법
- 화장품법 시행규칙

사용할 수 없는 원료

- 갈라민트리에치오다이드
- 갈란타민
- 중추신경계에 작용하는 교감신경흥분성아민
- 구아네티딘 및 그 염류
- 구아이페네신
- 글루코코르티코이드
- 글루테티미드 및 그 염류
- 글리사이클아미드
- 금염
- 무기 나이트라이트(소듐나이트라이트 제외)
- 나파졸린 및 그 염류
- 나프탈렌
- 1,7-나프탈렌디올
- 2,3-나프탈렌디올
- 2,7-나프탈렌디올 및 그 염류(다만, 2,7-나프탈렌디올은 염모제에서 용법 · 용량에 따른 혼합물의 염모성분으로서 1.0 % 이하 제외)
- 2-나프톨
- 1-나프톨 및 그 염류(다만, 1-나프톨은 산화염모제에서 용법 · 용량에 따른 혼합물의 염모성분으로서 2.0 % 이하는 제외)
- 3-(1-나프틸)-4-히드록시코우마린
- 1-(1-나프틸메칠)퀴놀리늄클로라이드
- N-2-나프틸아닐린
- 1,2-나프틸아민 및 그 염류
- 날로르핀, 그 염류 및 에텔
- 납 및 그 화합물
- 네오디뮴 및 그 염류
- 네오스티그민 및 그 염류(예 : 네오스티그민브로마이드)
- 노닐페놀[1] ; 4-노닐페놀, 가지형[2]
- 노르아드레날린 및 그 염류
- 노스카핀 및 그 염류
- 니그로신 스피릿 솔루블(솔벤트 블랙 5) 및 그 염류
- 니켈
- 니켈 디하이드록사이드
- 니켈 디옥사이드
- 니켈 모노옥사이드
- 니켈 설파이드
- 니켈 설페이트
- 니켈 카보네이트
- 니코틴 및 그 염류
- 2-니트로나프탈렌
- 니트로메탄
- 니트로벤젠
- 4-니트로비페닐
- 4-니트로소페놀
- 3-니트로-4-아미노페녹시에탄올 및 그 염류
- 니트로스아민류(예 : 2,2'-(니트로소이미노)비스에탄올, 니트로소디프로필아민, 디메칠니트로소아민)
- 니트로스틸벤, 그 동족체 및 유도체
- 2-니트로아니솔
- 5-니트로아세나프텐
- 니트로크레졸 및 그 알칼리 금속염

- 2-니트로톨루엔
- 5-니트로-*o*-톨루이딘 및 5-니트로-*o*-톨루이딘 하이드로클로라이드
- 6-니트로-*o*-톨루이딘
- 3-[(2-니트로-4-(트리플루오로메칠)페닐)아미노]프로판-1,2-디올(에이치시 황색 No. 6) 및 그 염류
- 4-[(4-니트로페닐)아조]아닐린(디스퍼스 오렌지 3) 및 그 염류
- 2-니트로-p-페닐렌디아민 및 그 염류(예 : 니트로-p-페닐렌디아민 설페이트)(다만, 니트로-p-페닐렌디아민은 산화염모제에서 용법 · 용량에 따른 혼합물의 염모성분으로서 3.0 % 이하는 제외)
- 4-니트로-m-페닐렌디아민 및 그 염류(예 : p-니트로-m-페닐렌디아민 설페이트)
- 니트로펜
- 니트로퓨란계 화합물(예 : 니트로푸란토인, 푸라졸리돈)
- 2-니트로프로판
- 6-니트로-2,5-피리딘디아민 및 그 염류
- 2-니트로-N-하이드록시에칠-*p*-아니시딘 및 그 염류
- 니트록솔린 및 그 염류
- 다미노지드
- 다이노캡(ISO)
- 다이우론
- 다투라(*Datura*)속 및 그 생약제제
- 데카메칠렌비스(트리메칠암모늄)염(예 : 데카메토늄브로마이드)
- 데쿠알리니움 클로라이드
- 덱스트로메토르판 및 그 염류
- 덱스트로프로폭시펜
- 도데카클로로펜타사이클로[5.2.1.02,6.03,9.05,8]데칸
- 도딘
- 돼지폐추출물
- 두타스테리드, 그 염류 및 유도체
- 1,5-디-(베타-하이드록시에칠)아미노-2-니트로-4-클로로벤젠 및 그 염류(예 : 에이치시 황색 No. 10)(다만, 비산화염모제에서 용법 · 용량에 따른 혼합물의 염모성분으로서 0.1 % 이하는 제외)
- 5,5'-디-이소프로필-2,2'-디메칠비페닐-4,4'디일 디히포아이오다이트
- 디기탈리스(*Digitalis*)속 및 그 생약제제
- 디노셉, 그 염류 및 에스텔류
- 디노터브, 그 염류 및 에스텔류
- 디니켈트리옥사이드
- 디니트로톨루엔, 테크니컬등급
- 2,3-디니트로톨루엔
- 2,5-디니트로톨루엔
- 2,6-디니트로톨루엔
- 3,4-디니트로톨루엔
- 3,5-디니트로톨루엔
- 디니트로페놀이성체
- 5-[(2,4-디니트로페닐)아미노]-2-(페닐아미노)-벤젠설포닉애씨드 및 그 염류
- 디메바미드 및 그 염류
- 7,11-디메칠-4,6,10-도데카트리엔-3-온
- 2,6-디메칠-1,3-디옥산-4-일아세테이트(디메톡산, *o*-아세톡시-2,4-디메칠-*m*-디옥산)
- 4,6-디메칠-8-tert-부틸쿠마린

- [3,3'-디메칠[1,1'-비페닐]-4,4'-디일] 디암모늄비스(하이드로젠설페이트)
- 디메칠설파모일클로라이드
- 디메칠설페이트
- 디메칠설폭사이드
- 디메칠시트라코네이트
- N,N-디메칠아닐리늄테트라키스(펜타플루오로페닐)보레이트
- N,N-디메칠아닐린
- 1-디메칠아미노메칠-1-메칠프로필벤조에이트(아밀로카인) 및 그 염류
- 9-(디메칠아미노)-벤조[*a*]페녹사진-7-이움 및 그 염류
- 5-((4-(디메칠아미노)페닐)아조)-1,4-디메칠-1H-1,2,4-트리아졸리움 및 그 염류
- 디메칠아민
- N,N-디메칠아세타마이드
- 3,7-디메칠-2-옥텐-1-올(6,7-디하이드로제라니올)
- 6,10-디메칠-3,5,9-운데카트리엔-2-온(슈도이오논)
- 디메칠카바모일클로라이드
- N,N-디메칠-*p*-페닐렌디아민 및 그 염류
- 1,3-디메칠펜틸아민 및 그 염류
- 디메칠포름아미드
- N,N-디메칠-2,6-피리딘디아민 및 그 염산염
- N,N'-디메칠-N-하이드록시에칠-3-니트로-*p*-페닐렌디아민 및 그 염류
- 2-(2-((2,4-디메톡시페닐)아미노)에테닐]-1,3,3-트리메칠-3H-인돌리움 및 그 염류
- 디바나듐펜타옥사이드
- 디벤즈[*a,h*]안트라센
- 2,2-디브로모-2-니트로에탄올
- 1,2-디브로모-2,4-디시아노부탄(메칠디브로모글루타로나이트릴)
- 디브로모살리실아닐리드
- 2,6-디브로모-4-시아노페닐 옥타노에이트
- 1,2-디브로모에탄
- 1,2-디브로모-3-클로로프로판
- 5-(α,β-디브로모펜에칠)-5-메칠히단토인
- 2,3-디브로모프로판-1-올
- 3,5-디브로모-4-하이드록시벤조니트닐 및 그 염류(브로목시닐 및 그 염류)
- 디브롬화프로파미딘 및 그 염류(이소치아네이트포함)
- 디설피람
- 디소듐[5-[[4' -[[2,6-디하이드록시-3-[(2-하이드록시-5-설포페닐)아조]페닐]아조] [1,1' 비페닐]-4-일]아조]살리실레이토(4-)]쿠프레이트(2-)(다이렉트브라운 95)
- 디소듐 3,3' -[[1,1' -비페닐]-4,4 '-디일비스(아조)]-비스(4-아미노나프탈렌-1-설포네이트)(콩고레드)
- 디소듐 4-아미노-3-[[4' -[(2,4-디아미노페닐)아조] [1,1' -비페닐]-4-일]아조]-5-하이드록시-6-(페닐아조)나프탈렌-2,7-디설포네이트(다이렉트블랙 38)
- 디소듐 4-(3-에톡시카르보닐-4-(5-(3-에톡시카르보닐-5-하이드록시-1-(4-

설포네이토페닐)피라졸-4-일)펜타-2,4-디에닐리덴)-4,5-디하이드로-5-옥소피라졸-1-일)벤젠설포네이트 및 트리소듐 4-(3-에톡시카르보닐-4-(5-(3-에톡시카르보닐-5-옥시도-1(4-설포네이토페닐)피라졸-4-일) 펜타-2,4-디에닐리덴)-4,5-디하이드로-5-옥소피라졸-1-일)벤젠설포네이트

- 디스퍼스레드 15
- 디스퍼스옐로우 3
- 디아놀아세글루메이트
- *o*-디아니시딘계 아조 염료류
- *o*-디아니시딘의 염(3,3'-디메톡시벤지딘의 염)
- 3,7-디아미노-2,8-디메칠-5-페닐-페나지니움 및 그 염류
- 3,5-디아미노-2,6-디메톡시피리딘 및 그 염류(예 : 2,6-디메톡시-3,5-피리딘디아민 하이드로클로라이드)(다만, 2,6-디메톡시-3,5-피리딘디아민 하이드로클로라이드는 산화염모제에서 용법 · 용량에 따른 혼합물의 염모성분으로서 0.25 % 이하는 제외)
- 2,4-디아미노디페닐아민
- 4,4'-디아미노디페닐아민 및 그 염류(예 : 4,4'-디아미노디페닐아민 설페이트)
- 2,4-디아미노-5-메칠페네톨 및 그 염산염
- 2,4-디아미노-5-메칠페녹시에탄올 및 그 염류
- 4,5-디아미노-1-메칠피라졸 및 그 염산염
- 1,4-디아미노-2-메톡시-9,10-안트라센디온(디스퍼스레드 11) 및 그 염류
- 3,4-디아미노벤조익애씨드
- 디아미노톨루엔, [4-메칠-*m*-페닐렌 디아민] 및 [2-메칠-*m*-페닐렌 디아민]의 혼합물
- 2,4-디아미노페녹시에탄올 및 그 염류(다만, 2,4-디아미노페녹시에탄올 하이드로클로라이드는 산화염모제에서 용법 · 용량에 따른 혼합물의 염모성분으로서 0.5 % 이하는 제외)
- 3-[[(4-[[디아미노(페닐아조)페닐]아조]-1-나프탈레닐]아조]-N,N,N-트리메칠-벤젠아미니움 및 그 염류
- 3-[[(4-[[디아미노(페닐아조)페닐]아조]-2-메칠페닐]아조]-N,N,N-트리메칠-벤젠아미니움 및 그 염류
- 2,4-디아미노페닐에탄올 및 그 염류
- O,O'-디아세틸-N-알릴-N-노르몰핀
- 디아조메탄
- 디알레이트
- 디에칠-4-니트로페닐포스페이트
- O,O'-디에칠-O-4-니트로페닐포스포로치오에이트(파라치온-ISO)
- 디에칠렌글라이콜 (다만, 비의도적 잔류물로서 0.1% 이하인 경우는 제외)
- 디에칠말리에이트
- 디에칠설페이트
- 2-디에칠아미노에칠-3-히드록시-4-페닐벤조에이트 및 그 염류
- 4-디에칠아미노-*o*-톨루이딘 및 그 염류
- N-[4-[[4-(디에칠아미노)페닐][4-(에칠아미노)-1-나프탈렌일]메칠렌]-2,5-사이클로헥사디엔-1-일리딘]-N-에칠-에

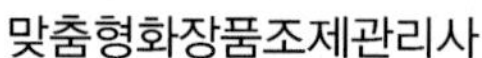

탄아미늄 및 그 염류

- N-(4-[(4-(디에칠아미노)페닐)페닐메칠렌]-2,5-사이클로헥사디엔-1-일리덴)-N-에칠 에탄아미니움 및 그 염류
- N,N-디에칠-*m*-아미노페놀
- 3-디에칠아미노프로필신나메이트
- 디에칠카르바모일 클로라이드
- N,N-디에칠-*p*-페닐렌디아민 및 그 염류
- 디엔오시(DNOC, 4,6-디니트로-o-크레졸)
- 디엘드린
- 디옥산
- 디옥세테드린 및 그 염류
- 5-(2,4-디옥소-1,2,3,4-테트라하이드로피리미딘)-3-플루오로-2-하이드록시메칠테트라하이드로퓨란
- 디치오-2,2'-비스피리딘-디옥사이드 1,1'(트리하이드레이티드마그네슘설페이트 부가)(피리치온디설파이드+마그네슘설페이트)
- 디코우마롤
- 2,3-디클로로-2-메칠부탄
- 1,4-디클로로벤젠(*p*-디클로로벤젠)
- 3,3'-디클로로벤지딘
- 3,3'-디클로로벤지딘디하이드로젠비스(설페이트)
- 3,3'-디클로로벤지딘디하이드로클로라이드
- 3,3'-디클로로벤지딘설페이트
- 1,4-디클로로부트-2-엔
- 2,2'-[(3,3'-디클로로[1,1'-비페닐]-4,4'-디일)비스(아조)]비스[3-옥소-N-페닐부탄아마이드](피그먼트옐로우 12) 및 그 염류
- 디클로로살리실아닐리드
- 디클로로에칠렌(아세틸렌클로라이드)(예 : 비닐리덴클로라이드)
- 디클로로에탄(에칠렌클로라이드)
- 디클로로-*m*-크시레놀
- α,α-디클로로톨루엔
- 디클로로펜
- 1,3-디클로로프로판-2-올
- 2,3-디클로로프로펜
- 디페녹시레이트 히드로클로라이드
- 1,3-디페닐구아니딘
- 디페닐아민
- 디페닐에텔 ; 옥타브로모 유도체
- 5,5-디페닐-4-이미다졸리돈
- 디펜클록사진
- 2,3-디하이드로-2,2-디메칠-6-[(4-(페닐아조)-1-나프텔레닐)아조]-1H-피리미딘(솔벤트블랙 3) 및 그 염류
- 3,4-디히드로-2-메톡시-2-메칠-4-페닐-2H,5H,피라노(3,2-c)-(1)벤조피란-5-온(시클로코우마롤)
- 2,3-디하이드로-2H-1,4-벤족사진-6-올 및 그 염류(예 : 히드록시벤조모르포린)(다만, 히드록시벤조모르포린은 산화염모제에서 용법·용량에 따른 혼합물의 염모성분으로서 1.0 % 이하는 제외)
- 2,3-디하이드로-1H-인돌-5,6-디올(디하이드록시인돌린) 및 그 하이드로브로마이드염 (디하이드록시인돌린 하이드로브롬마이드)(다만, 비산화염모제에서 용법·용량에 따른 혼합물의 염모성분으로서 2.0 % 이하는 제외)

- (S)-2,3-디하이드로-1H-인돌-카르복실릭 애씨드
- 디히드로타키스테롤
- 2,6-디하이드록시-3,4-디메칠피리딘 및 그 염류
- 2,4-디하이드록시-3-메칠벤즈알데하이드
- 4,4'-디히드록시-3,3'-(3-메칠치오프로필아이덴)디코우마린
- 2,6-디하이드록시-4-메칠피리딘 및 그 염류
- 1,4-디하이드록시-5,8-비스[(2-하이드록시에칠)아미노]안트라퀴논(디스퍼스블루 7) 및 그 염류
- 4-[4-(1,3-디하이드록시프로프-2-일)페닐아미노-1,8-디하이드록시-5-니트로안트라퀴논
- 2,2'-디히드록시-3,3'5,5',6,6'-헥사클로로디페닐메탄(헥사클로로펜)
- 디하이드로쿠마린
- N,N'-디헥사데실-N,N'-비스(2-하이드록시에칠)프로판디아마이드 ; 비스하이드록시에칠비스세틸말론아마이드
- *Laurus nobilis L.*의 씨로부터 나온 오일
- *Rauwolfia serpentina* 알칼로이드 및 그 염류
- 라카익애씨드(CI 내츄럴레드 25) 및 그 염류
- 레졸시놀 디글리시딜 에텔
- 로다민 B 및 그 염류
- 로벨리아(*Lobelia*)속 및 그 생약제제
- 로벨린 및 그 염류
- 리누론
- 리도카인
- 과산화물가가 20mmol/L을 초과하는 d-리모넨
- 과산화물가가 20mmol/L을 초과하는 dℓ-리모넨
- 과산화물가가 20mmol/L을 초과하는 ℓ-리모넨
- 라이서자이드(Lysergide) 및 그 염류
- 마약류관리에 관한 법률 제2조에 따른 마약류
- 마이클로부타닐(2-(4-클로로페닐)-2-(1H-1,2,4-트리아졸-1-일메칠)헥사네니트릴)
- 마취제(천연 및 합성)
- 만노무스틴 및 그 염류
- 말라카이트그린 및 그 염류
- 말로노니트릴
- 1-메칠-3-니트로-1-니트로소구아니딘
- 1-메칠-3-니트로-4-(베타-하이드록시에칠)아미노벤젠 및 그 염류(예 : 하이드록시에칠-2-니트로-p-톨루이딘)(다만, 하이드록시에칠-2-니트로-p-톨루이딘은 염모제에서 용법 · 용량에 따른 혼합물의 염모성분으로서 1.0 % 이하는 제외)
- N-메칠-3-니트로-*p*-페닐렌디아민 및 그 염류
- N-메칠-1,4-디아미노안트라퀴논, 에피클로히드린 및 모노에탄올아민의 반응생성물(에이치시 청색 No. 4) 및 그 염류
- 3,4-메칠렌디옥시페놀 및 그 염류
- 메칠레소르신
- 메칠렌글라이콜

- 4,4'-메칠렌디아닐린
- 3,4-메칠렌디옥시아닐린 및 그 염류
- 4,4'-메칠렌디-*o*-톨루이딘
- 4,4'-메칠렌비스(2-에칠아닐린)
- (메칠렌비스(4,1-페닐렌아조(1-(3-(디메칠아미노)프로필)-1,2-디하이드로-6-하이드록시-4-메칠-2-옥소피리딘-5,3-디일)))-1,1'-디피리디늄디클로라이드 디하이드로클로라이드
- 4,4'-메칠렌비스[2-(4-하이드록시벤질)-3,6-디메칠페놀]과 6-디아조-5,6-디하이드로-5-옥소-나프탈렌설포네이트(1:2)의 반응생성물과 4,4'-메칠렌비스[2-(4-하이드록시벤질)-3,6-디메칠페놀]과 6-디아조-5,6-디하이드로-5-옥소-나프탈렌설포네이트(1:3) 반응생성물과의 혼합물
- 메칠렌클로라이드
- 3-(N-메칠-N-(4-메칠아미노-3-니트로페닐)아미노)프로판-1,2-디올 및 그 염류
- 메칠메타크릴레이트모노머
- 메칠 트랜스-2-부테노에이트
- 2-[3-(메칠아미노)-4-니트로페녹시]에탄올 및 그 염류 (예 : 3-메칠아미노-4-니트로페녹시에탄올)(다만, 비산화염모제에서 용법 · 용량에 따른 혼합물의 염모성분으로서 0.15 % 이하는 제외)
- N-메칠아세타마이드
- (메칠-ONN-아조시)메칠아세테이트
- 2-메칠아지리딘(프로필렌이민)
- 메칠옥시란
- 메칠유게놀(다만, 식물추출물에 의하여 자연적으로 함유되어 다음 농도 이하인 경우에는 제외. 향료원액을 8% 초과하여 함유하는 제품 0.01%, 향료원액을 8% 이하로 함유하는 제품 0.004%, 방향용 크림 0.002%, 사용 후 씻어내는 제품 0.001%, 기타 0.0002%)
- N,N'-((메칠이미노)디에칠렌))비스(에칠디메칠암모늄) 염류(예 : 아자메토늄브로마이드)
- 메칠이소시아네이트
- 6-메칠쿠마린(6-MC)
- 7-메칠쿠마린
- 메칠크레속심
- 1-메칠-2,4,5-트리하이드록시벤젠 및 그 염류
- 메칠페니데이트 및 그 염류
- 3-메칠-1-페닐-5-피라졸론 및 그 염류(예 : 페닐메칠피라졸론)(다만, 페닐메칠피라졸론은 산화염모제에서 용법 · 용량에 따른 혼합물의 염모성분으로서 0.25 % 이하는 제외)
- 메칠페닐렌디아민류, 그 N-치환 유도체류 및 그 염류(예 : 2,6-디하이드록시에칠아미노톨루엔)(다만, 염모제에서 염모성분으로 사용하는 것은 제외)

〈삭 제〉

- 2-메칠-*m*-페닐렌 디이소시아네이트
- 4-메칠-*m*-페닐렌 디이소시아네이트
- 4,4'-[(4-메칠-1,3-페닐렌)비스(아조)]비스[6-메칠-1,3-벤젠디아민](베이직브라운 4) 및 그 염류
- 4-메칠-6-(페닐아조)-1,3-벤젠디아민

및 그 염류
- N-메칠포름아마이드
- 5-메칠-2,3-헥산디온
- 2-메칠헵틸아민 및 그 염류
- 메카밀아민
- 메타닐옐로우
- 메탄올(에탄올 및 이소프로필알콜의 변성제로서만 알콜 중 5%까지 사용)
- 메테토헵타진 및 그 염류
- 메토카바몰
- 메토트렉세이트
- 2-메톡시-4-니트로페놀(4-니트로구아이아콜) 및 그 염류
- 2-[(2-메톡시-4-니트로페닐)아미노]에탄올 및 그 염류(예 : 2-하이드록시에칠아미노-5-니트로아니솔)(다만, 비산화염모제에서 용법 · 용량에 따른 혼합물의 염모성분으로서 0.2 % 이하는 제외)
- 1-메톡시-2,4-디아미노벤젠(2,4-디아미노아니솔 또는 4-메톡시-*m*-페닐렌디아민 또는 CI76050) 및 그 염류
- 1-메톡시-2,5-디아미노벤젠(2,5-디아미노아니솔) 및 그 염류
- 2-메톡시메칠-*p*-아미노페놀 및 그 염산염
- 6-메톡시-N2-메칠-2,3-피리딘디아민 하이드로클로라이드 및 디하이드로클로라이드염(다만, 염모제에서 용법 · 용량에 따른 혼합물의 염모성분으로 산으로서 0.68% 이하, 디하이드로클로라이드염으로서 1.0 % 이하는 제외)
- 2-(4-메톡시벤질-N-(2-피리딜)아미노)에칠디메칠아민말리에이트
- 메톡시아세틱애씨드
- 2-메톡시에칠아세테이트(메톡시에탄올아세테이트)
- N-(2-메톡시에칠)-*p*-페닐렌디아민 및 그 염산염
- 2-메톡시에탄올(에칠렌글리콜 모노메칠에텔, EGMME)
- 2-(2-메톡시에톡시)에탄올(메톡시디글리콜)
- 7-메톡시쿠마린
- 4-메톡시톨루엔-2,5-디아민 및 그 염산염
- 6-메톡시-*m*-톨루이딘(*p*-크레시딘)
- 2-[[(4-메톡시페닐)메칠하이드라조노]메칠]-1,3,3-트리메칠-3H-인돌리움 및 그 염류
- 4-메톡시페놀(히드로퀴논모노메칠에텔 또는 *p*-히드록시아니솔)
- 4-(4-메톡시페닐)-3-부텐-2-온(4-아니실리덴아세톤)
- 1-(4-메톡시페닐)-1-펜텐-3-온(α -메칠아니실아세톤)
- 2-메톡시프로판올
- 2-메톡시프로필아세테이트
- 6-메톡시-2,3-피리딘디아민 및 그 염산염
- 메트알데히드
- 메트암페프라몬 및 그 염류
- 메트포르민 및 그 염류
- 메트헵타진 및 그 염류
- 메티라폰
- 메티프릴온 및 그 염류
- 메페네신 및 그 에스텔
- 메페클로라진 및 그 염류
- 메프로바메이트

- 2급 아민함량이 0.5%를 초과하는 모노알킬아민, 모노알칸올아민 및 그 염류
- 모노크로토포스
- 모누론
- 모르포린 및 그 염류
- 모스켄(1,1,3,3,5-펜타메칠-4,6-디니트로인단)
- 모페부타존
- 목향(*Saussurea lappa Clarke = Saussurea costus (Falc.) Lipsch. = Aucklandia lappa Decne*) 뿌리오일
- 몰리네이트
- 몰포린-4-카르보닐클로라이드
- 무화과나무(*Ficus carica*)잎엡솔루트(피그잎엡솔루트)
- 미네랄 울
- 미세플라스틱(세정, 각질제거 등의 제품*에 남아있는 5mm 크기 이하의 고체플라스틱)

* 화장품법 시행규칙 [별표3]

1. 화장품의 유형

가. 영 · 유아용 제품류 1) 영 · 유아용 샴푸, 린스 4) 영 · 유아용 인체 세정용 제품 5) 영 · 유아용 목욕용 제품

나. 목욕용 제품류

다. 인체 세정용 제품류

아. 두발용 제품류 1) 헤어 컨디셔너 8) 샴푸, 린스 11) 그 밖의 두발용 제품류(사용 후 씻어내는 제품에 한함)

차. 2) 남성용 탤컴(사용 후 씻어내는 제품에 한함) 4) 세이빙 크림 5) 세이빙 폼 6) 그 밖의 면도용 제품류(사용 후 씻어내는 제품에 한함)

카. 6) 팩, 마스크(사용 후 씻어내는 제품에 한함) 9) 손 · 발의 피부연화 제품(사용 후 씻어내는 제품에 한함) 10) 클렌징 워터, 클렌징 오일, 클렌징 로션, 클렌징 크림 등 메이크업 리무버 11) 그 밖의 기초화장용 제품류(사용 후 씻어내는 제품에 한함))

- 바륨염(바륨설페이트 및 색소레이크희석제로 사용한 바륨염은 제외)
- 바비츄레이트
- 2,2'-바이옥시란
- 발녹트아미드
- 발린아미드
- 방사성물질
- 백신, 독소 또는 혈청
- 베낙티진
- 베노밀
- 베라트룸(*Veratrum*)속 및 그 제제
- 베라트린, 그 염류 및 생약제제
- 베르베나오일(*Lippia citriodora Kunth.*)
- 베릴륨 및 그 화합물
- 베메그리드 및 그 염류
- 베록시카인 및 그 염류
- 베이직바이올렛 1(메칠바이올렛)
- 베이직바이올렛 3(크리스탈바이올렛)
- 1-(베타-우레이도에칠)아미노-4-니트로벤젠 및 그 염류(예 : 4-니트로페닐 아미노에칠우레아)(다만, 4-니트로페닐 아미노에칠우레아는 산화염모제에서 용법 · 용량에 따른 혼합물의 염모성분으로서 0.25 % 이하, 비산화염모제에서 용법 · 용량에 따른 혼합물의 염모성분으로서 0.5 % 이

하는 제외)

- 1-(베타-하이드록시)아미노-2-니트로-4-N-에칠-N-(베타-하이드록시에칠)아미노벤젠 및 그 염류(예 : 에이치시 청색 No. 13)
- 벤드로플루메치아자이드 및 그 유도체
- 벤젠
- 1,2-벤젠디카르복실릭애씨드 디펜틸에스터(가지형과 직선형) ; n-펜틸-이소펜틸프탈레이트 ; 디-n-펜틸프탈레이트 ; 디이소펜틸프탈레이트
- 1,2,4-벤젠트리아세테이트 및 그 염류
- 7-(벤조일아미노)-4-하이드록시-3-[[4-[(4-설포페닐)아조]페닐]아조]-2-나프탈렌설포닉애씨드 및 그 염류
- 벤조일퍼옥사이드
- 벤조[*a*]피렌
- 벤조[*e*]피렌
- 벤조[*j*]플루오란텐
- 벤조[*k*]플루오란텐
- 벤즈[*e*]아세페난트릴렌
- 벤즈아제핀류와 벤조디아제핀류
- 벤즈아트로핀 및 그 염류
- 벤즈[*a*]안트라센
- 벤즈이미다졸-2(3H)-온
- 벤지딘
- 벤지딘계 아조 색소류
- 벤지딘디하이드로클로라이드
- 벤지딘설페이트
- 벤지딘아세테이트
- 벤지로늄브로마이드
- 벤질 2,4-디브로모부타노에이트
- 3(또는 5)-((4-(벤질메칠아미노)페닐)아조)-1,2-(또는 1,4)-디메칠-1H-1,2,4- 트리아졸리윰 및 그 염류
- 벤질바이올렛([4-[[4-(디메칠아미노)페닐][4-[에칠(3-설포네이토벤질)아미노]페닐]메칠렌]사이클로헥사-2,5-디엔-1-일리덴](에칠)(3-설포네이토벤질) 암모늄염 및 소듐염)
- 벤질시아나이드
- 4-벤질옥시페놀(히드로퀴논모노벤질에텔)
- 2-부타논 옥심
- 부타닐리카인 및 그 염류
- 1,3-부타디엔
- 부토피프린 및 그 염류
- 부톡시디글리세롤
- 부톡시에탄올
- 5-(3-부티릴-2,4,6-트리메칠페닐)-2-[1-(에톡시이미노)프로필]-3-하이드록시사이클로헥스-2-엔-1-온
- 부틸글리시딜에텔
- 4-*tert*-부틸-3-메톡시-2,6-디니트로톨루엔(머스크암브레트)
- 1-부틸-3-(N-크로토노일설파닐일)우레아
- 5-*tert*-부틸-1,2,3-트리메칠-4,6-디니트로벤젠(머스크티베텐)
- 4-*tert*-부틸페놀
- 2-(4-*tert*-부틸페닐)에탄올
- 4-*tert*-부틸피로카테콜
- 부펙사막
- 붕산
- 브레티륨토실레이트

- (R)-5-브로모-3-(1-메칠-2-피롤리디닐메칠)-1H-인돌
- 브로모메탄
- 브로모에칠렌
- 브로모에탄
- 1-브로모-3,4,5-트리플루오로벤젠
- 1-브로모프로판 ; n-프로필 브로마이드
- 2-브로모프로판
- 브로목시닐헵타노에이트
- 브롬
- 브롬이소발
- 브루신(에탄올의 변성제는 제외)
- 비나프아크릴(2-*sec*-부틸-4,6-디니트로페닐-3-메칠크로토네이트)
- 9-비닐카르바졸
- 비닐클로라이드모노머
- 1-비닐-2-피롤리돈
- 비마토프로스트, 그 염류 및 유도체
- 비소 및 그 화합물
- 1,1-비스(디메칠아미노메칠)프로필벤조에이트(아미드리카인, 알리핀) 및 그 염류
- 4,4'-비스(디메칠아미노)벤조페논
- 3,7-비스(디메칠아미노)-페노치아진-5-이움 및 그 염류
- 3,7-비스(디에칠아미노)-페녹사진-5-이움 및 그 염류
- N-(4-[비스[4-(디에칠아미노)페닐]메칠렌]-2,5-사이클로헥사디엔-1-일리덴)-N-에칠-에탄아미니움 및 그 염류
- 비스(2-메톡시에칠)에텔(디메톡시디글리콜)
- 비스(2-메톡시에칠)프탈레이트
- 1,2-비스(2-메톡시에톡시)에탄 ; 트리에칠렌글리콜 디메칠 에텔(TEGDME) ; 트리글라임
- 1,3-비스(비닐설포닐아세타아미도)-프로판
- 비스(사이클로펜타디에닐)-비스(2,6-디플루오로-3-(피롤-1-일)-페닐)티타늄
- 4-[[비스-(4-플루오로페닐)메칠실릴]메칠]-4H-1,2,4-트리아졸과 1-[[비스-(4-플루오로페닐)메칠실릴]메칠]-1H-1,2,4-트리아졸의 혼합물
- 비스(클로로메칠)에텔(옥시비스[클로로메탄])
- N,N-비스(2-클로로에칠)메칠아민-N-옥사이드 및 그 염류
- 비스(2-클로로에칠)에텔
- 비스페놀 A(4,4'-이소프로필리덴디페놀)
- N'N'-비스(2-히드록시에칠)-N-메칠-2-니트로-*p*-페닐렌디아민(HC 블루 No.1) 및 그 염류
- 4,6-비스(2-하이드록시에톡시)-*m*-페닐렌디아민 및 그 염류
- 2,6-비스(2-히드록시에톡시)-3,5-피리딘디아민 및 그 염산염
- 비에타미베린
- 비치오놀
- 비타민 L_1, L_2
- [1,1'-비페닐-4,4'-디일]디암모니움설페이트
- 비페닐-2-일아민
- 비페닐-4-일아민 및 그 염류
- 4,4'-비-*o*-톨루이딘
- 4,4'-비-*o*-톨루이딘디하이드로클로라이드
- 4,4'-비-*o*-톨루이딘설페이트

- 빈클로졸린
- 사이클라멘알코올
- N-사이클로펜틸-*m*-아미노페놀
- 사이클로헥시미드
- N-사이클로헥실-N-메톡시-2,5-디메칠-3-퓨라마이드
- 트랜스-4-사이클로헥실-L-프롤린 모노하이드로클로라이드
- 사프롤(천연에센스에 자연적으로 함유되어 그 양이 최종제품에서 100ppm을 넘지 않는 경우는 제외)
- α-산토닌((3S, 5aR, 9bS)-3, 3a,4,5, 5a,9b-헥사히드로-3,5a,9-트리메칠나프토(1,2-b))푸란-2,8-디온
- 석면
- 석유
- 석유 정제과정에서 얻어지는 부산물(증류물, 가스오일류, 나프타, 윤활그리스, 슬랙왁스, 탄화수소류, 알칸류, 백색 페트롤라툼을 제외한 페트롤라툼, 연료오일, 잔류물). 다만, 정제과정이 완전히 알려져 있고 발암물질을 함유하지 않음을 보여줄 수 있으면 예외로 한다.
- 부타디엔 0.1%를 초과하여 함유하는 석유정제물(가스류, 탄화수소류, 알칸류, 증류물, 라피네이트)
- 디메칠설폭사이드(DMSO)로 추출한 성분을 3% 초과하여 함유하고 있는 석유 유래물질
- 벤조[*a*]피렌 0.005%를 초과하여 함유하고 있는 석유화학 유래물질, 석탄 및 목타르 유래물질
- 석탄추출 젯트기용 연료 및 디젤연료
- 설티암
- 설팔레이트
- 3,3'-(설포닐비스(2-니트로-4,1-페닐렌)이미노)비스(6-(페닐아미노))벤젠설포닉애씨드 및 그 염류
- 설폰아미드 및 그 유도체(톨루엔설폰아미드/포름알데하이드수지, 톨루엔설폰아미드/에폭시수지는 제외)
- 설핀피라존
- 과산화물가가 10mmol/L을 초과하는 *Cedrus atlantica*의 오일 및 추출물
- 세파엘린 및 그 염류
- 센노사이드
- 셀렌 및 그 화합물(셀레늄아스파테이트는 제외)
- 소듐헥사시클로네이트
- *Solanum nigrum L.* 및 그 생약제제
- *Schoenocaulon officinale Lind.*(씨 및 그 생약제제)
- 솔벤트레드1(CI 12150)
- 솔벤트블루 35
- 솔벤트오렌지 7
- 수은 및 그 화합물
- 스트로판투스(*Strophantus*)속 및 그 생약제제
- 스트로판틴, 그 비당질 및 그 각각의 유도체
- 스트론튬화합물
- 스트리크노스(*Strychnos*)속 그 생약제제
- 스트리키닌 및 그 염류
- 스파르테인 및 그 염류
- 스피로노락톤

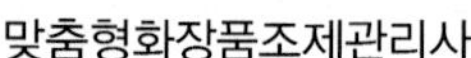

- 시마진
- 4-시아노-2,6-디요도페닐 옥타노에이트
- 스칼렛레드(솔벤트레드 24)
- 시클라바메이트
- 시클로메놀 및 그 염류
- 시클로포스파미드 및 그 염류
- 2-α -시클로헥실벤질(N,N,N',N'테트라에칠)트리메칠렌디아민(페네타민)
- 신코카인 및 그 염류
- 신코펜 및 그 염류(유도체 포함)
- 썩시노니트릴
- *Anamirta cocculus L.*(과실)
- *o*-아니시딘
- 아닐린, 그 염류 및 그 할로겐화 유도체 및 설폰화 유도체
- 아다팔렌
- *Adonis vernalis L.* 및 그 제제
- *Areca catechu* 및 그 생약제제
- 아레콜린
- 아리스톨로키아(*Aristolochia*)속 및 그 생약제제
- 아리스토로킥 애씨드 및 그 염류
- 1-아미노-2-니트로-4-(2',3'-디하이드록시프로필)아미노-5-클로로벤젠과 1,4-비스-(2',3'-디하이드록시프로필)아미노-2-니트로-5-클로로벤젠 및 그 염류(예 : 에이치시 적색 No. 10과 에이치시 적색 No. 11)(다만, 산화염모제에서 용법 · 용량에 따른 혼합물의 염모성분으로서 1.0 % 이하, 비산화염모제에서 용법 · 용량에 따른 혼합물의 염모성분으로서 2.0 % 이하는 제외)
- 2-아미노-3-니트로페놀 및 그 염류
- *p*-아미노-*o*-니트로페놀(4-아미노-2-니트로페놀)
- 4-아미노-3-니트로페놀 및 그 염류(다만, 4-아미노-3-니트로페놀은 산화염모제에서 용법 · 용량에 따른 혼합물의 염모성분으로서 1.5 % 이하, 비산화염모제에서 용법 · 용량에 따른 혼합물의 염모성분으로서 1.0 % 이하는 제외)
- 2,2'-[(4-아미노-3-니트로페닐)이미노]바이세타놀 하이드로클로라이드 및 그 염류(예 : 에이치시 적색 No. 13)(다만, 하이드로클로라이드염으로서 산화염모제에서 용법 · 용량에 따른 혼합물의 염모성분으로서 1.5 % 이하, 비산화염모제에서 용법 · 용량에 따른 혼합물의 염모성분으로서 1.0 % 이하는 제외)
- (8-[(4-아미노-2-니트로페닐)아조]-7-하이드록시-2-나프틸)트리메칠암모늄 및 그 염류(베이직브라운 17의 불순물로 있는 베이직레드 118 제외)
- 1-아미노-4-[[4-[(디메칠아미노)메칠]페닐]아미노]안트라퀴논 및 그 염류
- 6-아미노-2-((2,4-디메칠페닐)-1H-벤즈[de]이소퀴놀린-1,3-(2 H)-디온(솔벤트옐로우 44) 및 그 염류
- 5-아미노-2,6-디메톡시-3-하이드록시피리딘 및 그 염류
- 3-아미노-2,4-디클로로페놀 및 그 염류(다만, 3-아미노-2,4-디클로로페놀 및 그 염산염은 염모제에서 용법 · 용량에 따른 혼합물의 염모성분으로 염산염으로서

1.5 % 이하는 제외)

- 2-아미노메칠-*p*-아미노페놀 및 그 염산염
- 2-[(4-아미노-2-메칠-5-니트로페닐)아미노]에탄올 및 그 염류(예 : 에이치시 자색 No. 1)(다만, 산화염모제에서 용법 · 용량에 따른 혼합물의 염모성분으로서 0.25 % 이하, 비산화염모제에서 용법 · 용량에 따른 혼합물의 염모성분으로서 0.28 % 이하는 제외)
- 2-[(3-아미노-4-메톡시페닐)아미노]에탄올 및 그 염류(예 : 2-아미노-4-하이드록시에칠아미노아니솔)(다만, 산화염모제에서 용법 · 용량에 따른 혼합물의 염모성분으로서 1.5 % 이하는 제외)
- 4-아미노벤젠설포닉애씨드 및 그 염류
- 4-아미노벤조익애씨드 및 아미노기(-NH_2)를 가진 그 에스텔
- 2-아미노-1,2-비스(4-메톡시페닐)에탄올 및 그 염류
- 4-아미노살리실릭애씨드 및 그 염류
- 4-아미노아조벤젠
- 1-(2-아미노에칠)아미노-4-(2-하이드록시에칠)옥시-2-니트로벤젠 및 그 염류(예 : 에이치시 등색 No. 2)(다만, 비산화염모제에서 용법 · 용량에 따른 혼합물의 염모성분으로서 1.0 % 이하는 제외)
- 아미노카프로익애씨드 및 그 염류
- 4-아미노-m-크레솔 및 그 염류(다만, 4-아미노-m-크레솔은 산화염모제에서 용법 · 용량에 따른 혼합물의 염모성분으로서 1.5 % 이하는 제외)
- 6-아미노-*o*-크레솔 및 그 염류
- 2-아미노-6-클로로-4-니트로페놀 및 그 염류(다만, 2-아미노-6-클로로-4-니트로페놀은 염모제에서 용법 · 용량에 따른 혼합물의 염모성분으로서 2.0 % 이하는 제외)
- 1-[(3-아미노프로필)아미노]-4-(메칠아미노)안트라퀴논 및 그 염류
- 4-아미노-3-플루오로페놀
- 5-[(4-[(7-아미노-1-하이드록시-3-설포-2-나프틸)아조]-2,5-디에톡시페닐)아조]-2-[(3-포스포노페닐)아조]벤조익애씨드 및 5-[(4-[(7-아미노-1-하이드록시-3-설포-2-나프틸)아조]-2,5-디에톡시페닐)아조]-3-[(3-포스포노페닐)아조벤조익애씨드
- 3(또는 5)-[[4-[(7-아미노-1-하이드록시-3-설포네이토-2-나프틸)아조]-1-나프틸]아조]살리실릭애씨드 및 그 염류
- *Ammi majus* 및 그 생약제제
- 아미트롤
- 아미트리프틸린 및 그 염류
- 아밀나이트라이트
- 아밀 4-디메칠아미노벤조익애씨드(펜틸디메칠파바, 파디메이트A)
- 과산화물가가 10mmol/L을 초과하는 *Abies balsamea* 잎의 오일 및 추출물
- 과산화물가가 10mmol/L을 초과하는 *Abies sibirica* 잎의 오일 및 추출물
- 과산화물가가 10mmol/L을 초과하는 *Abies alba* 열매의 오일 및 추출물
- 과산화물가가 10mmol/L을 초과하는 *Abies alba* 잎의 오일 및 추출물

- 과산화물가가 10mmol/L을 초과하는 *Abies pectinata* 잎의 오일 및 추출물
- 아세노코우마롤
- 아세타마이드
- 아세토나이트릴
- 아세토페논, 포름알데하이드, 사이클로헥실아민, 메탄올 및 초산의 반응물
- (2-아세톡시에칠)트리메칠암모늄히드록사이드(아세틸콜린 및 그 염류)
- N-[2-(3-아세틸-5-니트로치오펜-2-일아조)-5-디에칠아미노페닐]아세타마이드
- 3-[(4-(아세틸아미노)페닐)아조]4-4하이드록시-7-[[[[5-하이드록시-6-(페닐아조)-7-설포-2-나프탈레닐]아미노]카보닐]아미노]-2-나프탈렌설포닉애씨드 및 그 염류
- 5-(아세틸아미노)-4-하이드록시-3-((2-메칠페닐)아조)-2,7-나프탈렌디설포닉애씨드 및 그 염류
- 아자시클로놀 및 그 염류
- 아자페니딘
- 아조벤젠
- 아지리딘
- 아코니툼(*Aconitum*)속 및 그 생약제제
- 아코니틴 및 그 염류
- 아크릴로니트릴
- 아크릴아마이드(다만, 폴리아크릴아마이드류에서 유래되었으며, 사용 후 씻어내지 않는 바디화장품에 0.1ppm, 기타 제품에 0.5ppm 이하인 경우에는 제외)
- 아트라놀
- *Atropa belladonna L.* 및 그 제제
- 아트로핀, 그 염류 및 유도체
- 아포몰핀 및 그 염류
- *Apocynum cannabinum L.* 및 그 제제
- 안드로겐효과를 가진 물질
- 안트라센오일
- 스테로이드 구조를 갖는 안티안드로겐
- 안티몬 및 그 화합물
- 알드린
- 알라클로르
- 알로클아미드 및 그 염류
- 알릴글리시딜에텔
- 2-(4-알릴-2-메톡시페녹시)-N,N-디에칠아세트아미드 및 그 염류
- 4-알릴-2,6-비스(2,3-에폭시프로필)페놀, 4-알릴-6-[3-[6-[3-(4-알릴-2,6-비스(2,3-에폭시프로필)페녹시)-2-하이드록시프로필]-4-알릴-2-(2,3-에폭시프로필)페녹시]-2-하이드록시프로필]-4-알릴-2-(2,3-에폭시프로필)페녹시]-2-하이드록시프로필-2-(2,3-에폭시프로필)페놀, 4-알릴-6-[3-(4-알릴-2,6-비스(2,3-에폭시프로필)페녹시)-2-하이드록시프로필]-2-(2,3-에폭시프로필)페놀, 4-알릴-6-[3-[6-[3-(4-알릴-2,6-비스(2,3-에폭시프로필)페녹시)-2-하이드록시프로필]-4-알릴-2-(2,3-에폭시프로필)페녹시]-2-하이드록시프로필]-2-(2,3-에폭시프로필)페놀의 혼합물
- 알릴이소치오시아네이트
- 에스텔의 유리알릴알코올농도가 0.1%를 초과하는 알릴에스텔류

- 알릴클로라이드(3-클로로프로펜)
- 2급 알칸올아민 및 그 염류
- 알칼리 설파이드류 및 알칼리토 설파이드류
- 2-알칼리펜타시아노니트로실페레이트
- 알킨알코올 그 에스텔, 에텔 및 염류
- *o*-알킬디치오카르보닉애씨드의 염
- 2급 알킬아민 및 그 염류
- 2-{4-(2-암모니오프로필아미노)-6-[4-하이드록시-3-(5-메칠-2-메톡시-4-설파모일페닐아조)-2-설포네이토나프트-7-일아미노]-1,3,5-트리아진-2-일아미노}-2-아미노프로필포메이트
- 애씨드오렌지24(CI 20170)
- 애씨드레드73(CI 27290)
- 애씨드블랙 131 및 그 염류
- 에르고칼시페롤 및 콜레칼시페롤(비타민 D_2와 D_3)
- 에리오나이트
- 에메틴, 그 염류 및 유도체
- 에스트로겐
- 에제린 또는 피조스티그민 및 그 염류
- 에이치시 녹색 No. 1
- 에이치시 적색 No. 8 및 그 염류
- 에이치시 청색 No. 11
- 에이치시 황색 No. 11
- 에이치시 등색 No. 3
- 에치온아미드
- 에칠렌글리콜 디메칠 에텔(EGDME)
- 2,2'-[(1,2'-에칠렌디일)비스[5-((4-에톡시페닐)아조]벤젠설포닉애씨드) 및 그 염류
- 에칠렌옥사이드
- 3-에칠-2-메칠-2-(3-메칠부틸)-1,3-옥사졸리딘
- 1-에칠-1-메칠몰포리늄 브로마이드
- 1-에칠-1-메칠피롤리디늄 브로마이드
- 에칠비스(4-히드록시-2-옥소-1-벤조피란-3-일)아세테이트 및 그 산의 염류
- 4-에칠아미노-3-니트로벤조익애씨드(N-에칠-3-니트로 파바) 및 그 염류
- 에칠아크릴레이트
- 3'-에칠-5',6',7',8'-테트라히드로-5',6',8',8',-테트라메칠-2'-아세토나프탈렌(아세틸에칠테트라메칠테트라린, AETT)
- 에칠페나세미드(페네투라이드)
- 2-[[4-[에칠(2-하이드록시에칠)아미노]페닐]아조]-6-메톡시-3-메칠-벤조치아졸리움 및 그 염류
- 2-에칠헥사노익애씨드
- 2-에칠헥실[[[3,5-비스(1,1-디메칠에칠)-4-하이드록시페닐]-메칠]치오]아세테이트
- O,O'-(에테닐메칠실릴렌디[(4-메칠펜탄-2-온)옥심]
- 에토헵타진 및 그 염류
- 7-에톡시-4-메칠쿠마린
- 4'-에톡시-2-벤즈이미다졸아닐라이드
- 2-에톡시에탄올(에칠렌글리콜 모노에칠에텔, EGMEE)
- 에톡시에탄올아세테이트
- 5-에톡시-3-트리클로로메칠-1,2,4-치아디아졸
- 4-에톡시페놀(히드로퀴논모노에칠에텔)

- 4-에톡시-*m*-페닐렌디아민 및 그 염류(예 : 4-에톡시-m-페닐렌디아민 설페이트)
- 에페드린 및 그 염류
- 1,2-에폭시부탄
- (에폭시에칠)벤젠
- 1,2-에폭시-3-페녹시프로판
- R-2,3-에폭시-1-프로판올
- 2,3-에폭시프로판-1-올
- 2,3-에폭시프로필-*o*-톨일에텔
- 에피네프린
- 옥사디아질
- (옥사릴비스이미노에칠렌)비스((*o* -클로로벤질)디에칠암모늄)염류, (예 : 암베노뮴클로라이드)
- 옥산아미드 및 그 유도체
- 옥스페네리딘 및 그 염류
- 4,4'-옥시디아닐린(*p*-아미노페닐 에텔) 및 그 염류
- (s)-옥시란메탄올 4-메칠벤젠설포네이트
- 옥시염화비스머스 이외의 비스머스화합물
- 옥시퀴놀린(히드록시-8-퀴놀린 또는 퀴놀린-8-올) 및 그 황산염
- 옥타목신 및 그 염류
- 옥타밀아민 및 그 염류
- 옥토드린 및 그 염류
- 올레안드린
- 와파린 및 그 염류
- 요도메탄
- 요오드
- 요힘빈 및 그 염류
- 우레탄(에칠카바메이트)
- 우로카닌산, 우로카닌산에칠
- *Urginea scilla Stern.* 및 그 생약제제
- 우스닉산 및 그 염류(구리염 포함)
- 2,2'-이미노비스-에탄올, 에피클로로히드린 및 2-니트로-1,4-벤젠디아민의 반응생성물(에이치시 청색 No. 5) 및 그 염류
- (마이크로-((7,7'-이미노비스(4-하이드록시-3-((2-하이드록시-5-(N-메칠설파모일)페닐)아조)나프탈렌-2-설포네이토))(6-)))디쿠프레이트 및 그 염류
- 4,4'-(4-이미노사이클로헥사-2,5-디에닐리덴메칠렌)디아닐린 하이드로클로라이드
- 이미다졸리딘-2-치온
- 과산화물가가 10mmol/L을 초과하는 이소디프렌
- 이소메트헵텐 및 그 염류
- 이소부틸나이트라이트
- 4,4'-이소부틸에칠리덴디페놀
- 이소소르비드디나이트레이트
- 이소카르복사지드
- 이소프레나린
- 이소프렌(2-메칠-1,3-부타디엔)
- 6-이소프로필-2-데카하이드로나프탈렌올(6-이소프로필-2-데카롤)
- 3-(4-이소프로필페닐)-1,1-디메칠우레아(이소프로투론)
- (2-이소프로필펜트-4-에노일)우레아(아프로날리드)
- 이속사풀루톨
- 이속시닐 및 그 염류
- 이부프로펜피코놀, 그 염류 및 유도체
- *Ipecacuanha(Cephaelis ipecacuaha Brot.* 및 관련된 종) (뿌리, 가루 및 생약제제)

- 이프로디온
- 인체 세포 · 조직 및 그 배양액(다만, 배양액 중 별표 3의 인체 세포 · 조직 배양액 안전기준에 적합한 경우는 제외)
- 인태반(Human Placenta) 유래 물질
- 인프로쿠온
- 임페라토린(9-(3-메칠부트-2-에니록시)푸로(3,2-g)크로멘-7온)
- 자이람
- 자일렌(다만, 화장품 원료의 제조공정에서 용매로 사용되었으나 완전히 제거할 수 없는 잔류용매로서 화장품법 시행규칙 [별표 3] 자. 손발톱용 제품류 중 1), 2), 3), 5)에 해당하는 제품 중 0.01%이하, 기타 제품 중 0.002% 이하인 경우 제외)
- 자일로메타졸린 및 그 염류
- 자일리딘, 그 이성체, 염류, 할로겐화 유도체 및 설폰화 유도체
- 족사졸아민
- *Juniperus sabina L.*(잎, 정유 및 생약제제)
- 지르코늄 및 그 산의 염류
- 천수국꽃 추출물 또는 오일
- Chenopodium ambrosioides(정유)
- 치람
- 4,4'-치오디아닐린 및 그 염류
- 치오아세타마이드
- 치오우레아 및 그 유도체
- 치오테파
- 치오판네이트-메칠
- 카드뮴 및 그 화합물
- 카라미펜 및 그 염류
- 카르벤다짐
- 4,4'-카르본이미돌일비스[N,N-디메칠아닐린] 및 그 염류
- 카리소프로돌
- 카바독스
- 카바릴
- N-(3-카바모일-3,3-디페닐프로필)-N,N-디이소프로필메칠암모늄염 (예 : 이소프로파미드아이오다이드)
- 카바졸의 니트로유도체
- 7,7'-(카보닐디이미노)비스(4-하이드록시-3-[[2-설포-4-[(4-설포페닐)아조]페닐]아조-2-나프탈렌설포닉애씨드 및 그 염류
- 카본디설파이드
- 카본모노옥사이드(일산화탄소)
- 카본블랙(다만, 불순물 중 벤조피렌과 디벤즈(a,h)안트라센이 각각 5ppb 이하이고 총 다환방향족탄화수소류(PAHs)가 0.5ppm 이하인 경우에는 제외)
- 카본테트라클로라이드
- 카부트아미드
- 카브로말
- 카탈라아제
- 카테콜(피로카테콜)(다만, 산화염모제에서 용법 · 용량에 따른 혼합물의 염모성분으로서 1.5 % 이하는 제외)
- 칸타리스, *Cantharis vesicatoria*
- 캡타폴
- 캡토디암
- 케토코나졸
- *Coniummaculatum L.*(과실, 가루, 생약제제)

- 코니인
- 코발트디클로라이드(코발트클로라이드)
- 코발트벤젠설포네이트
- 코발트설페이트
- 코우메타롤
- 콘발라톡신
- 콜린염 및 에스텔(예 : 콜린클로라이드)
- 콜키신, 그 염류 및 유도체
- 콜키코시드 및 그 유도체
- *Colchicum autumnale L.* 및 그 생약제제
- 콜타르 및 정제콜타르
- 쿠라레와 쿠라린
- 합성 쿠라리잔트(Curarizants)
- 과산화물가가 10mmol/L을 초과하는 *Cupressus sempervirens* 잎의 오일 및 추출물
- 크로톤알데히드(부테날)
- *Croton tiglium*(오일)
- 3-(4-클로로페닐)-1,1-디메칠우로늄 트리클로로아세테이트 ; 모누론-TCA
- 크롬 ; 크로믹애씨드 및 그 염류
- 크리센
- 크산티놀(7-{2-히드록시-3-[N-(2-히드록시에칠)-N-메칠아미노]프로필}테오필린)
- *Claviceps purpurea Tul.*, 그 알칼로이드 및 생약제제
- 1-클로로-4-니트로벤젠
- 2-[(4-클로로-2-니트로페닐)아미노]에탄올(에이치시 황색 No. 12) 및 그 염류
- 2-[(4-클로로-2-니트로페닐)아조)-N-(2-메톡시페닐)-3-옥소부탄올아마이드(피그먼트옐로우 73) 및 그 염류
- 2-클로로-5-니트로-N-하이드록시에칠-*p*-페닐렌디아민 및 그 염류
- 클로로데콘
- 2,2'-((3-클로로-4-((2,6-디클로로-4-니트로페닐)아조)페닐)이미노)비스에탄올(디스퍼스브라운 1) 및 그 염류
- 5-클로로-1,3-디하이드로-2H-인돌-2-온
- [6-[[3-클로로-4-(메칠아미노)페닐]이미노]-4-메칠-3-옥소사이클로헥사-1,4-디엔-1-일]우레아(에이치시 적색 No. 9) 및 그 염류
- 클로로메칠 메칠에텔
- 2-클로로-6-메칠피리미딘-4-일디메칠아민(크리미딘-ISO)
- 클로로메탄
- *p*-클로로벤조트리클로라이드
- N-5-클로로벤족사졸-2-일아세트아미드
- 4-클로로-2-아미노페놀
- 클로로아세타마이드
- 클로로아세트알데히드
- 클로로아트라놀
- 6-(2-클로로에칠)-6-(2-메톡시에톡시)-2,5,7,10-테트라옥사-6-실라운데칸
- 2-클로로-6-에칠아미노-4-니트로페놀 및 그 염류(다만, 산화염모제에서 용법 · 용량에 따른 혼합물의 염모성분으로서 1.5 % 이하, 비산화염모제에서 용법 · 용량에 따른 혼합물의 염모성분으로서 3 % 이하는 제외)
- 클로로에탄

- 1-클로로-2,3-에폭시프로판
- R-1-클로로-2,3-에폭시프로판
- 클로로탈로닐
- 클로로톨루론 ; 3-(3-클로로-*p*-톨일)-1,1-디메칠우레아
- α -클로로톨루엔
- N'-(4-클로로-*o*-톨일)-N,N-디메칠포름아미딘 모노하이드로클로라이드
- 1-(4-클로로페닐)-4,4-디메칠-3-(1,2,4-트리아졸-1-일메칠)펜타-3-올
- (3-클로로페닐)-(4-메톡시-3-니트로페닐)메타논
- (2RS,3RS)-3-(2-클로로페닐)-2-(4-플루오로페닐)-[1H-1,2,4-트리아졸-1-일)메칠]옥시란(에폭시코나졸)
- 2-(2-(4-클로로페닐)-2-페닐아세틸)인단 1,3-디온(클로로파시논-ISO)
- 클로로포름
- 클로로프렌(2-클로로부타-1,3-디엔)
- 클로로플루오로카본 추진제(완전하게 할로겐화 된 클로로플루오로알칸)
- 2-클로로-N-(히드록시메칠)아세트아미드
- N-[(6-[(2-클로로-4-하이드록시페닐)이미노]-4-메톡시-3-옥소-1,4-사이클로헥사디엔-1-일]아세타마이드(에이치시황색 No. 8) 및 그 염류
- 클로르단
- 클로르디메폼
- 클로르메자논
- 클로르메틴 및 그 염류
- 클로르족사존
- 클로르탈리돈
- 클로르프로티센 및 그 염류
- 클로르프로파미드
- 클로린
- 클로졸리네이트
- 클로페노탄 ; DDT(ISO)
- 클로펜아미드
- 키노메치오네이트
- 타크로리무스(tacrolimus), 그 염류 및 유도체
- 탈륨 및 그 화합물
- 탈리도마이드 및 그 염류
- 대한민국약전(식품의약품안전처 고시) '탤크'항 중 석면기준에 적합하지 않은 탤크
- 과산화물가가 10mmol/L을 초과하는 테르펜 및 테르페노이드(다만, 리모넨류는 제외)
- 과산화물가가 10mmol/L을 초과하는 신핀 테르펜 및 테르페노이드(sinpine terpenes and terpenoids)
- 과산화물가가 10mmol/L을 초과하는 테르펜 알코올류의 아세테이트
- 과산화물가가 10mmol/L을 초과하는 테르펜하이드로카본
- 과산화물가가 10mmol/L을 초과하는 α -테르피넨
- 과산화물가가 10mmol/L을 초과하는 γ -테르피넨
- 과산화물가가 10mmol/L을 초과하는 테르피놀렌
- *Thevetia neriifolia juss*, 배당체 추출물
- N,N,N',N'-테트라글리시딜-4,4'-디아미

노-3,3'-디에칠디페닐메탄
- N,N,N',N-테트라메칠-4,4'-메칠렌디아닐린
- 테트라베나진 및 그 염류
- 테트라브로모살리실아닐리드
- 테트라소듐 3,3'-[[1,1'-비페닐]-4,4'-디일비스(아조)]비스[5-아미노-4-하이드록시나프탈렌-2,7-디설포네이트](다이렉트 블루 6)
- 1,4,5,8-테트라아미노안트라퀴논(디스퍼스블루1)
- 테트라에칠피로포스페이트 ; TEPP(ISO)
- 테트라카보닐니켈
- 테트라카인 및 그 염류
- 테트라코나졸((+/-)-2-(2,4-디클로로페닐)-3-(1H-1,2,4-트리아졸-1-일)프로필-1,1,2,2-테트라플루오로에칠에텔)
- 2,3,7,8-테트라클로로디벤조-*p*-디옥신
- 테트라클로로살리실아닐리드
- 5,6,12,13-테트라클로로안트라(2,1,9-def:6,5,10-d'e'f')디이소퀴놀린-1,3,8,10(2H,9H)-테트론
- 테트라클로로에칠렌
- 테트라키스-하이드록시메칠포스포늄 클로라이드, 우레아 및 증류된 수소화 C16-18 탈로우 알킬아민의 반응생성물(UVCB 축합물)
- 테트라하이드로-6-니트로퀴노살린 및 그 염류
- 테트라히드로졸린(테트리졸린) 및 그 염류
- 테트라하이드로치오피란-3-카르복스알데하이드
- (+/-)-테트라하이드로풀푸릴-(R)-2-[4-(6-클로로퀴노살린-2-일옥시)페닐옥시]프로피오네이트
- 테트릴암모늄브로마이드
- 테파졸린 및 그 염류
- 텔루륨 및 그 화합물
- 토목향(*Inula helenium*)오일
- 톡사펜
- 톨루엔-3,4-디아민
- 톨루이디늄클로라이드
- 톨루이딘, 그 이성체, 염류, 할로겐화 유도체 및 설폰화 유도체
- *o*-톨루이딘계 색소류
- 톨루이딘설페이트(1:1)
- *m*-톨리덴 디이소시아네이트
- 4-*o*-톨릴아조-*o*-톨루이딘
- 톨복산
- 톨부트아미드
- [(톨일옥시)메칠]옥시란(크레실 글리시딜에텔)
- [(*m*-톨일옥시)메칠]옥시란
- [(*p*-톨일옥시)메칠]옥시란
- 과산화물가가 10mmol/L을 초과하는 피누스(*Pinus*)속을 스팀증류하여 얻은 투르펜틴
- 과산화물가가 10mmol/L을 초과하는 투르펜틴검(피누스(*Pinus*)속)
- 과산화물가가 10mmol/L을 초과하는 투르펜틴 오일 및 정제오일
- 투아미노헵탄, 이성체 및 그 염류
- 과산화물가가 10mmol/L을 초과하는 *Thuja Occidentalis* 나무줄기의 오일

- 과산화물가가 10mmol/L을 초과하는 *Thuja Occidentalis* 잎의 오일 및 추출물
- 트라닐시프로민 및 그 염류
- 트레타민
- 트레티노인(레티노익애씨드 및 그 염류)
- 트리니켈디설파이드
- 트리데모르프
- 3,5,5-트리메칠사이클로헥스-2-에논
- 2,4,5-트리메칠아닐린[1] ; 2,4,5-트리메칠아닐린 하이드로클로라이드[2]
- 3,6,10-트리메칠-3,5,9-운데카트리엔-2-온(메칠이소슈도이오논)
- 2,2,6-트리메칠-4-피페리딜벤조에이트(유카인) 및 그 염류
- 3,4,5-트리메톡시펜에칠아민 및 그 염류
- 트리부틸포스페이트
- 3,4',5-트리브로모살리실아닐리드(트리브롬살란)
- 2,2,2-트리브로모에탄올(트리브로모에칠알코올)
- 트리소듐 비스(7-아세트아미도-2-(4-니트로-2-옥시도페닐아조)-3-설포네이토-1-나프톨라토)크로메이트(1-)
- 트리소듐[4'-(8-아세틸아미노-3,6-디설포네이토-2-나프틸아조)-4"-(6-벤조일아미노-3-설포네이토-2-나프틸아조)-비페닐-1,3',3",1"'-테트라올라토-O,O',O",O"']코퍼(II)
- 1,3,5-트리스(3-아미노메칠페닐)-1,3,5-(1H,3H,5H)-트리아진-2,4,6-트리온 및 3,5-비스(3-아미노메칠페닐)-1-폴리[3,5-비스(3-아미노메칠페닐)-2,4,6-트리옥소-1,3,5-(1H,3H,5H)-트리아진-1-일]-1,3,5-(1H,3H,5H)-트리아진-2,4,6-트리온 올리고머의 혼합물
- 1,3,5-트리스-[(2S 및 2R)-2,3-에폭시프로필]-1,3,5-트리아진-2,4,6-(1H,3H,5H)-트리온
- 1,3,5-트리스(옥시라닐메칠)-1,3,5-트리아진-2,4,6(1H,3H,5H)-트리온
- 트리스(2-클로로에칠)포스페이트
- N1-(트리스(하이드록시메칠))-메칠-4-니트로-1,2-페닐렌디아민(에이치시 황색 No. 3) 및 그 염류
- 1,3,5-트리스(2-히드록시에칠)헥사히드로1,3,5-트리아신
- 1,2,4-트리아졸
- 트리암테렌 및 그 염류
- 트리옥시메칠렌(1,3,5-트리옥산)
- 트리클로로니트로메탄(클로로피크린)
- N-(트리클로로메칠치오)프탈이미드
- N-[(트리클로로메칠)치오]-4-사이클로헥센-1,2-디카르복시미드(캡탄)
- 2,3,4-트리클로로부트-1-엔
- 트리클로로아세틱애씨드
- 트리클로로에칠렌
- 1,1,2-트리클로로에탄
- 2,2,2-트리클로로에탄-1,1-디올
- α,α,α-트리클로로톨루엔
- 2,4,6-트리클로로페놀
- 1,2,3-트리클로로프로판
- 트리클로르메틴 및 그 염류
- 트리톨일포스페이트

- 트리파라놀
- 트리플루오로요도메탄
- 트리플루페리돌
- 1,3,5-트리하이드록시벤젠(플로로글루시놀) 및 그 염류
- 티로트리신
- 티로프로픽애씨드 및 그 염류
- 티아마졸
- 티우람디설파이드
- 티우람모노설파이드
- 파라메타손
- 파르에톡시카인 및 그 염류
- 2급 아민함량이 5%를 초과하는 패티애씨드디알킬아마이드류 및 디알칸올아마이드류
- 페나글리코돌
- 페나디아졸
- 페나리몰
- 페나세미드
- *p*-페네티딘(4-에톡시아닐린)
- 페노졸론
- 페노티아진 및 그 화합물
- 페놀
- 페놀프탈레인((3,3-비스(4-하이드록시페닐)프탈리드)
- 페니라미돌
- *o*-페닐렌디아민 및 그 염류
- 페닐부타존
- 4-페닐부트-3-엔-2-온
- 페닐살리실레이트
- 1-페닐아조-2-나프톨(솔벤트옐로우 14)
- 4-(페닐아조)-*m*-페닐렌디아민 및 그 염류
- 4-페닐아조페닐렌-1-3-디아민시트레이트히드로클로라이드(크리소이딘시트레이트히드로클로라이드)
- (R)-α-페닐에칠암모늄(-)-(1R,2S)-(1,2-에폭시프로필)포스포네이트 모노하이드레이트
- 2-페닐인단-1,3-디온(페닌디온)
- 페닐파라벤
- 트랜스-4-페닐-L-프롤린
- 페루발삼(*Myroxylon pereirae*의 수지) [다만, 추출물(extracts) 또는 증류물(distillates)로서 0.4% 이하인 경우는 제외]
- 페몰린 및 그 염류
- 페트리클로랄
- 펜메트라진 및 그 유도체 및 그 염류
- 펜치온
- N,N'-펜타메칠렌비스(트리메칠암모늄)염류 (예 : 펜타메토늄브로마이드)
- 펜타에리트리틸테트라나이트레이트
- 펜타클로로에탄
- 펜타클로로페놀 및 그 알칼리 염류
- 펜틴 아세테이트
- 펜틴 하이드록사이드
- 2-펜틸리덴사이클로헥사논
- 펜프로바메이트
- 펜프로코우몬
- 펜프로피모르프
- 펠레티에린 및 그 염류
- 포름아마이드
- 포름알데하이드 및 p-포름알데하이드
- 포스파미돈
- 포스포러스 및 메탈포스피드류
- 포타슘브로메이트

- 폴딘메틸설페이드
- 푸로쿠마린류(예 : 트리옥시살렌, 8-메톡시소랄렌, 5-메톡시소랄렌)(천연에센스에 자연적으로 함유된 경우는 제외. 다만, 자외선차단제품 및 인공선탠제품에서는 1ppm 이하이어야 한다.)
- 푸르푸릴트리메칠암모늄염(예 : 푸르트레토늄아이오다이드)
- 풀루아지포프-부틸
- 풀미옥사진
- 퓨란
- 프라모카인 및 그 염류
- 프레그난디올
- 프로게스토젠
- 프로그레놀론아세테이트
- 프로베네시드
- 프로카인아미드, 그 염류 및 유도체
- 프로파지트
- 프로파진
- 프로파틸나이트레이트
- 4,4'-[1,3-프로판디일비스(옥시)]비스벤젠-1,3-디아민 및 그 테트라하이드로클로라이드염(예 : 1,3-비스-(2,4-디아미노페녹시)프로판, 염산 1,3-비스-(2,4-디아미노페녹시)프로판 하이드로클로라이드)(다만, 산화염모제에서 용법·용량에 따른 혼합물의 염모성분으로서 산으로서 1.2 % 이하는 제외)
- 1,3-프로판설톤
- 프로판-1,2,3-트리일트리나이트레이트
- 프로피오락톤
- 프로피자미드
- 프로피페나존
- *Prunus laurocerasus L.*
- 프시로시빈
- 프탈레이트류(디부틸프탈레이트, 디에틸헥실프탈레이트, 부틸벤질프탈레이트에 한함)
- 플루실라졸
- 플루아니손
- 플루오레손
- 플루오로우라실
- 플루지포프-*p*-부틸
- 피그먼트레드 53(레이크레드 C)
- 피그먼트레드 53:1(레이크레드 CBa)
- 피그먼트오렌지 5(파마넨트오렌지)
- 피나스테리드, 그 염류 및 유도체
- 과산화물가가 10mmol/L을 초과하는 *Pinus nigra* 잎과 잔가지의 오일 및 추출물
- 과산화물가가 10mmol/L을 초과하는 *Pinus mugo* 잎과 잔가지의 오일 및 추출물
- 과산화물가가 10mmol/L을 초과하는 *Pinus mugo pumilio* 잎과 잔가지의 오일 및 추출물
- 과산화물가가 10mmol/L을 초과하는 *Pinus cembra* 아세틸레이티드 잎 및 잔가지의 추출물
- 과산화물가가 10mmol/L을 초과하는 *Pinus cembra* 잎과 잔가지의 오일 및 추출물
과산화물가가 10mmol/L을 초과하는 *Pinus species* 잎과 잔가지의 오일 및 추출물
- 과산화물가가 10mmol/L을 초과하는 *Pinus sylvestris* 잎과 잔가지의 오일 및 추출물

- 과산화물가가 10mmol/L을 초과하는 *Pinus palustris* 잎과 잔가지의 오일 및 추출물
- 과산화물가가 10mmol/L을 초과하는 *Pinus pumila* 잎과 잔가지의 오일 및 추출물
- 과산화물가가 10mmol/L을 초과하는 *Pinus pinaste* 잎과 잔가지의 오일 및 추출물
- *Pyrethrum album L.* 및 그 생약제제
- 피로갈롤(다만, 염모제에서 용법 · 용량에 따른 혼합물의 염모성분으로서 2 % 이하는 제외)
- *Pilocarpus jaborandi Holmes* 및 그 생약제제
- 피로카르핀 및 그 염류
- 6-(1-피롤리디닐)-2,4-피리미딘디아민-3-옥사이드(피롤리디닐 디아미노 피리미딘 옥사이드)
- 피리치온소듐(INNM)
- 피리치온알루미늄캄실레이트
- 피메크로리무스(pimecrolimus), 그 염류 및 그 유도체
- 피메트로진
- 과산화물가가 10mmol/L을 초과하는 *Picea mariana* 잎의 오일 및 추출물
- *Physostigma venenosum Balf.*
- 피이지-3,2',2'-디-*p*-페닐렌디아민
- 피크로톡신
- 피크릭애씨드
- 피토나디온(비타민 K1)
- 피톨라카(*Phytolacca*)속 및 그 제제
- 피파제테이트 및 그 염류
- 6-(피페리디닐)-2,4-피리미딘디아민-3-옥사이드(미녹시딜), 그 염류 및 유도체
- α-피페리딘-2-일벤질아세테이트 좌회전성의 트레오포름(레보파세토페란) 및 그 염류
- 피프라드롤 및 그 염류
- 피프로쿠라륨 및 그 염류
- 형광증백제
- 히드라스틴, 히드라스티닌 및 그 염류
- (4-하이드라지노페닐)-N-메칠메탄설폰아마이드 하이드로클로라이드
- 히드라지드 및 그 염류
- 히드라진, 그 유도체 및 그 염류
- 하이드로아비에틸 알코올
- 히드로겐시아니드 및 그 염류
- 히드로퀴논
- 히드로플루오릭애씨드, 그 노르말 염, 그 착화합물 및 히드로플루오라이드
- N-[3-하이드록시-2-(2-메칠아크릴로일아미노메톡시)프로폭시메칠]-2-메칠아크릴아마이드, N-[2,3-비스-(2-메칠아크릴로일아미노메톡시)프로폭시메칠-2-메칠아크릴아미드, 메타크릴아마이드 및 2-메칠-N-(2-메칠아크릴로일아미노메톡시메칠)-아크릴아마이드
- 4-히드록시-3-메톡시신나밀알코올의벤조에이트(천연에센스에 자연적으로 함유된 경우는 제외)
- (6-(4-하이드록시)-3-(2-메톡시페닐아조)-2-설포네이토-7-나프틸아미노)-1,3,5-트리아진-2,4-디일)비스[(아미노이-1-메칠에칠)암모늄]포메이트
- 1-하이드록시-3-니트로-4-(3-하이드록시프로필아미노)벤젠 및 그 염류 (예 :

4-하이드록시프로필아미노-3-니트로페놀)(다만, 염모제에서 용법 · 용량에 따른 혼합물의 염모성분으로서 2.6 % 이하는 제외)

- 1-하이드록시-2-베타-하이드록시에칠아미노-4,6-디니트로벤젠 및 그 염류(예 : 2-하이드록시에칠피크라믹애씨드)(다만, 2-하이드록시에칠피크라믹애씨드는 산화염모제에서 용법 · 용량에 따른 혼합물의 염모성분으로서 1.5 % 이하, 비산화염모제에서 용법 · 용량에 따른 혼합물의 염모성분으로서 2.0 % 이하는 제외)
- 5-하이드록시-1,4-벤조디옥산 및 그 염류
- 하이드록시아이소헥실 3-사이클로헥센 카보스알데히드(HICC)
- N1-(2-하이드록시에칠)-4-니트로-*o*-페닐렌디아민(에이치시 황색 No. 5) 및 그 염류
- 하이드록시에칠-2,6-디니트로-*p*-아니시딘 및 그 염류
- 3-[[4-[(2-하이드록시에칠)메칠아미노]-2-니트로페닐]아미노]-1,2-프로판디올 및 그 염류
- 하이드록시에칠-3,4-메칠렌디옥시아닐린; 2-(1,3-벤진디옥솔-5-일아미노)에탄올 하이드로클로라이드 및 그 염류 (예 : 하이드록시에칠-3,4-메칠렌디옥시아닐린 하이드로클로라이드)(다만, 산화염모제에서 용법 · 용량에 따른 혼합물의 염모성분으로서 1.5 % 이하는 제외)
- 3-[[4-[(2-하이드록시에칠)아미노]-2-니트로페닐]아미노]-1,2-프로판디올 및 그 염류
- 4-(2-하이드록시에칠)아미노-3-니트로페놀 및 그 염류 (예 : 3-니트로-p-하이드록시에칠아미노페놀)(다만, 3-니트로-p-하이드록시에칠아미노페놀은 산화염모제에서 용법 · 용량에 따른 혼합물의 염모성분으로서 3.0 % 이하, 비산화염모제에서 용법 · 용량에 따른 혼합물의 염모성분으로서 1.85 % 이하는 제외)
- 2,2'-[[4-[(2-하이드록시에칠)아미노]-3-니트로페닐]이미노]바이세타놀 및 그 염류(예 : 에이치시 청색 No. 2)(다만, 비산화염모제에서 용법 · 용량에 따른 혼합물의 염모성분으로서 2.8 % 이하는 제외)
- 1-[(2-하이드록시에칠)아미노]-4-(메칠아미노-9,10-안트라센디온 및 그 염류
- 하이드록시에칠아미노메칠-*p*-아미노페놀 및 그 염류
- 5-[(2-하이드록시에칠)아미노]-o-크레졸 및 그 염류(예 : 2-메칠-5-하이드록시에칠아미노페놀)(다만, 2-메칠-5-하이드록시에칠아미노페놀은 염모제에서 용법 · 용량에 따른 혼합물의 염모성분으로서 0.5 % 이하는 제외)
- (4-(4-히드록시-3-요오도페녹시)-3,5-디요오도페닐)아세틱애씨드 및 그 염류
- 6-하이드록시-1-(3-이소프로폭시프로필)-4-메칠-2-옥소-5-[4-(페닐아조)페닐아조]-1,2-디하이드로-3-피리딘카보니트릴
- 4-히드록시인돌

- 2-[2-하이드록시-3-(2-클로로페닐)카르바모일-1-나프틸아조]-7-[2-하이드록시-3-(3-메칠페닐)카르바모일-1-나프틸아조]플루오렌-9-온
- 4-(7-하이드록시-2,4,4-트리메칠-2-크로마닐)레솔시놀-4-일-트리스(6-디아조-5,6-디하이드로-5-옥소나프탈렌-1-설포네이트) 및 4-(7-하이드록시-2,4,4-트리메칠-2-크로마닐)레솔시놀비스(6-디아조-5,6-디하이드로-5-옥소나프탈렌-1-설포네이트)의 2:1 혼합물
- 11-α-히드록시프레근-4-엔-3,20-디온 및 그 에스텔
- 1-(3-하이드록시프로필아미노)-2-니트로-4-비스(2-하이드록시에칠)아미노)벤젠 및 그 염류(예 : 에이치시 자색 No. 2)(다만, 비산화염모제에서 용법 · 용량에 따른 혼합물의 염모성분으로서 2.0 % 이하는 제외)
- 히드록시프로필 비스(N-히드록시에칠-p-페닐렌디아민) 및 그 염류(다만, 산화염모제에서 용법 · 용량에 따른 혼합물의 염모성분으로 테트라하이드로클로라이드염으로서 0.4 % 이하는 제외)

〈삭 제〉

- 하이드록시피리디논 및 그 염류
- 3-하이드록시-4-[(2-하이드록시나프틸)아조]-7-니트로나프탈렌-1-설포닉애씨드 및 그 염류
- 할로카르반
- 할로페리돌
- 항생물질
- 항히스타민제(예 : 독실아민, 디페닐피랄린, 디펜히드라민, 메타피릴렌, 브롬페니라민, 사이클리진, 클로르페녹사민, 트리펠렌아민, 히드록사진 등)
- N,N'-헥사메칠렌비스(트리메칠암모늄)염류(예 : 헥사메토늄브로마이드)
- 헥사메칠포스포릭-트리아마이드
- 헥사에칠테트라포스페이트
- 헥사클로로벤젠
- (1R,4S,5R,8S)-1,2,3,4,10,10-헥사클로로-6,7-에폭시-1,4,4a,5,6,7,8,8a-옥타히드로-,1,4;5,8-디메타노나프탈렌(엔드린-ISO)
- 1,2,3,4,5,6-헥사클로로사이클로헥산류(예 : 린단)
- 헥사클로로에탄
- (1R,4S,5R,8S)-1,2,3,4,10,10-헥사클로로-1,4,4a,5,8,8a-헥사히드로-1,4;5,8-디메타노나프탈렌(이소드린-ISO)
- 헥사프로피메이트
- (1R,2S)-헥사히드로-1,2-디메칠-3,6-에폭시프탈릭안하이드라이드(칸타리딘)
- 헥사하이드로사이클로펜타(C) 피롤-1-(1H)-암모늄 N-에톡시카르보닐-N-(p-톨릴설포닐)아자나이드
- 헥사하이드로쿠마린
- 헥산
- 헥산-2-온
- 1,7-헵탄디카르복실산(아젤라산), 그 염류 및 유도체
- 트랜스-2-헥세날디메칠아세탈

- 트랜스-2-헥세날디에칠아세탈
- 헨나(*Lawsonia Inermis*)엽가루(다만, 염모제에서 염모성분으로 사용하는 것은 제외)
- 트랜스-2-헵테날
- 헵타클로로에폭사이드
- 헵타클로르
- 3-헵틸-2-(3-헵틸-4-메칠-치오졸린-2-일렌)-4-메칠-치아졸리늄다이드
- 황산 4,5-디아미노-1-((4-클로르페닐)메칠)-1H-피라졸
- 황산 5-아미노-4-플루오르-2-메칠페놀
- *Hyoscyamus niger L.* (잎, 씨, 가루 및 생약제제)
- 히요시아민, 그 염류 및 유도체
- 히요신, 그 염류 및 유도체
- 영국 및 북아일랜드산 소 유래 성분
- BSE(Bovine Spongiform Encephalopathy) 감염조직 및 이를 함유하는 성분
- 광우병 발병이 보고된 지역의 다음의 특정위험물질(specified risk material) 유래성분(소 · 양 · 염소 등 반추동물의 18개 부위)
  - 뇌(brain)
  - 두개골(skull)
  - 척수(spinal cord)
  - 뇌척수액(cerebrospinal fluid)
  - 송과체(pineal gland)
  - 하수체(pituitary gland)
  - 경막(dura mater)
  - 눈(eye)
  - 삼차신경절(trigeminal ganglia)
  - 배측근신경절(dorsal root ganglia)
  - 척주(vertebral column)
  - 림프절(lymph nodes)
  - 편도(tonsil)
  - 흉선(thymus)
  - 십이지장에서 직장까지의 장관(intestines from the duodenum to the rectum)
  - 비장(spleen)
  - 태반(placenta)
  - 부신(adrenal gland)

〈삭 제〉

「화학물질의 등록 및 평가 등에 관한 법률」 제2조제9호 및 제27조에 따라 지정하고 있는 금지물질

사용상의 제한이 필요한 원료

1. 보존제 성분

원 료 명	사용한도	비 고
글루타랄(펜탄-1,5-디알)	0.1%	에어로졸(스프레이에 한함) 제품에는 사용금지
데하이드로아세틱애씨드(3-아세틸-6-메칠피란-2,4(3H)-디온) 및 그 염류	데하이드로아세틱애씨드로서 0.6%	에어로졸(스프레이에 한함) 제품에는 사용금지
4,4-디메칠-1,3-옥사졸리딘(디메칠옥사졸리딘)	0.05% (다만, 제품의 pH는 6을 넘어야 함)	
디브로모헥사미딘 및 그 염류(이세치오네이트 포함)	디브로모헥사미딘으로서 0.1%	
디아졸리디닐우레아 (N-(히드록시메칠)-N-(디히드록시메칠-1,3-디옥소-2,5-이미다졸리디닐-4)-N'-(히드록시메칠)우레아)	0.5%	
디엠디엠하이단토인 (1,3-비스(히드록시메칠)-5,5-디메칠이미다졸리딘-2,4-디온)	0.6%	
2, 4-디클로로벤질알코올	0.15%	
3, 4-디클로로벤질알코올	0.15%	
메칠이소치아졸리논	사용 후 씻어내는 제품에 0.0015% (단, 메칠클로로이소치아졸리논과 메칠이소치아졸리논 혼합물과 병행 사용 금지)	기타 제품에는 사용금지
메칠클로로이소치아졸리논과 메칠이소치아졸리논 혼합물(염화마그네슘과 질산마그네슘 포함)	사용 후 씻어내는 제품에 0.0015% (메칠클로로이소치아졸리논:메칠이소치아졸리논=(3:1)혼합물로서)	기타 제품에는 사용금지

원 료 명	사용한도	비 고
메텐아민(헥사메칠렌테트라아민)	0.15%	
무기설파이트 및 하이드로젠설파이트류	유리 SO_2로 0.2%	
벤잘코늄클로라이드, 브로마이드 및 사카리네이트	• 사용 후 씻어내는 제품에 벤잘코늄클로라이드로서 0.1% • 기타 제품에 벤잘코늄클로라이드로서 0.05%	
벤제토늄클로라이드	0.1%	점막에 사용되는 제품에는 사용금지
벤조익애씨드, 그 염류 및 에스텔류	산으로서 0.5% (다만, 벤조익애씨드 및 그 소듐염은 사용 후 씻어내는 제품에는 산으로서 2.5%)	
벤질알코올	1.0% (다만, 두발 염색용 제품류에 용제로 사용할 경우에는 10%)	
벤질헤미포름알	사용 후 씻어내는 제품에 0.15%	기타 제품에는 사용금지
보레이트류 (소듐보레이트, 테트라보레이트)	밀납, 백납의 유화의 목적으로 사용 시 0.76% (이 경우, 밀납 · 백납 배합량의 1/2을 초과할 수 없다)	기타 목적에는 사용금지
5-브로모-5-나이트로-1,3-디옥산	사용 후 씻어내는 제품에 0.1% (다만, 아민류나 아마이드류를 함유하고 있는 제품에는 사용금지)	기타 제품에는 사용금지
2-브로모-2-나이트로프로판-1,3-디올(브로노폴)	0.1%	아민류나 아마이드류를 함유하고 있는 제품에는 사용금지
브로모클로로펜(6,6-디브로모-4,4-디클로로-2,2'-메칠렌-디페놀)	0.1%	

원료명	사용한도	비고
비페닐-2-올(o-페닐페놀) 및 그 염류	페놀로서 0.15%	
살리실릭애씨드 및 그 염류	살리실릭애씨드로서 0.5%	영유아용 제품류 또는 만 13세 이하 어린이가 사용할 수 있음을 특정하여 표시하는 제품에는 사용금지(다만, 샴푸는 제외)
세틸피리디늄클로라이드	0.08%	
소듐라우로일사코시네이트	사용 후 씻어내는 제품에 허용	기타 제품에는 사용금지
소듐아이오데이트	사용 후 씻어내는 제품에 0.1%	기타 제품에는 사용금지
소듐하이드록시메칠아미노아세테이트 (소듐하이드록시메칠글리시네이트)	0.5%	
소르빅애씨드(헥사-2,4-디에노익애씨드) 및 그 염류	소르빅애씨드로서 0.6%	
아이오도프로피닐부틸카바메이트 (아이피비씨)	• 사용 후 씻어내는 제품에 0.02% • 사용 후 씻어내지 않는 제품에 0.01% • 다만, 데오드란트에 배합할 경우에는 0.0075%	• 입술에 사용되는 제품, 에어로졸(스프레이에 한함) 제품, 바디로션 및 바디크림에는 사용금지 • 영유아용 제품류 또는 만 13세 이하 어린이가 사용할 수 있음을 특정하여 표시하는 제품에는 사용금지(목욕용제품, 샤워젤류 및 샴푸류는 제외)
알킬이소퀴놀리늄브로마이드	사용 후 씻어내지 않는 제품에 0.05%	
알킬(C_{12}-C_{22})트리메칠암모늄 브로마이드 및 클로라이드(브롬화세트리모늄 포함)	두발용 제품류를 제외한 화장품에 0.1%	
에칠라우로일알지네이트	0.4%	입술에 사용되는 제품 및

원 료 명	사용한도	비 고
하이드로클로라이드		에어로졸(스프레이에 한함) 제품에는 사용금지
엠디엠하이단토인	0.2%	
알킬디아미노에칠글라이신하이드로클로라이드용액(30%)	0.3%	
운데실레닉애씨드 및 그 염류 및 모노에탄올아마이드	사용 후 씻어내는 제품에 산으로서 0.2%	기타 제품에는 사용금지
이미다졸리디닐우레아(3,3'-비스(1-하이드록시메칠-2,5-디옥소이미다졸리딘-4-일)-1,1'메칠렌디우레아)	0.6%	
이소프로필메칠페놀(이소프로필크레졸, *o*-시멘-5-올)	0.1%	
징크피리치온	사용 후 씻어내는 제품에 0.5%	기타 제품에는 사용금지
쿼터늄-15(메텐아민 3-클로로알릴클로라이드)	0.2%	
클로로부탄올	0.5%	에어로졸(스프레이에 한함) 제품에는 사용금지
〈삭제〉	〈삭제〉	
클로로자이레놀	0.5%	
p-클로로-*m*-크레졸	0.04%	점막에 사용되는 제품에는 사용금지
클로로펜(2-벤질-4-클로로페놀)	0.05%	
클로페네신(3-(*p*-클로로페녹시)-프로판-1,2-디올)	0.3%	
클로헥시딘, 그 디글루코네이트, 디아세테이트 및 디하이드로클로라이드	• 점막에 사용하지 않고 씻어내는 제품에 클로헥시딘으로서 0.1%, • 기타 제품에 클로헥시딘으로서 0.05%	

원 료 명	사용한도	비 고
클림바졸 [1-(4-클로로페녹시)-1-(1H-이미다졸릴)-3, 3-디메칠-2-부타논]	두발용 제품에 0.5%	기타 제품에는 사용금지
테트라브로모-*o*-크레졸	0.3%	
트리클로산	사용 후 씻어내는 인체세정용 제품류, 데오도런트(스프레이 제품 제외), 페이스파우더, 피부결점을 감추기 위해 국소적으로 사용하는 파운데이션(예 : 블레미쉬컨실러)에 0.3%	기타 제품에는 사용금지
트리클로카반(트리클로카바닐리드)	0.2% (다만, 원료 중 3,3',4,4'-테트라클로로아조벤젠 1ppm 미만, 3,3',4,4'- 테트라클로로아족시벤젠 1ppm 미만 함유하여야 함)	
페녹시에탄올	1.0%	
페녹시이소프로판올 (1-페녹시프로판-2-올)	사용 후 씻어내는 제품에 1.0%	기타 제품에는 사용금지
〈삭제〉	〈삭제〉	
포믹애씨드 및 소듐포메이트	포믹애씨드로서 0.5%	
폴리(1-헥사메칠렌바이구아니드)에이치씨엘	0.05%	에어로졸(스프레이에 한함) 제품에는 사용금지
프로피오닉애씨드 및 그 염류	프로피오닉애씨드로서 0.9%	
피록톤올아민(1-하이드록시-4-메칠-6(2,4,4-트리메칠펜틸)2-피리돈 및 그 모노에탄올아민염)	사용 후 씻어내는 제품에 1.0%, 기타 제품에 0.5%	
피리딘-2-올 1-옥사이드	0.5%	
p-하이드록시벤조익애씨드, 그 염류 및 에스텔류 (다만, 에스텔류 중 페닐은 제외)	• 단일성분일 경우 0.4% (산으로서) • 혼합사용의 경우 0.8% (산으로서)	

원 료 명	사용한도	비 고
헥세티딘	사용 후 씻어내는 제품에 0.1%	기타 제품에는 사용금지
헥사미딘(1,6-디(4-아미디노페녹시)-n-헥산) 및 그 염류(이세치오네이트 및 *p*-하이드록시벤조에이트)	헥사미딘으로서 0.1%	

* 염류의 예 : 소듐, 포타슘, 칼슘, 마그네슘, 암모늄, 에탄올아민, 클로라이드, 브로마이드, 설페이트, 아세테이트, 베타인 등

원 료 명	사용한도	비 고
글루타랄(펜탄-1,5-디알)	0.1%	에어로졸(스프레이에 한함) 제품에는 사용금지
데하이드로아세틱애씨드(3-아세틸-6-메칠피란-2,4(3H)-디온) 및 그 염류	데하이드로아세틱애씨드로서 0.6%	에어로졸(스프레이에 한함) 제품에는 사용금지
4,4-디메칠-1,3-옥사졸리딘(디메칠옥사졸리딘)	0.05% (다만, 제품의 pH는 6을 넘어야 함)	
디브로모헥사미딘 및 그 염류(이세치오네이트 포함)	디브로모헥사미딘으로서 0.1%	
디아졸리디닐우레아 (N-(히드록시메칠)-N-(디히드록시메칠-1,3-디옥소-2,5-이미다졸리디닐-4)-N'-(히드록시메칠)우레아)	0.5%	
디엠디엠하이단토인 (1,3-비스(히드록시메칠)-5,5-디메칠이미다졸리딘-2,4-디온)	0.6%	
2, 4-디클로로벤질알코올	0.15%	
3, 4-디클로로벤질알코올	0.15%	
메칠이소치아졸리논	사용 후 씻어내는 제품에 0.0015% (단, 메칠클로로이소치아졸리논과 메칠이소치아졸리논 혼합물과 병행 사용 금지)	기타 제품에는 사용금지

원 료 명	사용한도	비 고
메칠클로로이소치아졸리논과 메칠이소치아졸리논 혼합물(염화마그네슘과 질산마그네슘 포함)	사용 후 씻어내는 제품에 0.0015% (메칠클로로이소치아졸리논:메칠이소치아졸리논=(3:1)혼합물로서)	기타 제품에는 사용금지
메텐아민(헥사메칠렌테트라아민)	0.15%	
무기설파이트 및 하이드로젠설파이트류	유리 SO_2로 0.2%	
벤잘코늄클로라이드, 브로마이드 및 사카리네이트	• 사용 후 씻어내는 제품에 벤잘코늄클로라이드로서 0.1% • 기타 제품에 벤잘코늄클로라이드로서 0.05%	
벤제토늄클로라이드	0.1%	점막에 사용되는 제품에는 사용금지
벤조익애씨드, 그 염류 및 에스텔류	산으로서 0.5% (다만, 벤조익애씨드 및 그 소듐염은 사용 후 씻어내는 제품에는 산으로서 2.5%)	
벤질알코올	1.0% (다만, 두발 염색용 제품류에 용제로 사용할 경우에는 10%)	
벤질헤미포름알	사용 후 씻어내는 제품에 0.15%	기타 제품에는 사용금지
보레이트류 (소듐보레이트, 테트라보레이트)	밀납, 백납의 유화의 목적으로 사용 시 0.76% (이 경우, 밀납·백납 배합량의 1/2을 초과할 수 없다)	기타 목적에는 사용금지
5-브로모-5-나이트로-1,3-디옥산	사용 후 씻어내는 제품에 0.1% (다만, 아민류나 아마이드류를 함유하고 있는 제품에는 사용금지)	기타 제품에는 사용금지
2-브로모-2-나이트로프로판-1,3-디올(브로노폴)	0.1%	아민류나 아마이드류를 함유하고 있는 제품에는 사용금지
브로모클로로펜(6,6-디브로모-4,4-	0.1%	

원 료 명	사용한도	비 고
디클로로-2,2'-메칠렌-디페놀)		
비페닐-2-올(o-페닐페놀) 및 그 염류	페놀로서 0.15%	
살리실릭애씨드 및 그 염류	살리실릭애씨드로서 0.5%	영유아용 제품류 또는 만 13세 이하 어린이가 사용할 수 있음을 특정하여 표시하는 제품에는 사용금지(다만, 샴푸는 제외)
세틸피리디늄클로라이드	0.08%	
소듐라우로일사코시네이트	사용 후 씻어내는 제품에 허용	기타 제품에는 사용금지
소듐아이오데이트	사용 후 씻어내는 제품에 0.1%	기타 제품에는 사용금지
소듐하이드록시메칠아미노아세테이트 (소듐하이드록시메칠글리시네이트)	0.5%	
소르빅애씨드(헥사-2,4-디에노익 애씨드) 및 그 염류	소르빅애씨드로서 0.6%	
아이오도프로피닐부틸카바메이트 (아이피비씨)	• 사용 후 씻어내는 제품에 0.02% • 사용 후 씻어내지 않는 제품에 0.01% • 다만, 데오드란트에 배합할 경우에는 0.0075%	• 입술에 사용되는 제품, 에어로졸(스프레이에 한함) 제품, 바디로션 및 바디크림에는 사용금지 • 영유아용 제품류 또는 만 13세 이하 어린이가 사용할 수 있음을 특정하여 표시하는 제품에는 사용금지(목욕용제품, 샤워젤류 및 샴푸류는 제외)
알킬이소퀴놀리늄브로마이드	사용 후 씻어내지 않는 제품에 0.05%	
알킬(C_{12}-C_{22})트리메칠암모늄 브로마이드 및 클로라이드(브롬화세트리모늄 포함)	두발용 제품류를 제외한 화장품에 0.1%	

원 료 명	사용한도	비 고
에칠라우로일알지네이트 하이드로클로라이드	0.4%	입술에 사용되는 제품 및 에어로졸(스프레이에 한함) 제품에는 사용금지
엠디엠하이단토인	0.2%	
알킬디아미노에칠글라이신하이드로클로라이드용액(30%)	0.3%	
운데실레닉애씨드 및 그 염류 및 모노에탄올아마이드	사용 후 씻어내는 제품에 산으로서 0.2%	기타 제품에는 사용금지
이미다졸리디닐우레아(3,3'-비스(1-하이드록시메칠-2,5-디옥소이미다졸리딘-4-일)-1,1'메칠렌디우레아)	0.6%	
이소프로필메칠페놀(이소프로필크레졸, *o*-시멘-5-올)	0.1%	
징크피리치온	사용 후 씻어내는 제품에 0.5%	기타 제품에는 사용금지
쿼터늄-15(메텐아민 3-클로로알릴클로라이드)	0.2%	
클로로부탄올	0.5%	에어로졸(스프레이에 한함) 제품에는 사용금지
〈삭제〉	〈삭제〉	
클로로자이레놀	0.5%	
p-클로로-*m*-크레졸	0.04%	점막에 사용되는 제품에는 사용금지
클로로펜(2-벤질-4-클로로페놀)	0.05%	
클로로페네신(3-(*p*-클로로페녹시)-프로판-1,2-디올)	0.3%	
클로로헥시딘, 그 디글루코네이트, 디아세테이트 및 디하이드로클로라이드	• 점막에 사용하지 않고 씻어내는 제품에 클로로헥시딘으로서 0.1%, • 기타 제품에 클로로헥시딘으로서 0.05%	

원 료 명	사용한도	비 고
클림바졸[1-(4-클로로페녹시)-1-(1H-이미다졸릴)-3, 3-디메칠-2-부타논]	두발용 제품에 0.5%	기타 제품에는 사용금지
테트라브로모-*o*-크레졸	0.3%	
트리클로산	사용 후 씻어내는 인체세정용 제품류, 데오도런트(스프레이 제품 제외), 페이스파우더, 피부결점을 감추기 위해 국소적으로 사용하는 파운데이션(예 : 블레미쉬컨실러)에 0.3%	기타 제품에는 사용금지
트리클로카반(트리클로카바닐리드)	0.2%(다만, 원료 중 3,3',4,4'-테트라클로로아조벤젠 1ppm 미만, 3,3',4,4'-테트라클로로아족시벤젠 1ppm 미만 함유하여야 함)	
페녹시에탄올	1.0%	
페녹시이소프로판올(1-페녹시프로판-2-올)	사용 후 씻어내는 제품에 1.0%	기타 제품에는 사용금지
〈삭제〉	〈삭제〉	
포믹애씨드 및 소듐포메이트	포믹애씨드로서 0.5%	
폴리(1-헥사메칠렌바이구아니드)에이치씨엘	0.05%	에어로졸(스프레이에 한함) 제품에는 사용금지
프로피오닉애씨드 및 그 염류	프로피오닉애씨드로서 0.9%	
피록톤올아민(1-하이드록시-4-메칠-6(2,4,4-트리메칠펜틸)2-피리돈 및 그 모노에탄올아민염)	사용 후 씻어내는 제품에 1.0%, 기타 제품에 0.5%	
피리딘-2-올 1-옥사이드	0.5%	
p-하이드록시벤조익애씨드, 그 염류 및 에스텔류 (다만, 에스텔류 중 페닐은 제외)	• 단일성분일 경우 0.4%(산으로서) • 혼합사용의 경우 0.8%(산으로서)	

원 료 명	사용한도	비 고
헥세티딘	사용 후 씻어내는 제품에 0.1%	기타 제품에는 사용금지
헥사미딘(1,6-디(4-아미디노페녹시)-n-헥산) 및 그 염류(이세치오네이트 및 *p*-하이드록시벤조에이트)	헥사미딘으로서 0.1%	

* 에스텔류 : 메칠, 에칠, 프로필, 이소프로필, 부틸, 이소부틸, 페닐

2. 자외선 차단성분

원 료 명	사용한도	비 고
〈삭 제〉	〈삭 제〉	
드로메트리졸트리실록산	15%	
드로메트리졸	1.0%	
디갈로일트리올리에이트	5%	
디소듐페닐디벤즈이미다졸테트라설포네이트	산으로서 10%	
디에칠헥실부타미도트리아존	10%	
디에칠아미노하이드록시벤조일헥실벤조에이트	10%	
〈삭 제〉	〈삭 제〉	
로우손과 디하이드록시아세톤의 혼합물	로우손 0.25%, 디하이드록시아세톤 3%	
메칠렌비스-벤조트리아졸릴테트라메칠부틸페놀	10%	
4-메칠벤질리덴캠퍼	4%	
멘틸안트라닐레이트	5%	
벤조페논-3(옥시벤존)	5%	
벤조페논-4	5%	

원 료 명	사용한도	비 고
벤조페논-8(디옥시벤존)	3%	
부틸메톡시디벤조일메탄	5%	
비스에칠헥실옥시페놀메톡시페닐트리아진	10%	
시녹세이트	5%	
에칠디하이드록시프로필파바	5%	
옥토크릴렌	10%	
에칠헥실디메칠파바	8%	
에칠헥실메톡시신나메이트	7.5%	
에칠헥실살리실레이트	5%	
에칠헥실트리아존	5%	
이소아밀-*p*-메톡시신나메이트	10%	
폴리실리콘-15 (디메치코디에칠벤잘말로네이트)	10%	
징크옥사이드	25%	
테레프탈릴리덴디캠퍼설포닉애씨드 및 그 염류	산으로서 10%	
티이에이-살리실레이트	12%	
티타늄디옥사이드	25%	
〈삭 제〉	〈삭 제〉	
페닐벤즈이미다졸설포닉애씨드	4%	
호모살레이트	10%	

* 다만, 제품의 변색방지를 목적으로 그 사용농도가 0.5% 미만인 것은 자외선 차단 제품으로 인정하지 아니한다.
* 염류 : 양이온염으로 소듐, 포타슘, 칼슘, 마그네슘, 암모늄 및 에탄올아민, 음이온염으로 클로라이드, 브로마이드, 설페이트, 아세테이트

3. 염모제 성분

원 료 명	사용한도	비 고
p-니트로-o-페닐렌디아민	산화염모제에 1.5 %	기타 제품에는 사용금지
니트로-p-페닐렌디아민	산화염모제에 3.0 %	기타 제품에는 사용금지
2-메칠-5-히드록시에칠아미노페놀	산화염모제에 0.5 %	기타 제품에는 사용금지
2-아미노-4-니트로페놀	산화염모제에 2.5 %	기타 제품에는 사용금지
2-아미노-5-니트로페놀	산화염모제에 1.5 %	기타 제품에는 사용금지
2-아미노-3-히드록시피리딘	산화염모제에 1.0%	기타 제품에는 사용금지
4-아미노-m-크레솔	산화염모제에 1.5%	기타 제품에는 사용금지
5-아미노-o-크레솔	산화염모제에 1.0 %	기타 제품에는 사용금지
5-아미노-6-클로로-o-크레솔	• 산화염모제에 1.0% • 비산화염모제에 0.5%	기타 제품에는 사용금지
m-아미노페놀	산화염모제에 2.0 %	기타 제품에는 사용금지
o-아미노페놀	산화염모제에 3.0 %	기타 제품에는 사용금지
p-아미노페놀	산화염모제에 0.9 %	기타 제품에는 사용금지
염산 2,4-디아미노페녹시에탄올	산화염모제에 0.5 %	기타 제품에는 사용금지
염산 톨루엔-2,5-디아민	산화염모제에 3.2 %	기타 제품에는 사용금지
염산 m-페닐렌디아민	산화염모제에 0.5 %	기타 제품에는 사용금지
염산 p-페닐렌디아민	산화염모제에 3.3 %	기타 제품에는 사용금지
염산 히드록시프로필비스 (N-히드록시에칠-p-페닐렌디아민)	산화염모제에 0.4%	기타 제품에는 사용금지
톨루엔-2,5-디아민	산화염모제에 2.0 %	기타 제품에는 사용금지
m-페닐렌디아민	산화염모제에 1.0 %	기타 제품에는 사용금지
p-페닐렌디아민	산화염모제에 2.0 %	기타 제품에는 사용금지
N-페닐-p-페닐렌디아민 및 그 염류	산화염모제에 N-페닐-p-페닐렌디아민으로서 2.0 %	기타 제품에는 사용금지
피크라민산	산화염모제에 0.6 %	기타 제품에는 사용금지

원 료 명	사용한도	비 고
황산 p-니트로-o-페닐렌디아민	산화염모제에 2.0 %	기타 제품에는 사용금지
p-메칠아미노페놀 및 그 염류	산화염모제에 황산염으로서 0.68%	기타 제품에는 사용금지
황산 5-아미노-o-크레솔	산화염모제에 4.5 %	기타 제품에는 사용금지
황산 m-아미노페놀	산화염모제에 2.0 %	기타 제품에는 사용금지
황산 o-아미노페놀	산화염모제에 3.0 %	기타 제품에는 사용금지
황산 p-아미노페놀	산화염모제에 1.3 %	기타 제품에는 사용금지
황산 톨루엔-2,5-디아민	산화염모제에 3.6 %	기타 제품에는 사용금지
황산 m-페닐렌디아민	산화염모제에 3.0 %	기타 제품에는 사용금지
황산 p-페닐렌디아민	산화염모제에 3.8 %	기타 제품에는 사용금지
황산 N,N-비스(2-히드록시에칠)-p-페닐렌디아민	산화염모제에 2.9 %	기타 제품에는 사용금지
2,6-디아미노피리딘	산화염모제에 0.15 %	기타 제품에는 사용금지
염산 2,4-디아미노페놀	산화염모제에 0.5 %	기타 제품에는 사용금지
1,5-디히드록시나프탈렌	산화염모제에 0.5 %	기타 제품에는 사용금지
피크라민산 나트륨	산화염모제에 0.6 %	기타 제품에는 사용금지
황산 2-아미노-5-니트로페놀	산화염모제에 1.5 %	기타 제품에는 사용금지
황산 o-클로로-p-페닐렌디아민	산화염모제에 1.5 %	기타 제품에는 사용금지
황산 1-히드록시에칠-4,5-디아미노피라졸	산화염모제에 3.0 %	기타 제품에는 사용금지
히드록시벤조모르포린	산화염모제에 1.0 %	기타 제품에는 사용금지
6-히드록시인돌	산화염모제에 0.5 %	기타 제품에는 사용금지
1-나프톨(α-나프톨)	산화염모제에 2.0 %	기타 제품에는 사용금지
레조시놀	산화염모제에 2.0 %	
2-메칠레조시놀	산화염모제에 0.5 %	기타 제품에는 사용금지
몰식자산	산화염모제에 4.0 %	

원료명	사용한도	비고
카테콜(피로카테콜)	산화염모제에 1.5 %	기타 제품에는 사용금지
피로갈롤	염모제에 2.0 %	기타 제품에는 사용금지
과붕산나트륨 과붕산나트륨일수화물 과산화수소수 과탄산나트륨	염모제(탈염 · 탈색 포함)에서 과산화수소로서 12.0 %	

4. 기 타

원료명	사용한도	비고
감광소 감광소 101호(플라토닌) 감광소 201호(쿼터늄-73) 감광소 301호(쿼터늄-51) 감광소 401호(쿼터늄-45) 기타의 감광소 의 합계량	0.002%	
건강틴크 칸타리스틴크 고추틴크 의 합계량	1%	
과산화수소 및 과산화수소 생성물질	• 두발용 제품류에 과산화수소로서 3% • 손톱경화용 제품에 과산화수소로서 2%	기타 제품에는 사용금지
글라이옥살	0.01%	
〈삭 제〉	〈삭 제〉	
α-다마스콘(시스-로즈 케톤-1)	0.02%	
디아미노피리미딘옥사이드(2,4-디아미노-피리미딘-3-옥사이드)	두발용 제품류에 1.5%	기타 제품에는 사용금지
땅콩오일, 추출물 및 유도체		원료 중 땅콩단백질의 최대 농도는 0.5ppm을 초과하

원료명	사용한도	비고
		지 않아야 함
라우레스-8, 9 및 10	2%	
레조시놀	• 산화염모제에 용법 · 용량에 따른 혼합물의 염모성분으로서 2.0% • 기타제품에 0.1%	
로즈 케톤-3	0.02%	
로즈 케톤-4	0.02%	
로즈 케톤-5	0.02%	
시스-로즈 케톤-2	0.02%	
트랜스-로즈 케톤-1	0.02%	
트랜스-로즈 케톤-2	0.02%	
트랜스-로즈 케톤-3	0.02%	
트랜스-로즈 케톤-5	0.02%	
리튬하이드록사이드	• 헤어스트레이트너 제품에 4.5% • 제모제에서 pH조정 목적으로 사용되는 경우 최종 제품의 pH는 12.7이하	기타 제품에는 사용금지
만수국꽃 추출물 또는 오일	• 사용 후 씻어내는 제품에 0.1% • 사용 후 씻어내지 않는 제품에 0.01%	• 원료 중 알파 테르티에닐(테르티오펜) 함량은 0.35% 이하 • 자외선 차단제품 또는 자외선을 이용한 태닝(천연 또는 인공)을 목적으로 하는 제품에는 사용금지 • 만수국아재비꽃 추출물 또는 오일과 혼합 사용 시 '사용 후 씻어내는 제품'에 0.1%, '사용 후 씻어내지 않는 제품'에

원료명	사용한도	비 고
		0.01%를 초과하지 않아야 함
만수국아재비꽃 추출물 또는 오일	• 사용 후 씻어내는 제품에 0.1% • 사용 후 씻어내지 않는 제품에 0.01%	• 원료 중 알파 테르티에닐(테르티오펜) 함량은 0.35% 이하 • 자외선 차단제품 또는 자외선을 이용한 태닝(천연 또는 인공)을 목적으로 하는 제품에는 사용금지 • 만수국꽃 추출물 또는 오일과 혼합 사용 시 '사용 후 씻어내는 제품'에 0.1%, '사용 후 씻어내지 않는 제품'에 0.01%를 초과하지 않아야 함
머스크자일렌	• 향수류 향료원액을 8% 초과하여 함유하는 제품에 1.0%, 향료원액을 8% 이하로 함유하는 제품에 0.4% • 기타 제품에 0.03%	
머스크케톤	• 향수류 향료원액을 8% 초과하여 함유하는 제품 1.4%, 향료원액을 8% 이하로 함유하는 제품 0.56% • 기타 제품에 0.042%	
3-메칠논-2-엔니트릴	0.2%	
메칠 2-옥티노에이트 (메칠헵틴카보네이트)	0.01% (메칠옥틴카보네이트와 병용 시 최종제품에서 두 성분의 합은 0.01%, 메칠옥틴카보네이트는 0.002%)	
메칠옥틴카보네이트 (메칠논-2-이노에이트)	0.002%(메칠 2-옥티노에이트와 병용 시 최종제품에서 두 성분의	

원 료 명	사용한도	비 고
	합이 0.01%)	
p-메칠하이드로신나믹알데하이드	0.2%	
메칠헵타디에논	0.002%	
메톡시디시클로펜타디엔카르복스알데하이드	0.5%	
무기설파이트 및 하이드로젠설파이트류	산화염모제에서 유리 SO_2로 0.67%	기타 제품에는 사용금지
베헨트리모늄 클로라이드	(단일성분 또는 세트리모늄 클로라이드, 스테아트리모늄클로라이드와 혼합사용의 합으로서) • 사용 후 씻어내는 두발용 제품류 및 두발 염색용 제품류에 5.0% • 사용 후 씻어내지 않는 두발용 제품류 및 두발 염색용 제품류에 3.0%	세트리모늄 클로라이드 또는 스테아트리모늄 클로라이드와 혼합 사용하는 경우 세트리모늄 클로라이드 및 스테아트리모늄 클로라이드의 합은 '사용 후 씻어내지 않는 두발용 제품류'에 1.0% 이하, '사용 후 씻어내는 두발용 제품류 및 두발 염색용 제품류'에 2.5% 이하여야 함)
4-*tert*-부틸디하이드로신남알데하이드	0.6%	
1,3-비스(하이드록시메칠)이미다졸리딘-2-치온	두발용 제품류 및 손발톱용 제품류에 2% (다만, 에어로졸(스프레이에 한함) 제품에는 사용금지)	기타 제품에는 사용금지
비타민E(토코페롤)	20%	
살리실릭애씨드 및 그 염류	• 인체세정용 제품류에 살리실릭애씨드로서 2% • 사용 후 씻어내는 두발용 제품류에 살리실릭애씨드로서 3%	• 영유아용 제품류 또는 만 13세 이하 어린이가 사용할 수 있음을 특정하여 표시하는 제품에는 사용금지(다만, 샴푸는 제외) • 기능성화장품의 유효성

원 료 명	사용한도	비 고
		분으로 사용하는 경우에 한하며 기타 제품에는 사용금지
세트리모늄 클로라이드, 스테아트리모늄 클로라이드	(단일성분 또는 혼합사용의 합으로서) • 사용 후 씻어내는 두발용 제품류 및 두발용 염색용 제품류에 2.5% • 사용 후 씻어내지 않는 두발용 제품류 및 두발 염색용 제품류에 1.0%	
소듐나이트라이트	0.2%	2급, 3급 아민 또는 기타 니트로사민형성물질을 함유하고 있는 제품에는 사용금지
소합향나무(*Liquidambar orientalis*) 발삼오일 및 추출물	0.6%	
수용성 징크 염류(징크 4-하이드록시벤젠설포네이트와 징크피리치온 제외)	징크로서 1%	
시스테인, 아세틸시스테인 및 그 염류	퍼머넌트웨이브용 제품에 시스테인으로서 3.0~7.5% (다만, 가온2욕식 퍼머넌트웨이브용 제품의 경우에는 시스테인으로서 1.5~5.5%, 안정제로서 치오글라이콜릭애씨드 1.0%를 배합할 수 있으며, 첨가하는 치오글라이콜릭애씨드의 양을 최대한 1.0%로 했을 때 주성분인 시스테인의 양은 6.5%를 초과할 수 없다)	
실버나이트레이트	속눈썹 및 눈썹 착색용도의 제품에 4%	기타 제품에는 사용금지
아밀비닐카르비닐아세테이트	0.3%	
아밀시클로펜테논	0.1%	

원 료 명	사용한도	비 고
아세틸헥사메칠인단	사용 후 씻어내지 않는 제품에 2%	
아세틸헥사메칠테트라린	• 사용 후 씻어내지 않는 제품 0.1%(다만, 하이드로알콜성 제품에 배합할 경우 1%, 순수향료 제품에 배합할 경우 2.5%, 방향크림에 배합할 경우 0.5%) • 사용 후 씻어내는 제품 0.2%	
알에이치(또는 에스에이치) 올리고펩타이드-1(상피세포성장인자)	0.001%	
알란토인클로로하이드록시 알루미늄(알클록사)	1%	
알릴헵틴카보네이트	0.002%	2-알키노익애씨드 에스텔(예 : 메칠헵틴카보네이트)을 함유하고 있는 제품에는 사용금지
알칼리금속의 염소산염	3%	
암모니아	6%	
에칠라우로일알지네이트 하이드로클로라이드	비듬 및 가려움을 덜어주고 씻어내는 제품(샴푸)에 0.8%	기타 제품에는 사용금지
에탄올 · 붕사 · 라우릴황산나트륨(4:1:1)혼합물	외음부세정제에 12%	기타 제품에는 사용금지
에티드로닉애씨드 및 그 염류(1-하이드록시에칠리덴-디-포스포닉애씨드 및 그 염류)	• 두발용 제품류 및 두발염색용 제품류에 산으로서 1.5% • 인체 세정용 제품류에 산으로서 0.2%	기타 제품에는 사용금지
오포파낙스	0.6%	
옥살릭애씨드, 그 에스텔류 및 알칼리 염류	두발용제품류에 5%	기타 제품에는 사용금지
우레아	10%	
이소베르가메이트	0.1%	

원 료 명	사용한도	비 고
이소사이클로제라니올	0.5%	
징크페놀설포네이트	사용 후 씻어내지 않는 제품에 2%	
징크피리치온	비듬 및 가려움을 덜어주고 씻어내는 제품(샴푸, 린스) 및 탈모증상의 완화에 도움을 주는 화장품에 총 징크피리치온으로서 1.0%	기타 제품에는 사용금지
치오글라이콜릭애씨드, 그 염류 및 에스텔류	• 퍼머넌트웨이브용 및 헤어스트레이트너 제품에 치오글라이콜릭애씨드로서 11%(다만, 가온2욕식 헤어스트레이트너 제품의 경우에는 치오글라이콜릭애씨드로서 5%, 치오글라이콜릭애씨드 및 그 염류를 주성분으로 하고 제1제 사용 시 조제하는 발열 2욕식 퍼머넌트웨이브용 제품의 경우 치오글라이콜릭애씨드로서 19%에 해당하는 양) • 제모용 제품에 치오글라이콜릭애씨드로서 5% • 염모제에 치오글라이콜릭애씨드로서 1% • 사용 후 씻어내는 두발용 제품류에 2%	기타 제품에는 사용금지
칼슘하이드록사이드	• 헤어스트레이트너 제품에 7% • 제모제에서 pH조정 목적으로 사용되는 경우 최종 제품의 pH는 12.7이하	기타 제품에는 사용금지
Commiphora erythrea engler var. glabrescens 검 추출물 및 오일	0.6%	
쿠민(*Cuminum cyminum*) 열매 오일 및 추출물	사용 후 씻어내지 않는 제품에 쿠민 오일로서 0.4%	
퀴닌 및 그 염류	• 샴푸에 퀴닌염으로서 0.5%	기타 제품에는 사용금지

원 료 명	사용한도	비 고
	• 헤어로션에 퀴닌염로서 0.2%	
클로라민T	0.2%	
톨루엔	손발톱용 제품류에 25%	기타 제품에는 사용금지
트리알킬아민, 트리알칸올아민 및 그 염류	사용 후 씻어내지 않는 제품에 2.5%	
트리클로산	사용 후 씻어내는 제품류에 0.3%	기능성화장품의 유효성분으로 사용하는 경우에 한하며 기타 제품에는 사용금지
트리클로카반(트리클로카바닐리드)	사용 후 씻어내는 제품류에 1.5%	기능성화장품의 유효성분으로 사용하는 경우에 한하며 기타 제품에는 사용금지
페릴알데하이드	0.1%	
페루발삼(Myroxylon pereirae의 수지) 추출물(extracts), 증류물(distillates)	0.4%	
포타슘하이드록사이드 또는 소듐하이드록사이드	• 손톱표피 용해 목적일 경우 5%, pH 조정 목적으로 사용되고 최종 제품이 제5조제5항에 pH기준이 정하여 있지 아니한 경우에도 최종 제품의 pH는 11이하 • 제모제에서 pH조정 목적으로 사용되는 경우 최종 제품의 pH는 12.7이하	
폴리아크릴아마이드류	• 사용 후 씻어내지 않는 바디화장품에 잔류 아크릴아마이드로서 0.00001% • 기타 제품에 잔류 아크릴아마이드로서 0.00005%	
풍나무(*Liquidambar styraciflua*) 발삼오일 및 추출물	0.6%	
프로필리덴프탈라이드	0.01%	

원 료 명	사용한도	비 고
하이드롤라이즈드밀단백질		원료 중 펩타이드의 최대 평균분자량은 3.5 kDa 이하이어야 함
트랜스-2-헥세날	0.002%	
2-헥실리덴사이클로펜타논	0.06%	

* 염류의 예 : 소듐, 포타슘, 칼슘, 마그네슘, 암모늄, 에탄올아민, 클로라이드, 브로마이드, 설페이트, 아세테이트, 베타인 등
* 에스텔류 : 메칠, 에칠, 프로필, 이소프로필, 부틸, 이소부틸, 페닐

화장품의 색소

(제3조 관련)

연번	색 소	사용제한	비 고
1	녹색 204 호 (피라닌콘크, Pyranine Conc)* CI 59040 8-히드록시-1, 3, 6-피렌트리설폰산의 트리나트륨염 ◎ 사용한도 0.01%	눈 주위 및 입술에 사용할 수 없음	타르 색소
2	녹색 401 호 (나프톨그린 B, Naphthol Green B)* CI 10020 5-이소니트로소-6-옥소-5, 6-디히드로-2-나프탈렌설폰산의 철염	눈 주위 및 입술에 사용할 수 없음	타르 색소
3	등색 206 호 (디요오드플루오레세인, Diiodofluorescein)* CI 45425:1 4′, 5′-디요오드-3′, 6′-디히드록시스피로[이소벤조푸란-1(3H), 9′-[9H]크산텐]-3-온	눈 주위 및 입술에 사용할 수 없음	타르 색소
4	등색 207 호 (에리트로신 옐로위쉬 NA, Erythrosine Yellowish NA)* CI 45425 9-(2-카르복시페닐)-6-히드록시-4, 5-디요오드-3H-크산텐-3-온의 디나트륨염	눈 주위 및 입술에 사용할 수 없음	타르 색소
5	자색 401 호 (알리주롤퍼플, Alizurol Purple)* CI 60730 1-히드록시-4-(2-설포-p-톨루이노)-안트라퀴논의 모노나트륨염	눈 주위 및 입술에 사용할 수 없음	타르 색소
6	적색 205 호 (리톨레드, Lithol Red)* CI 15630 2-(2-히드록시-1-나프틸아조)-1-나프탈렌설폰산의 모노나트륨염 ◎ 사용한도 3%	눈 주위 및 입술에 사용할 수 없음	타르 색소
7	적색 206 호 (리톨레드 CA, Lithol Red CA)* CI 15630:2 2-(2-히드록시-1-나프틸아조) -1-나프탈렌설폰산의 칼슘염 ◎ 사용한도 3%	눈 주위 및 입술에 사용할 수 없음	타르 색소

연번	색 소	사용제한	비 고
8	적색 207 호 (리톨레드 BA, Lithol Red BA) CI 15630:1 2-(2-히드록시-1-나프틸아조)-1-나프탈렌설폰산의 바륨염 ◎ 사용한도 3%	눈 주위 및 입술에 사용할 수 없음	타르 색소
9	적색 208 호 (리톨레드 SR, Lithol Red SR) CI 15630:3 2-(2-히드록시-1-나프틸아조)-1-나프탈렌설폰산의 스트론튬염 ◎ 사용한도 3%	눈 주위 및 입술에 사용할 수 없음	타르 색소
10	적색 219 호 (브릴리안트레이크레드 R, Brilliant Lake Red R)* CI 15800 3-히드록시-4-페닐아조-2-나프토에산의 칼슘염	눈 주위 및 입술에 사용할 수 없음	타르 색소
11	적색 225 호 (수단 III, Sudan III)* CI 26100 1-[4-(페닐아조)페닐아조]-2-나프톨	눈 주위 및 입술에 사용할 수 없음	타르 색소
12	적색 405 호 (퍼머넌트레드 F5R, Permanent Red F5R) CI 15865:2 4-(5-클로로-2-설포-p-톨릴아조)-3-히드록시-2-나프토에산의 칼슘염	눈 주위 및 입술에 사용할 수 없음	타르 색소
13	적색 504 호 (폰소 SX, Ponceau SX)* CI 14700 2-(5-설포-2, 4-키실릴아조)-1-나프톨-4-설폰산의 디나트륨염	눈 주위 및 입술에 사용할 수 없음	타르 색소
14	청색 404 호 (프탈로시아닌블루, Phthalocyanine Blue)* CI 74160 프탈로시아닌의 구리착염	눈 주위 및 입술에 사용할 수 없음	타르 색소
15	황색 202 호의 (2) (우라닌 K, Uranine K)* CI 45350 9-올소-카르복시페닐-6-히드록시-3-이소크산톤의 디칼륨염 ◎ 사용한도 6%	눈 주위 및 입술에 사용할 수 없음	타르 색소
16	황색 204 호 (퀴놀린옐로우 SS, Quinoline Yellow SS)* CI 47000 2-(2-퀴놀릴)-1, 3-인단디온	눈 주위 및 입술에 사용할 수 없음	타르 색소

연번	색 소	사용제한	비 고
17	황색 401 호 (한자옐로우, Hanza Yellow)* CI 11680 N-페닐-2-(니트로-p-톨릴아조)-3-옥소부탄아미드	눈 주위 및 입술에 사용할 수 없음	타르 색소
18	황색 403 호의(1) (나프톨옐로우 S, Naphthol Yellow S) CI 10316 2, 4-디니트로-1-나프톨-7-설폰산의 디나트륨염	눈 주위 및 입술에 사용할 수 없음	타르 색소
19	등색 205 호 (오렌지 II, Orange II) CI 15510 1-(4-설포페닐아조)-2-나프톨의 모노나트륨염	눈 주위에 사용할 수 없음	타르 색소
20	황색 203 호 (퀴놀린옐로우 WS, Quinoline Yellow WS) CI 47005 2-(1, 3-디옥소인단-2-일)퀴놀린 모노설폰산 및 디설폰산의 나트륨염	눈 주위에 사용할 수 없음	타르 색소
21	녹색 3 호 (패스트그린 FCF, Fast Green FCF) CI 42053 2-[α-[4-(N-에틸-3-설포벤질이미니오)-2, 5-시클로헥사디에닐덴]-4-(N에틸-3-설포벤질아미노)벤질]-5-히드록시벤젠설포네이트의 디나트륨염	-	타르 색소
22	녹색 201 호 (알리자린시아닌그린 F, Alizarine Cyanine Green F)* CI 61570 1, 4-비스-(2-설포-p-톨루이디노)-안트라퀴논의 디나트륨염	-	타르 색소
23	녹색 202 호 (퀴니자린그린 SS, Quinizarine Green SS)* CI 61565 1, 4-비스(*p*-톨루이디노)안트라퀴논	-	타르 색소
24	등색 201 호 (디브로모플루오레세인, Dibromofluorescein) CI 45370:1 4′, 5′-디브로모-3′, 6′-디히드로시스피로[이소벤조푸란-1(3H),9-[9H]크산텐-3-온	눈 주위에 사용할 수 없음	타르 색소
25	자색 201 호 (알리주린퍼플 SS, Alizurine Purple SS)* CI 60725 1-히드록시-4-(p-톨루이디노)안트라퀴논	-	타르 색소
26	적색 2 호 (아마란트, Amaranth) CI 16185 3-히드록시-4-(4-설포나프틸아조)-2, 7-나프탈렌디설폰	영유아용 제품류 또는 만 13세 이하 어린	타르 색소

연번	색 소	사용제한	비 고
	산의 트리나트륨염	이가 사용할 수 있음을 특정하여 표시하는 제품에 사용할 수 없음	
27	적색 40 호 (알루라레드 AC, Allura Red AC) CI 16035 6-히드록시-5-[(2-메톡시-5-메틸-4-설포페닐)아조]-2-나프탈렌설폰산의 디나트륨염	-	타르색소
28	적색 102 호 (뉴콕신, New Coccine) CI 16255 1-(4-설포-1-나프틸아조)-2-나프톨-6, 8-디설폰산의 트리나트륨염의 1.5 수화물	영유아용 제품류 또는 만 13세 이하 어린이가 사용할 수 있음을 특정하여 표시하는 제품에 사용할 수 없음	타르색소
29	적색 103 호의(1) (에오신 YS, Eosine YS) CI 45380 9-(2-카르복시페닐)-6-히드록시-2, 4, 5, 7-테트라브로모-3H-크산텐-3-온의 디나트륨염	눈 주위에 사용할 수 없음	타르색소
30	적색 104 호의(1) (플록신 B, Phloxine B) CI 45410 9-(3, 4, 5, 6-테트라클로로-2-카르복시페닐)-6-히드록시-2, 4, 5, 7-테트 라브로모-3H-크산텐-3-온의 디나트륨염	눈 주위에 사용할 수 없음	타르색소
31	적색 104 호의 (2) (플록신 BK, Phloxine BK) CI 45410 9-(3, 4, 5, 6-테트라클로로-2-카르복시페닐)-6-히드록시-2, 4, 5, 7-테트 라브로모-3H-크산텐-3-온의 디칼륨염	눈 주위에 사용할 수 없음	타르색소
32	적색 201 호 (리톨루빈 B, Lithol Rubine B) CI 15850 4-(2-설포-p-톨릴아조)-3-히드록시-2-나프토에산의 디나트륨염	-	타르색소
33	적색 202 호 (리톨루빈 BCA, Lithol Rubine BCA) CI 15850:1 4-(2-설포-p-톨릴아조)-3-히드록시-2-나프토에산의 칼슘염	-	타르색소
34	적색 218 호 (테트라클로로테트라브로모플루오레세인,	눈 주위에 사용할 수	타르

연번	색 소	사용제한	비 고
	Tetrachlorotetrabromofluorescein) CI 45410:1 2′, 4′, 5′, 7′-테트라브로모-4, 5, 6, 7-테트라클로로-3′, 6′-디히드록시 피로[이소벤조푸란-1(3H),9′-[9H] 크산텐]-3-온	없음	색소
35	적색 220 호 (디프마룬, Deep Maroon)* CI 15880:1 4-(1-설포-2-나프틸아조)-3-히드록시-2-나프토에산의 칼슘염	-	타르 색소
36	적색 223 호 (테트라브로모플루오레세인, Tetrabromofluorescein) CI 45380:2 2′, 4′, 5′, 7′-테트라브로모-3′, 6′-디히드록시스피로[이소벤조푸란-1(3H),9′-[9H]크산텐]-3-온	눈 주위에 사용할 수 없음	타르 색소
37	적색 226 호 (헬린돈핑크 CN, Helindone Pink CN)* CI 73360 6, 6′-디클로로-4, 4′-디메틸-티오인디고	-	타르 색소
38	적색 227 호 (패스트애시드마겐타, Fast Acid Magenta)* CI 17200 8-아미노-2-페닐아조-1-나프톨-3, 6-디설폰산의 디나트륨염 ◎ 입술에 적용을 목적으로 하는 화장품의 경우만 사용한도 3%	-	타르 색소
39	적색 228 호 (퍼마톤레드, Permaton Red) CI 12085 1-(2-클로로-4-니트로페닐아조)-2-나프톨 ◎ 사용한도 3%	-	타르 색소
40	적색 230 호의 (2) (에오신 YSK, Eosine YSK) CI 45380 9-(2-카르복시페닐)-6-히드록시-2, 4, 5, 7-테트라브로모-3H-크산텐-3-온의 디칼륨염	-	타르 색소
41	청색 1 호 (브릴리안트블루 FCF, Brilliant Blue FCF) CI 42090 2-[α-[4-(N-에틸-3-설포벤질이미니오)-2, 5-시클로헥사디에닐리 덴]-4-(N-에틸-3-설포벤질아미노)벤질]벤젠설포네이트의 디나트륨염	-	타르 색소

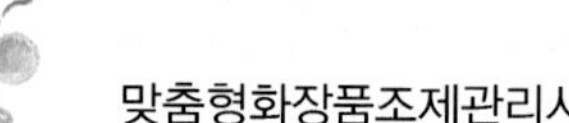

연번	색 소	사용제한	비 고
42	청색 2 호 (인디고카르민, Indigo Carmine) CI 73015 5, 5′-인디고틴디설폰산의 디나트륨염	-	타르 색소
43	청색 201 호 (인디고, Indigo)* CI 73000 인디고틴	-	타르 색소
44	청색 204 호 (카르반트렌블루, Carbanthrene Blue)* CI 69825 3, 3′-디클로로인단스렌	-	타르 색소
45	청색 205 호 (알파주린 FG, Alphazurine FG)* CI 42090 2 [α [4-(N-에틸-3-설포벤질이미니오)-2, 5-시클로헥산디에닐리덴] -4-(N-에틸-3-설포벤질아미노)벤질]벤젠설포네이트의 디암모늄염	-	타르 색소
46	황색 4 호 (타르트라진, Tartrazine) CI 19140 5-히드록시-1-(4-설포페닐)-4-(4-설포페닐아조)-1H-피라졸-3-카르본산의 트리나트륨염	-	타르 색소
47	황색 5 호 (선셋옐로우 FCF, Sunset Yellow FCF) CI 15985 6-히드록시-5-(4-설포페닐아조)-2-나프탈렌설폰산의 디나트륨염	-	타르 색소
48	황색 201 호 (플루오레세인, Fluorescein)* CI 45350:1 3′, 6′-디히드록시스피로[이소벤조푸란-1(3H), 9′-[9H]크산텐]-3-온 ◎ 사용한도 6%	-	타르 색소
49	황색 202 호의(1) (우라닌, Uranine)* CI 45350 9-(2-카르복시페닐)-6-히드록시-3H-크산텐-3-온의 디나트륨염 ◎ 사용한도 6%	-	타르 색소
50	등색 204 호 (벤지딘오렌지 G, Benzidine Orange G)* CI 21110 4, 4′-[(3, 3′-디클로로-1, 1′-비페닐)-4, 4′-디일비스(아조)]비스[3-메틸-1-페닐-5-피라졸론]	적용 후 바로 씻어내는 제품 및 염모용 화장품에만 사용	타르 색소

연번	색 소	사용제한	비 고
51	적색 106 호 (애시드레드, Acid Red)* CI 45100 2-[[N, N-디에틸-6-(디에틸아미노)-3H-크산텐-3-이미니오]-9-일]-5-설포벤젠설포네이트의 모노나트륨염	적용 후 바로 씻어내는 제품 및 염모용 화장품에만 사용	타르 색소
52	적색 221 호 (톨루이딘레드, Toluidine Red)* CI 12120 1-(2-니트로-p-톨릴아조)-2-나프톨	적용 후 바로 씻어내는 제품 및 염모용 화장품에만 사용	타르 색소
53	적색 401 호 (비올라민 R, Violamine R) CI 45190 9-(2-카르복시페닐)-6-(4-설포-올소-톨루이디노)-N-(올소-톨릴)-3H-크산텐-3-이민의 디나트륨염	적용 후 바로 씻어내는 제품 및 염모용 화장품에만 사용	타르 색소
54	적색 506 호 (패스트레드 S, Fast Red S)* CI 15620 4-(2-히드록시-1-나프틸아조)-1-나프탈렌설폰산의 모노나트륨염	적용 후 바로 씻어내는 제품 및 염모용 화장품에만 사용	타르 색소
55	황색 407 호 (패스트라이트옐로우 3G, Fast Light Yellow 3G)* CI 18820 3-메틸-4-페닐아조-1-(4-설포페닐)-5-피라졸론의 모노나트륨염	적용 후 바로 씻어내는 제품 및 염모용 화장품에만 사용	타르 색소
56	흑색 401 호 (나프톨블루블랙, Naphthol Blue Black)* CI 20470 8-아미노-7-(4-니트로페닐아조)-2-(페닐아조)-1-나프톨-3, 6-디설폰산의 디나트륨염	적용 후 바로 씻어내는 제품 및 염모용 화장품에만 사용	타르 색소
57	등색 401 호(오렌지 401, Orange no. 401)* CI 11725	점막에 사용할 수 없음	타르 색소
58	안나토 (Annatto) CI 75120	-	
59	라이코펜 (Lycopene) CI 75125	-	
60	베타카로틴 (Beta-Carotene) CI 75130	-	
61	구아닌 (2-아미노-1,7-디하이드로-6H-퓨린-6-온, Guanine, 2-Amino- 1,7-dihydro-6H- purin-6-one) CI 75170	-	
62	커큐민 (Curcumin) CI 75300	-	
63	카민류 (Carmines) CI 75470	-	

연번	색 소	사용제한	비 고
64	클로로필류 (Chlorophylls) CI 75810	-	
65	알루미늄 (Aluminum) CI 77000	-	
66	벤토나이트 (Bentonite) CI 77004	-	
67	울트라마린 (Ultramarines) CI 77007	-	
68	바륨설페이트 (Barium Sulfate) CI 77120	-	
69	비스머스옥시클로라이드 (Bismuth Oxychloride) CI 77163	-	
70	칼슘카보네이드 (Calcium Carbonate) CI 77220		
71	칼슘설페이트 (Calcium Sulfate) CI 77231	-	
72	카본블랙 (Carbon black) CI 77266	-	
73	본블랙, 본챠콜 (본차콜, Bone black, Bone Charcoal) CI 77267	-	
74	베지터블카본 (코크블랙, Vegetable Carbon, Coke Black) CI 77268:1	-	
75	크로뮴옥사이드그린 (크롬(III) 옥사이드, Chromium Oxide Greens) CI 77288	-	
76	크로뮴하이드로사이드그린 (크롬(III) 하이드록사이드, Chromium Hydroxide Green) CI 77289	-	
77	코발트알루미늄옥사이드 (Cobalt Aluminum Oxide) CI 77346	-	
78	구리 (카퍼, Copper) CI 77400	-	
79	금 (Gold) CI 77480	-	
80	페러스옥사이드 (Ferrous oxide, Iron Oxide) CI 77489	-	
81	적색산화철 (아이런옥사이드레드, Iron Oxide Red, Ferric Oxide) CI 77491	-	
82	황색산화철 (아이런옥사이드옐로우, Iron Oxide Yellow, Hydrated Ferric Oxide) CI 77492	-	

연번	색 소	사용제한	비 고
83	흑색산화철 (아이런옥사이드블랙, Iron Oxide Black, Ferrous-Ferric Oxide) CI 77499	-	
84	페릭암모늄페로시아나이드 (Ferric Ammonium Ferrocyanide) CI 77510	-	
85	페릭페로시아나이드 (Ferric Ferrocyanide) CI 77510	-	
86	마그네슘카보네이트 (Magnesium Carbonate) CI 77713	-	
87	망가니즈바이올렛 (암모늄망가니즈(3+) 디포스페이트, Manganese Violet, Ammonium Manganese(3+) Diphosphate) CI 77742	-	
88	실버 (Silver) CI 77820	-	
89	티타늄디옥사이드 (Titanium Dioxide) CI 77891	-	
90	징크옥사이드 (Zinc Oxide) CI 77947	-	
91	리보플라빈 (락토플라빈, Riboflavin, Lactoflavin)	-	
92	카라멜 (Caramel)	-	
93	파프리카추출물, 캡산틴/캡소루빈 (Paprika Extract Capsanthin/ Capsorubin)	-	
94	비트루트레드 (Beetroot Red)	-	
95	안토시아닌류 (시아니딘, 페오니딘, 말비딘, 델피니딘, 페투니딘, 페라고니딘, Anthocyanins)	-	
96	알루미늄스테아레이트/징크스테아레이트/마그네슘스테아레이트/칼슘스테아레이트 (Aluminum Stearate/Zinc Stearate/Magnesium Stearate/Calcium Stearate)	-	
97	디소듐이디티에이-카퍼 (Disodium EDTA-copper)	-	
98	디하이드록시아세톤 (Dihydroxyacetone)	-	
99	구아이아줄렌 (Guaiazulene)	-	
100	피로필라이트 (Pyrophyllite)	-	

연번	색 소	사용제한	비 고
101	마이카 (Mica) CI 77019	-	
102	청동 (Bronze)	-	
103	염기성갈색 16 호 (Basic Brown 16) CI 12250	염모용 화장품에만 사용	타르 색소
104	염기성청색 99 호 (Basic Blue 99) CI 56059	염모용 화장품에만 사용	타르 색소
105	염기성적색 76 호 (Basic Red 76) CI 12245 ◎ 사용한도 2%	염모용 화장품에만 사용	타르 색소
106	염기성갈색 17 호 (Basic Brown 17) CI 12251 ◎ 사용한도 2%	염모용 화장품에만 사용	타르 색소
107	염기성황색 87 호 (Basic Yellow 87) ◎ 사용한도 1%	염모용 화장품에만 사용	타르 색소
108	염기성황색 57 호 (Basic Yellow 57) CI 12719 ◎ 사용한도 2%	염모용 화장품에만 사용	타르 색소
109	염기성적색 51 호 (Basic Red 51) ◎ 사용한도 1%	염모용 화장품에만 사용	타르 색소
110	염기성등색 31 호 (Basic Orange 31) ◎ 사용한도 1%	염모용 화장품에만 사용	타르 색소
111	에치씨청색 15 호 (HC Blue No. 15) ◎ 사용한도 0.2%	염모용 화장품에만 사용	타르 색소
112	에치씨청색 16 호 (HC Blue No. 16) ◎ 사용한도 3%	염모용 화장품에만 사용	타르 색소
113	분산자색 1 호 (Disperse Violet 1) CI 61100 1,4-디아미노안트라퀴논 ◎ 사용한도 0.5%	염모용 화장품에만 사용	타르 색소
114	에치씨적색 1 호 (HC Red No. 1) 4-아미노-2-니트로디페닐아민 ◎ 사용한도 1%	염모용 화장품에만 사용	타르 색소

연번	색 소	사용제한	비 고
115	2-아미노-6-클로로-4-니트로페놀 ◎ 사용한도 2%	염모용 화장품에만 사용	타르 색소
116	4-하이드록시프로필 아미노-3-니트로페놀 ◎ 사용한도 2.6%	염모용 화장품에만 사용	타르 색소
117	염기성자색 2 호 (Basic Violet 2) CI 42520 ◎ 사용한도 0.5%	염모용 화장품에만 사용	타르 색소
118	분산흑색 9 호 (Disperse Black 9) ◎ 사용한도 0.3%	염모용 화장품에만 사용	타르 색소
119	에치씨황색 7 호 (HC Yellow No. 7) ◎ 사용한도 0.25%	염모용 화장품에만 사용	타르 색소
120	산성적색 52 호 (Acid Red 52) CI 45100 ◎ 사용한도 0.6%	염모용 화장품에만 사용	타르 색소
121	산성적색 92 호 (Acid Red 92) ◎ 사용한도 0.4%	염모용 화장품에만 사용	타르 색소
122	에치씨청색 17 호 (HC Blue 17) ◎ 사용한도 2%	염모용 화장품에만 사용	타르 색소
123	에치씨등색 1 호 (HC Orange No. 1) ◎ 사용한도 1%	염모용 화장품에만 사용	타르 색소
124	분산청색 377 호 (Disperse Blue 377) ◎ 사용한도 2%	염모용 화장품에만 사용	타르 색소
125	에치씨청색 12 호 (HC Blue No. 12) ◎ 사용한도 1.5%	염모용 화장품에만 사용	타르 색소
126	에치씨황색 17 호 (HC Yellow No. 17) ◎ 사용한도 0.5%	염모용 화장품에만 사용	타르 색소
127	피그먼트 적색 5호 (Pigment Red 5)* CI 12490 엔-(5-클로로-2,4-디메톡시페닐)-4-[[5-[(디에칠아미노)설포닐]-2-메톡시페닐]아조]-3-하이드록시나프탈렌-2-카복사마이드	화장 비누에만 사용	타르 색소
128	피그먼트 자색 23호 (Pigment Violet 23) CI 51319	화장 비누에만 사용	타르 색소

연번	색 소	사용제한	비 고
129	피그먼트 녹색 7호 (Pigment Green 7) CI 74260	화장 비누에만 사용	타르 색소

주) *표시는 해당 색소의 바륨, 스트론튬, 지르코늄레이크는 사용할 수 없다.

자료제출이 생략되는 기능성화장품의 종류

〈제6조제3항 관련〉

1. 피부를 곱게 태워주거나 자외선으로부터 피부를 보호하는데 도움을 주는 제품의 성분 및 함량

(「화장품법 시행규칙」[별표 3] Ⅰ. 화장품의 유형(의약외품은 제외한다) 중 영 · 유아용 제품류 중 로션, 크림 및 오일, 기초화장용 제품류, 색조화장용 제품류에 한함)

연번	성분명	최대함량
1	〈삭 제〉	〈삭 제〉
2	드로메트리졸	1 %
3	디갈로일트리올리에이트	5 %
4	4-메칠벤질리덴캠퍼	4 %
5	멘틸안트라닐레이트	5 %
6	벤조페논-3	5 %
7	벤조페논-4	5 %
8	벤조페논-8	3 %
9	부틸메톡시디벤조일메탄	5 %
10	시녹세이트	5 %
11	에칠헥실트리아존	5 %
12	옥토크릴렌	10 %
13	에칠헥실디메칠파바	8 %
14	에칠헥실메톡시신나메이트	7.5 %
15	에칠헥실살리실레이트	5 %
16	〈삭 제〉	〈삭 제〉
17	페닐벤즈이미다졸설포닉애씨드	4 %
18	호모살레이트	10 %
19	징크옥사이드	25 %(자외선차단성분으로서)

연번	성분명	최대함량
20	티타늄디옥사이드	25 %(자외선차단성분으로서)
21	이소아밀p-메톡시신나메이트	10 %
22	비스-에칠헥실옥시페놀메톡시페닐트리아진	10 %
23	디소듐페닐디벤즈이미다졸테트라설포네이트	산으로 10 %
24	드로메트리졸트리실록산	15 %
25	디에칠헥실부타미도트리아존	10 %
26	폴리실리콘-15(디메치코디에칠벤잘말로네이트)	10 %
27	메칠렌비스-벤조트리아졸릴테트라메칠부틸페놀	10 %
28	테레프탈릴리덴디캠퍼설포닉애씨드 및 그 염류	산으로 10 %
29	디에칠아미노하이드록시벤조일헥실벤조에이트	10 %

2. 피부의 미백에 도움을 주는 제품의 성분 및 함량

(제형은 로션제, 액제, 크림제 및 침적 마스크에 한하며, 제품의 효능 · 효과는 "피부의 미백에 도움을 준다"로, 용법 · 용량은 "본품 적당량을 취해 피부에 골고루 펴 바른다. 또는 본품을 피부에 붙이고 10~20분 후 지지체를 제거한 다음 남은 제품을 골고루 펴 바른다(침적 마스크에 한함)"로 제한함)

연 번	성 분 명	함 량
1	닥나무추출물	2%
2	알부틴	2~5%
3	에칠아스코빌에텔	1~2%
4	유용성감초추출물	0.05%
5	아스코빌글루코사이드	2%
6	마그네슘아스코빌포스페이트	3%
7	나이아신아마이드	2~5%
8	알파-비사보롤	0.5%
9	아스코빌테트라이소팔미테이트	2%

3. 피부의 주름개선에 도움을 주는 제품의 성분 및 함량

(제형은 로션제, 액제, 크림제 및 침적 마스크에 한하며, 제품의 효능 · 효과는 "피부의 주름개선에 도움을 준다"로, 용법 · 용량은 "본품 적당량을 취해 피부에 골고루 펴 바른다. 또는 본품을 피부에 붙이고 10~20분 후 지지체를 제거한 다음 남은 제품을 골고루 펴 바른다(침적 마스크에 한함)"로 제한함)

연 번	성분명	함 량
1	레티놀	2,500IU/g
2	레티닐팔미테이트	10,000IU/g
3	아데노신	0.04%
4	폴리에톡실레이티드레틴아마이드	0.05~0.2%

4. 모발의 색상을 변화(탈염 · 탈색 포함)시키는 기능을 가진 제품의 성분 및 함량

(제형은 분말제, 액제, 크림제, 로션제, 에어로졸제, 겔제에 한하며, 제품의 효능 · 효과는 다음 중 어느 하나로 제한함)

(1) 염모제 : 모발의 염모(색상) 예) 모발의 염모(노랑색)
(2) 탈색 · 탈염제 : 모발의 탈색
(3) 염모제의 산화제
(4) 염모제의 산화제 또는 탈색제 · 탈염제의 산화제
(5) 염모제의 산화보조제
(6) 염모제의 산화보조제 또는 탈색제 · 탈염제의 산화보조제

용법 · 용량은 품목에 따라 다음과 같이 제한함

(1) 3제형 산화염모제 : 제1제 ○g(mL)에 대하여 제2제 ○g(mL)와 제3제 ○g(mL)의 비율로 (필요한 경우 혼합순서를 기재한다) 사용 직전에 잘 섞은 후 모발에 균등히 바른다. ○분 후에 미지근한 물로 잘 헹군 후 비누나 샴푸로 깨끗이 씻고 마지막에 따뜻한 물로 충분히 헹군다. 용량은 모발의 양에 따라 적절히 증감한다.

(2) 2제형 산화염모제 : 제1제 ○g(mL)에 대하여 제2제 ○g(mL)의 비율로 사용 직전에 잘 섞은 후 모발에 균등히 바른다. (단, 일체형 에어로졸제*의 경우에는 "(사용 직전에 충분히 흔

들어) 제1제 ○g(mL)에 대하여 제2제 ○g(mL)의 비율로 섞여 나오는 내용물을 적당량 취해 모발에 균등히 바른다"로 한다) ○분 후에 미지근한 물로 잘 헹군 후 비누나 샴푸로 깨끗이 씻고 마지막에 따뜻한 물로 충분히 헹군다. 용량은 모발의 양에 따라 적절히 증감한다.

* 일체형 에어로졸제 : 1품목으로 신청하는 2제형 산화염모제 또는 2제형 탈색 · 탈염제 중 제1제와 제2제가 칸막이로 나뉘어져 있는 일체형 용기에 서로 섞이지 않게 각각 분리 · 충전되어 있다가 사용 시 하나의 배출구(노즐)로 배출되면서 기계적(자동)으로 섞이는 제품

(3) 2제형 비산화염모제 : 먼저 제1제를 필요한 양만큼 취하여 (탈지면에 묻혀) 모발에 충분히 반복하여 바른 다음 가볍게 비벼준다. 자연 상태에서 ○분 후 염색이 조금 되어갈 때 제2제를 (필요 시, 잘 흔들어 섞어) 충분한 양을 취해 반복해서 균등히 바르고 때때로 빗질을 해준다. 제2제를 바른 후 ○분 후에 미지근한 물로 잘 헹군 후 비누나 샴푸로 깨끗이 씻고 마지막에 따뜻한 물로 충분히 헹군다. 용량은 모발의 양에 따라 적절히 증감한다.

(4) 3제형 탈색 · 탈염제 : 제1제 ○g(mL)에 대하여 제2제 ○g(mL)와 제3제 ○g(mL)의 비율로 (필요한 경우 혼합순서를 기재한다) 사용 직전에 잘 섞은 후 모발에 균등히 바른다. ○분 후에 미지근한 물로 잘 헹군 후 비누나 샴푸로 깨끗이 씻고 마지막에 따뜻한 물로 충분히 헹군다. 용량은 모발의 양에 따라 적절히 증감한다.

(5) 2제형 탈색 · 탈염제 : 제1제 ○g(mL)에 대하여 제2제 ○g(mL)의 비율로 사용 직전에 잘 섞은 후 모발에 균등히 바른다. (단, 일체형 에어로졸제의 경우에는 "사용 직전에 충분히 흔들어 제1제 ○g(mL)에 대하여 제2제 ○g(mL)의 비율로 섞여 나오는 내용물을 적당량 취해 모발에 균등히 바른다"로 한다) ○분 후에 미지근한 물로 잘 헹군 후 비누나 샴푸로 깨끗이 씻는다. 용량은 모발의 양에 따라 적절히 증감한다.

(6) 1제형(분말제, 액제 등) 신청의 경우

① "이 제품 ○g을 두발에 바른다. 약 ○분 후 미지근한 물로 잘 헹군 후 비누나 샴푸로 깨끗이 씻는다" 또는 "이 제품 ○g을 물 ○mL에 용해하고 두발에 바른다. 약 ○분 후 미지근한 물로 잘 헹군 후 비누나 샴푸로 깨끗이 씻는다"

② 1제형 산화염모제, 1제형 비산화염모제, 1제형 탈색 · 탈염제는 1제형(분말제, 액제 등)의 예에 따라 기재한다.

(7) 분리 신청의 경우

① 산화염모제의 경우 : 이 제품과 산화제(H_2O_2 ○w/w% 함유)를 ○ : ○의 비율로 혼합하고 두발에 바른다. 약 ○분 후 미지근한 물로 잘 헹군 후 비누나 샴푸로 깨끗이 씻는다. 1인 1회분의 사용량 ○~○g(mL)

② 탈색 · 탈염제의 경우 : 이 제품과 산화제(H_2O_2 ○w/w% 함유)를 ○ : ○의 비율로 혼합하고 두발에 바른다. 약 ○분 후 미지근한 물로 잘 헹군 후 비누나 샴푸로 깨끗이 씻는다. 1인 1회분의 사용량 ○~○g(mL)

③ 산화염모제의 산화제인 경우 : 염모제의 산화제로서 사용한다.

④ 탈색 · 탈염제의 산화제인 경우 : 탈색 · 탈염제의 산화제로서 사용한다.

⑤ 산화염모제, 탈색 · 탈염제의 산화제인 경우 : 염모제, 탈색 · 탈염제의 산화제로서 사용한다.

⑥ 산화염모제의 산화보조제인 경우 : 염모제의 산화보조제로서 사용한다.

⑦ 탈색 · 탈염제의 산화보조제인 경우 : 탈색 · 탈염제의 산화보조제로서 사용한다.

⑧ 산화염모제, 탈색 · 탈염제의 산화보조제인 경우 : 염모제, 탈색 · 탈염제의 산화보조제로서 사용한다.

구 분	성 분 명	사용할 때 농도 상한(%)
I	p-니트로-o-페닐렌디아민	1.5
	니트로-p-페닐렌디아민	3.0
	2-메칠-5-히드록시에칠아미노페놀	0.5
	2-아미노-4-니트로페놀	2.5
	2-아미노-5-니트로페놀	1.5
	2-아미노-3-히드록시피리딘	1.0
	5-아미노-o-크레솔	1.0
	m-아미노페놀	2.0
	o-아미노페놀	3.0
	p-아미노페놀	0.9
	염산 2,4-디아미노페녹시에탄올	0.5
	염산 톨루엔-2,5-디아민	3.2
	염산 m-페닐렌디아민	0.5
	염산 p-페닐렌디아민	3.3

구 분	성 분 명	사용할 때 농도 상한(%)
	염산 히드록시프로필비스(N-히드록시에칠-p-페닐렌디아민)	0.4
	톨루엔-2,5-디아민	2.0
	m-페닐렌디아민	1.0
	p-페닐렌디아민	2.0
	N-페닐-p-페닐렌디아민	2.0
	피크라민산	0.6
	황산 p-니트로-o-페닐렌디아민	2.0
	황산 p-메칠아미노페놀	0.68
	황산 5-아미노-o-크레솔	4.5
	황산 m-아미노페놀	2.0
	황산 o-아미노페놀	3.0
	황산 p-아미노페놀	1.3
	황산 톨루엔-2,5-디아민	3.6
	황산 m-페닐렌디아민	3.0
	황산 p-페닐렌디아민	3.8
	황산 N,N-비스(2-히드록시에칠)-p-페닐렌디아민	2.9
	2,6-디아미노피리딘	0.15
	염산 2,4-디아미노페놀	0.5
	1,5-디히드록시나프탈렌	0.5
	피크라민산 나트륨	0.6
	황산 2-아미노-5-니트로페놀	1.5
	황산 o-클로로-p-페닐렌디아민	1.5
	황산 1-히드록시에칠-4,5-디아미노피라졸	3.0
	히드록시벤조모르포린	1.0

<table>
<tr><th colspan="2">구 분</th><th>성 분 명</th><th>사용할 때 농도 상한(%)</th></tr>
<tr><td colspan="2"></td><td>6-히드록시인돌</td><td>0.5</td></tr>
<tr><td colspan="2" rowspan="7">II</td><td>α-나프톨</td><td>2.0</td></tr>
<tr><td>레조시놀</td><td>2.0</td></tr>
<tr><td>2-메칠레조시놀</td><td>0.5</td></tr>
<tr><td>몰식자산</td><td>4.0</td></tr>
<tr><td>카테콜</td><td>1.5</td></tr>
<tr><td>피로갈롤</td><td>2.0</td></tr>
<tr><td rowspan="2">III</td><td>A</td><td>과붕산나트륨
과붕산나트륨일수화물
과산화수소수
과탄산나트륨</td><td></td></tr>
<tr><td>B</td><td>강암모니아수
모노에탄올아민
수산화나트륨</td><td></td></tr>
<tr><td colspan="2">IV</td><td>과황산암모늄
과황산칼륨
과황산나트륨</td><td></td></tr>
<tr><td rowspan="2">V</td><td>A</td><td>황산철</td><td></td></tr>
<tr><td>B</td><td>피로갈롤</td><td></td></tr>
</table>

※ I란에 있는 유효성분 중 염이 다른 동일 성분은 1종만을 배합한다.

※ 유효성분 중 사용 시 농도상한이 같은 표에 설정되어 있는 것은 제품 중의 최대배합량이 사용 시 농도로 환산하여 같은 농도상한을 초과하지 않아야 한다.

※ I란에 기재된 유효성분을 2종 이상 배합하는 경우에는 각 성분의 사용 시 농도(%)의 합계치가 5.0 %를 넘지 않아야 한다.

※ ⅢA란에 기재된 것 중 과산화수소수는 과산화수소로서 제품 중 농도가 12.0 % 이하이어야 한다.

※ 제품에 따른 유효성분의 사용구분은 아래와 같다.

(1) 산화염모제

① 2제형 1품목 신청의 경우

Ⅰ란 및 ⅢA란에 기재된 유효성분을 각각 1종 이상 배합하고 필요에 따라 같은 표 Ⅱ란 및 Ⅳ란에 기재된 유효성분을 배합한다.

② 1제형 (분말제, 액제 등) 신청의 경우

Ⅰ란에 기재된 유효성분을 1종류 이상 배합하고 필요에 따라 같은 표 Ⅱ란, ⅢA란 및 IV란에 기재된 유효성분을 배합할 수 있다.

③ 2제형 제1제 분리신청의 경우

I란에 기재된 유효성분을 1종류 이상 배합하고 필요에 따라 같은 표 Ⅱ란 및 IV란에 기재된 유효성분을 배합할 수 있다.

(2) 비산화염모제

VA란 및 VB란에 기재된 유효성분을 각각 1종 이상 배합하고 필요에 따라 같은 표 ⅢB란에 기재된 유효성분을 배합한다.

(3) 탈색 · 탈염제

① 2제형 1품목 신청, 1제형 신청의 경우

ⅢA란에 기재된 유효성분을 1종류 이상 배합하고 필요에 따라서 같은 표 ⅢB란 및 IV란에 기재된 유효성분을 배합한다.

② 2제형 제1제 분리신청의 경우

ⅢA란, ⅢB란 또는 IV란에 기재된 유효성분을 1종류 이상 배합한다.

(4) 산화염모제의 산화제 또는 탈색 · 탈염제의 산화제

ⅢA란에 기재된 유효성분을 1종류 이상 배합하고 필요에 따라 같은 표 IV란에 기재된 유효성분을 배합한다.

(5) 산화염모제의 산화보조제 또는 탈색 · 탈염제의 산화보조제

IV란에 기재된 유효성분을 1종류 이상 배합한다.

효능·효과		신청 방식	제 형		I란	II란	III란 A	III란 B	IV란	V란 A	V란 B
염모제	산화염모	1품목 신청	1제형(1)		o	(o)	o		(o)		
			1제형(2)		o	(o)					
			2제형	제1제	o	(o)			(o)		
				제2제			o				
			3제형	제1제	o	(o)			(o)		
				제2제			o				
				제3제					(o)		
		분리신청	2제형		o	(o)			(o)		
	비산화염모	1품목 신청	1제형							o	o
			2제형	제1제				(o)			o
				제2제						o	
탈색·탈염제		1품목 신청	1제형 (1)				o	o	(o)		
			1제형 (2)				o		(o)		
			2제형(1)	제1제				o	(o)		
				제2제			o		(o)		
			2제형(2)	제1제					o		
				제2제			o				
			3제형	제1제				o	(o)		
				제2제			o		(o)		
				제3제					(o)		
		분리 신청	2제형(1)	제1제				o	(o)		
			2제형(2)	제1제			o	(o)			
			2제형(3)	제1제					o		
산화염모제의 산화제로 사용			분리신청				o		(o)		
탈색·탈염제의 산화제로 사용							o		(o)		
산화염모제, 탈색·탈염제의 산화제로 사용							o		(o)		
산화염모제의 산화보조제로 사용									o		

탈색 · 탈염제의 산화보조제로서 사용						o		
산화염모제, 탈색 · 탈염제의 산화보조제로 사용						o		

※ O : 반드시 배합해야 할 유효성분

(O) : 필요에 따라 배합하는 유효성분

※ 다만, 3제형 산화염모제 및 3제형 탈색 · 탈염제의 경우에는 제3제가 희석제 등으로 구성되어 유효성분을 포함하지 않을 수 있다.

※ 다만, 2제형 산화염모제에서 제2제의 유효성분인 ⅢA란의 성분이 제1제에 배합되고 제2제가 희석제 등으로 구성되어 유효성분을 포함하지 않는 경우에도 제2제를 1개 품목으로 신청할 수 있다.

5. 체모를 제거하는 기능을 가진 제품의 성분 및 함량

(제형은 액제, 크림제, 로션제, 에어로졸제에 한하며, 제품의 효능 · 효과는 "제모(체모의 제거)"로, 용법 · 용량은 "사용 전 제모할 부위를 씻고 건조시킨 후 이 제품을 제모할 부위의 털이 완전히 덮이도록 충분히 바른다. 문지르지 말고 5~10분간 그대로 두었다가 일부분을 손가락으로 문질러 보아 털이 쉽게 제거되면 젖은 수건[(제품에 따라서는) 또는 동봉된 부직포 등]으로 닦아 내거나 물로 씻어낸다. 면도한 부위의 짧고 거친 털을 완전히 제거하기 위해서는 한 번 이상(수일 간격) 사용하는 것이 좋다"로 제한함)

연 번	성분명	함 량
1	치오글리콜산 80%	치오글리콜산으로서 3.0~4.5 %

※ pH 범위는 7.0 이상 12.7 미만이어야 한다.

6. 여드름성 피부를 완화하는데 도움을 주는 제품의 성분 및 함량

(제형은 액제, 로션제, 크림제에 한함(부직포 등에 침적된 상태는 제외함) 제품의 효능 · 효과는 "여드름성 피부를 완화하는 데 도움을 준다"로, 용법 · 용량은 "본품 적당량을 취해 피부에 사용한 후 물로 바로 깨끗이 씻어낸다"로 제한함)

연 번	성분명	함 량
1	살리실릭애씨드	0.5 %

천연화장품 및 유기농화장품 원료

1. 미네랄유래 원료

아래 미네랄 유래 원료의 Mono-, Di-, Tri-, Poly-, 염도 사용 가능하다.
구리가루(Copper Powder CI 77400)
규조토(Diatomaceous Earth)
디소듐포스페이트(Disodium Phosphate)
디칼슘포스페이트(Dicalcium Phosphate)
디칼슘포스페이트디하이드레이트(Dicalcium phosphate dihydrate)
마그네슘설페이트(Magnesium Sulfate)
마그네슘실리케이트(Magnesium Silicate)
마그네슘알루미늄실리케이트(Magnesium Aluminium Silicate)
마그네슘옥사이드(Magnesium Oxide CI 77711)
마그네슘카보네이트(Magnesium Carbonate CI 77713(Magnesite))
마그네슘클로라이드(Magnesium Chloride)
마그네슘카보네이트하이드록사이드 (Magnesium Carbonate Hydroxide)
마그네슘하이드록사이드(Magnesium Hydroxide)
마이카(Mica)
말라카이트(Malachite)
망가니즈비스오르토포스페이트(Manganese bis orthophosphate CI 77745)
망가니즈설페이트(Manganese Sulfate)
바륨설페이트(Barium Sulphate)
벤토나이트(Bentonite)
비스머스옥시클로라이드(Bismuth Oxychloride CI 77163)
소듐글리세로포스페이트(Sodium Glycerophosphate)
소듐마그네슘실리케이트(Sodium Magnesium Silicate)
소듐메타실리케이트(sodium Metasilicate)
소듐모노플루오로포스페이트(Sodium Monofluorophosphate)
소듐바이카보네이트(Sodium Bicarbonate)
소듐보레이트(Sodium borate)
소듐설페이트(Sodium Sulfate)
소듐실리케이트(Sodium Silicate)
소듐카보네이트(Sodium Carbonate)
소듐치오설페이트(Sodium Thiosulphate)
소듐클로라이드(Sodium Chloride)

소듐포스페이트(Sodium Phosphate)
소듐플루오라이드(Sodium Fluoride)
소듐하이드록사이드(Sodium Hydroxide)
실리카(Silica)
실버(Silver CI 77820)
실버설페이트(Silver Sulfate)
실버씨트레이트(Silver Citrate)
실버옥사이드(Silver Oxide)
실버클로라이드(Silver Chloride)
씨솔트(Sea Salt, Maris Sal)
아이런설페이트(Iron Sulfate)
아이런옥사이드(Iron Oxides CI 77480, 77489, 77491, 77492, 77499)
아이런하이드록사이드(Iron Hydroxide)
알루미늄아이런실리케이트(Aluminium Iron Silicates)
알루미늄(Aluminum)
알루미늄가루(Aluminum Powder CI 77000)
알루미늄설퍼이트(Aluminium Sulphate)
알루미늄암모니움설퍼이트(Aluminium Ammonium Sulphate)
알루미늄옥사이드(Aluminium Oxide)
알루미늄하이드록사이드(Aluminium Hydroxide)
암모늄망가니즈디포스페이트(Ammonium Manganese Diphosphate CI 77742)
암모늄설페이트(Ammonium Sulphate)
울트라마린(Ultramarines, Lazurite CI 77007)
징크설페이트(Zinc Sulfate)
징크옥사이드(Zinc oxide CI 77947)
징크카보네이트 (Zinc Carbonate, CI 77950)
카올린(Kaolin)
카퍼설페이트(Copper Sulfate, Cupric Sulfate)
카퍼옥사이드(Copper Oxide)
칼슘설페이트(Calcium Sulfate CI 77231)
칼슘소듐보로실리케이트(Calcium Sodium Borosilicate)
칼슘알루미늄보로실리케이트(Calcium Aluminium Borosilicate)
칼슘카보네이트(Calcium Carbonate)
칼슘포스페이트와 그 수화물(Calcium phosphate and their hydrates)
칼슘플루오라이드(Calcium Fluoride)
칼슘하이드록사이드(Calcium Hydroxide)
크로뮴옥사이드그린(Chromium Oxide Greens CI 77288)
크로뮴하이드록사이드그린(Chromium Hydroxide Green CI 77289)

탤크(Talc)
테트라소듐파이로포스페이트(Tetrasodium Pyrophosphate)
티타늄디옥사이드(Titanium Dioxide CI 77891)
틴옥사이드(Tin Oxide)
페릭암모늄페로시아나이드(Ferric Ammonium Ferrocyanide CI 77510)
포타슘설페이트(Potassium Sulfate)
포타슘아이오다이드(Potassium iodide)
포타슘알루미늄설페이트 (Potassium aluminium sulphate)
포타슘카보네이트(Potassium Carbonate)
포타슘클로라이드(Potassium Chloride)
포타슘하이드록사이드(Potassium Hydroxide)
하이드레이티드실리카(Hydrated Silica)
하이드록시아파타이트 (Hydroxyapatite)
헥토라이트(Hectorite)
세륨옥사이드 (Cerium Oxide)
아이런 실리케이트(Iron Silicates)
골드(Gold)
마그네슘 포스페이트(Magnesium Phosphate)
칼슘 클로라이드(Calcium Chloride)
포타슘 알룸(Potassium Alum)
포타슘 티오시아네이트(Potassium Thiocyanate)
알루미늄 실리케이트(Alumium Silicate)

2. 오염물질

중금속(Heavy metals)
방향족 탄화수소(Aromatic hydrocarbons)
농약(Pesticides)
다이옥신 및 폴리염화비페닐(Dioxins & PCBs)
방사능(Radioactivity)
유전자변형 생물체(GMO)
곰팡이 독소(Mycotoxins)
의약 잔류물(Medicinal residues)
질산염(Nitrates)
니트로사민(Nitrosamines)

상기 오염물질은 자연적으로 존재하는 것보다 많은 양이 제품에서 존재해서는 아니 된다.

3. 허용 기타원료

다음의 원료는 천연 원료에서 석유화학 용제를 이용하여 추출할 수 있다.

원 료	제 한
베타인(Betaine)	
카라기난(Carrageenan)	
레시틴 및 그 유도체(Lecithin and Lecithin derivatives)	
토코페롤, 토코트리에놀(Tocopherol/ Tocotrienol)	
오리자놀(Oryzanol)	
안나토(Annatto)	
카로티노이드 / 잔토필(Carotenoids / Xanthophylls)	
앱솔루트, 콘크리트, 레지노이드(Absolutes, Concretes, Resinoids)	천연화장품에만 허용
라놀린(Lanolin)	
피토스테롤(Phytosterol)	
글라이코스핑고리피드 및 글라이코리피드 (Glycosphingolipids and Glycolipids)	
잔탄검	
알킬베타인	

* 석유화학 용제의 사용 시 반드시 최종적으로 모두 회수되거나 제거되어야 하며, 방향족, 알콕실레이트화, 할로겐화, 니트로젠 또는 황(DMSO 예외) 유래 용제는 사용이 불가하다.

4. 허용 합성원료

1) 합성 보존제 및 변성제

원 료	제 한
벤조익애씨드 및 그 염류(Benzoic Acid and its salts)	
벤질알코올(Benzyl Alcohol)	
살리실릭애씨드 및 그 염류(Salicylic Acid and its salts)	

원 료	제 한
소르빅애씨드 및 그 염류(Sorbic Acid and its salts)	
데하이드로아세틱애씨드 및 그 염류(Dehydroacetic Acid and its salts)	
데나토늄벤조에이트, 3급부틸알코올, 기타 변성제(프탈레이트류 제외) (Denatonium Benzoate and Tertiary Butyl Alcohol and other denaturing agents for alcohol (excluding phthalates))	(관련 법령에 따라) 에탄올에 변성제로 사용된 경우에 한함
이소프로필알코올(Isopropylalcohol)	
테트라소듐글루타메이트디아세테이트 (Tetrasodium Glutamate Diacetate)	

2) 천연 유래와 석유화학 부분을 모두 포함하고 있는 원료

분 류	사용 제한
디알킬카보네이트(Dialkyl Carbonate)	
알킬아미도프로필베타인(Alkylamidopropylbetaine)	
알킬메칠글루카미드(Alkyl Methyl Glucamide)	
알킬암포아세테이트 / 디아세테이트(Alkylamphoacetate / Diacetate)	
알킬글루코사이드카르복실레이트(Alkylglucosidecarboxylate)	
카르복시메칠 – 식물 폴리머(Carboxy Methyl - Vegetal polymer)	
식물성 폴리머 - 하이드록시프로필트리모늄클로라이드 (Vegetal polymer - Hydroxypropyl Trimonium Chloride)	두발/수염에 사용하는 제품에 한함
디알킬디모늄클로라이드(Dialkyl Dimonium Chloride)	두발/수염에 사용하는 제품에 한함
알킬디모늄하이드록시프로필하이드로라이즈드식물성단백질 (Alkyldimonium Hydroxypropyl Hydrolyzed Vegetal protein)	두발/수염에 사용하는 제품에 한함

* 석유화학 부분(petrochemical moiety의 합)은 전체 제품에서 2%를 초과할 수 없다.

* 석유화학 부분은 다음과 같이 계산한다.
석유화학 부분(%) = 석유화학 유래 부분 몰중량 / 전체 분자량 × 100

* 이 원료들은 유기농이 될 수 없다.

5. 제조공정

1) 허용되는 공정

(1) 물리적 공정

물리적 공정 시 물이나 자연에서 유래한 천연 용매로 추출해야 한다.

구 분	공정명	비 고
물리적 공정	흡수(Absorption) / 흡착(Adsorption)	불활성 지지체
	탈색(Bleaching) / 탈취(Deodorization)	불활성 지지체
	분쇄(Grinding)	
	원심분리(Centrifuging)	
	상층액분리(Decanting)	
	건조 (Desiccation and Drying)	
	탈(脫)고무(Degumming) / 탈(脫)유(De-oiling)	
	탈(脫)테르펜(Deterpenation)	증기 또는 자연적으로 얻어지는 용매 사용
	증류(Distillation)	자연적으로 얻어지는 용매 사용 (물, CO_2 등)
	추출(Extractions)	자연적으로 얻어지는 용매 사용 (물, 글리세린 등)
	여과(Filtration)	불활성 지지체
	동결건조(Lyophilization)	
	혼합(Blending)	
	삼출(Percolation)	
	압력(Pressure)	
	멸균(Sterilization)	열처리
	멸균(Sterilization)	가스 처리(O_2, N_2, Ar, He, O_3, CO_2 등)
	멸균(Sterilization)	UV, IR, Microwave

구 분	공정명	비 고
	체로 거르기(Sifting)	
	달임(Decoction)	뿌리, 열매 등 단단한 부위를 우려냄
	냉동(Freezing)	
	우려냄(Infusion)	꽃, 잎 등 연약한 부위를 우려냄
	매서레이션(Maceration)	정제수나 오일에 담가 부드럽게 함
	마이크로웨이브(Microwave)	
	결정화(Settling)	
	압착(Squeezing) / 분쇄(Crushing)	
	초음파(Ultrasound)	
	UV 처치(UV Treatments)	
	진공(Vacuum)	
	로스팅(Roasting)	
	탈색(Decoloration, 벤토나이트, 숯가루, 표백토, 과산화수소, 오존 사용)	

(2) 화학적 · 생물학적 공정

석유화학 용제의 사용 시 반드시 최종적으로 모두 회수되거나 제거되어야 하며, 방향족, 알콕실레이트화, 할로겐화, 니트로젠 또는 황(DMSO 예외) 유래 용제는 사용이 불가하다.

구 분	공정명	비 고
화학적 · 생물학적 공정	알킬화(Alkylation)	
	아마이드 형성(Formation of amide)	
	회화(Calcination)	
	탄화(Carbonization)	
	응축 / 부가(Condensation / Addition)	
	복합화(Complexation)	

구 분	공정명	비 고
화학적 · 생물학적 공정	에스텔화(Esterification) / 에스테르결합전이반응(Transesterification) / 에스테르교환(Interesterification)	
	에텔화(Etherification)	
	생명공학기술(Biotechnology)/ 자연발효(Natural fermentation)	
	수화(Hydration)	
	수소화(Hydrogenation)	
	가수분해(Hydrolysis)	
	중화(Neutralization)	
	산화 / 환원(Oxydization / Reduction)	
	양쪽성물질의 제조공정(Processes for the Manufacture of Amphoterics)	아마이드, 4기화반응(Formation of amide and Quaternization)
	비누화(Saponification)	
	황화(Sulphatation)	
	이온교환(Ionic Exchange)	
	오존분해(Ozonolysis)	

2) 금지되는 공정

구 분	공정명	비 고
금지되는 제조공정	탈색, 탈취(Bleaching-Deodorisation)	동물 유래
	방사선 조사(Irradiation)	알파선, 감마선
	설폰화(Sulphonation)	
	에칠렌 옥사이드, 프로필렌 옥사이드 또는 다른 알켄 옥사이드 사용(Use of ethylene oxide, propylene oxide or other alkylene oxides)	
	수은화합물을 사용한 처리(Treatments using mercury)	
	포름알데하이드 사용(Use of formaldehyde)	

6. 세척제에 사용가능한 원료

과산화수소(Hydrogen peroxide / their stabilizing agents)

과초산(Peracetic acid)

락틱애씨드(Lactic acid)

알코올(이소프로판올 및 에탄올)

계면활성제(Surfactant)

- 재생가능
- EC50 or IC50 or LC50 〉 10 mg/l
- 혐기성 및 호기성 조건하에서 쉽고 빠르게 생분해 될 것(OECD 301 〉 70% in 28 days)
- 에톡실화 계면활성제는 상기 조건에 추가하여 다음 조건을 만족하여야 함
  - 전체 계면활성제의 50% 이하일 것
  - 에톡실화가 8번 이하일 것
  - 유기농 화장품에 혼합되지 않을 것

석회장석유(Lime feldspar-milk)

소듐카보네이트(Sodium carbonate)

소듐하이드록사이드(Sodium hydroxide)

시트릭애씨드(Citric acid)

식물성 비누(Vegetable soap)

아세틱애씨드(Acetic acid)

열수와 증기(Hot water and Steam)

정유(Plant essential oil)

포타슘하이드록사이드(Potassium hydroxide)

무기산과 알칼리(Mineral acids and alkalis)

화장품법 시행규칙

〈개정 2019. 3. 14.〉

[별표 1] 품질관리기준(제7조 관련)

1. 용어의 정의

이 표에서 사용하는 용어의 뜻은 다음과 같다.

가. "품질관리"란 화장품의 책임판매 시 필요한 제품의 품질을 확보하기 위해서 실시하는 것으로서, 화장품제조업자 및 제조에 관계된 업무(시험 · 검사 등의 업무를 포함한다)에 대한 관리 · 감독 및 화장품의 시장 출하에 관한 관리, 그 밖에 제품의 품질의 관리에 필요한 업무를 말한다.

나. "시장출하"란 화장품책임판매업자가 그 제조 등(타인에게 위탁 제조 또는 검사하는 경우를 포함하고 타인으로부터 수탁 제조 또는 검사하는 경우는 포함하지 않는다. 이하 같다)을 하거나 수입한 화장품의 판매를 위해 출하하는 것을 말한다.

2. 품질관리 업무에 관련된 조직 및 인원

화장품책임판매업자는 책임판매관리자를 두어야 하며, 품질관리 업무를 적정하고 원활하게 수행할 능력이 있는 인력을 충분히 갖추어야 한다.

3. 품질관리업무의 절차에 관한 문서 및 기록 등

가. 화장품책임판매업자는 품질관리 업무를 적정하고 원활하게 수행하기 위하여 다음의 사항이 포함된 품질관리 업무 절차서를 작성 · 보관해야 한다.

1) 적정한 제조관리 및 품질관리 확보에 관한 절차
2) 품질 등에 관한 정보 및 품질 불량 등의 처리 절차
3) 회수처리 절차
4) 교육 · 훈련에 관한 절차
5) 문서 및 기록의 관리 절차
6) 시장출하에 관한 기록 절차
7) 그 밖에 품질관리 업무에 필요한 절차

나. 화장품책임판매업자는 품질관리 업무 절차서에 따라 다음의 업무를 수행해야 한다.

1) 화장품제조업자가 화장품을 적정하고 원활하게 제조한 것임을 확인하고 기록할 것

2) 제품의 품질 등에 관한 정보를 얻었을 때 해당 정보가 인체에 영향을 미치는 경우에는 그 원인을 밝히고, 개선이 필요한 경우에는 적정한 조치를 하고 기록할 것
3) 책임판매한 제품의 품질이 불량하거나 품질이 불량할 우려가 있는 경우 회수 등 신속한 조치를 하고 기록할 것
4) 시장출하에 관하여 기록할 것
5) 제조번호별 품질검사를 철저히 한 후 그 결과를 기록할 것. 다만, 화장품제조업자와 화장품책임판매업자가 같은 경우, 화장품제조업자 또는 「식품 · 의약품분야 시험 · 검사 등에 관한 법률」 제6조에 따른 식품의약품안전처장이 지정한 화장품 시험 · 검사기관에 품질검사를 위탁하여 제조번호별 품질검사 결과가 있는 경우에는 품질검사를 하지 않을 수 있다.
6) 그 밖에 품질관리에 관한 업무를 수행할 것

다. 화장품책임판매업자는 책임판매관리자가 업무를 수행하는 장소에 품질관리 업무 절차서 원본을 보관하고, 그 외의 장소에는 원본과 대조를 마친 사본을 보관해야 한다.

4. 책임판매관리자의 업무

화장품책임판매업자는 품질관리 업무 절차서에 따라 다음 각 목의 업무를 책임판매관리자에게 수행하도록 해야 한다.

가. 품질관리 업무를 총괄할 것
나. 품질관리 업무가 적정하고 원활하게 수행되는 것을 확인할 것
다. 품질관리 업무의 수행을 위하여 필요하다고 인정할 때에는 화장품책임판매업자에게 문서로 보고할 것
라. 품질관리 업무 시 필요에 따라 화장품제조업자, 맞춤형화장품판매업자 등 그 밖의 관계자에게 문서로 연락하거나 지시할 것
마. 품질관리에 관한 기록 및 화장품제조업자의 관리에 관한 기록을 작성하고 이를 해당 제품의 제조일(수입의 경우 수입일을 말한다)부터 3년간 보관할 것

5. 회수처리

화장품책임판매업자는 품질관리 업무 절차서에 따라 책임판매관리자에게 다음과 같이 회수 업무를 수행하도록 해야 한다.

가. 회수한 화장품은 구분하여 일정 기간 보관한 후 폐기 등 적정한 방법으로 처리할 것
나. 회수 내용을 적은 기록을 작성하고 화장품책임판매업자에게 문서로 보고할 것

6. 교육 · 훈련

화장품책임판매업자는 책임판매관리자에게 교육 · 훈련계획서를 작성하게 하고, 품질관리 업무 절차서 및 교육 · 훈련계획서에 따라 다음의 업무를 수행하도록 해야 한다.

가. 품질관리 업무에 종사하는 사람들에게 품질관리 업무에 관한 교육 · 훈련을 정기적으로 실시하고 그 기록을 작성, 보관할 것

나. 책임판매관리자 외의 사람이 교육 · 훈련 업무를 실시하는 경우에는 교육 · 훈련 실시 상황을 화장품책임판매업자에게 문서로 보고할 것

7. 문서 및 기록의 정리

화장품책임판매업자는 문서 · 기록에 관하여 다음과 같이 관리해야 한다.

가. 문서를 작성하거나 개정했을 때에는 품질관리 업무 절차서에 따라 해당 문서의 승인, 배포, 보관 등을 할 것

나. 품질관리 업무 절차서를 작성하거나 개정했을 때에는 해당 품질관리 업무 절차서에 그 날짜를 적고 개정 내용을 보관할 것

8. 영 제 2 조제 2 호라목의 화장품책임판매업을 등록한 자에 대해서는 제 1 호부터 제 7 호까지의 규정 중 제 3 호가목 1) · 4) · 6), 나목 1) · 4) · 5), 제 4 호마목 및 제 6 호를 적용하지 않는다.

[별표 2] 책임판매 후 안전관리기준(제7조 관련)

〈개정 2019. 3. 14.〉

1. 용어의 정의

이 표에서 사용하는 용어의 뜻은 다음과 같다.

가. "안전관리 정보"란 화장품의 품질, 안전성 · 유효성, 그 밖에 적정 사용을 위한 정보를 말한다.

나. "안전확보 업무"란 화장품책임판매 후 안전관리 업무 중 정보 수집, 검토 및 그 결과에 따른 필요한 조치(이하 "안전확보 조치"라 한다)에 관한 업무를 말한다.

2. 안전확보 업무에 관련된 조직 및 인원

화장품책임판매업자는 책임판매관리자를 두어야 하며, 안전확보 업무를 적정하고 원활하게 수행할 능력을 갖는 인원을 충분히 갖추어야 한다.

3. 안전관리 정보 수집

화장품책임판매업자는 책임판매관리자에게 학회, 문헌, 그 밖의 연구보고 등에서 안전관리 정보를 수집 · 기록하도록 해야 한다.

4. 안전관리 정보의 검토 및 그 결과에 따른 안전 확보 조치

화장품책임판매업자는 다음의 업무를 책임판매관리자에게 수행하도록 해야 한다.

가. 제3호에 따라 수집한 안전관리 정보를 신속히 검토 · 기록할 것

나. 제3호에 따라 수집한 안전관리 정보의 검토 결과 조치가 필요하다고 판단될 경우 회수, 폐기, 판매정지 또는 첨부문서의 개정, 식품의약품안전처장에게 보고 등 안전 확보 조치를 할 것

다. 안전확보 조치계획을 화장품책임판매업자에게 문서로 보고한 후 그 사본을 보관할 것

5. 안전확보 조치의 실시

화장품책임판매업자는 다음의 업무를 책임판매관리자에게 수행하도록 해야 한다.

가. 안전확보 조치계획을 적정하게 평가하여 안전 확보 조치를 결정하고 이를 기록 · 보관할 것

나. 안전확보 조치를 수행할 경우 문서로 지시하고 이를 보관할 것

다. 안전확보 조치를 실시하고 그 결과를 화장품책임판매업자에게 문서로 보고한 후 보관할 것

6. 책임판매관리자의 업무

화장품책임판매업자는 다음의 업무를 책임판매관리자에게 수행하도록 해야 한다.

가. 안전확보 업무를 총괄할 것

나. 안전확보 업무가 적정하고 원활하게 수행되는 것을 확인하여 기록·보관할 것

다. 안전확보 업무의 수행을 위하여 필요하다고 인정할 때에는 화장품책임판매업자에게 문서로 보고한 후 보관할 것

[별표 4] 화장품 포장의 표시기준 및 표시방법(제19조제6항 관련)

〈개정 2020. 3. 13.〉

1. 화장품의 명칭

다른 제품과 구별할 수 있도록 표시된 것으로서 같은 화장품책임판매업자 또는 맞춤형화장품판매업자의 여러 제품에서 공통으로 사용하는 명칭을 포함한다.

2. 영업자의 상호 및 주소

가. 영업자의 주소는 등록필증 또는 신고필증에 적힌 소재지 또는 반품 · 교환 업무를 대표하는 소재지를 기재 · 표시해야 한다.

나. "화장품제조업자", "화장품책임판매업자" 또는 "맞춤형화장품판매업자"는 각각 구분하여 기재 · 표시해야 한다. 다만, 화장품제조업자, 화장품책임판매업자 또는 맞춤형화장품판매업자가 다른 영업을 함께 영위하고 있는 경우에는 한꺼번에 기재 · 표시할 수 있다.

다. 공정별로 2개 이상의 제조소에서 생산된 화장품의 경우에는 일부 공정을 수탁한 화장품제조업자의 상호 및 주소의 기재 · 표시를 생략할 수 있다.

라. 수입화장품의 경우에는 추가로 기재 · 표시하는 제조국의 명칭, 제조회사명 및 그 소재지를 국내 "화장품제조업자"와 구분하여 기재 · 표시해야 한다.

3. 화장품 제조에 사용된 성분

가. 글자의 크기는 5포인트 이상으로 한다.

나. 화장품 제조에 사용된 함량이 많은 것부터 기재 · 표시한다. 다만, 1퍼센트 이하로 사용된 성분, 착향제 또는 착색제는 순서에 상관없이 기재 · 표시할 수 있다.

다. 혼합원료는 혼합된 개별 성분의 명칭을 기재 · 표시한다.

라. 색조 화장용 제품류, 눈 화장용 제품류, 두발염색용 제품류 또는 손발톱용 제품류에서 호수별로 착색제가 다르게 사용된 경우 '± 또는 +/-'의 표시 다음에 사용된 모든 착색제 성분을 함께 기재 · 표시할 수 있다.

마. 착향제는 "향료"로 표시할 수 있다. 다만, 착향제의 구성 성분 중 식품의약품안전처장이 정하여 고시한 알레르기 유발성분이 있는 경우에는 향료로 표시할 수 없고, 해당 성분의 명칭을 기재 · 표시해야 한다.

바. 산성도(pH) 조절 목적으로 사용되는 성분은 그 성분을 표시하는 대신 중화반응에 따른 생

성물로 기재 · 표시할 수 있고, 비누화반응을 거치는 성분은 비누화반응에 따른 생성물로 기재 · 표시할 수 있다.

사. 법 제10조제1항제3호에 따른 성분을 기재 · 표시할 경우 영업자의 정당한 이익을 현저히 침해할 우려가 있을 때에는 영업자는 식품의약품안전처장에게 그 근거자료를 제출해야 하고, 식품의약품안전처장이 정당한 이익을 침해할 우려가 있다고 인정하는 경우에는 "기타 성분"으로 기재 · 표시할 수 있다.

4. 내용물의 용량 또는 중량

화장품의 1차 포장 또는 2차 포장의 무게가 포함되지 않은 용량 또는 중량을 기재 · 표시해야 한다. 이 경우 화장 비누(고체 형태의 세안용 비누를 말한다)의 경우에는 수분을 포함한 중량과 건조중량을 함께 기재 · 표시해야 한다.

5. 제조번호

사용기한(또는 개봉 후 사용기간)과 쉽게 구별되도록 기재 · 표시해야 하며, 개봉 후 사용기간을 표시하는 경우에는 병행 표기해야 하는 제조연월일(맞춤형화장품의 경우에는 혼합 · 소분일)도 각각 구별이 가능하도록 기재 · 표시해야 한다.

6. 사용기한 또는 개봉 후 사용기간

가. 사용기한은 "사용기한" 또는 "까지" 등의 문자와 "연월일"을 소비자가 알기 쉽도록 기재 · 표시해야 한다. 다만, "연월"로 표시하는 경우 사용기한을 넘지 않는 범위에서 기재 · 표시해야 한다.

나. 개봉 후 사용기간은 "개봉 후 사용기간"이라는 문자와 "○○월" 또는 "○○개월"을 조합하여 기재 · 표시하거나, 개봉 후 사용기간을 나타내는 심벌과 기간을 기재 · 표시할 수 있다.
(예시: 심벌과 기간 표시) 개봉 후 사용기간이 12개월 이내인 제품

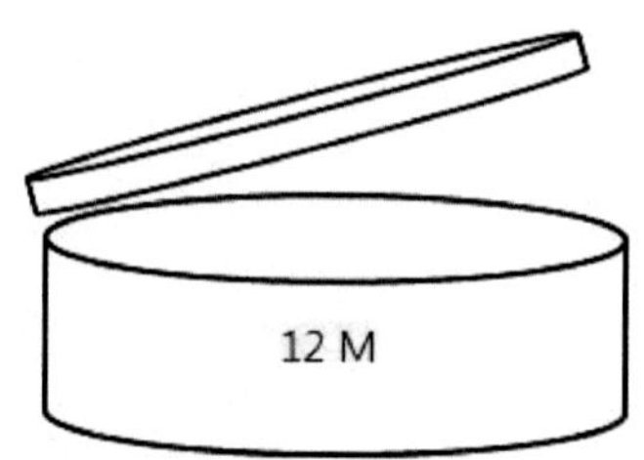

7. 기능성화장품의 기재 · 표시

가. 제19조제4항제7호에 따른 문구는 법 제10조제1항제8호에 따라 기재 · 표시된 "기능성화장품" 글자 바로 아래에 "기능성화장품" 글자와 동일한 글자 크기 이상으로 기재 · 표시해야 한다.

나. 법 제10조제1항제8호에 따라 기능성화장품을 나타내는 도안은 다음과 같이 한다.

1) 표시기준(로고모형)

2) 표시방법

가) 도안의 크기는 용도 및 포장재의 크기에 따라 동일 배율로 조정한다.

나) 도안은 알아보기 쉽도록 인쇄 또는 각인 등의 방법으로 표시해야 한다.

[별표 5] 화장품 표시 · 광고의 범위 및 준수사항(제22조 관련)

〈개정 2019. 12. 12.〉

1. 화장품 광고의 매체 또는 수단

가. 신문 · 방송 또는 잡지
나. 전단 · 팸플릿 · 견본 또는 입장권
다. 인터넷 또는 컴퓨터통신
라. 포스터 · 간판 · 네온사인 · 애드벌룬 또는 전광판
마. 비디오물 · 음반 · 서적 · 간행물 · 영화 또는 연극
바. 방문광고 또는 실연(實演)에 의한 광고
사. 자기 상품 외의 다른 상품의 포장
아. 그 밖에 가목부터 사목까지의 매체 또는 수단과 유사한 매체 또는 수단

2. 화장품 표시 · 광고 시 준수사항

가. 의약품으로 잘못 인식할 우려가 있는 내용, 제품의 명칭 및 효능 · 효과 등에 대한 표시 · 광고를 하지 말 것
나. 기능성화장품, 천연화장품 또는 유기농화장품이 아님에도 불구하고 제품의 명칭, 제조방법, 효능 · 효과 등에 관하여 기능성화장품, 천연화장품 또는 유기농화장품으로 잘못 인식할 우려가 있는 표시 · 광고를 하지 말 것
다. 의사 · 치과의사 · 한의사 · 약사 · 의료기관 또는 그 밖의 자(할랄화장품, 천연화장품 또는 유기농화장품 등을 인증 · 보증하는 기관으로서 식품의약품안전처장이 정하는 기관은 제외한다)가 이를 지정 · 공인 · 추천 · 지도 · 연구 · 개발 또는 사용하고 있다는 내용이나 이를 암시하는 등의 표시 · 광고를 하지 말 것. 다만, 법 제2조제1호부터 제3호까지의 정의에 부합되는 인체 적용시험 결과가 관련 학회 발표 등을 통하여 공인된 경우에는 그 범위에서 관련 문헌을 인용할 수 있으며, 이 경우 인용한 문헌의 본래 뜻을 정확히 전달하여야 하고, 연구자 성명 · 문헌명과 발표연월일을 분명히 밝혀야 한다.
라. 외국제품을 국내제품으로 또는 국내제품을 외국제품으로 잘못 인식할 우려가 있는 표시 · 광고를 하지 말 것
마. 외국과의 기술제휴를 하지 않고 외국과의 기술제휴 등을 표현하는 표시 · 광고를 하지 말 것
바. 경쟁상품과 비교하는 표시 · 광고는 비교 대상 및 기준을 분명히 밝히고 객관적으로 확인될 수 있는 사항만을 표시 · 광고하여야 하며, 배타성을 띤 "최고" 또는 "최상" 등의 절대적 표

현의 표시 · 광고를 하지 말 것

사. 사실과 다르거나 부분적으로 사실이라고 하더라도 전체적으로 보아 소비자가 잘못 인식할 우려가 있는 표시 · 광고 또는 소비자를 속이거나 소비자가 속을 우려가 있는 표시 · 광고를 하지 말 것

아. 품질 · 효능 등에 관하여 객관적으로 확인될 수 없거나 확인되지 않았는데도 불구하고 이를 광고하거나 법 제2조제1호에 따른 화장품의 범위를 벗어나는 표시 · 광고를 하지 말 것

자. 저속하거나 혐오감을 주는 표현 · 도안 · 사진 등을 이용하는 표시 · 광고를 하지 말 것

차. 국제적 멸종위기종의 가공품이 함유된 화장품임을 표현하거나 암시하는 표시 · 광고를 하지 말 것

카. 사실 유무와 관계없이 다른 제품을 비방하거나 비방한다고 의심이 되는 표시 · 광고를 하지 말 것

[별표 5의 2] 천연화장품 및 유기농화장품의 인증표시(제23조의2제5항 관련)

〈신설 2019. 3. 14.〉

1. 표시기준(로고모형)

가. 천연화장품　　　　　　　　나. 유기농화장품

2. 표시방법

가. 도안의 크기는 용도 및 포장재의 크기에 따라 동일 배율로 조정할 것

나. 도안은 알아보기 쉽도록 인쇄 또는 각인 등의 방법으로 표시할 것

[별표 5의 3] 인증기관의 지정기준(제23조의3제1항 관련)

〈신설 2019. 3. 14.〉

1. 조직 및 인력

국제표준화기구(ISO)와 국제전기표준회의(IEC)가 정한 제품인증시스템을 운영하는 기관을 위한 요구사항(ISO/IEC Guide 17065)에 적합한 경우로서 다음 각 목의 조직 및 인력을 모두 갖춰야 한다.

가. 조직

1) 인증업무를 수행하는 상설 전담조직을 갖추고 인증기관의 운영에 필요한 재원을 확보할 것

2) 인증업무와 인증업무 외의 업무를 함께 수행하고 있는 경우 인증기관[대표, 인증업무를 담당하는 자(인증담당자) 등 소속 임직원을 포함한다]은 천연화장품 또는 유기농화장품의 제조 · 유통 · 판매나 인증, 인증을 위한 컨설팅 또는 관련 제품이나 서비스를 제공함으로써 인증업무가 불공정하게 수행될 우려가 없을 것

나. 인력: 인증담당자를 2명 이상 갖출 것. 다만, 인증기관 지정 이후에는 인증업무량 등에 따라 인증담당자를 추가적으로 확보할 수 있다.

2. 시설

인증기관으로 지정받으려는 자는 다음 각 목의 시설을 갖추어야 한다.

가. 인증기관이 인증품의 계측 및 분석을 직접 수행하는 경우 다음의 어느 하나에 해당하는 시험 · 검사기관(이하 "시험 · 검사기관"이라 한다)이어야 하고, 인증품의 계측 및 분석 등에 필요한 시설을 갖추어야 한다.

1) 「국가표준기본법」 제23조에 따라 인정받은 시험 · 검사기관

2) 「식품 · 의약품분야 시험 · 검사 등에 관한 법률」 제6조에 따른 화장품 시험 · 검사기관

3) 그 밖에 1) 및 2)와 동등한 것으로 식품의약품안전처장이 인정한 시험 · 검사기관

나. 인증기관이 다른 시험 · 검사기관 등에 위탁하여 인증품의 계측 및 분석 등의 업무를 수행할 경우에는 인증품의 계측 및 분석 등에 필요한 시설을 갖추지 않을 수 있으며, 이 경우 인증기관은 인증품의 계측 및 분석을 위탁받은 기관(이하 "수탁기관"이라 한다)이 그 결과의 신뢰성과 정확성을 확보하기 위해 다음의 조치를 취해야 한다.

1) 인증기관은 수탁기관이 해당 분야의 시험 · 검사기관으로 인정 또는 지정 받았는지 여부와 그 인정 또는 지정을 유지하고 있는지를 확인하고 관련 증명자료를 비치할 것

2) 인증기관의 장은 수탁기관이 준수해야 하는 다음의 사항을 수탁기관에 통보하고 수탁기

관이 성실하게 이를 준수하지 않는 경우 해당 수탁기관에 대한 위탁을 중지할 것

가) 관련 규정에서 정한 절차와 방법에 따라 계측 및 분석을 실시할 것

나) 계측 및 분석 관련 해당 시료는 15일 이상 보관하고 검사결과의 원본자료(raw data)는 2년간 보관해야 하며, 인증기관의 장 또는 식품의약품안전처장의 요구가 있는 경우 제공할 것

다) 인증기관 또는 식품의약품안전처장이 수탁기관이 수행하는 검사의 절차 및 방법 등에 대한 현장 확인을 요구하는 경우 이에 협조할 것

라) 시험 · 검사기관의 업무정지, 지정취소 시 인증기관에 통지할 것

3) 인증기관의 장은 수탁기관이 검사 관련 기록을 위조 · 변조하여 검사성적서를 발급하거나 검사를 하지 않고 검사성적서를 발급하는 등 검사성적서를 거짓으로 발급하는 것으로 확인되는 경우에는 지체 없이 식품의약품안전처장에게 보고하고 해당 기관에 인증품의 계측 및 분석 위탁을 중지할 것

3. 인증업무규정

인증기관으로 지정받으려는 자는 제23조의3제5항 및 다음 각 목의 사항을 적은 인증업무규정을 갖추어야 하며, 이를 준수해야 한다.

가. 인증업무 실시방법

나. 인증의 사후관리 방법

다. 인증 수수료

라. 인증담당자의 준수사항 및 인증담당자의 자체 관리 · 감독 요령

마. 인증담당자에 대한 교육계획

바. 인증의 품질을 보장할 수 있는 관리지침

사. 인증업무와 관련하여 제기된 불만 및 분쟁에 대한 처리 절차와 조치방법에 관한 사항

아. 인증 심사, 인증 결정, 인증 활동 등 인증업무를 독립적으로 수행할 수 있는 관리체계에 관한 사항

자. 모든 신청자가 인증서비스를 이용할 수 있고, 인증의 심사 · 유지 · 확대 · 취소 등의 결정에 대해 어떠한 상업적 · 재정적 압력으로부터 영향을 받지 않는다는 사항

차. 그 밖에 인증업무 수행에 필요하다고 인정하여 식품의약품안전처장이 정하는 사항

history

약력

■ ■ ■

김윤식 박사

국제미용건강콘텐츠협회 대표회장(현)
(주) 미산바이오 연구소장
연세대학교 대학원 박사
한국열린사이버대학교 뷰티건강디자인학과 졸업

■ ■ ■

강춘구 이학 박사

국제미용건강콘텐츠협회 학회장(현)
서울한영대학교 평생교육원 뷰티과정 주임교수(현)
피부미용국가자격증 감독관(현)
라인에스테틱 원장(현)
국제미용건강콘텐츠협회 피부회장(전)
한성대학교 예술대학원 외래교수(전)
선문대학교 대학원 외래교수(전)
선문대학교 대학원 이학박사(통합의학전공)

■ ■ ■

강현경 박사수료

119스킨앤바디 원장(현)
동덕여자대학교 평생교육원 외래교수(현)
D.Y.KIM GROUP(중국 상해) 강사(현)
은평나레스터 교육이사(현)
상명대학교 외래교수(전)
강지윤 뷰티월드 원장(전)
벨라피부과 의원 상담실장(전)
상명대학교 대학원 박사수료(뷰티예술)

■ ■ ■

정인순 박사수료

카리스 힐링샵 원장(현)
한국뷰티예술실용전문학교 피부미용겸임교수(현)
한국열린사이버대학교 뷰티건강디자인학과 특임교수(현)
(사)한국피부미용사회중앙회 이사 / 강서.양천구지회 지회장
예인직업전문학교 피부미용교사(전)
천연화장품&비누만들기 전문강사(전)
숭실대학교 대학원 박사수료(뷰티공학)

■ ■ ■

이춘양 박사

한국아유르베다협회 회장
레쥬비인더스스파 대표
필리핀 NVC대학교 미용교육원 전임교수
남서울대학교 외래교수(전)
세경대학교 재활스포츠학과 외래교수(전)
국제미용건강콘텐츠협회 건강테라피 회장
제8회 월드뷰티문화축전 학술대회장
경희대학교 대학원 체육학박사(스포츠의과학)

■ ■ ■

박상태 보건학박사

(현)대한보건교육사회 명예회장(보건복지부장관 자격증 단체)
고려대학교 통합의학교실 자문교수
서울시보건협회 수석부회장
행안부 감염안전교육 전문가
(전) EBS 피부미용사 공중위생관리학 강의교수
경기대 대체의학대학원 겸임교수
중부대 한방건강관리학과 전임교수
식약처 약물부작용 전문가 위원
원광대학교 한전원 한의학박사과정 수학
대구한의대 대학원 보건학박사
(저서)EBS 피부미용사 공중 위생관리학 및 피부학

최신 맞춤형화장품조제관리사

1판 1쇄 인쇄 2020년 09월 01일
1판 1쇄 발행 2020년 09월 05일
저 자 김윤식, 강춘구, 강현경, 정인순, 이춘양, 박상태
발 행 인 이범만
발 행 처 **21세기사** (제406-00015호)
경기도 파주시 산남로 72-16 (10882)
Tel. 031-942-7861 Fax. 031-942-7864
E-mail : 21cbook@naver.com
Home-page : www.21cbook.co.kr
ISBN 978-89-8468-885-8

정가 30,000원